作業療法学

ゴールド・マスター・テキスト

地域作業療法学

［監修］長崎重信
文京学院大学 保健医療技術学部 作業療法学科 教授

［編集］德永千尋
日本医療科学大学 保健医療学部 リハビリテーション学科 作業療法学専攻 教授

田村孝司
株式会社スクルドアンドカンパニー

MEDICAL VIEW

Gold Master Textbook : Occupational Therapy in Community, 2nd edition
(ISBN978-4-7583-2049-8 C3347)

Chief Editor : NAGASAKI Shigenobu
Editors : TOKUNAGA Chihiro
TAMURA Takashi

2016. 10. 10 1st ed
2023. 9. 30 2nd ed

Printed and Bound in Japan

Medical View Co., Ltd.
2-30 Ichigayahonmuracho, Shinjyukuku, Tokyo, 162-0845, Japan
E-mail ed@medicalview.co.jp

第3版 監修の序

今回，『作業療法学ゴールド・マスター・テキスト』シリーズは2010年の発刊から2回目の改訂を迎え，第3版出版の運びとなりました。

本テキストシリーズは「作業療法学概論」・「作業学」・「作業療法評価学」・「身体障害作業療法学」・「高次脳機能障害作業療法学」・「精神障害作業療法学」・「発達障害作業療法学」・「老年期作業療法学」・「地域作業療法学」・「日常生活活動学（ADL）」・「福祉用具学」の11巻に新しく「義肢装具学」を加え，全12巻となります。

改訂作業が始まった2020年は作業療法教育の変革の年でもありました。臨床実習の形態においては，従来の，学生が臨床実習指導者の下で対象者の評価から治療まで行うものから，学生が実習指導者の行う対象者の評価から治療までを傍らで見学し，模倣してみる，一部対象者で実施するという流れで，その場で実習指導者が学生にフィードバックするクリニカル・クラークシップの作業療法参加型臨床実習への転換，地域実習の追加という大きな変更がありました。

そこで執筆者の先生方には，教科書の内容が作業療法参加型臨床実習にどのように関連しているのか示していただき，一部ですが，動画も提供していただきました。

また，2020年はコロナ禍により多くの学校が教育方法の変革を求められた年でもありました。対面授業を遠隔授業に切り替え，実習や実技科目が大きな影響を受けました。学外での臨床実習は模擬患者を用いた学内実習に切り替えたところも多かったかと思います。このような状況の中でアクティブ・ラーニングの重要性が再認識されたように思います。従来の，教室に学生を集めて講義し試験やレポートを課すスタイルから，学生が自宅でネット配信された講義動画を視聴し，その都度，課題レポートを提出し，教員が評価とコメントをつけて返却することが毎回繰り返されました。こう書くと何がアクティブ・ラーニングなのかと思われるかもしれませんが，学生が講義動画から課題を理解するために自分のペースに合わせて動画を繰り返し観て，理解したうえで調べ，課題を分析するということを学生自身が行う授業形態です。これを進めるために，教員は個々の学生と双方向の情報をやり取りする機会を増やした結果，個々の学生への指導量は増えましたが，学生の主体的な学びが伸びたように思われます。

eラーニングに関しては，文部科学省が2024年には小中高でデジタル教科書の配布を始めます。今回の遠隔授業の経験から，動画媒体がアクティブ・ラーニングにも役立つと考えます。作業療法学ゴールド・マスター・テキストシリーズも，時代の要請に応えられるよう変化させていきたいと考えています。

本シリーズをよりよいものにするためにも諸氏の忌憚ないご意見を聞かせていただければ幸いです。

2020年12月

文京学院大学
長崎重信

改訂第2版 編集の序

本書第2版の編集にあたり，地域作業療法についてできる限り俯瞰できるように配慮した。

2019年12月に中国武漢市で報告されたCOVID-19は数カ月で世界的に流行した。日本では2020年1月に最初の感染者が発見されると，感染に関する報道は多くなり，感染症や公衆衛生，医療に関連した言葉があふれるようになった。同年4月には緊急事態宣言が発出され，街の風景は一変した。この未曾有の事態は今までの生活を大きく変えた。在宅勤務が多くなり，会議はwebで参加することが一般的になった。2023年5月にCOVID-19が5類相当の対応へ移行すると，企業では在宅勤務から出社を求められることが増えていった。

地域作業療法を提供している事業所でも，この感染症による影響は大きく，感染症対策の見直し，集団感染時の対応などに加え，これまで他業界に比べ遅れていたICT技術の活用も一気に進み，最近はどの事業所でもweb会議が行われている。

一方で，在宅勤務の期間を経験したことによって，家族の暮らし方は少しずつ変化しているかもしれない。自宅での時間が増えたことは，家族との時間の価値について再考する機会になっていると思われる。このことは高齢者領域の通所系サービスや保育所等の利用率に影響を与えているかもしれない。サービスの利用者や家族にとってはその理由や価値を見直すきっかけとなり，利用する目的や提供してほしいサービス内容などがより具体化されている印象をもっている。

これまでも地域作業療法では質を求められてきたが，この波はさらに大きくなっているかもしれない。医療や介護，障害に関する知識はさらに普及し，家族などと過ごす時間の価値が見直されたことにより，生活に必要なサービスを提供するわれわれにとって，対象者が何を求め，どのような価値を置いているのかをしっかりと理解する必要性が増したと考えている。

また，感染症の影響により事業の継続性について，影響があった職場も少なくない。必要な感染症対策を行うにはコストがかかり，職員が感染した場合には休業を余儀なくされ，それでもサービスを途切れさせるわけにはいかない。このことは，地域作業療法を展開するうえで，われわれも運営や経営に関する知識が必要であることを認識するきっかけとなった。

本書ではこのような社会の変化に対応できるよう，障害福祉サービス，介護保険，地域医療に関する最新の知見を盛り込んだうえで，今後さらに必要となるであろう感染症や公衆衛生，経営も含めた職場管理，就労支援に関する内容を加えた。

本書を手に取っていただいた皆さんの地域での活躍に少しでもお役に立てば幸いである。

末筆になりますが，本書制作にあたり，執筆を快くお引き受けいただいた皆様にはお忙しいなか，大変貴重な内容をご提示いただき，この場を借りて感謝申し上げます。

2023年8月

徳永千尋，田村孝司

第1版 編集の序

移りゆくのが世の常であれば，変わりゆく姿を愛でる心のゆとりがあればと感じつつ，変わらない日々を過ごしている気がしている。社会情勢は，常に変化している。昨日までの常識がさまざまな形で変容し，予測がつかない大きなことになっていたり，まったくその存在が消滅したりする。昨今の情報ツールをみても明らかである。通勤電車の中で読書をする人が少なくなったなどと囁かれていたかと思うとスマートフォンだらけになり，視力障害を引き起こさんばかりの眼力でスマートフォンを睨みつけている。おそらくご本人にとってお得な情報やダウンロードしたゲームにむさぼりついている様子なのであろう。

進歩か進化か解りかねるが，日常生活活動や生活行為の移ろいの速さには驚くばかりである。

昭和の時代に，老人保健法が制定され，市町村単位で機能訓練事業を展開し，通所のリハビリテーションが始まった。以来，私は，在宅の障害者，特に身体障害系で，脳血管障害，小脳変成症，リウマチ，筋萎縮性側索硬化症，若年性認知症などさまざまな障害を背負われて，日々の生活に困難を呈しながらも明るく，おおらかな人生を過ごされておられる方々と接してきた。人生の実に複雑で，奥が深く，そしてその文脈をなぞらせていただくことができた。片麻痺の受容の体験を伝えてくれたAさん，自宅に籠ったことで得られたメリット，デメリットを教えてくれたBさん，ご本人のために行った家屋改修が，家族に大迷惑をもたらしたCさんなど枚挙に暇がないが，すべて私に教えていただいたのは，彼女，彼らが身を挺して，絞り出す訴えであったことは間違いない事実である。

他の専門職の方とのコラボレーションにも数多くの学びがあった。つまり，私の経験は私しかしていないが，すべてがどなたかを通じた経験であり，学びである。経験していないことは解りづらいが，お互いの経験を伝えあうことによって少しでも現状を変える機会が作れるかもしれない，将来の誰かのためになるかもしれないと思いつつ文章をしたためている。

今年になって，非常勤での機能訓練事業は辞したが，まだ現地でお暮らしになっている皆様とは，月に一度程度交わることができている。

地域包括ケアが本格化している。作業療法士は，個人の「生活行為」をしっかりサポートする医療職である。たとえ，職域が，医療の現場から福祉の現場へ移ろうが，それは医療から継続した流れが必須である。それを遂行できる数少ない専門職が作業療法士である。地域は難しいとお嘆きの方もいらっしゃるようであるが，私は，最初から，病院と地域の双方を経験してきた。病院がしっかり医療を施さないと地域での暮らしが困難になるし，地域の支えがない状況であると病院も困る状況であった時代からはかなり時を要したが，国の姿勢が変わってきたのである。2年に一度の医療保険改正，3年に一度の介護保険改正，約6年ごとの国家試験出題基準改定など変わっていくことが前提の流れであろう。

近いうちに，指定規則も改正される。学ばなければならない事が増えるのか，複雑化するのか予想できないが，核となる「作業療法」の精神は不変である。

身に付けた知識と経験は，患者，対象者，クライエントからもたらされたものである。どうぞ，スキルアップして，ブラッシュアップして現場にお返し頂ければ幸甚である。

2016年8月

編者を代表して
日本医療科学大学
徳永千尋

執筆者一覧

監修

長﨑重信	文京学院大学 保健医療技術学部 作業療法学科 教授

編集

德永千尋	日本医療科学大学 保健医療学部 リハビリテーション学科 作業療法学専攻 教授
田村孝司	株式会社スクルドアンドカンパニー

執筆者（掲載順）

田村孝司	株式会社スクルドアンドカンパニー
服部律子	株式会社エスエス，京都大学医学部附属病院 デイ・ケア診療部 作業療法士
梶原幸信	伊東市民病院 医療技術部 部長
德永千尋	日本医療科学大学 保健医療学部 リハビリテーション学科 作業療法学専攻 教授
林　義巳	多摩リハビリテーション学院専門学校 学院長
上野喜世	リハビリ企画合同会社 りは職人 訪問看護ステーション
大内義隆	東北医療福祉事業協同組合 介護事業推進室 室長（医療法人 仁泉会）
西留桂子	星空の都なかごう 主任機能訓練指導員
杉長　彬	草加すずのきクリニック リワークデイケアこころみ 作業療法士
村島久美子	桜新町アーバンクリニック 在宅医療部
水野高昌	医療創生大学 健康医療科学部 作業療法学科 教授
浅井憲義	前 北里大学 名誉教授
中村美緒	東京大学 高齢社会総合研究機構 客員研究員
中山奈保子	東日本大震災を乗り越える親子の記録 三陸こざかなネット
髙島千敬	広島都市学園大学 健康科学部 リハビリテーション学科 作業療法学専攻 准教授
長倉寿子	兵庫県立リハビリテーション中央病院 教育・連携担当 部長
三橋力也	えつりファーム株式会社 専務取締役
阿部三知代	介護老人保健施設しもだ リハビリテーション科 科長
佐々木千恵美	作業療法士
大村隼人	東京都立荏原病院 リハビリテーション科 主任
岩波貴也	株式会社ワイズ 脳梗塞リハビリセンター本部 副本部長
佐藤栄俊	ビコー訪問看護 リハビリテーション板橋 副所長
宮本香織	夢結 介護事業部 部長
長井陽海	作業療法士
土居義典	有限会社 総合リハビリ研究所 役員

目次

事例集 301

本書では，「訓練」を意味する表現について，指導を受けて行うものを「訓練」，自主的に行うものを「練習」と表記しております。また，地域で支援・サービスを受ける人を，場所に応じてそれぞれ「対象者」や「利用者」，「患者」などと表記しております。その点を何卒ご理解のうえお読みいただければ幸いです。

本書の特徴

本書では，学習に役立つ以下の囲み記事を設けております。

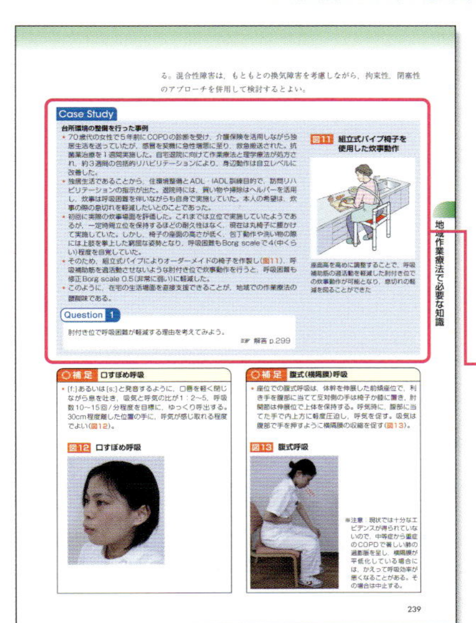

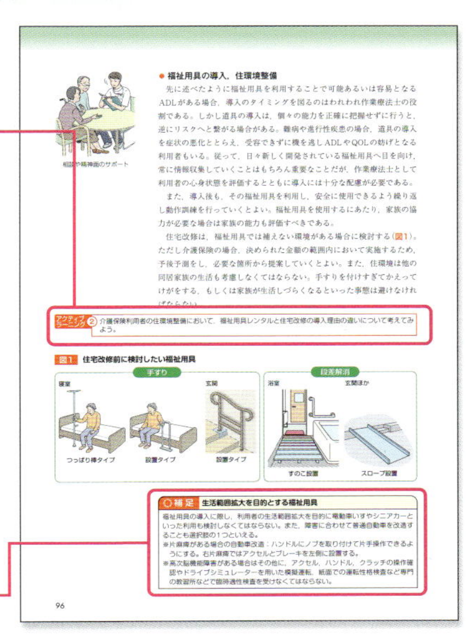

アクティブラーニング

学生の考える力を養う質問をご提案しています。

Case Study・Question

授業や自習で活用できる，事例に関する質問を掲載しています。

補足

本文の内容をさらに掘り下げた内容や関連情報，注意点などを解説しています。

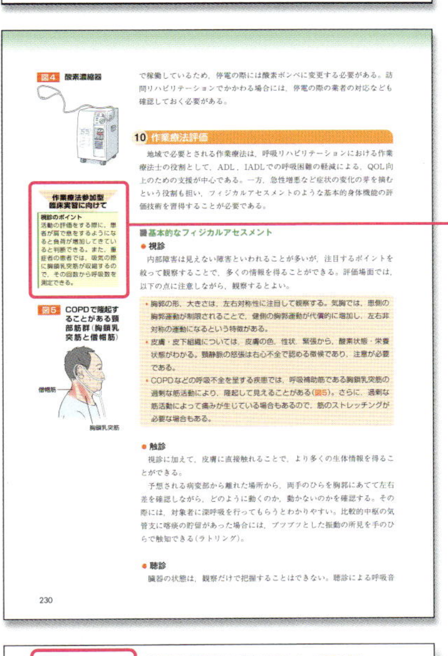

作業療法参加型臨床実習に向けて

新しい実習形式に役立つ解説を掲載しています。

試験対策 point

学内試験や国家試験に役立つ内容を掲載しています。

大きな図表は当社ウェブサイトに掲載しています。QRコードよりアクセスしてください。

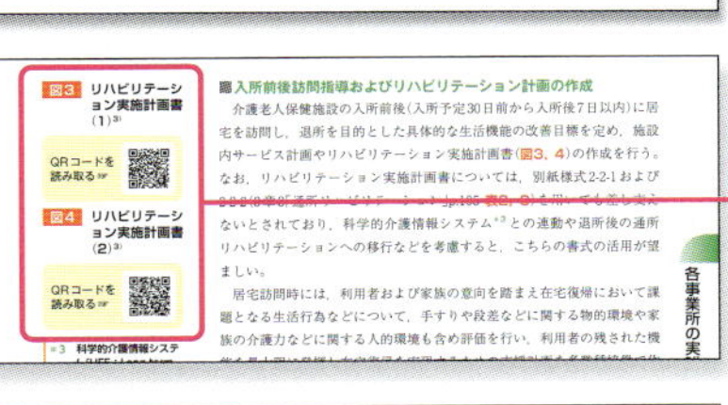

チェックテスト

各項目のまとめを質問形式でまとめた囲み記事です。質問の解答は，当社ウェブサイトに掲載しています。下記URLまたは右のQRコードよりアクセスしてください。

メジカルビュー社ウェブサイト

https://www.medicalview.co.jp/download/ISBN978-4-7583-2049-8/

1章

地域の生活と地域作業療法

1 地域の生活

田村孝司

Outline

- 地域作業療法では生活を作業として考えることが重要である。
- 地域では地域社会における暮らし(参加場面)から活動と心身機能を分析していく視点が必要となる。
- 地域に暮らす対象者の環境因子は多面的な側面からとらえる。
- 地域に暮らす対象者の生活実態を客観的に把握する。

1 はじめに

本項では地域作業療法を実践するために必要となる生活に対する視点を学習することを目的に，リハビリテーション，作業療法の視点と社会学的視点および生活環境(主に住宅)に関する制度について確認し，多角的視点から生活について解説する。

2 生活とはどういう作業か

■ 作業の定義と生活

地域で作業療法を実践するとき，対象者の生活を考えることは，ごく自然である。地域で暮らす対象者は，そこに毎日の生活があり，生活のための作業を毎日遂行する必要がある。作業療法士が地域で作業療法を提供している場面は，筋力強化訓練や園芸，会話など，ときに芸術的でさえある。作業療法士が扱う作業について，吉川[1]は，作業療法の定義の変遷についてまとめ，「作業は人が行う活動の集まり」であるとした。

人が行う作業にはバランスがあり，これを**作業バランス**とよぶ。作業バランスは，例えば日常生活活動，仕事/生産的活動，遊び/余暇活動における時間配分であったり，義務と願望の均衡であったりする。これらの作業は，遂行構成要素である感覚運動，認知/認知統合，心理社会/心理的要素と，遂行の背景である時間的/環境的要素に影響を受ける。このバランスが崩れた状態になると，作業遂行に障害があると定義できる(**図1**)[2]。人間作業モデルでは，人間システムは，意志，習慣化，遂行の3つのサブシステムからなるという概念を示しており，人間を階層的，包括的にとらえる枠組みを提示している[3]。

また，生活は大きな概念である。生活とは「①生きていること。生物がこの世に存在し活動していること，②人が世の中で暮らしていくこと。暮らし，③収入によって暮らしを立てること。生計」[4]とある。生物的な

図1　作業遂行モデル

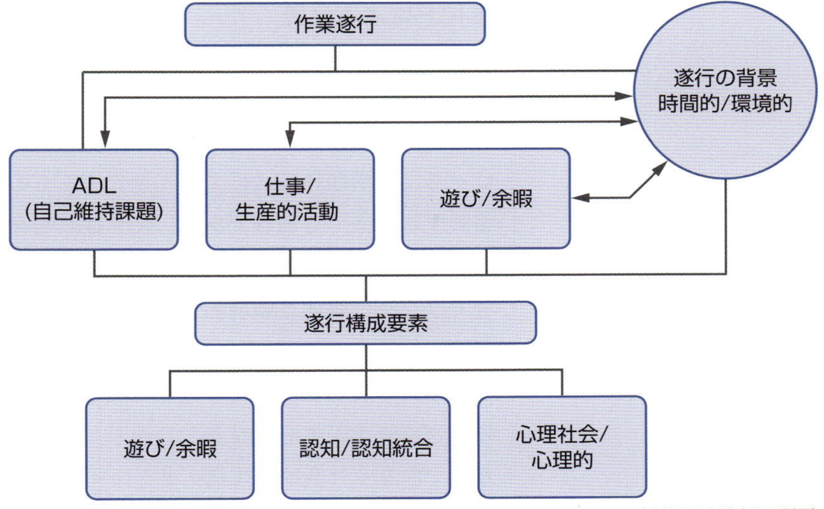

（文献2より改変して引用）

「生」から社会で生きる「生」，そして暮らしを組み立てることも生活に含まれるため，作業療法では人の生物としての生活だけではなく，社会的な生活，暮らしの組み立てについても考える必要がある。

そして，生活を扱う学問には社会学がある。社会学は，国家や村落，企業，学校，家族など，個人を超えるものをとらえるマクロ社会学と，個人および個人間の相互行為などに視点を置くミクロ社会学に分けられる。作業療法士が注目する生活は，その対象者個人の生活を中心としてとらえることが多いため，ミクロ社会学の概念が有効となる。山岸[5]は，人が行う日常生活は，「社会的世界を構築する営み」であるとしている。これは，作業療法で考える生活と社会学で考える生活に，共通点があることを示している。従って作業療法は，その対象者の心身機能・身体構造から，参加，社会学的な側面までを対象とする必要がある。そして，実際の生活のなかにある作業を再構成することに，地域作業療法の観点がある。

2015年の介護報酬改定では，生活行為向上リハビリテーション実施加算が新設された。介護保険制度では介護保険サービスを受ける対象者は地域で生活することを基本理念としていることから，これまで作業療法士が提供していた地域におけるリハビリテーションが評価されたものである。生活を見ることができる作業療法士は地域におけるリハビリテーションの重要な担い手となる。

2021年の介護報酬改定では，自立支援と重度化防止のためのリハビリテーション・機能訓練が評価されている。また，それまで別に運用されていた介護データベースとリハビリテーションデータベースが統合され，科学的介護推進体制加算が新設された。

3 地域作業療法の評価の視点

■ ICFによる分析

リハビリテーションでは，人の生活機能と障害に関する状況は国際生活機能分類（ICF：International Classification of Functioning, Disability and Health）で分析し，その相互作用を考察してアプローチする。このアプローチは，病期や領域によって変化するものではない。地域で作業療法を実践するうえでも同様である。ICFは，心身機能・身体構造，活動と参加に，背景因子として環境因子と個人因子に分類するが，地域で暮らす対象者では，特に**参加と環境因子，個人因子の把握**が不可欠となる。病院などでは，生活のなかでも「生きる」ことに焦点が当てられ，その後どのような生活を再構成するのかを考えるため，心身機能や身体構造，活動と参加へのアプローチが中心となる。しかし，地域で暮らす対象者は，生きることだけではなく社会的な生活，そしてその組み立てが必要となる（**図2**）[6]。

図2 地域作業療法の視点

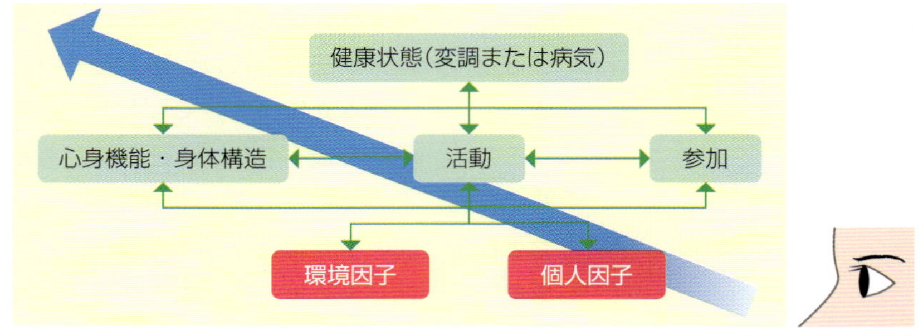

（文献6より改変引用）

■ 環境因子としての生活

住んでいる家の広さや建て方，その家がある場所によっても暮らし方が変わるように，人は生活するうえで環境から多くの影響を受ける。環境には，人的環境（家族構成や近隣との関係）や物理的な環境，文化的背景（その地域の価値観や風習），社会資源や制度なども含まれる。

人的環境では，例えば対象者の家族の年齢や性別，働いているのか，家にいるのかなど，家族の一人一人の状況とそれらを含めた家族全体としての状況が，地域での生活に重要な影響を与える。介護に対する考え方は，対象者とその家族が住む地域の文化的背景によって左右される。また，その家族のもつ独特な価値観も大いに影響する。従って，家族が対象者の生活に対して何をしようと思っているのかを把握することは，家族が対象者に行う支援を評価するうえで重要となる。そのうえで，対象者に直接的または間接的に支援する人が，何ができるかを探ることになる。具体的には，性別や年齢などの一般的な項目，痛みや筋力などの身体機能，介助方法の理解度や経験，実際の介助を行う場合の体力（続けていけるのか）など，支援に必要な能力の確認が必要となる。

物理的な環境としては，住宅の役割・機能が生活に大きな影響を与える。外出することを考えた場合，家から外までのアプローチはどうなっているのか，外出先での移動方法はどうなるのかを把握する必要がある。日本作業療法士協会のアセスメント表には，家屋評価の項目があり参考となる。また，実際に評価を行うにあたっては，建築と製図に関する基本的な知識をおさえておくとよい。

日本で建築しようとするときには，いくつかの法律を順守しなくてはならない。建物を火災から未然に防ぎ，人の命を守るために消防法があり，消防の設備に関する規定が定められている。その一部は，建築基準法や市町村の条例と関係がある。建築基準法は「建築物の敷地，構造，設備及び用途に関する最低の基準を定めて，国民の生命，健康及び財産の保護を図り，もつて公共の福祉の増進に資することを目的とする」とされ，さまざまな建築物の基準が定められている。さらに，具体的な運用方法が，建築基準法施行規則や関係通知などで細かく定められている。都市計画法では，都市計画の決定や手続き，制限などが定められており，建ぺい率や容積率なども決定されている。そのほかにも，高齢者や障害者の自立生活のための公共交通機関や公園，道路などの整備に関する「高齢者，障害者等の移動等の円滑化の促進に関する法律（バリアフリー法）」，「宅地造成法」，「水道法」，「下水道法」など，建築にかかわる法律は細かく定められている。従って，建築物の変更に関しては，建築の専門家との協力が必要になる。

建築物に関する製図では，建築製図記号を用いる。これには，建物の平面図・側面図を表す平面図記号，材料表示記号，建具の種類別・開閉方法別・構成種類別の表示記号があり，JIS A 0150（建築製図通則），JIS A 0151（建具記号）で規定されている（**図3**）[7]。

図3　壁と建具の表示記号

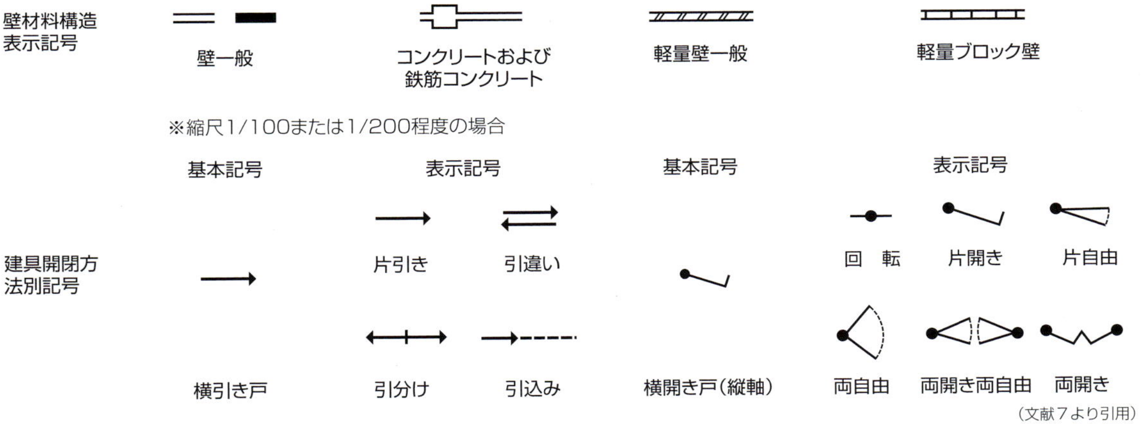

壁材料構造表示記号

壁一般　コンクリートおよび鉄筋コンクリート　軽量壁一般　軽量ブロック壁

※縮尺1/100または1/200程度の場合

建具開閉方法別記号

基本記号	表示記号		基本記号	表示記号		
横引き戸	片引き	引違い	横開き戸（縦軸）	回　転	片開き	片自由
	引分け	引込み		両自由	両開き両自由	両開き

（文献7より引用）

■時間による生活

生活時間を把握することは，いつ，どこで，どのような介護が必要となるのか，どのような動作が求められているのかを把握するために重要である。起床は何時ごろで，どのように起きるのか，着替えるのは朝食の前なのか後なのか，いつ出かけるのかなどによって，同じ行為を行ったとしてもその動作は微妙に変化し，動線は大きく変化する。また，生活時間の把握は，必要な介護を誰がどのように行うのかを判断するためにも欠かせない情報となる。これには，介護保険を使用するときに用いられる居宅サービス計画表の第3表（**表1**）[8]や，日本作業療法士協会のアセスメント表が参考になる。これに沿って記入を進めると，生活の経時的な流れが把握できる。もともとの対象者の生活（食事の時間や就寝時間など）と，介護者の介護やサービスの利用の時間とは，分けて把握するほうがよい。

表1 週間サービス計画表第3表[8]

QRコードを読み取る☞

■文脈としての生活

人の生活には歴史がある。それは高齢者に限ったことではなく，若くてもその人なりの時間経過が必ずある。生まれてから現在までの生活がどう変化したのかを確認し，今後のその人の暮らし方，生活を推測することが必要となる。また，その人の過去の生活における社会状況を把握することも忘れてはならない。その人が生まれたときはどのような時代だったのか，学校に通っていたころに流行っていたものは何か，学校を卒業したときの社会情勢や経済状況はどうだったのかなどを把握することは，その人の過去の生活を相対的に把握する一助となる。これに加えて，対象者自身がどのように体験したのか，どう感じていたのかを尋ねることによって，対象者の生活が浮かび上がってくる。

この生活史にも近い，いわば体験としての生活を把握するのは容易なことではない。1回の面接ですべてを聞き取ることは不可能に近い。従って，作業療法プログラムを進行させつつ，ゆっくりと対象者の物語に耳を傾ける。対象者が語った物語は，作業療法プログラムの経過とともに記録し整理すると，次回の話題づくりにもつながり有用である。

アクティブラーニング 1　現在90歳の人が20歳代，30歳代，40歳代のころ，どのような社会を過ごしていたのか，新聞などから調べてみよう。

4 生活の実態

対象者のリハビリテーション目標を考えるときに，自分がもし対象者と同じような境遇だったらどうしていたかと考えることが必要となる。普通の生活とは何か。一見，簡単そうにみえて，実は前述のとおり，生活は複雑なものである。その人にとっての普通の生活は，他人からみれば独特の生活であり，他人とまったく同じ生活というのはありえない。しかし，対象者の生活を地域(文化)や年齢(発達課題)，生活時間などに沿って考えると，対象者の生活の何を把握することが必要なのか，それは相対的にどのような状態なのかを評価するきっかけが生まれる。

図4は，ある70歳代後半の人の1日の生活を時間で示したものである。朝は6時に起床し，着替えて身支度を整えてから散歩し，朝食を食べて…，となっている。最近は朝食を摂らない人も増えているようである(**図5, 6**)。厚生労働省が行った2018年の国民健康・栄養調査[9]では，年齢が低いほど栄養バランスのとれた食事を摂取することが難しくなる傾向がある。また，年齢が上がるほど，栄養バランスのとれた食事を摂取している傾向がある。栄養摂取は生活状態と密接に関連していることから，作業療法士は対象者が栄養のバランスがとれるよう，生活を組み立てる必要がある。

アクティブラーニング ② 自分の生活について国民健康・栄養調査と比較してみよう。

朝の一連の動作を済ませると，新たな作業の時間となる。この時間は，対象者の発達段階によって大きく異なる。**図4**の人の場合は，家事やボランティア，付き合い，通院，買い物となっている。対象者が学童期の場合は学校へ行って授業を受けたり，友達と遊んだりすることになる。青年期そして成人期になるにつれて，それまでの画一的な過ごし方から変化し，仕事，家事，育児など，生活の違いが大きくなる。

図4の人の場合，夕方6：30ごろに帰宅し，食事，入浴などの後で，夜9：00に就寝する。一般に，多くの人が夕方には家に帰り，夕食や入浴，団らん，リフレッシュの時間を過ごす。入浴にかかる平均時間は30〜40分とする調査が多く[6]，ほとんどの人が毎日入浴している。現在は個々の住宅に浴槽が普及しているが，家庭浴槽は昭和30年代以降に建てられた家屋から徐々に普及した。昭和40年代になると，高度経済成長を受けて公営住宅にも浴槽の普及が進んだが，それまで入浴は，わざわざ公衆浴場に出掛けていた。公衆浴場では，週1回は必ず定休日があり，地域ごとに

図4 ある70歳代後半の人の1日の生活

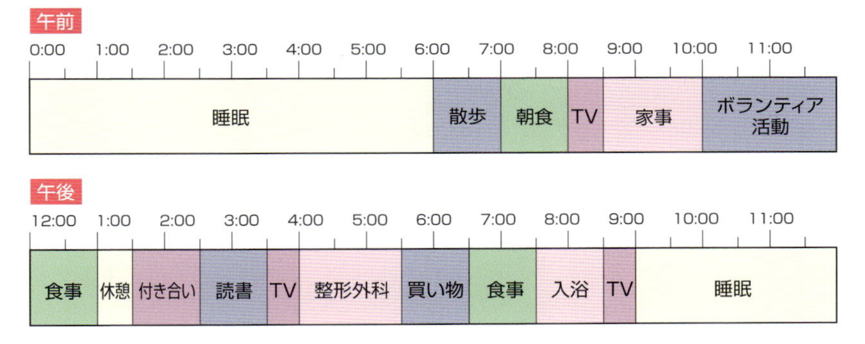

おおむね同じ曜日に設定されることが多かった。そのため昔は，週に1回は入浴できない日があった。

2015年のNHKによる国民生活時間調査では高齢者の就業が増えていることが明らかになった。70歳以降になると就業率は低下し，この人のように休息時間とメディアへの接触時間などが増加する。しかし，レジャー活動がある高齢者は生活における必需行動の時間が少ない。高齢者の生活の変化は就業期間の延長，仕事と認識している作業の増加が影響していると考えられる。これは自由に使える時間が減り，義務と感じる時間の増加を示していると考えられる。また，高齢者の健康寿命の延長により現在の高齢者が活動的になっていることが示されている。

図5　朝食の欠食率の内訳（20歳以上，性・年齢階級別）

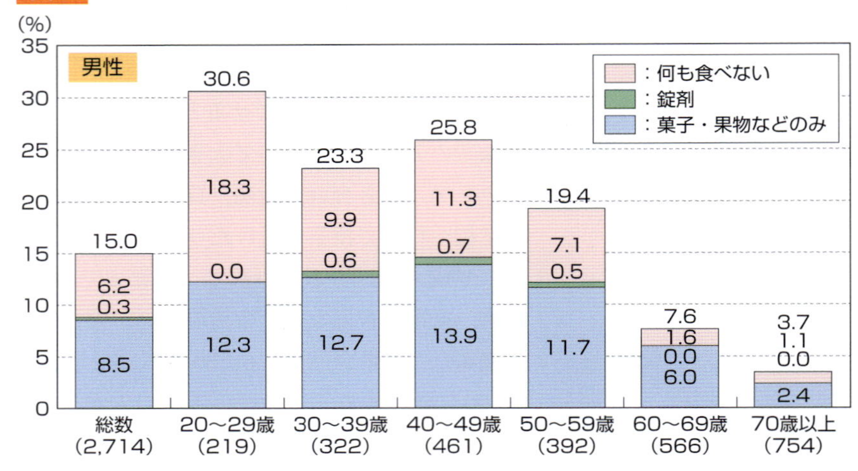

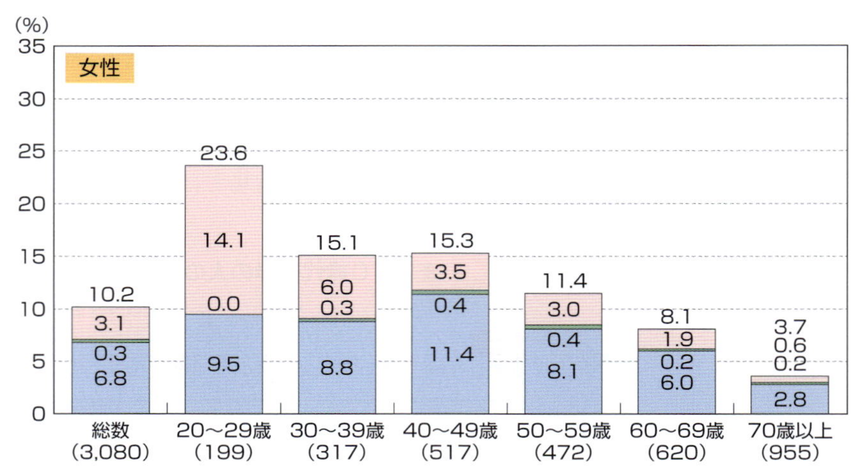

朝食の欠食率は男性15.0%，女性10.2%である。年齢階級別にみると，男女ともにその割合は20歳代で最も高く，それぞれ男性30.6%，女性23.6%である。

（文献9より引用）

図6　朝食の欠食率の年次推移（20歳以上，性・年齢階級別）（平成19～29年）

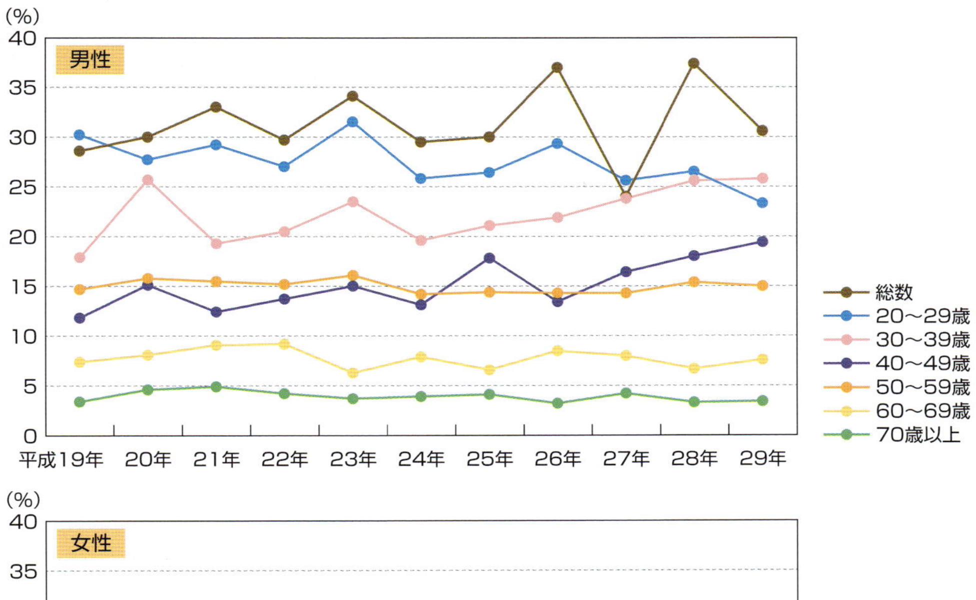

（文献9より引用）

上記は1例ではあるが，作業療法士は，対象者の生活における目標を考えるときに，本項でみてきたような**多角点な視点**で生活をとらえ，できるだけよい生活を送れるように検討を進めるべきである。普段の生活に加えてよりよい生活のイメージをもつことが，対象者の目標を設定するうえで必要となる。

アクティブ・ラーニング 3　10年前と現在では生活がどのように変化したか，それはなぜなのか，国民生活時間調査をもとに考えてみよう。

【引用文献】
1) 吉川ひろみ：作業療法における「作業」の変遷．作業療法ジャーナル，39(12号)：1160，2005.
2) American Occupational Therapy Association(AOTA)：作業療法統一用語 第3版．Am J Occup Ther, 48: 1047-1054, 1994.
3) 山田 孝 監訳：人間作業モデル 改訂第3版，協同医書出版社，2007.
4) 松村 明ほか 監：大辞泉，小学館，1998.
5) 山岸 健：日常生活の社会学，NHK出版，1978.
6) 障害者福祉研究会 編：ICF 国際生活機能分類 ー国際障害分類改訂版ー，2002.
7) 日本建築学会：JIS A 0150 建築製図通則，1999. およびJIS A 0151 建具記号，1961.
8) 厚生労働省：居宅サービス計画書(www.mhlw/shingi/0112/s1210/1210-1e.html，2023年3月15日閲覧)
9) 厚生労働省：平成29年度 国民健康・栄養調査結果の概要(https://www.mhlw.go.jp/content/10904750/000351576.pdf，2023年3月15日閲覧)

【参考文献】
1. 日本社会福祉士会：ケアマネジメント実践記録様式 介護保険課題分析標準項目準拠版 Ver.4，2009.
2. 日本能率協会総合研究所 編：ニッポン人の生活時間データ総覧2005年版，生活情報センター，2005.

チェックテスト

Q

①生活のなかにある作業にはどのようなものがあるか(☞p.2)。 基礎
②地域作業療法の評価の視点を挙げよ(☞p.3，4)。 基礎
③人の生活に影響を与える環境因子にはどのようなものがあるか(☞p.4)。 基礎
④文脈としての生活を理解するためには，どのような対応が求められるか(☞p.9)。 臨床
⑤対象者の生活を相対的に把握するためには，どのようなことを考慮する必要があるか(☞p.9，10)。 臨床

2 地域リハビリテーションの経緯と理念

田村孝司

Outline

- 地域リハビリテーションの概念は，リハビリテーションの進化に伴い，発展している。
- 地域リハビリテーションの概念の成り立ちには，発展途上国におけるリハビリテーション活動が影響を与えている。
- 地域包括ケアシステムの進展とリハビリテーション技術の進化に加え，対象者ニーズの多様化は作業療法の活躍場面を広げている。

1 地域リハビリテーションの歴史

地域リハビリテーションは，リハビリテーションの歴史のなかで語られるように，専門家中心，施設中心であった障害者の暮らしとリハビリテーションの提供から，人権思想の高まりとともに地域での主体的な生活に移行し重視されるようになった。

1960年代にはアメリカにおいて自立生活運動（IL：Independent Living movement）が始まった。**ノーマライゼーション**はデンマークのNiels Erik Bank-MikkelsenやBengt Nirjeらによって提唱された。知的障害者の処遇すなわち施設での不自由な生活に対して，障害があっても一般市民と同等の生活と権利を保障されなければならないという理念である。このような運動は1978年にWHO/UNICEFが発表したアルマ・アタ宣言「2000年までに全ての人に健康な生活を」によって加速する。1979年に最初の**地域に根ざしたリハビリテーション**（CBR：community-based rehabilitation）マニュアルとなる「Training in the Community for People with Disabilities」を発表し，CBRの試験的な取り組みが途上国9カ国で3年計画によって開始された[1)]。CBRの定義は2003年に再検討され，2004年に「CBR ジョイントポジションペーパー 2004」が発行された。CBRの概念が整理されると2010年にCBRガイドラインが世界保健機関（WHO：World Health Organization）から発行された。CBRは障害者の生活の質（QOL：quality of life）向上のため，また，統合的な社会を実現するために必要不可欠なすべての分野に焦点を当てて実施することを目標としている。

2 地域リハビリテーションの概念

「CBRとは，障害のあるすべての人々のリハビリテーション，機会の均等，そして社会への統合を地域のなかで進めるための戦略である。CBRは，障害のある人々とその家族，そして地域，さらに適切な保健，教育，職業および社会サービスが統合された努力により実施される」

（WHO，ILO，UNESCO，1994.）

CBRの初期の定義は発展途上国に「community health worker」の概念が紹介され，貧困，保健，開発，人口増加，コミュニティー参加といった点に重点を置いた保健サービスが推進されるようになった。2004年の「CBRジョイントポジションペーパー」でCBRは，**障害をもつすべての人々のリハビリテーション，機会均等，ソーシャル・インクルージョン**（社会的統合）のための総合的な地域開発のなかの1つの戦略とされ，障害者自身とその家族，組織や地域社会，そして関連する政府／非政府の保健，教育，職業教育，社会的，そのほかのサービスの複合された努力を通して実行されるとした。CBRの主要な目的を障害者が身体的，精神的能力を最大限発揮でき，通常のサービスと機会を利用でき，地域や社会において積極的な貢献者となるよう促進すること，参加の障壁を取り除くといった，地域社会での変化を通して障害者の人権を促進，保護するよう地域社会を活性化することとした。このような概念の発展は障害とリハビリテーションの概念，人権の重視，不平等と貧困緩和のための行動，DPO（Disabled People's Organization）の役割拡大の重要性に関連するとした。2010年に発表された「CBRガイドライン」ではCBRの目的はCBID（Community-based Inclusive Development：地域に根ざしたインクルーシブ開発）であるとしている。ガイドライン作成の目的は「CBRジョイントポジションペーパー」および障害者権利条約に則したCBRプログラムの開発・強化方法に関する指針の提供，特に貧困削減を目的とした開発イニシアティブに障害を主流として組み込む助けとなる，地域に根ざしたインクルーシブな開発戦略としてのCBRの促進，保健，教育，生計および社会の各部門へのアクセスを促進することによって障害のある人々とその家族の基本的なニーズを満たし，生活の質の向上を図るための，関係者に対する支援，開発と意思決定プロセスへのインクルージョンと参加を推進することにより，障害のある人々とその家族のエンパワメントを促進するよう，関係者に促すこととされている。

このなかでリハビリテーションは障害のある人が，彼らの総合的な健康，インクルージョン，参加に寄与するリハビリテーションサービスを利用することを目的としている。地域に根ざしたサービス提供は専門施設でのリハビリテーションサービスのフォローとして必要であり，対象者が地域に戻ったあとでも，家や地域で新しい技能や知識を用いた継続的な支援や介助が欠かせないだろう。CBRプログラムでは家庭訪問や必要なリハビリテーションの継続による支援を提供することができる。また，地域におけるリハビリテーションサービスは，リハビリテーションの専門施設と密接に連携する必要がある。障害のある人のニーズは時期により変化し，長期間における定期的な支援が必要な場合もある。リハビリテーションの成功は，障害のある人々，リハビリテーション専門職，そして地域にいる関係者の間の強い協力にかかっているのである[2)]。

アクティブラーニング ① 自分の住んでいる地域の地域ケアシステムを調べてみよう。

3 日本における地域リハビリテーションの導入

地域リハビリテーションの定義[3)]

障害のある人々や高齢者およびその家族が住み慣れたところで，そこに住む人々とともに，一生安全に，いきいきとした生活が送れるよう，医療や保健，福祉および生活にかかわるあらゆる人々や機関・組織がリハビリテーションの立場から協力し合って行う活動のすべてをいう。

活動指針

これらの目的を達成するためには，障害の発生を予防することが大切であるとともに，あらゆるライフステージに対応して継続的に提供できる支援システムを地域に作っていくことが求められる。

ことに医療においては廃用症候群の予防および機能改善のため，疾病や傷害が発生した当初よりリハビリテーション・サービスが提供されることが重要であり，そのサービスは急性期から回復期，維持期へと遅滞なく効率的に継続される必要がある。

また，機能や活動能力の改善が困難な人々に対しても，できる限り社会参加を可能にし，生ある限り人間らしく過ごせるよう専門的サービスのみでなく地域住民も含めた総合的な支援がなされなければならない。

さらに，一般の人々が障害を負うことや年をとることを自分自身の問題としてとらえるよう啓発されることが必要である。

日本におけるリハビリテーションの本格的な導入は1963年にリハビリテーション医学会が創立され，1965年に理学療法士法及び作業療法士法が制定されたことによる。このとき，地域リハビリテーションの概念の一部はすでに導入されていたと考えられるが，地域リハビリテーションの本格的な展開は1983年の老人保健法施行後と考えられる。老人保健法では機能訓練事業や訪問リハビリテーション，老人保健施設などが制度化され，地域リハビリテーション提供施設とされた。日本における地域リハビリテーションの導入は地域で暮らすための高齢者施策が中心であったため，貧困などの社会問題を含むCBRの概念より，対象者の生活視点によった活動として展開された(**表1**)。

表1　日本の地域リハビリテーション活動と関連する法制度

年	地域リハビリテーション活動	年	関連する法制度など
1960年	保健師の訪問活動		
1962年	訪問介護事業の創設		
1963年	日本リハビリテーション医学会設立	1963年	老人福祉法
		1965年	理学療法士及び作業療法士法
		1969年	寝たきり老人に対する老人家庭奉仕員派遣制度
		1970年	心身障害者対策基本法
		1978年	デイサービス・ショートステイ開始
1979年	全国地域リハビリテーション研究会発足		
1981年	・通所介護事業の創設 ・第16回リハビリテーション世界会議	1981年	国際障害者年
		1982年	老人保健法制定
1986年	老人保健施設創設		
		1987年	社会福祉士及び介護福祉士法
		1989年	・高齢者保健福祉推進十カ年戦略 ・福祉8法改正
1990年	在宅介護支援センター創設	1990年	・寝たきりゼロ作戦　・福祉用具法
1993年	・厚生省主催第1回在宅訪問リハビリテーション講習会開催 ・日本リハビリテーション病院・施設協会設立 ・地域リハビリテーション支援体制整備事業	1993年	ハートビル法
		1994年	・新・高齢者保健福祉推進十カ年戦略 ・エンゼルプラン
		1995年	障害者プラン ノーマライゼーション七カ年戦略
1999年	・国際高齢者年　・第1回日本デイケア学会 ・地域リハビリテーション支援体制	1999年	地域作業療法学の新設
		2000年	・介護保険制度　・ゴールドプラン21 ・成年後見制度
2002年	第1回全国地域リハビリテーション研究会開催	2002年	健康増進法
2003年	「2015年高齢者介護」報告書	2003年	支援費制度
		2005年	・障害者自立支援法　・介護保険法改正
2006年	地域包括支援センター	2006年	・障害者雇用促進法　・バリアフリー法
		2008年	後期高齢者医療制度
		2012年	障害者虐待防止法
2013年	一般介護予防における地域リハビリテーション活動支援事業	2013年	障害者総合支援法
		2016年	障害者差別解消法
		2018年	障害者雇用促進法（精神障害者雇用が義務化）
2021年	「地域リハビリテーション推進のための指針」改定（都道府県医師会，都道府県作業療法士会などとの連携，医療専門職の派遣体制強化）	2021年	・バリアフリー法改正 ・改正障害者差別解消法（企業でも合理的配慮の法的義務） ・障害者雇用促進法（法定雇用率2.2%から2.3%に引き上げ）

高齢者保健福祉推進十カ年戦略（ゴールドプラン），新・高齢者保健福祉推進十カ年戦略（新ゴールドプラン）により，地域リハビリテーション提供拠点が整備され介護保険導入により普及してきた。2013年に厚生労働省は地域包括ケアシステム（p.288，図1「地域包括ケアシステムの全体像」参照）を導入し，近年の地域リハビリテーションは高齢者における介護予防

を重視している[4]。

アクティブラーニング 2 自分の住んでいる地域で必要なリハビリテーションサービスにはどのような活動が含まれるかを考えてみよう。

4 地域作業療法の展開

地域における作業療法は1980年代にアメリカでAnn Evans[5]により，地域作業療法において精神医学的な視点から健康の保持に作業療法が有用であることが提案されている。Elizabeth DePoy[6]は頭部損傷に対する地域における作業療法について述べた。日本では大阪における地域リハビリテーションの実践が早くから実践されていた。近年では介護保険法によって基盤整備がなされ，**訪問，通所，介護予防による地域作業療法**の展開が中心となっている。また，日本作業療法士協会は地域包括ケアシステムにおける作業療法士の役割[3]について「生活行為向上マネジメントにより，要介護状態になっても，認知症であっても，利用者が「やりたい」，「したい」と思っている生活行為に焦点を当てた支援により，"介護される人"から"主体的な生活をする人"に変化し，活動的な生活を営める」ことを提案し，介護支援専門員との連携による効果，訪問介護との連携による効果，通所サービス効果を提示している（**図1**）[7]。これらのサービスに加えて当事者主体のサービス提供の枠組みを取り入れることが求められている。今後，児童に対するデイサービス，成人期における就業支援などの新しい制度とニーズに合わせた起業や高齢期における当事者主体の地域活動の支援などが展開されると考えられる。

図1　地域包括ケアシステムの実現に向けた作業療法士の取り組みの効果

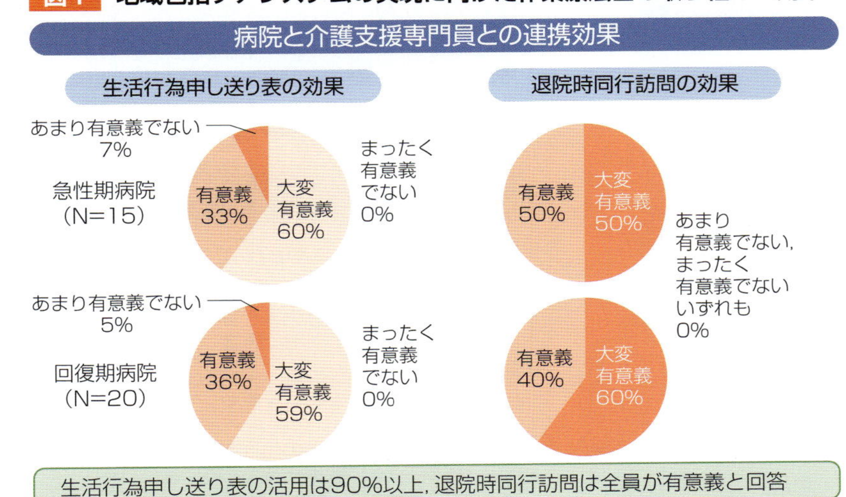

（次頁へ続く）

図1　地域包括ケアシステムの実現に向けた作業療法士の取り組みの効果（続き）

訪問介護との連携による効果

IADL（身の回りのさまざまな生活行為）の評価
↓
生活行為向上マネジメントによる評価
↓
生活行為向上プログラムをヘルパーにアドバイス
↓
訪問介護によるプログラム実践（週1回3カ月間）
↓
IADLの再評価

FAI（Frenchay activities index）による評価
日常生活における応用的活動・社会生活活動（15項目）

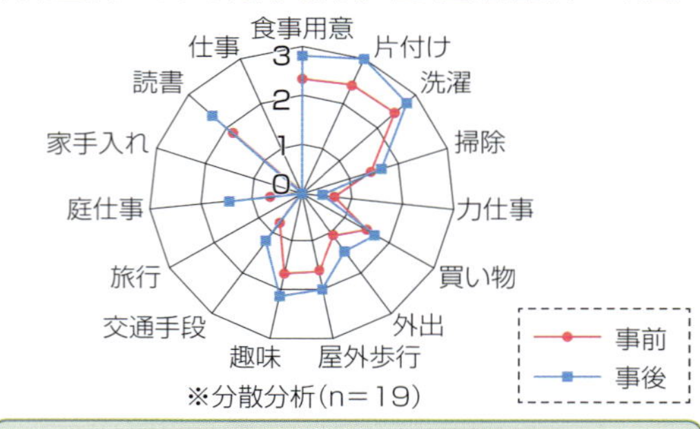

※分散分析（n＝19）

IADLにおいて介入による効果がみられた

通所リハビリテーションでの効果

IADL・社会的役割・健康関連QOLの評価
↓
生活行為向上マネジメントによる評価
↓
生活行為向上プログラム介入群に実施（1年間）
↓
IADL・社会的役割・健康関連QOLの再評価

IADL・社会的役割の評価（老研式活動能力評価）

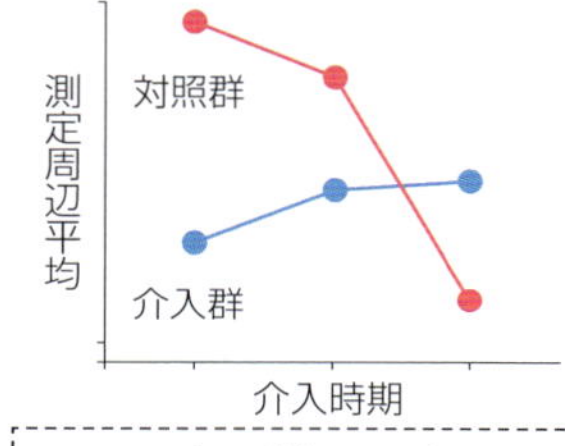

健康関連QOL評価（health utility index）

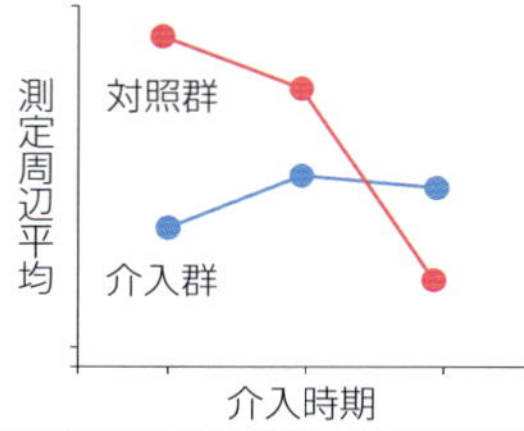

介入群（n＝42）　対照群（n＝11）　※分散分析

老研式活動能力評価
社会的役割を含む高次の生活能力評価

HUI
QOL（生活の質あるいは生命の質）を1つの数値で表したもの

IADL・社会的役割・QOLは，対照群が有意に低下したのに対し，介入群は有意に維持され，介入による効果を認めた

通所介護との連携による効果

生活行為向上マネジメントによる評価 → 生活行為プログラムを通所介護スタッフにアドバイス → 通所介護でのプログラム実践（3カ月）

生活行為向上マネジメントによるプランと通所介護事業所のプランとの比較（一例）

生活行為目標	作業療法士の立てた生活行為向上プラン	通所介護事業所プラン
縫い物	腰痛に合わせた環境調整→小物手芸実施→大きな物作成→自宅環境調整し自宅で実施	無理のない範囲で体を使った運動を続ける。活動に参加する
友人とお茶を楽しむ	階段昇降→身近な場所での散歩→友人宅訪問→話題作りの物の準備・提供	好きなプログラムに参加し1日を楽しく過ごす
買い物 散歩	痛みの自己管理→買い物動作練習→散歩→友人と買い物に行く	デイサービスへ定期的に通える

作業療法士プランでは本人の望む生活行為に対して，通所で練習し，その後自宅での実行に繋ぐプランを立案した

（文献7より引用）

【引用文献】

1) 中西由起子：地域に根ざしたリハビリテーション（CBR）の現状と展望，「開発問題と福祉問題の相互接近ー障害を中心に」調査研究報告書.
2) 世界保健機関（WHO）：CBRガイドライン日本語訳（http://www.dinf.ne.jp/doc/japanese/intl/un/CBR_guide/index.html）
3) 日本作業療法士協会：地域包括ケアシステムの実現に向けた 作業療法士の提案，第108回社会保障審議会介護給付費分科会 資料，2014.
4) 齊藤正身：地域包括ケアを支えるリハビリテーション，第51回社会保障審議会介護保険部会（http://www.mhlw.go.jp/file/05-Shingikai-12601000-Seisakutoukatsukan-Sanjikanshitsu_Shakaihoshoutantou/0000028028.pdf）
5) Evans A.：Roles and functions of occupational therapy in mental health. Am J Occup Ther 39(12): 799-802, 1985.
6) DePoy E.：Community-based occupational therapy with a head-injured adult. Am J Occup Ther 41(7): 461-464, 1987.
7) 厚生労働省：平成22～24年度老人保健健康増進等事業（日本作業療法士協会受託）

【参考文献】

1. 日本リハビリテーション病院・施設協会 活動方針，2001.

チェックテスト

Q

①ノーマライゼーションの提唱者は誰か（☞p.11）。 基礎

②地域に根ざしたリハビリテーション（CBR）の目的は何か（☞p.11）。 基礎

③日本における地域リハビリテーションの定義を述べよ（☞p.13）。 基礎

3 地域における障害児の環境

田村孝司

Outline

- 根拠法令や障害により分かれていた障害児への支援は2012年(平成24)以降統一された。
- 近年，作業療法の対象となる児童は増加し，提供事業所も増えている。

1 障害児の施策の変遷と概観

近年，発達段階において何らかの生活機能上の課題を有し，支援を受ける対象者は増えてきている。発達障害に関する概念や定義は社会情勢，研究の進歩により更新されてきているが，2013年に改訂されたDSM-5(Diagnostic and statistical manual of mental disorders, fifth edition)ではこれまで幼児期・小児期または青年期に初めて診断される障害(disorders usually first diagnosed in infancy, childhood or adolescence)が発達神経症(Neurodevelopmental Disorders)と総称されるようになった。また，日常的な会話においては発達に凸凹のある特性をもつ子どもと表現されることもある。

■これまでの発達支援

戦後，発達支援を行う中核的な施設は医療機関における入院によるケアが中心となっていた。児童福祉に目を向けると，戦後の混乱期における両親のいない子どもへの措置として対応が行われ，収容型の施策であった。1970年代になると地域よって差はあるが，通園事業が開始され，在宅の障害児に対するケアが拡大していった。当時は障害別の通園事業もあり，精神発達遅滞などの通園日と身体障害児の通園日が異なるような運営もみられた。

現在の通所型支援は2012年(平成24年)から開始され，それまでの障害別に分かれていた給付体系が一元化され，民間の事業所が開設しやすくなったこともあり急速に普及している(図1)。

■発達支援等を受ける人は増えている

発達障害領域のサービスを受給している人は増えている。特に2012年(平成24年)以降の増加は著しい(図2，3)。諸外国においても同様の傾向がみられているが，これには診断概念の拡大や軽症例，高機能例を把握するようになったことなども影響していると考えられており，真の増加なのかは不明である。しかし，サービス利用者数の増加は発達に何らかの課題

補足

診断概念の拡大
DSM-5によって自閉症やアスペルガー症候群などが1つの診断基準によってまとめられた。このことによって，自閉症にかかわる一連の障害を認知しやすくなった。

軽症例
これまでは，見過ごされていた発達上の特徴について，生活上の困難が少ない状態で発見に至っている。

高機能例
一部の機能や能力が高いことで，対象児の生活上の困難を見過ごしていた可能性がある。

のある子どもが多く，これまで適切な支援を受けてこられなかったことを示していると考えられる。2019年（令和元年度）通常の学級に在籍する特別な教育的支援を必要とする児童生徒に関する調査結果では，学習面または行動面で著しい困難を示す子どもは8.8%（8.4〜9.3%）いると推定されている[1]。

図1　障害児支援の体系〜平成24年児童福祉法改正による障害者施設・事業の一元化〜

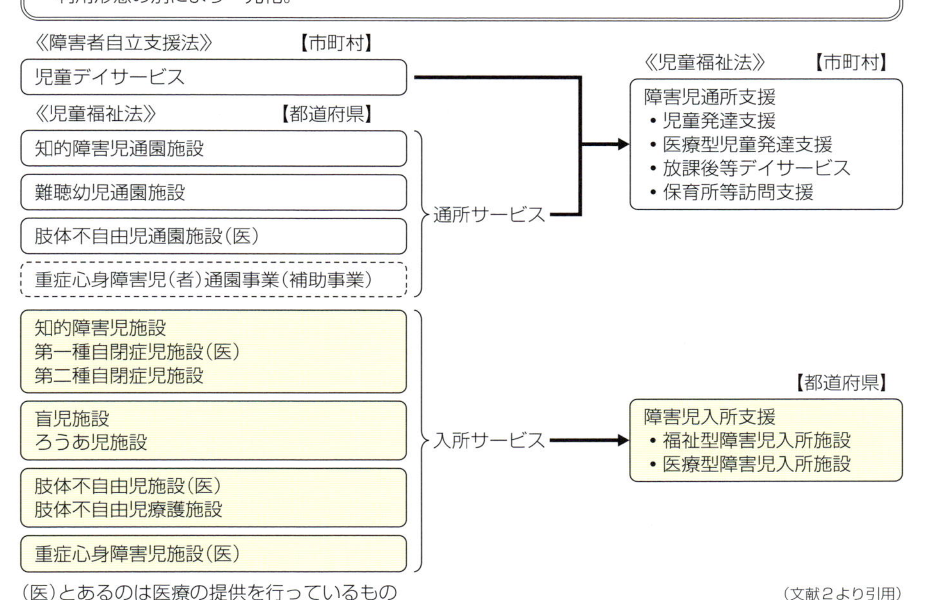

（医）とあるのは医療の提供を行っているもの　（文献2より引用）

図2　障害児サービスの利用児童数

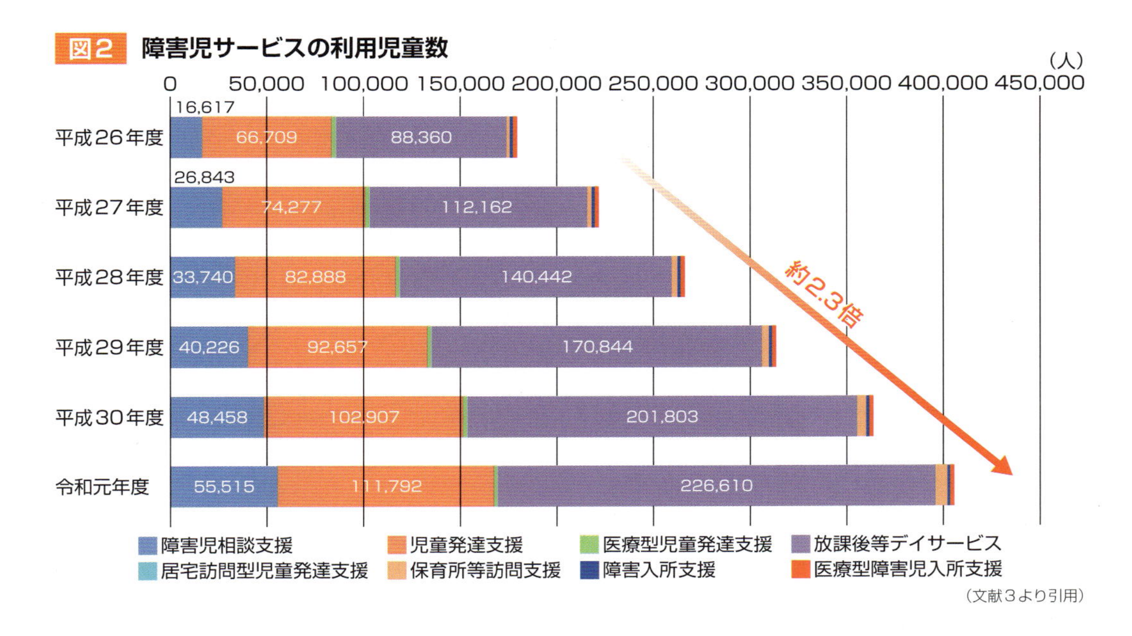

（文献3より引用）

図3　通級による指導を受けている児童生徒数の推移

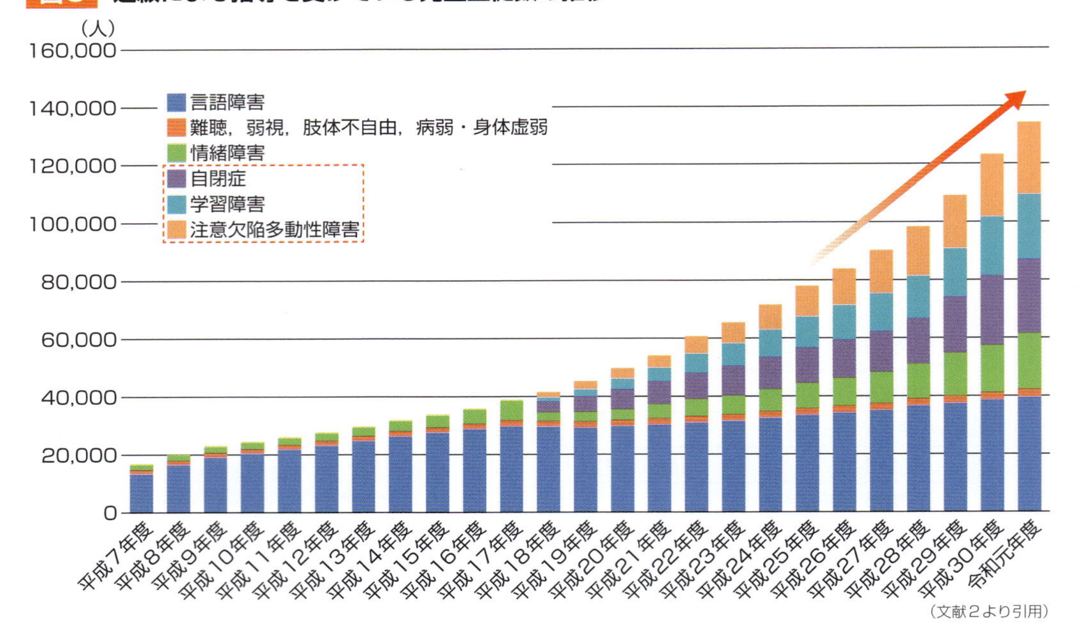

(文献2より引用)

年齢別障害福祉サービスの利用率をみると，一定の年齢でピークがあり，その後減少している(**図4**)[3]。この傾向は平成25年から続いているが，年々サービス利用率が増加していることがわかる。これも，発達障害の概念が普及したこと，支援が普及してきていることも影響していると思われる。支援が普及する前の子どもたちは，生きづらさを抱えたまま学童期を過ごし，家庭では育てにくさを抱えたまま日々の生活を送っていたことが想像される。

図4　年齢別にみた障害児サービス利用率の推移

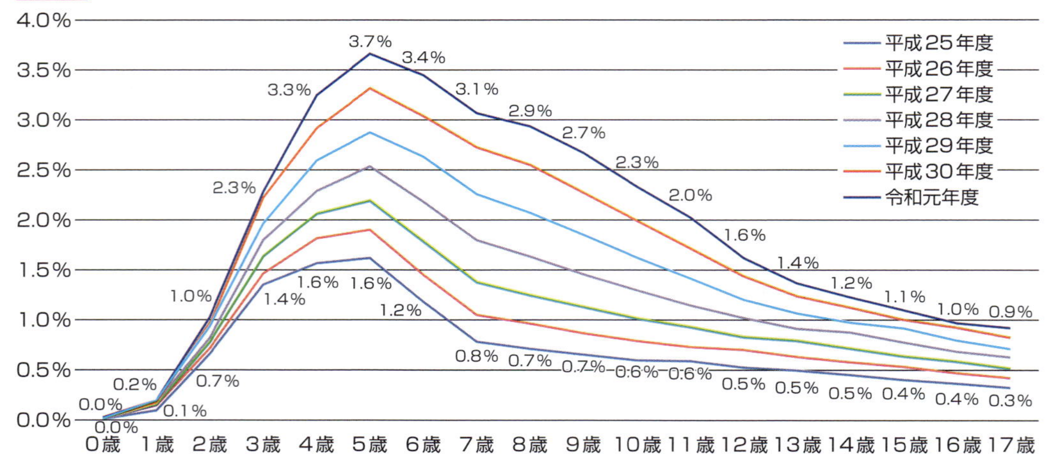

年齢別に障害児サービスの利用率(人口に対する利用者数の比率)を見ると，どの年齢においても毎年増えている。
※利用率は障害児サービスの利用者数を人口で除したもの。利用者数は各年度の10月分に関するデータであり，人口は，「人口推計」(総務省統計局)より。

(文献3より引用)

2 障害児に対するサービスの種類と概要

＊1 根拠法令
ある制度や施策について，その妥当性の裏付け（根拠）となる法令のこと。

障害児に対するサービスの根拠法令＊1には障害者総合支援法と児童福祉法がある。訪問および短期入所系の支援は障害者総合支援法が，通所入所系は児童福祉法，計画相談支援は障害者総合支援法，障害児相談支援は児童福祉法に根拠法令をもつ。2つの根拠法令と3つの提供形態があるため整理しておく必要がある（**図5**）[4)]。

図5 障害児への支援の根拠法令とサービス内容

根拠法令	系	サービス名	内容
障害者総合支援法	訪問系	居宅介護（ホームヘルプ）	自宅で，入浴，排せつ，食事の介護等を行う。
		同行援護	重度の視覚障害のある人が外出するとき，必要な情報提供や介護を行う。
		行動援護	自己判断能力が制限されている人が行動するときに，危険を回避するために必要な支援，外出支援を行う。
		重度障害者等包括支援	介護の必要性がとても高い人に，居宅介護等複数のサービスを包括的に行う。
	日中活動系	短期入所（ショートステイ）	自宅で介護する人が病気の場合などに，短期間，夜間も含め施設で，入浴，排せつ，食事の介護等を行う。
児童福祉法	障害児通所系	児童発達支援	日常生活における基本的な動作の指導，知識技能の付与，集団生活への適応訓練などの支援を行う。
		医療型児童発達支援	日常生活における基本的な動作の指導，知識技能の付与，集団生活への適応訓練などの支援及び治療を行う。
		放課後等デイサービス	授業の終了後又は休校日に，児童発達支援センター等の施設に通わせ，生活能力向上のための必要な訓練，社会との交流促進などの支援を行う。
		保育所等訪問支援	保育所等を訪問し，障害児に対して，障害児以外の児童との集団生活への適応のための専門的な支援などを行う。
	障害児入所系	福祉型障害児入所施設	施設に入所している障害児に対して，保護，日常生活の指導及び知識技能の付与を行う。
		医療型障害児入所施設	施設に入所又は指定医療機関に入院している障害児に対して，保護，日常生活の指導及び知識技能の付与並びに治療を行う。
支援法	相談支援系	計画相談支援	【サービス利用支援】 ・サービス申請に係る支給決定前にサービス等利用計画案を作成 ・支給決定後，事業者等と連絡調整等を行い，サービス等利用計画を作成 【継続利用支援】 ・サービス等の利用状況等の検証（モニタリング） ・事業所等と連絡調整，必要に応じて新たな支給決定等に係る申請の勧奨
児福法		障害児相談支援	【障害児利用援助】 ・障害児通所支援の申請に係る給付決定の前に利用計画案を作成 ・給付決定後，事業者等と連絡調整等を行うとともに利用計画を作成 【継続障害児支援利用援助】

（文献4より引用）

訪問系サービス

訪問系のサービスには自宅で介護を行う居宅介護支援，視覚障害のある人の外出を支援する同行援護，判断力が制限されている人の外出支援を行う行動援護，複数のサービスを提供する重度障害者等包括支援がある。

■通所系サービス

通所系サービスには児童発達支援(**図6**)[5]と放課後等デイサービス(**図7**)[6]があり，これらの事業所から保育所などに訪問し，対象児の集団生活に適応するための支援となる保育所等訪問支援(**図8**)[7]がある。また，児童発達支援には医療系の専門職を手厚く配置した医療型児童発達支援がある。

図6　児童発達支援の概要

○事業の概要

- 日常生活の基本的な動作の指導，知識技能の付与，集団生活への適応訓練，その他必要な支援を行う(通所)
- 事業の担い手
  ①児童発達支援センター(児童福祉法第43条)
  通所利用障害児への療育やその家族に対する支援を行うとともに，その有する専門機能を活かし，地域の障害児やその家族の相談支援，障害児を預かる施設への援助・助言を行う。(地域の中核的な支援施設)
  ②それ以外の事業所
  もっぱら，通所利用障害児への療育やその家族に対する支援を行う。

○対象児童

集団療育及び個別療育を行う必要があると認められる未就学の障害児

○提供するサービス

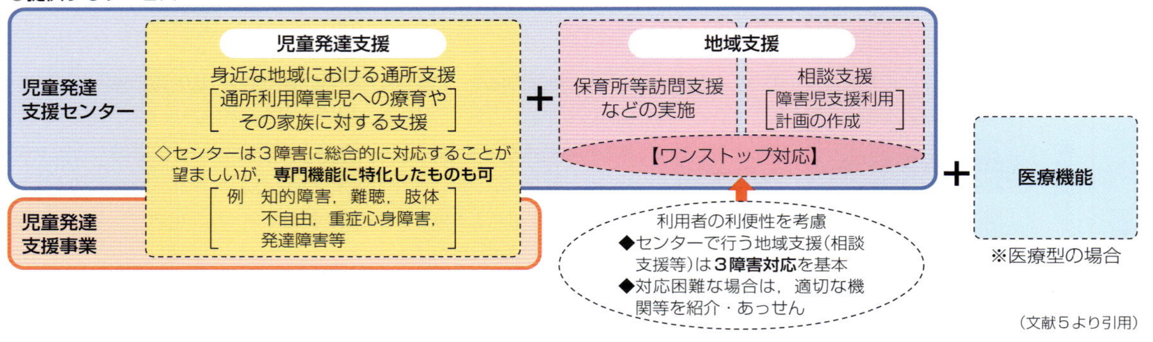

(文献5より引用)

図7　放課後等デイサービスの概要

○事業の概要

- 学校通学中の障害児に対して，放課後や夏休み等の長期休暇中において，生活能力向上のための訓練等を継続的に提供することにより，学校教育と相まって障害児の自立を促進するとともに，放課後等の居場所づくりを推進。

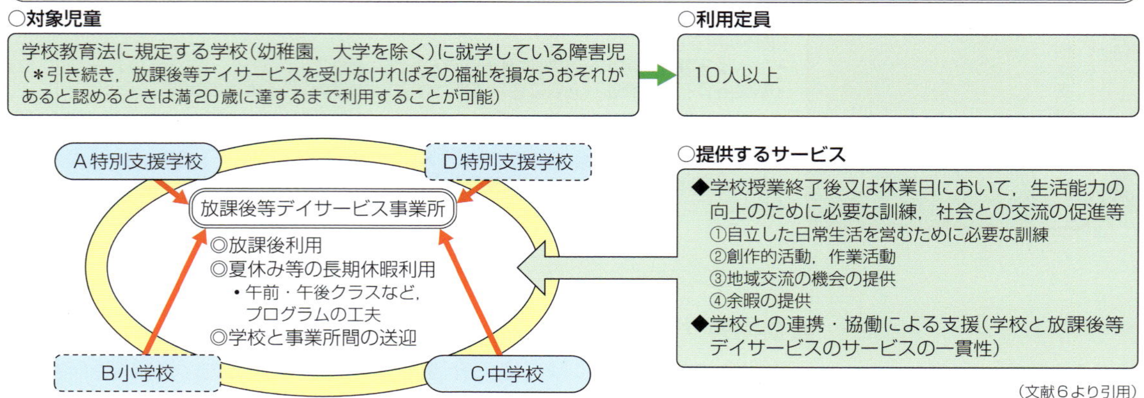

(文献6より引用)

図8 保育所等訪問支援の概要

○事業の概要

・保育所等を現在利用中の障害児，又は今後利用する予定の障害児が，保育所等における集団生活の適応のための専門的な支援を必要とする場合に，訪問支援を実施することにより，保育所等の安定した利用を促進。

○対象児童

保育所や，児童が集団生活を営む施設に通う障害児
＊「集団生活への適応度」から支援の必要性を判断
＊発達障害児，その他の気になる児童を対象

相談支援事業や，スタッフ支援を行う障害児等療育支援事業等の役割が重要

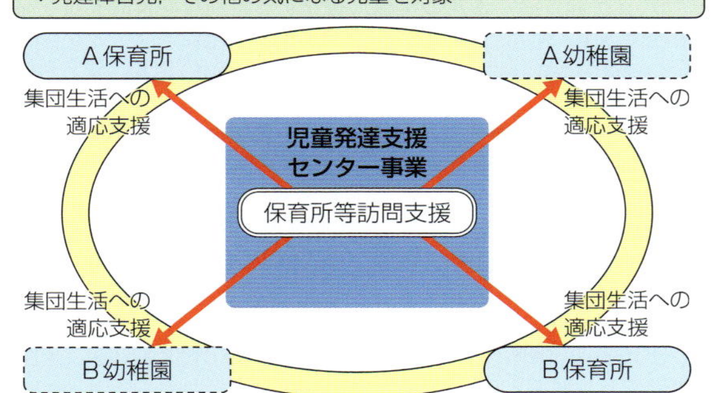

○訪問先の範囲

・保育所，幼稚園，認定こども園
・小学校，特別支援学校
・その他児童が集団生活を営む施設として，地方自治体が認めたもの（放課後児童クラブなど）

○提供するサービス

◆障害児が集団生活を営む施設を訪問し，当該施設における障害児以外の児童との集団生活への適応のための専門的な支援等
①障害児本人に対する支援（集団生活適応のための訓練等）
②訪問先施設のスタッフに対する支援（支援方法等の指導等）
◆支援は２週に１回程度を目安。障害児の状況，時期によって頻度は変化。
◆訪問支援員は，障害児施設で障害児に対する指導経験のある児童指導員・保育士（障害の特性に応じ専門的な支援が必要な場合は，専門職）を想定。

（文献７より引用）

3 作業療法士に求められる役割

地域で暮らす発達障害児への支援において，作業療法士に求められる知識，技術は多岐にわたる。支援が必要な子どもは保護者による養護を受けながら，就学前の保育や教育，就学後の学習，地域における生活の組み立て，進学や就職など**ライフステージの変化に合わせた適応**が求められることとなる。ライフステージの変化には子どもを取り巻く社会状況の変化が伴い，**変化に合わせた連携によるチームアプローチ**を行うことになる。地域における発達障害領域作業療法士の主な業務は，事業所が提供する主事業における支援において作業療法を提供することが多いと思われるが，同時に相談支援，保育所等訪問指導などにもかかわっている。

従って，基本的な発達障害に関する知識および作業療法の提供に必要な専門的技術（評価，アセスメント，支援方法など技術）に加え，対象児を支えている社会を適切に把握し，それぞれの関係者と適切なコミュニケーションを行う必要がある。

子どもを支えるチームで作業療法士に質問されることが多いのは，子どもの「見立て」である。「見立て」とは，専門職による分析（評価・アセスメント）と介入手段の助言，作業療法士が提供している支援内容の説明，今後の生活に関する予測が含まれていると思われる。保護者を含めたチーム

が「見立て」を共有できるよう適切な説明ができることが，子どもの支援を円滑に進める。従って，作業療法士は評価から作業療法実施までの臨床的推論について，わかりやすく説明する技術を磨く必要がある。

【引用文献】

1) 文部科学省初等中等教育局特別支援教育課：通常の学級に在籍する特別な教育的支援を必要とする児童生徒に関する調査結果について．令和4年12月13日（https://www.mext.go.jp/content/20221208-mext-tokubetu01-000026255_01.pdf, 2023年5月閲覧）
2) 厚生労働省：障害児支援の体系．平成24年児童福祉法改正による障害児施設・事業の一元化（https://www.mhlw.go.jp/file/06-Seisakujouhou-12200000-Shakaiengokyokushougaihokenfukushibu/0000117930.pdf, 2023年6月閲覧）
3) 厚生労働省，障害児通所支援の在り方に関する検討会：障害児通所支援の現状等について．令和3年7月（https://www.mhlw.go.jp/content/12401000/000801033.pdf, 2023年6月閲覧）
4) 厚生労働省：障害児が利用可能な支援の体系（https://www.mhlw.go.jp/file/06-Seisakujouhou-12200000-Shakaiengokyokushougaihokenfukushibu/0000117930.pdf, 2023年6月閲覧）
5) 厚生労働省：児童発達支援（https://www.mhlw.go.jp/file/06-Seisakujouhou-12200000-Shakaiengokyokushougaihokenfukushibu/0000117930.pdf, 2023年6月閲覧）
6) 厚生労働省：放課後等デイサービス（https://www.mhlw.go.jp/file/06-Seisakujouhou-12200000-Shakaiengokyokushougaihokenfukushibu/0000117930.pdf, 2023年6月閲覧）
7) 厚生労働省：保育所等訪問支援（https://www.mhlw.go.jp/file/06-Seisakujouhou-12200000-Shakaiengokyokushougaihokenfukushibu/0000117930.pdf, 2023年6月閲覧）

チェックテスト

Q

①障害児サービスの利用児童数は2013（平成24）年から2019（令和元）年にかけて何倍になったか（☞p.19）。 基礎

②障害児サービスの利用率が最も高い年齢は何歳か（☞p.20）。 基礎

③児童福祉法における療育を通所で提供するサービス名を4つ挙げよ（☞p.21）。 基礎

④地域における発達障害児への支援で作業療法士には何が求められているか（☞p.23，24）。 基礎

4 就労を取り巻く環境の変化

服部律子

Outline

- 障害福祉における就労支援の歴史と現状は，1960年代から障害者雇用促進法や障害者雇用対策推進法のもと，障害者の雇用機会の環境整備や支援が進んでいる。
- 福祉的就労施設には，障害者総合支援法（2013年4月施行）に定められた訓練等給付における就労移行支援事業や就労継続支援事業（A型・B型），就労定着支援事業がある。
- 一般企業においては障害者の雇用義務を課しており，2021年より従業員43.5人以上の雇用が義務づけられている。
- ダイバーシティとインクルージョン（Diversity and Inclusion）の観点で，働くことについて考える。

1 障害福祉における就労支援の概要

■障害者の現状

「就労」とは，仕事にとりかかること，また，仕事に従事していることを意味し，人の重要な生活行為の一つである。近年，「働く」という概念が変化しつつあり，障害のある人の働き方も同様に変化しつつある。障害者とは，個々の法律により規定されているのだが，障害者基本法（昭和45年法律第85号）における「障害者」とは，「身体障害・知的障害・精神障害（発達障害を含む）その他の心身の機能の障害（以下「障害」と総称する）がある者であって，障害及び社会的障壁により継続的に日常生活または社会生活に相当な制限を受ける状態にあるもの」と定義されている[1]。

日本国内における障害者人口は，年々増加傾向にあり，内閣府による調査[2]では（**図1**），2006年から2018年の12年間で障害者数が655.9万人から936.6万と約300万人近く増加している。

身体障害者（児）は436.0万人，知的障害者（児）は108.2万人，精神障害者は419.3万人，総人口1,000人当たりの人数でみてみると，身体障害者は34人，知的障害者は9人，精神障害者は33人となる。複数の障害をもちあわせている人もいるため単純な合計ではないが，国民の約8%が障害を抱えていることになる（**表1**）。

2006年と比較して，2018年では身体障害者数が1.2倍，知的障害者数が2.4倍，精神障害者数が1.5倍と増えている。男女比については「平成28年の生活のしづらさに関する調査」によると，65歳未満では男性が135.9万人（57.1%），女性が101.4万人（42.6%，**表2**），65歳以上では男性が175.6万人（49.5%），女性が177.2万人（49.9%）となっている。

図1 障害者数の推移

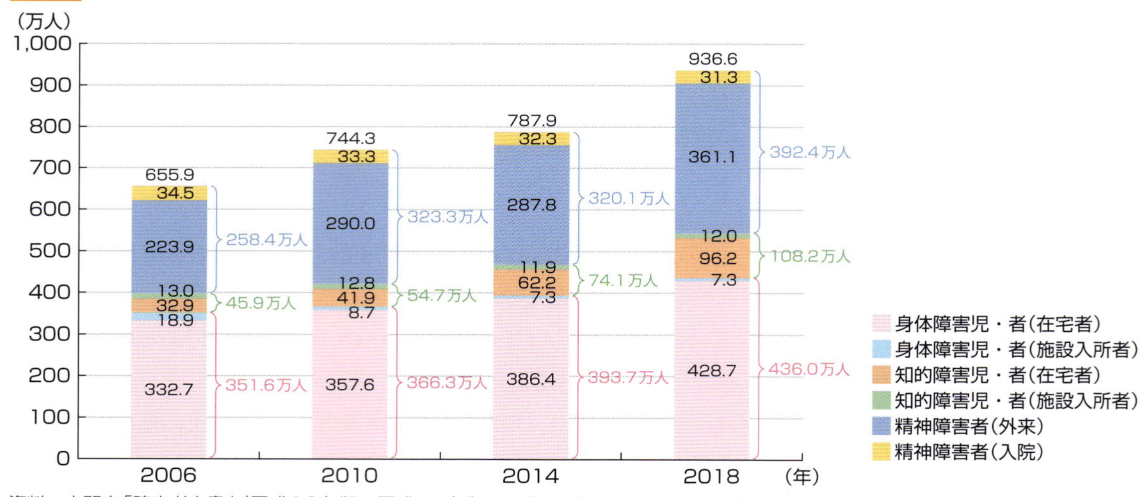

資料：内閣府「障害者白書」(平成18年版，平成22年版，平成26年版，平成30年版)より厚生労働省政策統括官付政策評価官室作成

(文献1より引用)

表1 障害者の数

	総数	在宅者/外来患者	施設入所者/入院患者
身体障害者(児)〔資料1〕	436.0万人	428.7万人(98.3%)	7.3万人(1.7%)
知的障害者(児)〔資料2〕	108.2万人	96.2万人(88.9%)	12.0万人(11.1%)
精神障害者〔資料3〕	419.3万人	389.1万人(92.8%)	30.2万人(7.2%)

資料1：在宅者：厚生労働省社会・援護局障害保健福祉部「生活のしづらさなどに関する調査(全国在宅障害児・者等実態調査)」(2016年)
施設入所者：厚生労働省政策統括官付社会統計室「社会福祉施設等調査」(2015年)などより厚生労働省社会・援護局障害保健福祉部で作成

資料2：在宅者：厚生労働省社会・援護局障害保健福祉部「生活のしづらさなどに関する調査(全国在宅障害児・者等実態調査)」(2016年)
施設入所者：厚生労働省政策統括官付社会統計室「社会福祉施設等調査」(2015年)より厚生労働省社会・援護局障害保健福祉部で作成

資料3：厚生労働省政策統括官付保健統計室「患者調査」(2017年)より厚生労働省社会・援護局障害保健福祉部で作成

(注) 1. 在宅身体障害者(児)及び在宅知的障害者(児)は，障害者手帳所持者数の推計。
2. 精神障害者の数は，ICD-10 の「V 精神及び行動の障害」から知的障害(精神遅滞)を除いた数に，てんかんとアルツハイマーの数を加えた患者数に対応している。
3. 身体障害者(児)の施設入所者数には，高齢者関係施設入所者数は含まれていない。

(文献1より引用)

表2 障害者手帳保持者数等，性・障害種別等別

性	総数		障害者手帳所持者		障害者手帳の種類(複数回答)						手帳非所持でかつ自立支援給付等を受けている者	
					身体障害者手帳		療育手帳		精神障害者保健福祉手帳			
総数	2,382	(100.0%)	2,237	(100.0%)	1,082	(100.0%)	795	(100.0%)	594	(100.0%)	145	(100.0%)
男性	1,359	57.1%	1,280	57.2%	593	54.8%	497	62.5%	307	51.7%	79	54.5%
女性	1,014	42.6%	950	42.5%	486	44.9%	295	37.1%	282	47.5%	64	44.1%
不詳	9	0.4%	8	0.4%	3	0.3%	3	0.4%	5	0.8%	1	0.7%

(65歳未満)(単位：千人)

(文献2より引用)

■障害者の日中の過ごし方

身体障害者・知的障害者・精神障害者のいずれも在宅で生活している人が大半(身体障害者：98.3%，知的障害者：88.9%，精神障害者：92.8%)であり(図1，表1)，65歳未満の障害者の日中の過ごし方として，家庭内で過ごす者や障害者通所サービスを利用している人が多い。その反面，今後の日中の過ごし方の希望としては，「正職員として働きたい」者が32.5%，「正職員以外(アルバイト，パート，契約社員，日雇い等)として働きたい」人が28.5%と，半数以上の人が何らかの雇用形態での就労を希望している。特に精神障害者保健福祉手帳所持者では身体障害者手帳所持者や療育手帳所持者よりも高い割合となっている[1)]。

■障害福祉サービスにおける就労支援の制度

「障害者の日常生活及び社会生活を総合的に支援するための法律(障害者総合支援法)」が平成24年(2012年)6月27日に公布され，平成25年4月1日に施行された(一部を除く)。本法律では，「障害者自立支援法」が「障害者総合支援法」に変更され，障害者の定義に難病等を追加し，平成26年(2014年)4月1日から，重度訪問介護の対象者の拡大，ケアホームのグループホームへの一元化などが実施されている。対象になる障害の範囲は，身体障害者，知的障害者，精神障害者(発達障害者を含む)，政令で定める難病などにより障害があり，かつ18歳以上の人である。

障害者総合支援法の支援サービスは自立支援給付と地域生活支援事業に大別されており，自立支援給付の中の訓練等給付として，就労移行支援事業，就労継続支援事業(A型・B型)および就労定着支援事業がある(図2，表3)。

図2　障害者の「働く場」への移行支援

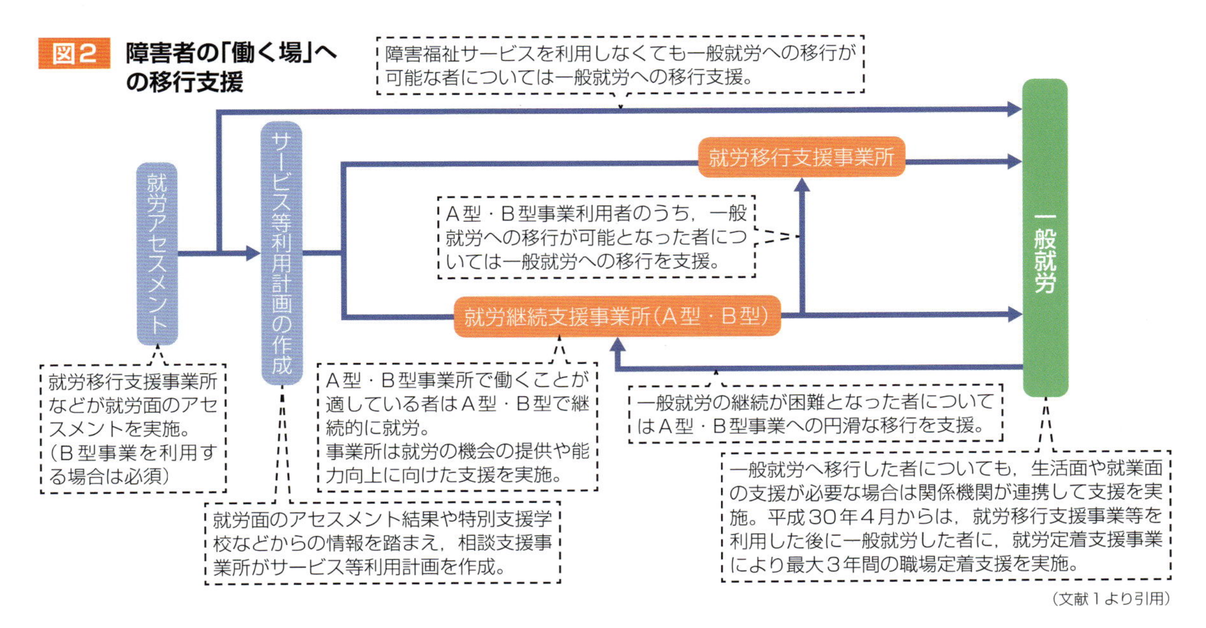

(文献1より引用)

表3 施設別の違い

	就労移行支援	就労継続支援A型	就労継続支援B型
目的	就労するために必要なスキルを身につける	就労の機会の提供および生産活動の機会の提供	
対象者	障害のある方，難病のある方で，一般企業への就職を希望する方	通常の事業所に雇用されることが困難な方	
雇用契約	なし	あり	なし
賃金	基本なし	あり（最低賃金以上）	あり（工賃）
年齢制限	65歳未満	65歳未満	なし
利用期間	原則2年	定めなし	定めなし

（文献3より引用）

● 就労移行支援事業

就労移行支援事業とは，就労を希望する65歳未満の障害者で，通常の事業所に雇用されることが可能と見込まれる人に対して，①生産活動，職場体験などの活動の機会の提供と，その他の就労に必要な知識および能力の向上のために必要な訓練，②求職活動に関する支援，③その適正に応じた職場の開拓，④就職後における職場への定着のために必要な相談などの支援を行う。

● 就労継続支援A型事業

就労継続支援A型事業とは，通常の事業所に雇用されることが困難であり，雇用契約に基づく就労が可能である人に対して，雇用契約の締結などによる就労の機会の提供などの支援を行う。本事業の利用者は，雇用契約を締結する点で，労働者でもある。

● 就労継続支援B型事業

就労継続支援B型事業とは，通常の事業所に雇用されることが困難であり，雇用契約に基づく就労が困難である人に対して，就労の機会の提供および生産活動の機会の提供と，その他就労に必要な知識および能力の向上のために必要な訓練，その他の必要な支援を行う。

● 就労定着支援事業

就労定着支援事業とは，就労移行支援事業，就労継続支援事業（A型・B型）などの利用を経て一般就労した障害者に対して，就労に伴う環境変化により生じた日常生活または社会生活を営むうえでのさまざまな問題に関する相談，指導および助言，その他の必要な支援を行う。

障害者の雇用形態は，一般就労以外にも，自営・障害福祉サービスでの就労があり，障害者自身の特性や能力に応じた「働く場」が提供できるよう，各支援機関が連携し，体制を構築している。

試験対策 Point

就労移行支援事業，就労継続支援A型事業，就労継続支援B型事業，就労定着支援事業のそれぞれの違いを押さえておこう。

2 一般企業における障害者雇用の現状

障害者にとって，社会参加や自立のために重要な雇用・就業については，「働き方改革実行計画」(平成29年3月28日働き方改革実現会議決定)においても，「障害者等が希望や能力，適正を十分に活かし，障害の特性等に応じて活躍することが普通の社会，障害者と共に働くことが当たり前の社会を目指していく必要がある」とされている。

■障害者雇用促進法の歴史

障害者雇用促進法の歴史は約60年前まで遡り，1960年，高度経済成長期を背景に立案された「自立と完全雇用の達成」を目標とする経済計画や，障害者の雇用を促進する国際的な流れを受け，第二次世界大戦による傷痍軍人の社会復帰対策として「身体障害者雇用促進法」が最初に制定され，身体障害者雇用が民間企業の努力目標とし，企業にとって障害者の雇用を推進する大きな契機となった。1976年に身体障害者の雇用が法的義務になり，法定雇用率が定められた(当初の法定雇用率は1.5%，未達成企業からの「納付金制度」も合わせて施行)。その後，1987年に名称が「障害者の雇用の促進法に関する法律(略称：障害者雇用促進法)」と改正され，知的障害者や精神障害者も含むすべての障害者が法の適用対象となった。1998年(平成10年)に**知的障害者の雇用の義務化**，2018年(平成30年)4月から新たに**精神障害者の雇用が義務化**され，障害者雇用の変化がみられるなかで，障害者雇用で働く人の層にも変化が現れてきた。最近では障害者総合支援法との連携も図られ，障害者が働きやすい環境づくりが推進され，また精神障害者の求職や採用も年々増えてきている。

■障害者雇用と納付金制度

前述のとおり1987年に名称が「障害者の雇用の促進法に関する法律(略称：障害者雇用促進法)」と改正され，身体障害者，知的障害者，精神障害者を含むすべての障害者が法の適用対象となった。障害者雇用は，障害をもつ人々に対して雇用の機会を提供し，社会参加を支援する取り組みである。また，同時に常用労働者の数に対する割合(障害者雇用率)を設定し，事業主などに対して障害者雇用率以上の障害者に雇用義務を課している。現在では2021年(令和3年)より，**法定雇用率**は従業員43.5人以上に義務付けられており，民間企業2.3%，国および地方公共団体など2.6%，教育委員会は2.5%となっている(**表4**)。

表4　障害者雇用促進法と法定雇用率の推移

年	法定雇用率			身体	知的	精神	経過
	民間	国地方	教育委員会				
1960年(昭和35年)		1.5%		身体			身体障害者雇用促進法(公的機関：義務　民間企業：努力義務)
1976年(昭和52年)	1.5%	1.9%		↓			法定雇用率(1.5%)の義務化
1987年(昭和62年)				↓			障害者の雇用の促進等に関する法律改正
1988年(昭和63年)	1.6%	2.0%		↓			
1998年(平成10年)	1.8%	2.1%		↓	知的		知的障害者の雇用の義務化
2002年(平成14年)	↓	↓		↓	↓		障害者就業・生活支援センター事業を実施，職場適応援助者(ジョブコーチ)事業を実施
2006年(平成18年)	↓	↓		↓	↓		精神障害者の雇用対策の強化
2010年(平成22年)	↓	↓		↓	↓		短時間労働者への適用拡大
2013年(平成25年)	2.0%	2.3%	2.2%	↓	↓		
2016年(平成28年)				↓	↓		障害者に対する差別の禁止および合理的配慮の提供が義務化
2018年(平成30年)	2.2%	2.5%	2.4%	↓	↓	精神	精神障害者の雇用の義務化 障害者雇用義務対象(民間企業：従業員数50名以上→45.5人以上　民間企業：法定雇用率2.0%→2.2%)
2021年(令和3年)	2.3%	2.6%	2.5%	↓	↓	↓	民間企業：従業員数45.5人以上→43.5人以上

(文献4より引用)

法定雇用率を満たせない企業は，納付金制度が適用され，法定雇用率を満たせない事業主が，その不足分に対して「障害者雇用納付金」を納めることを義務付ける制度である(**図3**)。雇用義務未達成企業から納付金を徴収し，雇用義務達成企業などに対して調整金，報奨金を支給するとともに，障害者雇用の促進などを図るために各種の助成金を支給する(**表5**)。

厚生労働省が発表した「令和4年障害者雇用状況の集計結果」によると，民間企業に雇用されている障害者の数は，61万3,958人で前年より2.7%増加し，過去最高を記録しており，障害者の実雇用率は2.25%，法定雇用達成企業の割合は48.3%となっている。

2022年(令和4年)度の法定雇用率未達成企業は55,684社あり，そのうち65.4%は不足数が0.5人または1人であり，あと少しで法定雇用率を達成する状況である。

補足　法定雇用率

$$法定雇用率 = \frac{身体障害者数＋知的障害者数＋精神障害者数}{常用労働者数＋失業者数}$$

図3 障害者雇用納付金制度について

雇用率未達成企業(常用労働者200人超)から納付金を徴収し，雇用率達成企業などに対して調整金，報奨金を支給するとともに，各種の助成金を支給。

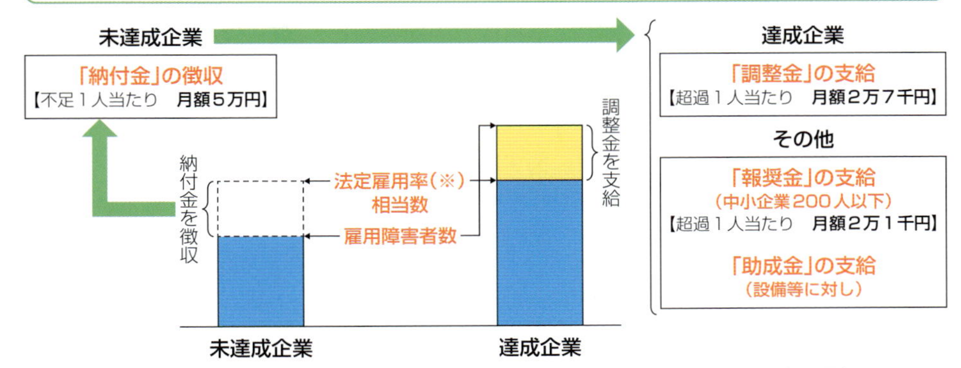

※1 法定雇用率は，労働者の総数に対する身体又は知的障害者の総数の割合を基準に設定。現在2.0%
※2 障害者雇用促進法に基づき，少なくとも5年ごとに，上記割合の推移を勘案して政令で設定。

(文献5より引用)

表5 法定雇用率，納付金額，調整金額などの推移

施行年	法定雇用率	納付金額	調整金額	報奨金額
1975年(昭和51年)	1.5%	3万円	1.4万円	0.8万円
1982年(昭和57年)	↓	4万円	2万円	1万円
1988年(昭和63年)	1.6%	↓	↓	↓
1992年(平成4年)	↓	5万円	2.5万円	1.7万円
1998年(平成10年)	1.8%	↓	↓	↓
2003年(平成15年)	↓	↓	2.7万円	2.1万円
2006年(平成20年)	↓	↓	↓	↓
2013年(平成25年)	2.0%	↓	↓	↓
2018年(平成30年)	2.2%	↓	↓	↓
2021年(令和3年)	2.3%	↓	↓	↓

(文献5より引用)

■障害者雇用率制度の特例措置

法定雇用率は義務付けられるものではあるが，障害者に特別の配慮をして設立した子会社が一定の条件を満たす場合，特例としてその子会社の障害者雇用数を親会社および企業グループ全体の雇用分として合算することが認められている(特例子会社制度)。

■障害者雇用に関する助成措置，税制上の支援制度

国は，障害者雇用を促進するうえで，事業主が障害者を新たに雇い入れる場合や障害者の安定した雇用を維持・継続するために必要な経済的負担に対して軽減を図るため，各種の助成措置を講じており，障害者の雇い入れや継続雇用の支援を行っている。

●雇い入れ

特定求職者雇用開発助成金

2つのコースがあり，1つはハローワークなどの紹介により障害者を継続して雇用する労働者として雇い入れる事業主に対して助成される特定就職困難者コース，もう1つはハローワークなどの紹介により発達障害者または難治性疾患をもつ人を継続して雇用する労働者として雇い入れ，雇用管理に関する事項を把握・報告する事業主に対して50万円(中小企業の場合は120万円)が支給される発達障害者・難治性疾患患者開発コースがある。

トライアル雇用助成金

障害者を試行的に雇い入れた事業主，または週20時間以上の勤務が難しい精神障害・発達障害者を20時間以上の勤務を目指して，試行雇用を行う事業主に対して障害者トライアルコース，障害者短時間トライアルコースがある。

●施設などの整備や適正な雇用管理の措置

障害者雇用納付金制度に基づく助成金

事業主が障害者を雇用するために，職場の作業施設・福祉施設などの設置・整備・適切な雇用管理のために必要な介助などの措置，通勤を容易にするための措置などを講じた場合，その費用の一部が助成される。

●職業能力開発

人材開発支援助成金(障害者職業能力開発コース)

障害者の職業能力の開発・向上のために，対象障害者に対して障害者職業能力開発訓練事業を行うための施設または設備の設置・整備または更新を行う事業主，および対象障害者に対して障害者職業能力開発訓練事業を行う事業主に対して助成するものである。

●職場定着のための措置

キャリアアップ助成金(障害者正社員化コース)

障害者の雇用を促進するとともに職場定着を図るために，有期雇用労働者を正規雇用労働者(多様な正社員を含む)，または無期雇用労働者に転換する措置，無期雇用労働者を正規雇用労働者に転換する措置のいずれかを継続的に講じた事業主に対して助成するものである。

3 主な支援内容

新型コロナウイルス感染症の流行後，人が働く環境は大きく変化し，

「多様な視点をもつ」といった考えのダイバーシティは，障害者の働く場においても大きく影響を与えたのではないだろうか。障害者の福祉と就労分野において，異業種との連携はさまざまな形で進化し，可能性を秘め，就労と障害者をつなぐ「マッチング」などの言葉も使われるようになった。

障害福祉分野と異業種との連携として，障害者などが農業分野で活躍することを通じ，自信や生きがいをもって社会参画を実現していく**農福連携**（農業と福祉の連携），障害のある人の職域拡大と就労支援・雇用創出という双方の課題解決を図るため，伝統産業分野において新たな担い手として活躍することを推進する**伝福連携**（伝統工芸産業と福祉の連携）などがある。ともに人口減少や高齢化が進み，後継者不足が深刻な課題となっているが，障害者の能力・個性を活かし，日本の伝統産業を守り続ける重要な役割を担っており，今後，障害者の職域拡大や就労支援・雇用創出を通じて，彼らが自己実現や経済的自立を果たすことができる社会の実現を目指し新たな活気をもたらすことが期待されている。

【引用文献】
1) 厚生労働省：平成30年厚生労働白書 p2（https://www.mhlw.go.jp/wp/hakusyo/kousei/18/dl/all.pdf, 2023年6月21日閲覧）
2) 内閣府 令和３年版障害者白書（https://www8.cao.go.jp/shougai/whitepaper/r03hakusho/zenbun/siryo_02.html, 2023年6月21日閲覧）
3) パーソルダイバース株式会社：就労移行支援と就労継続支援の違い（https://mirai-training.jp/employment-transition/difference.html, 2023年6月21日閲覧）
4) 厚生労働省：障害者雇用率リーフレット（https://jsite.mhlw.go.jp/tokyo-roudoukyoku/content/contents/000761619.pdf, 2023年6月21日閲覧）
5) 厚生労働省：令和４年 障害者雇用状況の集計結果．（https://www.mhlw.go.jp/stf/newpage_29949.html, 2023年6月21日閲覧）

【参考文献】
1. 厚生労働省：障害者雇用率制度・納付金制度について 関係資料（https://www.mhlw.go.jp/content/11704000/000724676.pdf, 2023年6月21日閲覧）

チェックテスト

Q

①わが国における障害者の割合と増加傾向について説明せよ（☞p.25）。 基礎
②就労継続支援事業Ａ型・Ｂ型の違いについて述べよ（☞p.28）。 基礎
③就労移行支援，就労継続支援Ａ型・Ｂ型についてそれぞれのサービス内容について説明せよ（☞p.28）。 基礎
④障害者雇用が義務化されている障害の種別を述べよ（☞p.29）。 基礎
⑤一般企業における障害者雇用の法定雇用率について述べよ（☞p.30）。 基礎
⑥法定雇用率を満たせない企業が義務付けられている制度は何か（☞p.31）。 基礎

2章

作業療法士がかかわる
関連法規・制度

1 社会保障制度

田村孝司

Outline

- 現在の社会保障制度は戦後の民主化の流れのなかで制定された。
- 社会保障制度は社会保険，国家扶助，社会福祉，公衆衛生の４つの柱がある。
- 作業療法士が得る報酬の多くは健康保険や介護保険，社会福祉制度に規定されている。

1 作業療法士の仕事と社会保障

作業療法士は，約70％が医療法施設（病院，診療所，および介護報酬を算定する施設も含む），約20％が介護保険施設（老人保健施設），数％が福祉系に勤務している（図1）[1]。医療，介護，福祉で90％以上を占め，ほとんどが社会保険と福祉施策に関連している。病院や福祉施設などは，医療法人や社会福祉法人などが運営していることが多い。これは，その施設（事業）を経営する人（法人）が制限されていることを示している。つまり，会社などの営利性が高い法人ではなく，公益性のある法人だけが経営できるようになっているのである。従って作業療法士は，診療報酬や介護報酬などの個別的な施策だけではなく，社会保障全体の動向に気を配る必要がある。

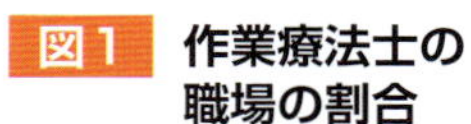

図1 作業療法士の職場の割合

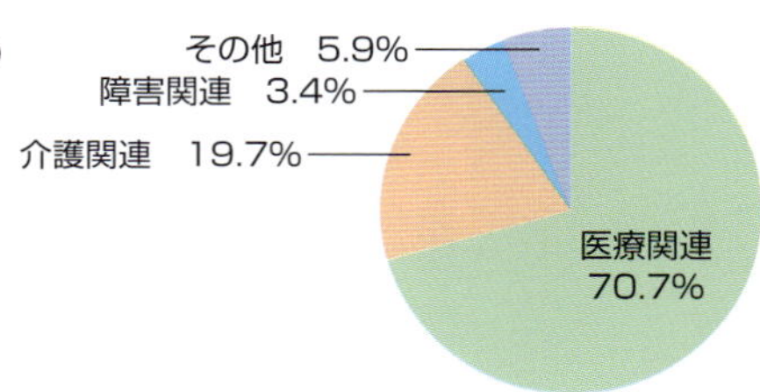

（文献1より引用）

2 社会保障の概要

日本国憲法は，終戦後GHQの指導のもと，1946年に成立した。日本国憲法では，25条に生存権が記されている。

> 一，すべて国民は，健康で文化的な最低限度の生活を営む権利を有する。
> 二，国は，すべての生活部面について，社会福祉，社会保障及び公衆衛生の向上及び増進に努めなければならない。

ここでは，社会保障について具体的に記されてはいないが，内閣総理大臣の諮問機関である社会保障制度審議会が1950年に発表した「社会保障制度に関する勧告」で次のように述べられている。

「いわゆる社会保障制度とは，疾病，負傷，分娩，廃疾，死亡，老齢，失業，多子その他困窮の原因に対し，保険的方法または直接の公の負担において経済的保障の途を講じ，生活困窮に陥った者に対しては国家扶助によって最低限度の生活を保障するとともに，公衆衛生および社会福祉の向上を図り，もって，すべての国民が文化的社会の成員たるに値する生活を営むことができるようにすることをいう」

これによって社会保障制度は，日本国民にある理由による所得の喪失や減少，あるいは一定期間，生活費用が増加することによる経済的困窮やそのおそれのある場合，国家的見地から保障することを目的として成立した制度とされた。すなわち，救貧（公的扶助）や防貧（社会保険）のために，国家が国民一般を対象にして経済保障（所得保障，金銭的保障）を行う総合的施策体系となっている。社会保障に関する施策は社会状況や経済状況に影響を受けて変更されてきている。1980年代にはじまる社会保障基礎構造改革では高齢者対策に重点が置かれていたが，近年は少子化対策も含み，さらなる議論が重ねられている（**表1**）。

表1　令和５年度における「社会保障の充実」（概要）

事項		事業内容
子ども・子育て支援		子ども・子育て支援新制度の着実な実施・社会的養育の充実 育児休業中の経済的支援の強化
医療・介護	医療・介護サービスの提供体制改革	病床の機能分化・連携，在宅医療の推進等 ・地域医療介護総合確保基金（医療分） ・診療報酬改定における消費税増収分等の活用分 　うち令和４年度における看護職員の処遇改善 　うち不妊治療の保険適用（本体分・薬価分） ・医療情報化支援基金 地域包括ケアシステムの構築 ・平成27年度介護報酬改定における消費税増収分等の活用分（介護職員の処遇改善等） ・在宅医療・介護連携，認知症施策の推進など地域支援事業の充実 ・地域医療介護総合確保基金（介護分） ・令和４年度における介護職員の処遇改善
	医療・介護保険制度の改革	国民健康保険等の低所得者保険料軽減措置の拡充・子どもに係る国民健康保険料等の均等割額の減額措置 被用者保険の拠出金に対する支援 70歳未満の高額療養費制度の改正 介護保険の第１号保険料の低所得者軽減強化 介護保険保険者努力支援交付金 国民健康保険への財政支援の拡充（低所得者数に応じた財政支援，保険者努力支援制度等） 出産育児一時金支援 国民健康保険の産前産後保険料の免除
	難病・小児慢性特定疾病への対応	難病・小児慢性特定疾病に係る公平かつ安定的な制度の運用等
年金		年金受給資格期間の25年から10年への短縮 年金生活者支援給付金の支給 遺族基礎年金の父子家庭への対象拡大

（文献2より引用）

1995(平成7)年,「社会保障制度に関する勧告」において介護保険制度の確立に向けた取り組みが推進された。また,これに伴いリハビリテーションの充実が図られることとなる。

3 社会保険

保険は,古代ギリシャ時代の冒険貸借から始まった制度だといわれている。船で外国との貿易を行っている貿易商が,自分の船が航海に出る前に,自国の別の商人とある契約を交わした。商人に外国へ売る品物の仕入れ代を肩代わりしてもらい,無事に航海を終えて船が戻ってきたら肩代わりしてもらった代金に利子を付けて払う。しかし,もし航海の途中で船が沈没したら品物の代金は返さない,というものであった。これを事業として成り立つようにしたものが保険である。保険は,一般の保険会社が運営する**私保険**[*1]と,**公的保険**[*2]に分けられる。

＊1 私保険
個人が任意で加入する保険の総称で,生命保険,損害保険などが含まれる。

＊2 公的保険
労働保険や健康保険など,社会を補償するために国などが運営する保険。

■医療保険

医療保険とは,保険の加入者に病気・けがなどが発生したときに,その治療のための医療を提供し,休業による所得の減少・中断を保障するための給付を行う制度である。医療を受ける場合は,自費で支払う自由診療と保険による保険診療とに分けられるが,医療保険は保険診療に対応し,診療ごとに報酬が設定される。

医療保険は,狭義の医療保険,高齢者医療,公費負担医療に分けられる。さらに,狭義の医療保険は,被用者保険と国民健康保険に分けられる(**表2**)。

戦後,職域ごとに整備された健康保険制度に加え,1948(昭和23)年に国民健康保険制度が施行されたことにより,国民皆保険が実現した。しかし,人口構造が変化したことにより国民健康保険加入者の高齢化が進行したことから,2008(平成20)年には後期高齢者医療制度が追加されている。

被用者保険とは,事業所(会社など)に従事する従業員が加入する保険である。事業所ごとに加入するが,5人以上の従事者がいる場合には,加入が強制される。被用者保険に加入していない場合は,地域で加入する地域保険(国民健康保険)に加入することになる。このように,狭義の**医療保険は,国民全員が加入する仕組み**になっている。

被用者保険の場合,保険料は事業主と折半し,給与から天引きされるが,国民健康保険は納付書による納付となる。徴収された保険料は,健康保険組合が運営し,診療報酬と照らし合わせて医療機関に支払われる。診療報酬のうち,保険負担分は定率で決められており,医療機関窓口では保険負担以外の費用を支払うことになる。被用者保険は生産人口の割合が多く保険料収入も安定しているが,国民健康保険は退職後の高齢者が多く加入することとなるため，構造的に脆弱となっていた。この構造的な問題を改善するため，2008年に後期高齢者医療制度が施行された。75歳以上になると全市町村が運営する広域連合に加入し，給付を受ける仕組みとなった。財源は後期高齢者の保険料に若年層からの支援金を加えたものを保険料として，現役世代より医療費負担は軽減されるが，現役世代と同等の収入があるものは現役世代と同等の医療費負担を求められることとなった。

表2　医療保険制度の種類

	制　度		被保険者	保険者	給付事由
医療保険	健康保険	一般	健康保険の適用事業所で働くサラリーマン・OL(民間会社の勤労者)	全国健康保険協会，健康保険組合	業務外の病気・けが，出産，死亡
		法第３条第２項の規定による被保険者	健康保険の適用事業所に臨時に使用される人や季節的事業に従事する人など(一定期間をこえて使用される人を除く)	全国健康保険協会	
	船員保険(疾病部門)		船員として船舶所有者に使用される人	全国健康保険協会	
	共済組合(短期給付)		国家公務員，地方公務員，私学の教職員	各種共済組合	病気・けが，出産，死亡
	国民健康保険		健康保険・船員保険・共済組合などに加入している勤労者以外の一般住民	市(区)町村	
退職者医療	国民健康保険		厚生年金保険など被用者年金に一定期間加入し，老齢年金給付を受けている65歳未満などの人	市(区)町村	病気・けが
高齢者医療	後期高齢者医療制度		75歳以上の人および65～74歳で一定の障害の状態にあることにつき後期高齢者医療広域連合の認定を受けた人	後期高齢者医療広域連合	病気・けが

(文献3より引用)

■年金保険

年金保険とは，老齢，障害，死亡などで労働能力や働き手を喪失した場合に，所得の減少・中断を保障するための給付を行う制度である。基礎部分は**国民年金**で，個人事業主などの国民健康保険の加入者に対して基礎年金を給付し，サラリーマンなど事業所に雇用される人は，**厚生年金**に加入することで厚生年金が給付されることになる(**図2**)。

年金は老齢年金，障害年金，遺族年金に分けられ，それぞれに基礎年金と厚生年金がある。国民年金は個人で納付することになるが，事業所に雇用される人は事業所と折半し，事業所ごとに納める(いわゆる天引き)ことになる。

2021(令和3)年，年金制度が改正され，受給開始年齢が引き上げられた。これに伴い高齢者雇用促進制度も強化されている。

図2 ライフコース別にみた公的年金の保障

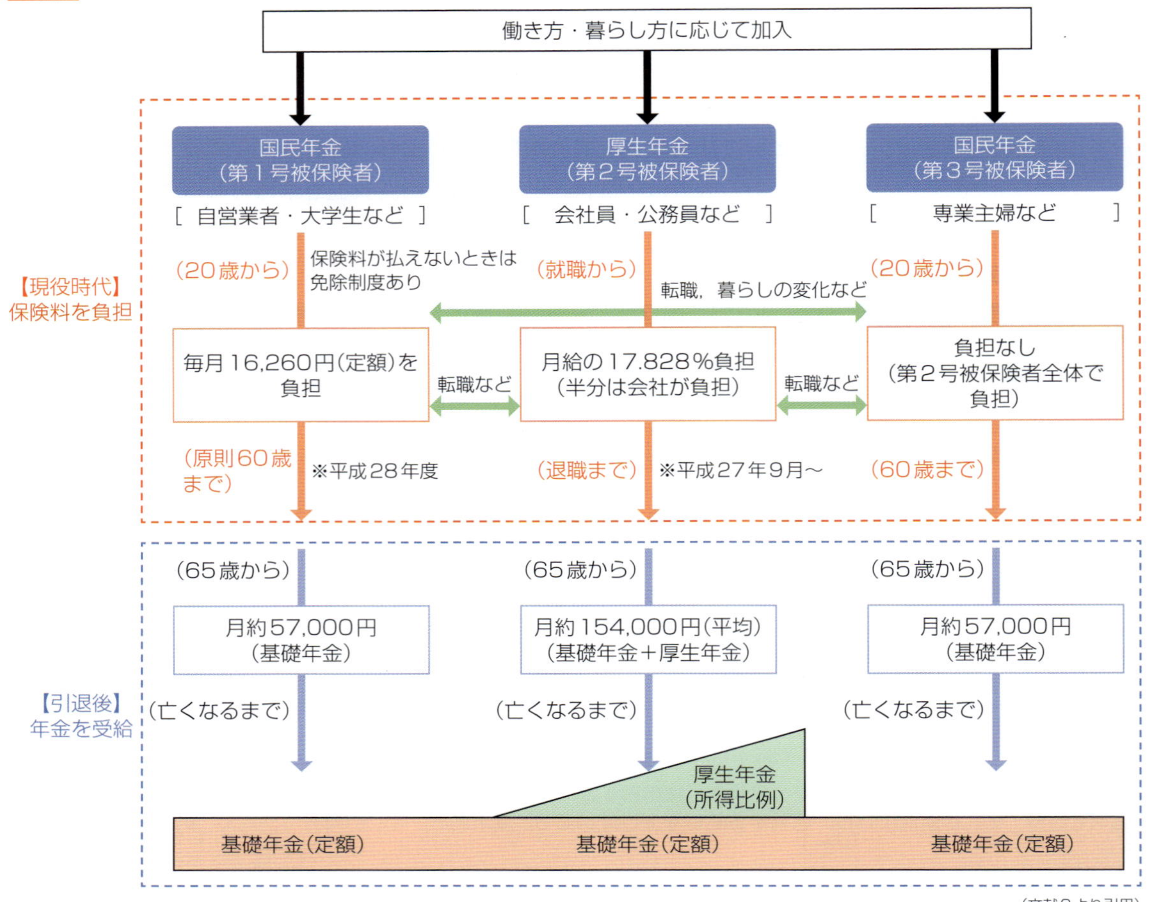

(文献3より引用)

■雇用保険・労災保険

雇用保険とは，労働者が失業した場合に，その生活を一定期間保障するものである。また，労災保険は，労働者の業務上，または通勤上の災害を補償するために必要な給付を行うものである。雇用保険には，失業給付だけではなく，失業を予防するためのさまざまな制度がある(**図3**)。

■介護保険

介護保険は，介護を社会で支える仕組みとして，2000年に施行された制度である。1980年代以降，日本の少子高齢化は，それまでの社会保障体系では支えられないことが予測されていた。特に，高齢者の医療と福祉にまたがる介護の問題は，構造的な仕組みにひずみが生じていた。介護保険は，そのために考えだされた制度である。詳細については，介護保険制度(p.69)を参照して欲しい。

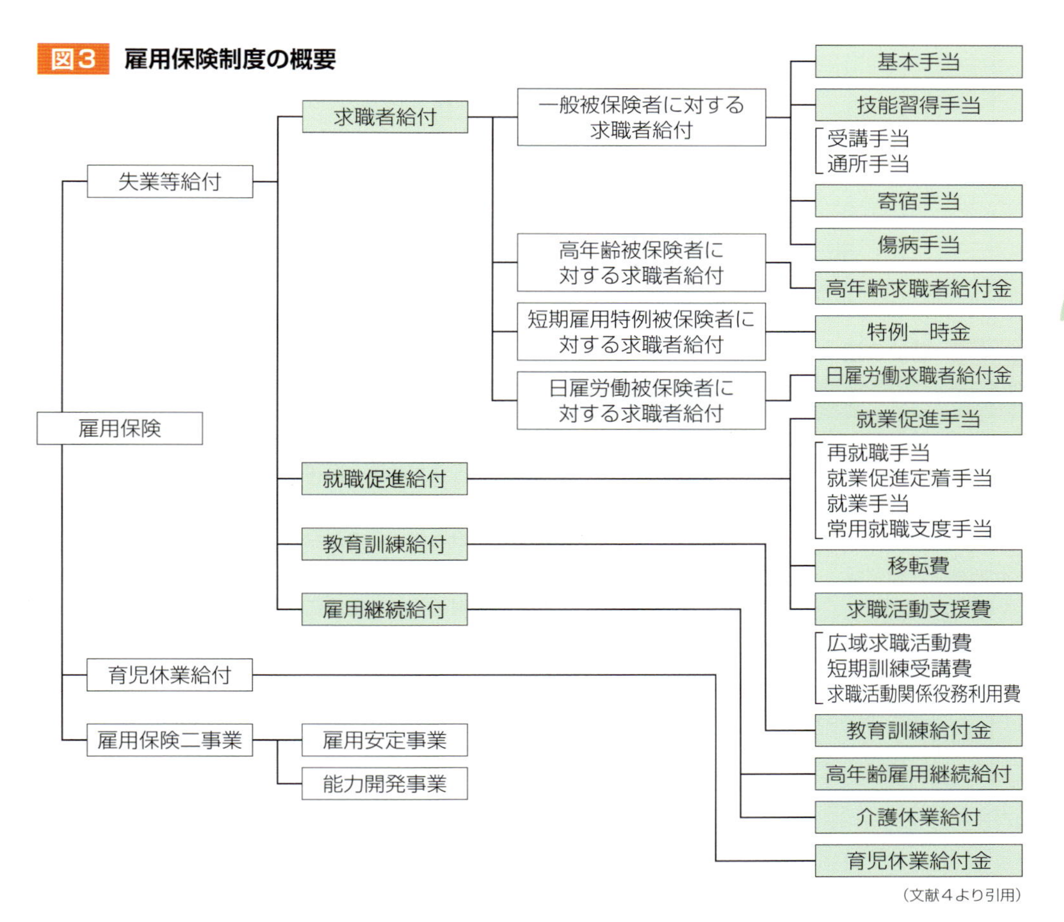

4 国家扶助

国家扶助とは，他制度による生活保障や民法上の扶養義務による扶養があっても，最低生活を営むことができない国民に適用される。この制度の根本は救貧であり，日本国憲法第25条の生存権に基づく制度である。基本的に，福祉事務所に申請するが，福祉事務所がない市区町村の場合は，居住地の役所でも申請できる。

生活保護による扶助には，生活扶助，住宅扶助，教育扶助，医療扶助，介護扶助，出産扶助，生業扶助，葬祭扶助がある。

5 社会福祉

福祉とは，幸せや豊かさを表す言葉で，社会保障や公衆衛生などの施策を含んだ大きな定義であるが，ここでは狭義の社会福祉について述べる。国家扶助を除く社会福祉は，児童，母子家庭，障害者，生活上の介護を必要とする老人など，社会生活を営むうえでさまざまな問題をもつ人が，その問題を克服し，安心して社会生活を送れるよう公的に支援を行う法体系と考えることができる。

社会福祉に関する法律である，児童福祉法，身体障害者福祉法，生活保護法，知的障害者福祉法，老人福祉法，母子及び父子並びに寡婦福祉法を，合わせて福祉6法とよぶ。これに，社会福祉法，高齢者の医療の確保に関する法律，精神保健及び精神障害者福祉に関する法律を合わせ，生活保護法を除いたものを福祉8法とよぶ(**表3**)。

表3　福祉8法

法律の名称	内　容
児童福祉法 （1947年制定）	児童の出生・育成が健やかであり，かつその生活が保障愛護されることを理念とし，児童保護のための禁止行為や児童福祉司・児童相談所・児童福祉施設などの諸制度について定めた法律
身体障害者福祉法 （1949年制定）	障害者自立支援法と連携して，身体障害者の自立と社会参加を促進するため，援助や保護などを通じて，身体障害者の福祉の増進を図ることを目的とする
知的障害者福祉法 （1960年制定）	知的障害者の自立と社会経済活動への参加を促進するため，知的障害者を援助するとともに必要な保護を行い，もって知的障害者の福祉を図ることを目的とする
老人福祉法 （1963年制定）	老人の福祉に関する原理を明らかにするとともに，老人に対し，その心身の健康の保持及び生活の安定のために必要な措置を講じ，もって老人の福祉を図ることを目的とする
母子及び父子並びに寡婦福祉法 （1964年制定）	母子家庭等及び寡婦の福祉に関する原理を明らかにするとともに，母子家庭等及び寡婦に対し，その生活の安定と向上のために必要な措置を講じ，もって母子家庭等及び寡婦の福祉を図ることを目的とする
社会福祉法 （1951年制定）	社会福祉事業の全分野における共通的基本事項を定め，福祉6法その他の社会福祉を目的とする法律と相まって，社会福祉事業が公明かつ適正に行われることを確保し，もって社会福祉の増進に資することを目的とする
高齢者の医療の確保に関する法律 （1983年制定）	国民の高齢期における適切な医療の確保を図るため，医療費の適正化を推進するための計画の作成及び保険者による健康診査等の実施に関する措置を講ずるとともに，高齢者の医療について，国民の共同連帯の理念等に基づき，前期高齢者に係る保険者間の費用負担の調整，後期高齢者に対する適切な医療の給付等を行うために必要な制度を設け，もって国民保健の向上及び高齢者の福祉の増進を図ることを目的とする ※2008年4月1日から，75歳以上の老人医療はこの法律が定める後期高齢者医療制度へ，保健事業は健康増進法へ移行するとともに，新たに40歳以上の者を対象としたメタボリック症候群に対応するため保険者に特定健康診査，特定保健指導を実施する制度に移行した
精神保健及び精神障害者福祉に関する法律 （1950年制定）	精神障害者の医療及び保護を行い，障害者自立支援法（平成17年法律第123号）と相まってその社会復帰の促進及びその自立と社会経済活動への参加の促進のために必要な援助を行い，並びにその発生の予防その他国民の精神的健康の保持及び増進に努めることによって，精神障害者の福祉の増進及び精神保健の向上を図ることを目的とする

（文献5より引用）

6 公衆衛生

公衆衛生は，コミュニティ全体の身体的・精神的・社会的安寧を防衛，改善する科学であり技術としてとらえることができる。一般保健サービス，医療供給，生活環境対策，環境保全，学校保健，労働衛生などが含まれる。具体的には，感染症対策，食中毒の予防，健康増進施策，母子保健，上下水道整備，廃棄物の対策などが挙げられる。

【引用文献】
1) 日本作業療法士協会：2020年度日本作業療法士協会会員統計資料, 日本作業療法士協会誌, 114：13-15, 2021(https://www.jaot.or.jp/files/news/kikanshi/kikanshi2021/kikanshi114-2021.9.15.pdf, 2023年6月30日閲覧)
2) 厚生労働省：令和５年度予算案のポイント(https://www.mhlw.go.jp/wp/yosan/yosan/23syokanyosan/dl/01-04.pdf, 2023年6月30日閲覧)
3) 厚生労働省：ライフコース別にみた公的年金の保障(https://www.mhlw.go.jp/seisakunitsuite/bunya/nenkin/nenkin/zaisei01/dl/zu05.pdf, 2023年6月30日閲覧)
4) ハローワーク インターネットサービス：雇用保険制度の概要(https://www.hellowork.mhlw.go.jp/insurance/insurance_summary.html, 2023年6月30日閲覧)
5) 厚生労働省：老人福祉法等の一部を改正する法律の施行について(https://www.mhlw.go.jp/web/t_doc?dataId=00ta4219&dataType=1&pageNo=1, 2023年6月30日閲覧)

チェックテスト

Q

①社会保障制度とはどのような制度か(☞p.38)。 基礎
②医療保険とはどのような制度か(☞p.38)。 基礎
③年金保険とはどのような制度か(☞p.39)。 基礎
④雇用保険・労災保険とはどのような制度か(☞p.40)。 基礎
⑤国家扶助とは何か(☞p.41)。 基礎
⑥福祉６法および福祉８法とは何か(☞p.41, 42)。 基礎

2 医療と診療報酬

梶原幸信

Outline

- 医療の現場（病院や診療所）で提供する検査や治療，薬や材料などの費用のことを診療報酬という。
- 診療報酬は国が定めており，定期的に見直しも行われる。

1 はじめに

本項では，私たち作業療法士が働く現場の1つである医療保険の職場（病院・診療所など）における，リハビリテーション部門の運営に関係する制度について解説する。

2 社会保障制度

医療保険や介護保険といった私たち作業療法士の業務に関連する事業の多くは社会保障制度のなかで運用されている。

社会保障制度と一言でいっても範囲はとても広く，戦没者遺族年金や恩給等を含めたものを広義の社会保障といい，医療保険や介護保険などの社会保険，生活保護などの公的扶助，障害者自立支援などの社会福祉，感染症予防などの対策に関連する公衆衛生の4事業を，狭義の社会保障という（**表1**）。これら社会保障制度に関する事業の財源は税金と保険料であり，近年における給付費は年間120兆円を超え，国内総生産（GDP：gross domestic product）比20％台，国民1人当たり100万円程度の費用となっている。

補 足

2020年度社会保障給付費132兆2,211億円（GDP比24.69％），国民1人当たり104万円〔国立社会保障・人口問題研究所公表資料（2023.8）より〕

表1　社会保障制度（狭義）

社会保険	国民の生活遂行に困難をもたらす病気や障害，老齢などの状況に対し，生活の安定を図ることを目的とした強制加入の保険制度 ⅰ．医療保険：病気やけがの際，医療費負担を補うことで，安心して医療を受けることができる ⅱ．労災保険：仕事中や通勤時に起こるけがや病気，死亡に対し，その後の本人や遺族の生活を補う ⅲ．年金保険：老齢や障害などが原因で所得に制限がある場合に所得を補う ⅳ．雇用保険：労働者の生活と雇用の安定のために失業時の保険給付や職業訓練への助成などを行う ⅴ．介護保険：加齢により要介護状態となった場合，社会全体で支える制度
公的扶助	低所得などにより生活に困窮する国民の最低限度の生活を保障し，自立を支援する制度 ⅰ．生活保護：健康で文化的な最低限度の生活を保障するために，所得の支援などを行う
社会福祉	障害者や母子家庭など，社会生活に影響を及ぼす可能性がある不利益を受けている者に対して，安心して生活を遂行するための公的な支援を行う制度 ⅰ．障害者福祉：障害者の自立や社会参加などを支援するさまざまな制度。「障害者自立支援法」はこれに含まれる ⅱ．老人福祉：広義には介護保険下における各施設設置に関する制度も含まれるが，老人クラブやシルバー人材センターの活動支援もこれに含まれる ⅲ．児童・母子福祉：児童の健全育成や子育ての支援，母子家庭の所得支援などを行う制度
公衆衛生	国民の健康を守る目的で予防，衛生などの事業を行う ⅰ．医療施策：感染症予防や予防接種などの事業 ⅱ．生活環境施策：上下水道の整備や清掃などの事業

3 診療報酬

診療報酬とは，社会保険制度における医療保険で提供される検査や治療などの技術，薬や材料などの対価として計算される費用のことをいう。医師の診察や入院に関しては基本診療料といい，検査や投薬，リハビリテーションなどは特掲（とっけい）診療料という。それぞれの費用は診療報酬点数として定められており，1点当たり10円で計算される。保険料として支払われる割合と患者自身の負担となる割合は，保険の種類や年齢などにより違いがあるが，現状では自己負担割合は最大でも3割となっている。

■診療報酬改定

診療報酬の改定は原則2年に1回となっている。医療保険から医療機関などに支払われる公定価格の決定は厚生労働大臣の権限となっている。根拠法は社会保険医療協議会法である。まず，医療保険に関連する法律の改正案作成や，各報酬改定に関連する基本方針の検討は，厚生労働省の諮問（しもん）機関である社会保障審議会で審議される。また，診療報酬改定の内容は，診療報酬を決定する権限を有する厚生労働大臣の諮問（しもん）機関として設置されている中央社会保険医療協議会（以下，中医協）で審議される。中医協の委員は，保険者，被保険者，事業主などを代表する委員（支払側）と，医師，歯科医師，薬剤師を代表する委員（診療側），公益を代表する委員で構成されており，任期は2年である。診療報酬改定までの流れは2022（令和4）年度診療報酬改定におけるスケジュールを例として提示する（**表2**）。

近年の診療報酬改定では，高齢社会の広がりに比例して伸び続ける社会

> **補足**
>
> **改定率**
> 診療報酬は，改定の前年度に行われる政府による次年度国家予算編成の際に，そのほかのさまざまな予算とともに医療費の総額と改定率が検討される。
> 検討はその時点での医療の動向とともに，医療機関の経営状況調査や薬の価格調査などさまざまな要素をもとに行われている。

保障給付費の抑制と，医療機能の適正化と合わせて医療費の効率化を目的に全体の改定率を抑制する傾向にある（図1）。2022（令和4）年度改定においては，改定率は－0.94％（本体部分＋0.43％，薬価－1.35％）であり，リハビリテーションが関連する医科は0.26％引き上げとなっている。

表2　2022年度診療報酬改定までの流れ

日付	内容	担当機関
2021年12月10日	「診療報酬改定の基本方針」発表	社会保障審議会
12月22日	「診療報酬改定率」発表	内閣
2022年1月14日	中央社会保険医療協議会に対し諮問	厚生労働大臣
2月9日	厚生労働大臣に対し答申	中央社会保険医療協議会（中医協）
3月4日	診療報酬改定に係る告示・関連通知発表	厚生労働大臣
4月1日	診療報酬改定施行	—

図1　診療報酬改定率の推移

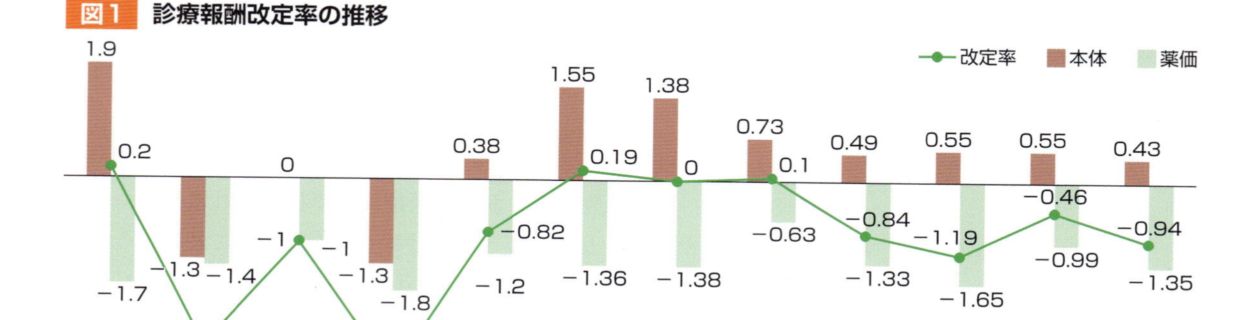

（文献1を参考に作成）

■近年の改定におけるリハビリテーション

リハビリテーションが日本に導入され発展してきたなかで，当初は医療機関でのリハビリテーションにおいても長期間に療養を兼ねた取り組みが中心となっていた。近年のリハビリテーションは，各分野や発症からの期間などでの機能分化が進められてきている。また，医療保険下におけるリハビリテーションは，発症から早期に開始して短期間で地域生活に移行するような見直しが推進されてきている（表3）。

■現行の診療報酬・施設基準

現行の診療報酬におけるリハビリテーションは，身体障害分野では2006（平成18）年度改定で導入された疾患別リハビリテーション料を基本に，施設基準や報酬の適正化が図られてきている。精神障害分野では，実施するリハビリテーションに直接関連する「精神科作業療法」が，1974（昭和49）年に「精神科デイケア」とともに制度化が進められ，翌年に診療報酬

表3　リハビリテーションに関連する診療報酬改定の推移

改定年度	主な内容
1992年	・「総合リハビリテーション承認施設」基準導入
2000年	・「回復期リハビリテーション病棟入院料」基準導入
2002年	本体部分初のマイナス改定（－2.7％　本体部分－1.3％） ・「複雑（40分）・簡単（15分）」の区分けから「個別・集団（1単位20分）」に変更
2004年	改定率（－1％　本体0％） ・「集団」のリハビリテーションにおける算定制限緩和
2006年	改定率（－3.16％　本体－1.36％） ・「疾患別リハビリテーション料」基準導入：リハビリテーションにおける療法別区分を疾患別区分に変更しそれぞれに算定日数上限を設定
2007年	・「疾患別リハビリテーション医学管理料」基準導入 ・「リハビリテーションにおける逓減制」導入
2008年	改定率（－0.82％　本体＋0.38％） ・「疾患別リハビリテーション料」見直し（一部引き下げ） ・「ADL加算」廃止 ・「疾患別リハビリテーション医学管理料」廃止 ・「リハビリテーションにおける逓減制」廃止 ・「回復期リハビリテーション病棟入院料」質の評価導入：在宅復帰率や重症者受け入れ割合基準導入
2010年	10年ぶりのプラス改定　改定率（＋0.19％　本体＋1.55％） ・疾患別リハビリテーション料見直し，早期リハビリテーション加算引き上げ ・廃用症候群の評価新設，がん患者リハビリテーション料新設 ・回復期リハビリテーション病棟質の評価導入と入院料引き上げ ・亜急性期入院医療管理料基準緩和 ・呼吸ケアチーム加算新設
2012年	改定率（＋0.004％　本体＋1.379％） ・早期リハビリテーション加算の見直し（2段階導入） ・外来リハビリテーション診療料新設 ・維持期リハビリテーション評価見直し ・介護保険のリハビリテーションサービスへの移行期間延長（1カ月→2カ月） ・回復期リハビリテーション病棟入院料の新たな評価
2014年	改定率（＋0.1％　本体＋0.73％） ・心大血管疾患リハビリテーション料への作業療法士の職名追記 ・廃用症候群に対するリハビリテーションの評価の適正化 ・運動器リハビリテーション料Ⅰの評価の見直し（外来での算定追加） ・回復期リハビリテーション病棟入院料1見直し（体制強化加算新設等） ・回復期リハビリテーション病棟入院料見直し（入院時訪問指導加算新設） ・地域包括ケア病棟入院料新設
2016年	改定率（－0.84％　本体＋0.49％） ・回復期リハビリテーション病棟のアウトカム評価導入 ・ADL維持向上等体制加算施設基準見直し ・初期加算，早期加算算定要件見直し ・廃用症候群リハビリテーション料新設 ・生活機能に関するリハビリテーション実施場所拡充 ・リンパ浮腫複合的治療料新設
2018年	改定率（－1.19％　本体＋0.55％） ・回復期リハビリテーション病棟入院料の評価体系見直し ・特定集中治療室管理料への早期離床・リハビリテーション加算新設 ・疾患別リハビリテーションにおける算定日数上限の除外対象患者追加 ・回復期リハビリテーション病棟における専従要件見直し ・医療と介護の連携に資するリハビリテーション計画書見直し ・脳血管疾患等リハビリテーション料の対象患者見直し

（次ページへ続く）

表3 リハビリテーションに関連する診療報酬改定の推移(続き)

改定年度	主な内容
2020年	改定率(－0.46%　本体＋0.55%) ・回復期リハビリテーション病棟入院料見直し ・リハビリテーション実施計画書運用の見直し ・呼吸器リハビリテーション料，難病患者リハビリテーション料への言語聴覚士職名追記 ・外来リハビリテーション診療料の要件緩和 ・脳血管疾患等リハビリテーション料Ⅱの施設基準見直し ・がん患者リハビリテーション料，リンパ浮腫指導管理料及びリンパ浮腫複合的治療料の対象要件見直し ・摂食機能療法の経口摂取回復促進加算見直し
2022年	改定率(－0.94%　本体＋0.43%) ・早期離床・リハビリテーション加算見直し ・地域包括ケア病棟入院料，回復期リハビリテーション病棟入院料の評価体系及び要件見直し ・特定機能病院リハビリテーション病棟入院料新設 ・疾患別リハビリテーション料の標準的算定日数超における要件見直し

点数が設けられた。その後，身体障害分野ほどの大きな見直しはないが，対象となる人数や実施場所に関する基準の見直しなどは進められてきた。また，精神科関連分野では，入院料などの見直しのなかで，早期対応や認知症対応の強化が進められている。

■身体障害の作業療法

身体障害の作業療法は，病院や診療所を利用する患者(入院・外来とも)に対して実施される。作業療法はすべて，患者の主治医からの指示(処方)により実施する。

作業療法の実施は，発症早期から，回復期を経て地域生活移行した後の外来通院時，療養病床入院時など，各期において対象となる。特に，亜急性期入院医療管理料の許可病床や回復期リハビリテーション病床では，リハビリテーション提供体制の充実度による加算も設けられている。

現行は，2022(令和4)年度診療報酬改定における基準が最新のものである。本改定では，従来の発症早期からのリハビリテーションをさらに充実させる方向の見直しとともに，疾患別リハビリテーション料における標準的算定日数を超えてリハビリテーションを行う場合において，月に1回以上機能的自立度評価法(FIM：functional independence measure)を測定することが要件となった。

■疾患別リハビリテーション料[2, 3]

疾患別リハビリテーション料は5区分あり，それぞれにおいて標準的リハビリテーション実施日数が定められている。また，対象疾患(**表4**)や施設基準(**表5**)も定められており，請求時には理学療法も作業療法も言語聴覚療法もすべて，疾患別リハビリテーション料として合計した形式で請求する。それぞれの点数と人員基準は以下のとおりである。

表4 疾患別リハビリテーション料の対象疾患

心大血管疾患リハビリテーション料	・急性心筋梗塞，狭心症発作その他の急性発症した心大血管疾患またはその手術後の患者 ・慢性心不全，末梢動脈閉塞性疾患その他の慢性の心大血管疾患により，一定程度以上の呼吸循環機能の低下および日常生活能力の低下をきたしている患者
脳血管疾患等リハビリテーション料	・脳梗塞，脳出血，くも膜下出血その他の急性発症した脳血管疾患またはその手術後の患者 ・脳腫瘍，脳膿瘍，脊髄損傷，脊髄腫瘍その他の急性発症した中枢神経疾患またはその手術後の患者 ・多発性神経炎，多発性硬化症，末梢神経障害その他の神経疾患の患者 ・パーキンソン病，脊髄小脳変性症その他の慢性の神経筋疾患の患者 ・失語症，失認および失行症ならびに高次脳機能障害の患者 ・難聴や人工内耳埋込手術などに伴う聴覚・言語機能の障害を有する患者 ・顎・口腔の先天異常に伴う構音障害を有する患者 ・舌悪性腫瘍等の手術による構音障害を有する患者 ・リハビリテーションを要する状態の患者であって，一定程度以上の基本動作能力，応用動作能力，言語聴覚能力及び日常生活能力の低下をきたしているもの
廃用症候群リハビリテーション料	・急性疾患等に伴う安静による廃用症候群の患者であって，一定程度以上の基本動作能力，応用動作能力，言語聴覚能力及び日常生活能力の低下を来しているもの
運動器リハビリテーション料	・上下肢の複合損傷，脊椎損傷による四肢麻痺その他の急性発症した運動器疾患またはその手術後の患者 ・関節の変性疾患，関節の炎症性疾患その他の慢性の運動器疾患により，一定程度以上の運動機能および日常生活能力の低下をきたしている患者
呼吸器リハビリテーション料	・肺炎，無気肺，その他の急性発症した呼吸器疾患の患者 ・肺腫瘍，胸部外傷その他の呼吸器疾患またはその手術後の患者 ・慢性閉塞性肺疾患(COPD)，気管支喘息その他の慢性の呼吸器疾患により，一定程度以上の重症の呼吸困難や日常生活能力の低下をきたしている患者 ・食道がん，胃がん，肝臓がん，咽・喉頭がんなどの手術前後の呼吸機能訓練を要する患者

表5 訓練室の広さと必要物品

	訓練室(内法による測定)	必要物品
心大血管疾患リハビリテーション料(Ⅰ)(Ⅱ)	病院：30m²以上， 診療所：20m²以上	訓練室内：酸素供給装置，除細動器，心電図モニター装置，トレッドミルまたはエルゴメータ，血圧計，救急カート 施設内：運動負荷試験装置
脳血管疾患等リハビリテーション料(Ⅰ) 廃用症候群リハビリテーション料(Ⅰ)	160m²以上。言語聴覚療法を行う場合は専用の個別療法室(8m²以上)1室以上	歩行補助具，訓練マット，治療台，砂嚢などの重錘，各種測定用器具(角度計，握力計など)，血圧計，平行棒，傾斜台，姿勢矯正用鏡，各種車いす，各種歩行補助具，各種装具(長・短下肢装具など)，家事用設備，各種日常生活動作用設備など
脳血管疾患等リハビリテーション料(Ⅱ)(Ⅲ) 廃用症候群リハビリテーション料(Ⅱ)(Ⅲ)	病院：100m²以上 診療所：45m²以上 言語聴覚療法を行う場合は専用の個別療法室(8m²以上)1室以上	
運動器リハビリテーション料(Ⅰ)(Ⅱ)	病院：100m²以上 診療所：45m²以上	各種測定用器具(角度計，握力計など)，血圧計，平行棒，姿勢矯正用鏡，各種車いす，各種歩行補助具など
運動器リハビリテーション料(Ⅲ)	45m²以上	歩行補助具，訓練マット，治療台，砂嚢などの重錘，各種測定用器具など
呼吸器リハビリテーション料(Ⅰ)	病院：100m²以上 診療所：45m²以上	呼吸機能検査機器，血液ガス検査機器など
呼吸器リハビリテーション料(Ⅱ)	45m²以上	

● 心大血管疾患リハビリテーション料［標準的実施日数：150日］

1. 心大血管疾患リハビリテーション料（Ⅰ）（1単位）205点

(1)届出保険医療機関（循環器内科または心臓血管外科を標榜（ひょうぼう）するものに限る）において，循環器科または心臓血管外科の医師が，心大血管疾患リハビリテーションを実施している時間帯において常時勤務しており，心大血管疾患リハビリテーションの経験を有する専任の常勤医師が1名以上勤務していること。なお，この場合において，心大血管疾患リハビリテーションを受ける患者の急変時などに連絡を受けるとともに，当該保険医療機関または連携する保険医療機関において適切な対応ができるような体制を有すること。

(2)心大血管疾患リハビリテーションの経験を有する専従の常勤理学療法士および専従の常勤看護師が合わせて2名以上勤務していること，または専従の常勤理学療法士もしくは専従の常勤看護師のいずれか一方が2名以上勤務していること。また，必要に応じて，心機能に応じた日常生活活動に関する訓練などの心大血管疾患リハビリテーションにかかわる経験を有する作業療法士が勤務していることが望ましい。ただし，いずれの場合でも，2名のうち1名は専任の従事者でも差し支えない。

2. 心大血管疾患リハビリテーション料（Ⅱ）（1単位）125点

(1)届出保険医療機関において，心大血管疾患リハビリテーションを実施する時間帯に循環器内科または心臓血管外科を担当する医師（非常勤を含む）および心大血管疾患リハビリテーションの経験を有する医師（非常勤を含む）が1名以上勤務していること。

(2)心大血管疾患リハビリテーションの経験を有する専従の理学療法士又は看護師のいずれか1名以上が勤務していること。また，必要に応じて，心機能に応じた日常生活活動に関する訓練等の心大血管疾患リハビリテーションに係る経験を有する作業療法士が勤務していることが望ましい。

● 脳血管疾患等リハビリテーション料［標準的実施日数：180日］

1. 脳血管疾患等リハビリテーション料（Ⅰ）（1単位）245点

(1)専任の常勤医師が2名以上勤務していること。ただし，そのうち1名は，脳血管疾患などのリハビリテーション医療に関する3年以上の臨床経験または脳血管疾患などのリハビリテーション医療に関する研修会，講習会の受講歴（または講師歴）を有すること。

(2)次のアからエまでをすべて満たしていること。

ア. 専従の常勤理学療法士が5名以上勤務していること。

イ. 専従の常勤作業療法士が3名以上勤務していること。

ウ. 言語聴覚療法を行う場合は，専従の常勤言語聴覚士が1名以上勤務していること。

エ. アからウまでの専従の従事者が合わせて10名以上勤務すること。

2. 脳血管疾患等リハビリテーション料（Ⅱ）（1単位）200点

(1) 専任の常勤医師が1名以上勤務していること。

(2) 次のアからエまでをすべて満たしていること。

ア. 専従の常勤理学療法士が1名以上勤務していること。

イ. 専従の常勤作業療法士が1名以上勤務していること。

ウ. 言語聴覚療法を行う場合は，専従の常勤言語聴覚士が1名以上勤務していること。

エ. アからウまでの専従の従事者が合わせて4名以上勤務していること。

3. 脳血管疾患等リハビリテーション料（Ⅲ）（1単位）100点

(1) 専任の常勤医師が1名以上勤務していること。

(2) 専従の常勤理学療法士，常勤作業療法士または常勤言語聴覚士のいずれか1名以上勤務していること。

● 廃用症候群リハビリテーション料［標準的実施日数：120日］

1. 廃用症候群リハビリテーション料（Ⅰ）（1単位）180点

(1) 脳血管疾患等リハビリテーション料（Ⅰ）を届け出ていること。

2. 廃用症候群リハビリテーション料（Ⅱ）（1単位）146点

(1) 脳血管疾患等リハビリテーション料（Ⅱ）を届け出ていること。

3. 廃用症候群リハビリテーション料（Ⅲ）（1単位）77点

(1) 脳血管疾患等リハビリテーション料（Ⅲ）を届け出ていること。

● 運動器リハビリテーション料［標準的実施日数：150日］

1. 運動器リハビリテーション料（Ⅰ）（1単位）185点

(1) 運動器リハビリテーションの経験を有する専任の常勤医師が1名以上勤務していること。

(2) 専従の常勤理学療法士または専従の常勤作業療法士が合わせて4名以上勤務していること。

2. 運動器リハビリテーション料（Ⅱ）（1単位）170点

(1) 運動器リハビリテーションの経験を有する専任の常勤医師が1名以上勤務していること。

(2) 次のアからウまでのいずれかを満たしていること。

ア. 専従の常勤理学療法士が2名以上勤務していること。

イ. 専従の常勤作業療法士が2名以上勤務していること。

ウ. 専従の常勤理学療法士および専従の常勤作業療法士が合わせて2名以上勤務していること。

3. 運動器リハビリテーション料(Ⅲ)(1単位)85点

(1)運動器リハビリテーションの経験を有する専任の常勤医師が1名以上勤務していること。

(2)専従の常勤理学療法士または常勤作業療法士がいずれか1名以上勤務していること。

● 呼吸器リハビリテーション料[標準的実施日数：90日]

1. 呼吸器リハビリテーション料(Ⅰ)(1単位) 175点

(1)呼吸器リハビリテーションの経験を有する専任の常勤医師が1名以上勤務していること。

(2)呼吸器リハビリテーションの経験を有する専従の常勤理学療法士1名を含む常勤理学療法士，常勤作業療法士または常勤言語聴覚士が合わせて2名以上勤務していること。

2. 呼吸器リハビリテーション料(Ⅱ)(1単位)85点

(1)呼吸器リハビリテーションの経験を有する専任の常勤医師が1名以上勤務していること。

(2)専従の常勤理学療法士，常勤作業療法士または常勤言語聴覚士のいずれか1名以上が勤務していること。

アクティブラーニング 1 実習施設の疾患別リハビリテーション取得基準を確認してみよう。

上記疾患別リハビリテーション料においては，それぞれ起算日と，初期加算・早期加算の算定起算日が設定されている(**表6**)。また，より長い訓練期間が必要であると判断される症状や重複する障害を有する場合(**表7**)は標準的実施日数を超えて訓練を実施することが可能となっている。

■ その他の身体障害関連リハビリテーション料の診療報酬

● 難病患者リハビリテーション料(1日につき)　640点

短期集中リハビリテーション実施加算

イ. 退院日から1カ月以内：280点

ロ. 1カ月以上3カ月以内：140点

入院中以外の患者に対し，社会生活機能の回復を目的としてリハビリテーションを実施した場合に算定する。実施時間は患者1人当たり1日に

表6 疾患別リハビリテーション起算日と早期加算起算日

	疾患別リハビリテーション料 起算日	初期加算(45点)・早期加算(30点) 起算日
心大血管疾患 リハビリテーション料	治療開始日	発症，手術もしくは急性増悪から7日目または治療開始日のいずれか早いもの
脳血管疾患等 リハビリテーション料	発症，手術もしくは急性増悪または最初に診断された日	発症，手術または急性増悪
廃用症候群 リハビリテーション料	(廃用症候群の)診断または急性増悪	(廃用症候群にかかわる急性疾患などの)発症，手術もしくは急性増悪または廃用症候群の急性増悪
運動器 リハビリテーション料	発症，手術もしくは急性増悪または最初に診断された日	発症，手術または急性増悪
呼吸器 リハビリテーション料	治療開始日	発症，手術もしくは急性増悪から7日目または治療開始日のいずれか早い日

表7 標準的リハビリテーション実施日数の除外対象患者

- 失語症，失認および失行症の患者
- 高次脳機能障害の患者
- 重度の頸髄損傷の患者
- 頭部外傷および多部位外傷の患者
- 慢性閉塞性肺疾患(COPD)の患者
- 心筋梗塞の患者
- 狭心症の患者
- 軸索断裂の状態にある末梢神経損傷(発症後1年以内のものに限る)の患者
- 外傷性の肩関節腱板損傷(受傷後180日以内のものに限る)の患者
- 回復期リハビリテーション病棟入院料又は特定機能病院リハビリテーション病棟入院料を算定する患者
- 回復期リハビリテーション病棟又は特定機能病院リハビリテーション病棟において在棟中に回復期リハビリテーション病棟入院料又は特定機能病院リハビリテーション病棟入院料を算定した患者であって，当該病棟を退棟した日から起算して3月以内の患者(保険医療機関に入院中の患者，介護老人保健施設又は介護医療院に入所する患者を除く)
- 難病患者リハビリテーション料に規定する患者(先天性又は進行性の神経・筋疾患の者を除く)
- 障害児(者)リハビリテーション料に規定する患者(加齢に伴って生ずる心身の変化に起因する疾病の者に限る。)
- その他別表第九の四から別表第九の七(※各疾患別リハビリテーション料対象疾患)までに規定する患者又は廃用症候群リハビリテーション料に規定する患者であって，リハビリテーションを継続して行うことが必要であると医学的に認められるもの
- 先天性または進行性の神経・筋疾患の患者
- 障害児(者)リハビリテーション料に規定する患者(加齢に伴って生じる心身の変化に起因する疾病の者を除く)

(文献4より引用)

つき6時間を標準とする(**表8**)。

● 障害児(者)リハビリテーション料(1単位)

1. 6歳未満の場合：225点
2. 6歳以上18歳未満の場合：195点
3. 18歳以上の場合：155点

個別療法であるリハビリテーションを行った場合に，1人につき1日6単位まで算定できる(**表9**)。

表8　難病患者リハビリテーション料施設基準と対象疾患

施設基準	(1)専任の常勤医師が勤務している (2)専従する2名以上の従事者(理学療法士または作業療法士または言語聴覚士が1名以上であり，かつ，看護師が1名以上)が勤務 (3)取り扱う患者数は，従事者1人につき1日20人を限度とする (4)当該機能訓練室の広さは内法による測定で60m^{2}以上とし，かつ，患者1人当たりの面積は内法による測定で4.0m^{2}を標準とする (5)当該訓練を行うために必要な専用の器械・器具。訓練マットとその付属品，姿勢矯正用鏡，車椅子，各種つえ，各種測定用器具(角度計，握力計など)	
対象疾患	・ベーチェット病 ・多発性硬化症 ・重症筋無力症 ・全身性エリテマトーデス ・スモン ・筋萎縮性側索硬化症 ・強皮症 ・皮膚筋炎および多発性筋炎 ・結節性動脈周囲炎 ・ビュルガー病 ・脊髄小脳変性症 ・悪性関節リウマチ ・パーキンソン病関連疾患(進行性核上性麻痺，大脳皮質基底核変性症，パーキンソン病) ・アミロイドーシス ・後縦靱帯骨化症 ・ハンチントン病 ・モヤモヤ病(ウィリス動脈輪閉塞症)	・ウェゲナー肉芽腫症 ・多系統萎縮症(線条体黒質変性症，オリーブ橋小脳萎縮症，シャイ・ドレーガー症候群) ・広範脊柱管狭窄症 ・特発性大腿骨頭壊死症 ・混合性結合組織病 ・プリオン病 ・ギラン・バレー症候群 ・黄色靱帯骨化症 ・シェーグレン症候群 ・成人発症スチル病 ・関節リウマチ ・亜急性硬化性全脳炎 ・ライソゾーム病 ・副腎皮質ジストロフィー ・脊髄性筋委縮症 ・球脊髄性筋萎縮症 ・慢性炎症性脱髄性多発神経炎

(文献3，4より引用)

表9　障害児(者)リハビリテーション料施設基準と対象疾患

施設基準	(1)当該リハビリテーションを実施する保険医療機関は，次のいずれかであること ア．児童福祉法第42条の2に規定する医療型障害児入所施設 イ．児童福祉法第6条の2第2項第1号に規定する指定小児慢性特定疾病医療機関 ウ．当該保険医療機関においてリハビリテーションを実施している外来患者のうち，おおむね8割以上が特掲診療料の施設基準等別表第十の二に該当する患者(ただし加齢に伴って生ずる心身の変化に起因する疾病の者を除く。)である保険医療機関 (2)専任の常勤医師が1名以上勤務している (3)アまたはイのいずれかに該当していること ア．専従の常勤理学療法士または常勤作業療法士が合わせて2名以上勤務している イ．専従の常勤理学療法士または常勤作業療法士のいずれか1名以上および障害児(者)リハビリテーションの経験を有する専従の常勤看護師1名以上が合わせて2名以上が勤務している (4)言語聴覚療法を行う場合は，専従の常勤言語聴覚士が1名以上勤務している (5)病院：内法による測定で60m^{2}以上，診療所：内法による測定で45m^{2}以上，言語聴覚療法を行う場合は，遮蔽などに配慮した専用の個別療法室(内法による測定で8m^{2}以上)1室以上を別に有している (6)当該訓練を行うために必要な専用の器械・器具。訓練マットとその付属品，姿勢矯正用鏡，車椅子，各種つえ，各種測定用器具(角度計，握力計など)	
対象疾患	・脳性麻痺 ・胎生期もしくは乳幼児期に生じた脳または脊髄の奇形および障害の患者 ・顎・口腔の先天異常 ・先天性の体幹四肢の奇形または変形の患者 ・先天性神経代謝異常症	・大脳白質変性症 ・先天性または進行性の神経筋疾患の患者 ・神経障害による麻痺および後遺症の患者 ・言語障害，聴覚障害，認知障害を伴う自閉症などの発達障害

(文献3，4より引用)

● **がん患者リハビリテーション料（1単位）　205点**

がんの治療のために入院している患者に対して，個別療法であるリハビリテーションを行った場合に，1人につき1日6単位まで算定できる（**表10**）。

表10　がん患者リハビリテーション料施設基準と対象疾患

施設基準	(1)十分な経験を有する専任の常勤医師が1名以上勤務していること。なお，十分な経験を有する専任の常勤医師とは，以下のいずれも満たす者のことをいう ア. リハビリテーションに関して十分な経験を有すること イ. がん患者のリハビリテーションに関し，適切な研修を修了していること ・適切な研修 (イ)医療関係団体等が主催するものであること (ロ)研修期間は通算して14時間程度のものであること (ハ)研修内容に以下の内容を含むこと (a)がんのリハビリテーションの概要 (b)周術期リハビリテーションについて (c)化学療法および放射線療法中あるいは療法後のリハビリテーションについて (d)がん患者の摂食・嚥下・コミュニケーションの障害に対するリハビリテーションについて (e)がんや，がん治療に伴う合併症とリハビリテーションについて (f)進行がん患者に対するリハビリテーションについて (ニ)研修にはワークショップや，実際のリハビリテーションにかかわる手技についての実技などを含む (ホ)リハビリテーションに関するチーム医療の観点から，医師，病棟においてがん患者のケアにあたる看護師，リハビリテーションを担当する理学療法士などがそれぞれ1名以上参加して行われるもの (2)十分な経験を有する専従の常勤理学療法士，常勤作業療法士または常勤言語聴覚士が2名以上配置されていること。なお，十分な経験を有するとは，(1)のイに規定する研修を修了した者 (3)内法による測定で100m^{2}以上を有していること (4)当該療法を行うために必要な施設および機械・器具。歩行補助具，訓練マット，治療台，砂嚢などの重錘，各種測定用器具など
対象疾患	・がん患者であって，がんの治療のために入院している間に手術，化学療法（骨髄抑制が見込まれるものに限る），放射線治療若しくは造血幹細胞移植が行われる予定のもの又は行われたもの ・緩和ケアを目的とした治療を行っている進行がん又は末期がんの患者であって，症状の増悪により入院している間に在宅復帰を目的としたリハビリテーションが必要なもの

（文献3，4より引用）

作業療法が関連するその他の診療報酬[2, 5]

● **リハビリテーション総合計画評価料1　300点**
リハビリテーション総合計画評価料2　240点

※入院時訪問指導加算150点

定期的な医師の診察及び運動機能検査又は作業能力検査等の結果に基づき医師，看護師，理学療法士，作業療法士，言語聴覚士，社会福祉士等の多職種が共同してリハビリテーション総合実施計画書を作成し，これに基づいて行ったリハビリテーションの効果，実施方法等について共同して評価を行った場合に算定する。

介護リハビリテーションの利用を予定している患者の場合はリハビリテーション総合計画評価料2を算定する。

補足

入院時訪問指導加算
当該保険医療機関の保険医，看護師などが，回復期リハビリテーション病棟への入院前7日以内または入院後7日以内に患家を訪問し，当該患者の退院後の住環境などを評価したうえで当該計画を策定した場合に，入院中1回に限り所定点数に加算する。

補足

電子化連携加算
提供料1について，指定リハビリテーション事業所において利用可能な電磁的記録媒体でリハビリテーション計画を提供した場合に加算する。

● リハビリテーション計画提供料1　275点
※電子化連携加算5点

リハビリテーション計画提供料2　100点

要介護認定を申請中のものまたは要介護被保険者等であって，介護保険によるリハビリテーションへの移行を予定しているものについて，当該患者の同意を得たうえで，利用を予定している指定通所リハビリテーション事業所，指定訪問リハビリテーション事業所，指定介護予防通所リハビリテーション事業所または指定介護予防訪問リハビリテーション事業所に対して，3月以内に作成したリハビリテーション実施計画またはリハビリテーション総合実施計画書を文書により提供した場合に算定する。

リハビリテーション計画提供料2は，入院中に疾患別リハビリテーションを実施した患者であって，退院時に地域連携診療計画加算を算定した者について，当該患者の同意を得たうえで，退院後の外来におけるリハビリテーションを担う他の保険医療機関に対してリハビリテーション実施計画を文書により提供した場合に算定する。

● 目標設定等支援・管理料
初回の場合　250点
2回目以降の場合　100点

要介護被保険者等に対するリハビリテーションの実施において，定期的な医師の診察，運動機能検査または作業能力検査等の結果，患者との面接等に基づき，医師，看護師，理学療法士，作業療法士，言語聴覚士，社会福祉士等の多職種が患者と共同して，個々の患者の特性に応じたリハビリテーションの目標設定と方向付けを行い，またその進捗を管理した場合に算定する。

● 摂食機能療法（1日につき）
30分以上の場合　185点
30分未満の場合　130点

摂食機能障害を有する患者に対して，個々の患者の症状に対応した診療計画書に基づき，医師，歯科医師または医師若しくは歯科医師の指示の下に言語聴覚士，看護師，准看護師，歯科衛生士，理学療法士もしくは作業療法士が1回につき30分以上訓練指導を行った場合に限り算定する。なお，摂食機能障害者とは，以下のいずれかに該当する患者をいう。

ア. 発達遅滞，顎切除および舌切除の手術または脳卒中等による後遺症により摂食機能に障害があるもの
イ. 内視鏡下嚥下機能検査または嚥下造影によって他覚的に嚥下機能の低下が確認できるものであって，医学的に摂食機能療法の有効性が期待できるもの

● リンパ浮腫複合的治療料
重症の場合　200点
1以外の場合　100点

鼠径部，骨盤部もしくは腋窩部のリンパ節郭清を伴う悪性腫瘍に対する手術を行った患者または原発性リンパ浮腫と診断された患者であって，国際リンパ学会による病期分類Ⅰ期以降のものに対し，複合的治療を実施した場合に算定する。なお，この場合において，病期分類Ⅱ期以降の患者が「1」の「重症の場合」の対象患者となる。

■入院料の診療報酬

入院に関する施設基準は，発症からの期間やさまざまな職種の人員体制などによって細かく分けられている。近年，入院早期からのリハビリテーションへの評価が進むなか，2018年（平成30年）診療報酬改定では特定集中治療室での早期リハビリテーション評価を目的に「早期離床・リハビリテーション実施加算　500点（入室した日から起算して14日を限度）」が新設となった。その後，2022年（令和4年）診療報酬改定において，早期離床・リハビリテーション実施加算の対象が，特定集中治療室の他に救命救急，ハイケアユニット，脳卒中ケアユニット，小児特定集中治療室まで拡大となっている。

ここでは，リハビリテーションを中心とした提供体制により入院料が区分されている回復期リハビリテーション病棟入院料（表11），地域包括ケア病棟入院料（表12）について示す。

表11　回復期リハビリテーション病棟入院料

区分	点数
回復期リハビリテーション病棟入院料1 （生活療養を受ける場合） 体制強化加算1 体制強化加算2	2129点 （2115点） 1日につき　200点 1日につき　120点
回復期リハビリテーション病棟入院料2 （生活療養を受ける場合） 体制強化加算1 体制強化加算2	2066点 （2051点） 1日につき　200点 1日につき　120点
回復期リハビリテーション病棟入院料3 （生活療養を受ける場合） 休日リハビリテーション提供体制加算	1899点 （1884点） 1日につき　60点
回復期リハビリテーション病棟入院料4 （生活療養を受ける場合） 休日リハビリテーション提供体制加算	1841点 （1827点） 1日につき　60点
回復期リハビリテーション病棟入院料5 （生活療養を受ける場合） 休日リハビリテーション提供体制加算	1678点 （1664点） 1日につき　60点

（文献2より引用）

表12　地域包括ケア病棟入院料

区分	点数
地域包括ケア病棟入院料1 （生活療養を受ける場合）	2809点 （2794点）
地域包括ケア病棟入院料2 （生活療養を受ける場合）	2620点 （2605点）
地域包括ケア病棟入院料3 （生活療養を受ける場合）	2285点 （2270点）
地域包括ケア病棟入院料4 （生活療養を受ける場合）	2076点 （2060点）

（文献2より引用）

アクティブラーニング ② 実習施設における疾患別リハビリテーション以外の算定項目についても確認してみよう。

■精神障害の作業療法

精神障害分野におけるリハビリテーションは，精神科専門療法の1つとして，精神科作業療法という基準が設けられている。精神科作業療法は，診療報酬導入以降，身体障害分野ほどの大きな改定は実施されていない。また，現状でも診療報酬のなかに「作業療法」の名称が残っている。先にも触れたように，近年では，精神障害に対する医療体制においても，早期治療体制の充実や入院期間の短期化をめざす改定が進められてきている。

● 精神科作業療法（1日につき）　220点

精神科作業療法は，精神障害者の社会生活機能の回復を目的として行うものであり，実施される作業内容の種類にかかわらず，その実施時間は患者1人当たり1日につき2時間を標準とする。なお，治療上の必要がある場合には，病棟や屋外など，専用の施設以外で当該療法を実施することも可能である（**表13**）。

表13　精神科作業療法に関する施設基準

(1)作業療法士は，専従者として最低1人が必要であること。ただし，精神科作業療法を実施しない時間帯において，精神科ショート・ケア，精神科デイ・ケア，精神科ナイト・ケア，精神科デイ・ナイト・ケア及び重度認知症患者デイ・ケア（以下この項において「精神科ショート・ケア等」という）に従事することは差し支えない。また，精神科作業療法と精神科ショート・ケア等の実施日・時間が異なる場合にあっては，精神科ショート・ケア等の専従者として届け出ることは可能である。
(2)患者数は，作業療法士1人に対しては，1日50人を標準とすること。
(3)作業療法を行うためにふさわしい専用の施設を有しており，当該専用の施設の広さは，作業療法士1人に対して50平方メートル（内法による測定による。）を基準とすること。なお，当該専用の施設は，精神科作業療法を実施している時間帯において「専用」ということであり，当該療法を実施する時間帯以外の時間帯において，他の用途に使用することは差し支えない。
(4)平成26年3月31日において，現に精神科作業療法の届出を行っている保険医療機関については，当該専用の施設の増築又は全面的な改築を行うまでの間は，(3)の内法の規定を満たしているものとする。
(5)当該療法を行うために必要な専用の器械・器具を対象患者の状態と当該療法の目的に応じて具備すること
代表的な諸活動：創作活動（手工芸，絵画，音楽等），日常生活活動（調理等），通信・コミュニケーション・表現活動（パーソナルコンピュータ等によるものなど），各種余暇・身体活動（ゲーム，スポーツ，園芸，小児を対象とする場合は各種玩具等），職業関連活動等
(6)精神科病院又は精神病棟を有する一般病院にあって，入院基本料（特別入院基本料を除く），精神科急性期治療病棟入院料又は精神療養病棟入院料を算定する入院医療を行っていること。ただし，当分の間，精神病棟入院基本料の特別入院基本料を算定している場合も算定できることとする。

（文献3より引用）

入院料に関しては，精神科の分野においても急性期入院医療の充実とともに，入院早期をより重視する評価体系への見直しが進められてきている。2022年(令和4年)度診療報酬改定では，精神科救急入院料を精神科救急急性期入院料とし，急性期と救急対応のさらなる充実が図られた(**表14**)。

表14 精神障害関連の主な入院料(加算等除く)

区分		点数(1日につき)
精神病棟入院基本料	(10対1)	1287点
	(13対1)	958点
	(15対1)	830点
	(18対1)	740点
	(20対1)	685点
精神科救急急性期医療入院料	30日以内	2400点
	31日以上60日以内	2100点
	61日以上90日以内	1900点
精神科急性期治療病棟入院料1	30日以内	2000点
	31日以上60日以内	1700点
	61日以上90日以内	1500点
精神科急性期治療病棟入院料2	30日以内	1885点
	31日以上60日以内	1600点
	61日以上90日以内	1450点
精神科救急・合併症入院料	30日以内	3600点
	31日以上60日以内	3300点
	61日以上90日以内	3100点
児童・思春期精神科入院医療管理料		2995点
精神療養病棟入院料		1090点
認知症治療病棟入院料1	30日以内	1811点
	31日以上60日以内	1503点
	61日以上90日以内	1204点
認知症治療病棟入院料2	30日以内	1318点
	31日以上60日以内	1112点
	61日以上90日以内	988点
地域移行機能強化病棟入院料		1539点

(文献2より引用)

精神障害分野においては，精神科作業療法以外にも精神科専門療法がある。最後に作業療法士がかかわる主な精神科専門療法を示す(**表15**)。

表15　作業療法士がかかわる主な精神科専門療法

区分		点数	
依存症集団療法（1日につき）	薬物依存症の場合	340点	
	ギャンブル依存症の場合	300点	
	アルコール依存症の場合	300点	
入院生活技能訓練療法（週1回）	入院6月以内	100点	
	入院6月以降	75点	
精神科ショート・ケア（1日につき）	小規模なもの	275点	
	大規模なもの	330点	
精神科デイ・ケア（1日につき）	小規模なもの	590点	
	大規模なもの	700点	
精神科ナイト・ケア（1日につき）		540点	
精神科デイ・ナイト・ケア（1日につき）		1000点	
精神科退院指導料		320点	
精神科退院前訪問指導料		380点	
精神科訪問看護・指導料（Ⅰ）（作業療法士による場合）	週3日まで　30分以上の場合	580点	
	週3日まで　30分未満の場合	445点	
	週4日以降　30分以上の場合	680点	
	週4日以降　30分未満の場合	530点	
精神科訪問看護・指導料（Ⅱ）（作業療法士による場合）		同一日に2人	同一日に3人以上
	週3日まで　30分以上の場合	580点	293点
	週3日まで　30分未満の場合	445点	225点
	週4日以降　30分以上の場合	680点	343点
	週4日以降　30分未満の場合	530点	268点

（文献2より引用）

アクティブラーニング ③ 実習施設における精神障害関連取得施設基準，精神科専門療法の算定項目を確認してみよう。

【引用文献】

1）厚生労働省：診療報酬改定について（https://www.mhlw.go.jp/stf/seisakunitsuite/bunya/0000106602.html, 2023年4月17日閲覧）

2）厚生労働省：別表第一 医科診療報酬点数表，令和4年厚生労働省告示第54号 診療報酬の算定方法の一部を改正する件（https://www.mhlw.go.jp/content/12404000/000907834.pdf, 2023年4月17日閲覧）

3）厚生労働省：保医発0304第3号 特掲診療料の施設基準等及びその届出に関する手続きの取扱いについて（https://www.mhlw.go.jp/content/12404000/001080631.pdf, 2023年4月17日閲覧）

4）厚生労働省：令和4年厚生労働省告示第56号 特掲診療料の施設基準等の一部を改正する件（https://www.mhlw.go.jp/content/12404000/001080631.pdf, 2023年4月17日閲覧）

5）厚生労働省：保医発0304第1号別添1 医科診療報酬点数表に関する事項（https://www.mhlw.go.jp/content/12404000/000984041.pdf, 2023年4月17日閲覧）

チェックテスト

Q

①社会保障制度はどのような範囲に及ぶか(☞p.44)。 基礎
②社会保険の種類を挙げよ(☞p.45)。 基礎
③診療報酬とは何か(☞p.45)。 基礎
④診療報酬改定はどのような頻度で行われるか(☞p.45)。 基礎
⑤診療報酬の決定権者は誰か(☞p.45)。 基礎
⑥中央保険医療協議会(中医協)の役割は何か(☞p.45)。 基礎
⑦近年の診療報酬改定の特徴は何か(☞p.45, 46)。 基礎
⑧疾患別リハビリテーション料にはどのような種類があるか(☞p.48, 49)。 基礎
⑨精神科作業療法の実施はどのように時間配分されているか(☞p.58)。 基礎
⑩所属施設におけるリハビリテーション取得施設基準について答えよ(☞p.48〜60)。 臨床

3 診療報酬の算定と業務

梶原幸信

Outline

- 診療報酬は，保険請求分の診療報酬明細書（レセプト）を毎月保険者に提出して請求する。
- 患者自己負担分の請求は，保険項目別の金額や保険外負担も含めた明細請求書の発行が必要である。

1 はじめに

本項では，診療報酬請求の手続きや関連する作業療法士の業務について解説する。

2 施設基準

診療報酬を請求するためには，その報酬を得るために指定された施設基準の取得が必要である。施設基準とは，各職種の人数や施設の広さ，設備などについての最低基準を定めたものであり，診療報酬点数と同様に2年に1回を基本として見直しが実施されている。

近年のリハビリテーションに関連する施設基準の見直しでは，人員基準は充実を図り，施設基準や設備基準は緩和する傾向で進められている。

■施設基準の取得

診療報酬には，入院料や診察料などの基本診療料，検査にかかる費用，疾患別リハビリテーション料などの特掲（とっけい）診療料という区分がある。診療報酬算定に必要な施設基準の取得には，それぞれ申請書類と添付する実績データなどが定められている。

施設基準の申請は，施設の所在地を管轄している地方厚生局（**表1**）に出す。申請用紙に必要事項を記入し，必要な実績データを添付したうえで正副2通作成し，提出する。その後の審査は2週間以内の実施が標準とされており，おおむね1カ月以内に行われる（**図1**）。

表1　地方厚生局一覧

地方厚生局	所在地	管轄地域
北海道厚生局	北海道札幌市	北海道
東北厚生局	宮城県仙台市	青森県，岩手県，宮城県，秋田県，山形県，福島県
関東信越厚生局	埼玉県さいたま市	茨城県，栃木県，群馬県，埼玉県，千葉県，東京都，神奈川県，新潟県，山梨県，長野県
東海北陸厚生局	愛知県名古屋市	富山県，石川県，岐阜県，静岡県，愛知県，三重県
近畿厚生局	大阪府大阪市	福井県，滋賀県，京都府，大阪府，兵庫県，奈良県，和歌山県
中国四国厚生局	広島県広島市	鳥取県，島根県，岡山県，広島県，山口県
四国厚生支局	香川県高松市	徳島県，香川県，愛媛県，高知県
九州厚生局	福岡県福岡市	福岡県，佐賀県，長崎県，熊本県，大分県，宮崎県，鹿児島県，沖縄県

図1　施設基準取得の流れ

保険医療機関（病院・診療所など）
※施設基準取得が必要な状況の発生
- 人員基準などの見直し
- 制度改定などによる施設基準変更への対応
- 新規事業開始
- 医療機関設立　など

施設基準申請書類作成（正副2通作成）
- 指定申請書類
- 添付書類

→ **事前相談** →

地方厚生局
新築，改築などの場合，管轄する地方厚生局に事前に建築図面などを見せて，指定基準に適合するかどうかを相談するのが一般的である

↓ **申請**

地方厚生局
申請書類の確認後，おおむね1カ月以内（標準2週間以内）に審査を実施する

↓ **審査**

施設基準取得
施設基準申請で不備がないことが確認された時点で，基準取得となる

■診療報酬算定

保険医療機関における診療報酬の請求業務は，各施設により部署名はさまざまであるが**医療事務**[*1]の有資格者などが中心となって，医事課などの名称で設置されている部門で行うのが一般的である。

＊1　医療事務
レセプト作成などの業務には「医療事務」という資格があるが，現状では国家資格ではないため，業務への関与についてこの資格は必須ではない。
「医療事務」の資格には，厚生労働省が認定している公的資格のほかに，民間の資格が存在する。
主な資格
- 診療情報管理士（日本病院会）
- 診療報酬請求事務能力認定試験（日本医療保険事務協会）
- 医療事務管理士技能認定試験（技能認定振興協会）
- 医療事務技能審査試験（日本医療教育財団）

診療報酬は，患者一人一人について1カ月ごとに集計する。毎月1日(入院した月には入院日)からその月の最終日(退院月には退院日)までの期間において提供した保険請求の可能なすべての医療行為にかかる費用を集計し，患者自身の負担分の請求書と，公的医療保険として保険者(社会保険や国民健康保険)から支払ってもらう分を診療報酬明細書(レセプト)として作成する。

● 患者自己負担

医療保険制度による自己負担分は，年齢や所得により負担割合が異なる(**表2**)。また，**高額療養費制度**＊2として，月ごとの自己負担にも限度額が定められている。

＊2 高額療養費制度
医療費の自己負担分が最大3割までといっても，高額な治療や長期間の入院が必要となった場合などは，多額な自己負担が必要となる。このような場合の自己負担額の軽減を図る目的で，高額療養費制度が設けられている。
同一患者が1カ月に同じ医療機関に支払う医療費の自己負担額が，定められた限度額を超過した場合，申請により超過分が各公的医療保険から払い戻される。自己負担限度額は**表3**のとおりである。

表2 医療費の自己負担割合

時期，年齢	自己負担割合
出生～小学校入学(6歳誕生日以降の最初の3月31日)	2割
小学校入学～69歳	3割
70歳～74歳	2割 3割(現役並所得者)
75歳以上	1割 2割(一定以上所得者) 3割(現役並所得者)

※現役並み所得者：・住民税が課税される所得額が145万円以上ある被保険者
・同世帯に属する他の被保険者
一定以上所得者：課税所得28万円以上

表3 高額療養費制度における自己負担限度額

年齢	区分	自己負担限度額(月)※世帯	
70歳未満	住民税非課税者	35,400円	
	年収約370万円以下	57,600円	
	年収約370万円～約770万円	80,100円＋(医療費－267,000円)×1％	
	年収約770万円～約1,160万円	167,400円＋(医療費－558,000円)×1％	
	年集約1,160万円以上	252,600円＋(医療費－842,000円)×1％	
		外来(個人)	入院と通院(世帯)
70歳以上	Ⅰ住民税非課税世帯(年金収入80万円以下など)	8,000円	15,000円
	Ⅱ住民税非課税世帯		24,600円
	年収156万円～約370万円	18,000円	57,600円
	年収約370万円～約770万円	80,100円＋(医療費－267,000円)×1％	
	年収約770万円～約1,160万円	167,400円＋(医療費－558,000円)×1％	
	年集約1,160万円以上	252,600円＋(医療費－842,000円)×1％	

(文献1より引用)

保険医療機関を利用する場合の患者自己負担分としては，医療保険制度による自己負担分のほか，医療保険適用外の先進的な治療を実施した場合はその治療費，入院の場合は食事代の一部負担分や個室など少人数の部屋を利用した場合の差額ベッド料などを，別途負担することとなる。

2008(平成20)年度診療報酬改定において，保険医療機関は医療費の内容がわかる明細書を領収書とは別に無償で交付しなければならなくなった(図2)。

図2 診療費明細請求書・領収書(例)

診療明細請求書兼領収書　　平成　年　月　日発行

ID	部屋番号	氏名
		様

請求期間(入院)
平成　年　月　日～平成　年　月　日

No.

総請求額
円

診療科	入・外	費用区分	負担割合

保険		初・再診料	入院料等	医学管理料	在宅医療	検査	画像診断	投薬
	点数	点	点	点	点	点	点	点
	負担額	円	円	円	円	円	円	円
		注射	リハビリテーション	精神科専門療法	処置	手術	麻酔	放射線治療
	点数	点	点	点	点	点	点	点
	負担額	円	円	円	円	円	円	円
		病理診断	診断群分類(DPC)	食事療法	生活療養			
	点数	点	点	点	点			
	負担額	円	円	円	円			

保険外負担	評価療養・選定療養	その他
	(内訳)	(内訳)

	保険	保険(食事・療養)	保険外負担
合計	円	円	円
負担額	円	円	円
領収額合計	円	円	円

※医療機関名　　印

● 公的医療保険

公的医療保険は，各保険医療機関が月ごとにレセプトを作成し，保険者への手続きを行うことで支払われる(図3)。レセプトの書式は全国で統一されており，項目には患者氏名，生年月日，性別，保険証内容，病名，1カ月分の診療内容，合計点数が記載される。

完成したレセプトの提出期限は翌月の10日までであり，国民健康保険と後期高齢者医療制度対象の被保険者の場合は各都道府県に設置されている国民健康保険団体連合会へ，社会保険の被保険者の場合は社会保険診療報酬支払基金へ提出したうえで，それぞれ審査を経て各保険者に送られる。

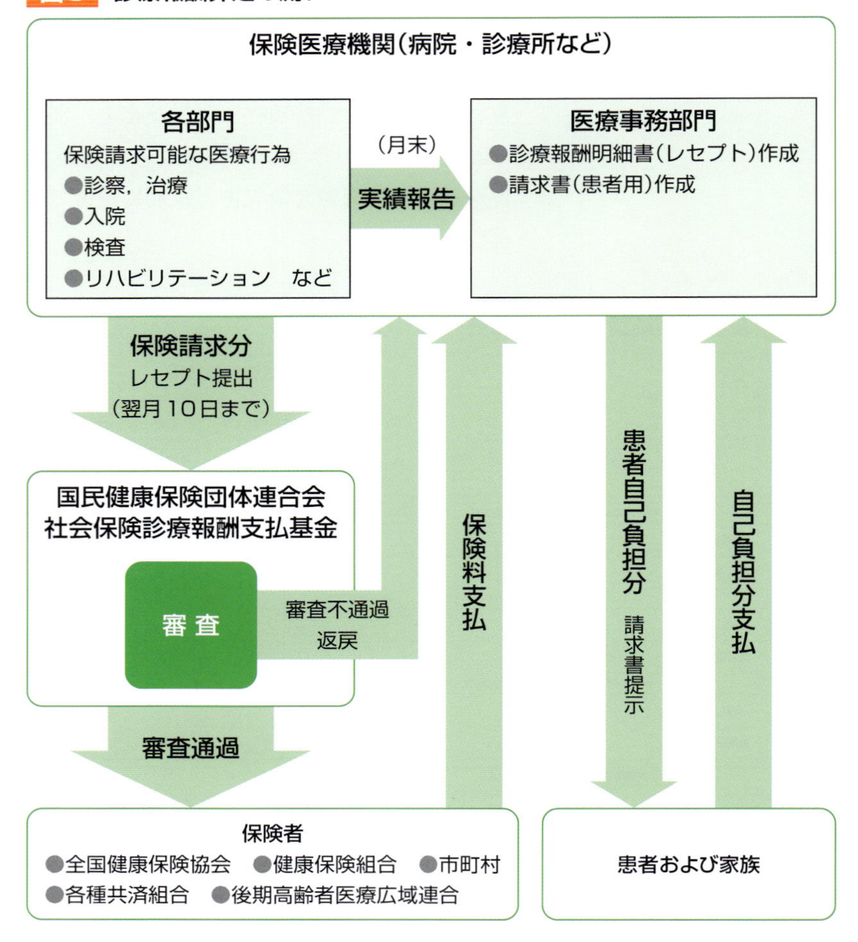

図3　診療報酬算定の流れ

3 リハビリテーション部門の役割

リハビリテーション部門の作業療法士が請求関連業務に携わる範囲は，各施設の業務分掌により異なる部分である。また，医療事務部門との連絡方法についても，1日ごとに報告する場合や，その月の退院者以外は基本的に月末に実績を報告する場合など，施設によってさまざまである。一般的には，作業療法部門などの訓練や診療にかかわる各部門において，患者一人一人の1カ月の実績を取りまとめ，医療事務部門が全体を集計してレセプトを作成する。作業療法部門で取りまとめる実績は，各患者の訓練実績，請求に関連する評価，指導料の実績などが中心となる。

近年，カルテや実績報告などの電子化が進み，訓練実績においても日々の入力作業のなかで自動的に集計されるシステムが導入されていることが多い。またその場合，リハビリテーション部門のスタッフは基準や制度の理解が十分ではなくとも済んでしまうことがある。しかし，担当患者に対する技術提供の対価を把握することや，施設における自己の所属部署の適正規模・人員の検討など，管理運営面を考えるうえでも制度や基準を把握していることは重要である。

■作業療法士が関与する主な診療報酬

以下に，作業療法士が関与する主な診療報酬を示す。各報酬名の前にあるアルファベットと数字の組み合わせ(H001など)は，医料診療報酬点数の区分番号である。

①リハビリテーション料
- ▶H000　心大血管疾患リハビリテーション料
- ▶H001　脳血管疾患等リハビリテーション料
- ▶H001-2　廃用症候群リハビリテーション料
- ▶H002　運動器リハビリテーション料
- ▶H003　呼吸器リハビリテーション料
- ▶H003-2　リハビリテーション総合計画評価料
- ▶H003-3　リハビリテーション計画提供料
- ▶H003-4　目標設定等支援・管理料
- ▶H004　摂食機能療法
- ▶H006　難病患者リハビリテーション料
- ▶H007　障害児(者)リハビリテーション料
- ▶H007-2　がん患者リハビリテーション料

②医学管理等
- ▶B001-7　リンパ浮腫指導管理料
- ▶B004　退院時共同指導料1
- ▶B005　退院時共同指導料2
- ▶B005-1-2　介護支援等連携指導料
- ▶B005-1-3　介護保険リハビリテーション移行支援料
- ▶B006-3　退院時リハビリテーション指導料
- ▶B007　退院前訪問指導料
- ▶B007-2　退院後訪問指導料

③在宅医療
- ▶C006　在宅患者訪問リハビリテーション指導管理料

④精神科専門療法
- ▶I006-2　依存症集団療法
- ▶I007　精神科作業療法
- ▶I008　入院生活技能訓練療法
- ▶I008-2　精神科ショート・ケア
- ▶I009　精神科デイ・ケア
- ▶I010　精神科ナイト・ケア
- ▶I010-2　精神科デイ・ナイト・ケア
- ▶I011　精神科退院指導料
- ▶I011-2　精神科退院前訪問指導料
- ▶I012　精神科訪問看護・指導料
- ▶I015　重度認知症患者デイ・ケア料

このほか，入院料の施設基準においても，一定人数の専従要件など作業療法士の配置に関する基準が設けられているものがある。

次に，診療報酬算定に関する訓練部門の作業療法士の役割として主な事項を挙げる。

①作業療法士が把握しておく事項	②実施事項
所属部門について	**日々の実績把握(日報)**
▶取得施設基準と内容	▶訓練患者数
▶算定可能診療料	▶各患者に対する訓練時間(単位)
▶算定可能な訓練の単価	▶加算や指導料などの実績
	▶1日の総訓練時間(単位)
1人1人の患者について	
▶訓練実施可能時間(単位)	**1カ月の実績把握(月報)**
▶訓練期間(標準的算定日数など)	▶出勤日数
▶訓練の単価	▶患者ごとの1カ月総訓練時間(単位)
▶実施可能な評価・指導料	▶加算や指導料などの実績
	▶1カ月の総訓練時間(単位)

以上，診療報酬算定に関連する訓練部門の作業療法士が実施する役割を示した。

作業療法士にとって診療報酬を把握することは，所属施設における算定業務に関連する役割として重要であるとともに，先にも記したが部署の適正人数や訓練体制などの管理運営の面においても重要である。また，訓練を担当している患者に対して作業療法士自身が関与した結果，どれだけの診療報酬を得て，患者自身の自己負担もどれだけかかっているかを把握しておくことは，訓練対価の適正検討や自己研鑽に繋げるためにも重要である。

【引用文献】
1）厚生労働省：高額療養費制度を利用される皆さまへ(https://www.mhlw.go.jp/content/000333276.pdf, 2023年4月17日閲覧)

チェックテスト

Q

①施設基準とは何か(☞p.62)。 基礎
②施設基準申請先はどこか(☞p.63)。 基礎
③医療費の患者自己負担割合について答えよ(☞p.64)。 基礎
④高額治療や長期入院による多額の自己負担軽減を目的とした制度は何か(☞p.64)。 基礎
⑤診療報酬明細書(レセプト)の提出期限について答えよ(☞p.65)。 基礎
⑥診療報酬明細書(レセプト)の提出先はどこか(☞p.65)。 基礎
⑦算定業務に関連する作業療法士の把握事項は何か(☞p.66)。 臨床
⑧作業療法士が診療報酬算定関連事項を把握しておくべき理由を答えよ(☞p.66，67)。 臨床
⑨作業療法士の日々の実績把握事項は何か(☞p.68)。 臨床
⑩作業療法士の各月の実績把握事項は何か(☞p.68)。 臨床

4 介護保険制度の概要

田村孝司

Outline

- 介護保険制度は，高齢者の介護について社会で支える仕組みとして2000（平成12）年に施行された。
- 介護保険は40歳以上の国民全員が加入する社会保険である。
- 65歳以上を第1号被保険者，40歳以上65歳未満を第2号被保険者という。
- 介護保険の利用は申請に基づき，要介護度を判定し利用する。
- 第2号被保険者は特定疾患による要介護状態の場合に介護保険の利用が可能となる。

1 介護保険導入までの軌跡

日本の高齢者対策は1960年代に始まる。1961（昭和36）年に国民皆保険，1963（昭和38）年には老人福祉法が制定され，特別養護老人ホームが創設された。1970年代には老人医療費が無料となり，社会保障費が増大した。このころの高齢化率は7.1％であった。1980年代に入り，増大する医療費や社会的入院[*1]，寝たきりなどが問題となり，老人保健法が制定された。これによって老人医療費は健康保険から拠出されるようになり，医療機関を受診した場合には一部を負担することになった。また，増え続ける社会的入院への対応として，中間施設構想が議論され，老人保健施設が創設された。1989（平成元）年に，高齢者保健福祉推進十カ年戦略（ゴールドプラン）が制定され，在宅福祉の基盤整備，施設整備，人材育成が急速に推し進められた。1990年代には高齢化率は12％となり，介護保険の導入が検討される。1999（平成11）年には新ゴールドプラン（ゴールドプラン21）が制定されたが，ゴールドプラン，新ゴールドプランともに，サービス提供量の確保（施設数や事業所数）に力点が置かれていた。2000（平成12）年に介護保険制度が施行され，介護サービスの社会的な基盤が整備された。

＊1 **社会的入院**
疾患の治療は終えたが，さまざまな背景から退院することができず長期的に入院していること。

2 介護保険の概要

介護保険は，40歳以上の国民が強制的に加入する公的な保険である。保険者は市区町村もしくは特別区であるが，財政規模の小さい市区町村では，複数の市区町村が連携して広域連合を形成することがある。介護保険は，要介護状態を保険事故とした制度である。65歳以上は第1号被保険者であり，一定額の公的年金が給付されている場合には特別徴収（いわゆる天引き）となるが，無年金などの人は普通徴収（納付書などによる納付）となる。40歳以上の人は，医療保険（健康保険）と合わせた一括納付となり，介護保険料は支払基金を通じて納めることになる。この納められた保険料に同額の公費（市区町村，都道府県，国それぞれが拠出）を合わせて，介護保険の財源を形成する。介護保険の財源は，介護保険を運営するために，要介護認定や介護保険給付などに使用されるほか，介護予防に関する事業などへも拠出されることがある（図1）。

介護保険の給付は，申請手続きを行って，要介護状態と認定されると給付される。第1号被保険者は，要支援もしくは要介護状態の認定を受ければ，その介護度に応じた給付を受けることになるが，第2号被保険者の場合は，特定疾患があることが給付を受ける条件となる。この特定疾患には16疾患が挙げられている（表1）[2]。この疾患は主に，加齢によって出現しやすい疾患を考慮して設定されている。

給付されるサービスには，居宅サービス，施設サービス，居宅介護支援サービス，地域密着型サービス，介護予防支援サービスがある。

図1　サービス種類別の介護費用額の推移[1]

QRコードを読み取る☞

表1　特定疾病に該当する16の疾病

・がん（がん末期） ・関節リウマチ ・筋萎縮性側索硬化症 ・後縦靱帯骨化症 ・骨折を伴う骨粗鬆症 ・初老期における認知症（アルツハイマー病，脳血管性認知症など） ・進行性核上性麻痺，大脳皮質基底核変性症およびパーキンソン病（パーキンソン病関連疾患） ・脊髄小脳変性症	・脊柱管狭窄症 ・早老症（ウェルナー症候群など） ・多系統萎縮症 ・糖尿病性神経障害，糖尿病性腎症および糖尿病性網膜症 ・脳血管疾患（脳出血，脳梗塞など） ・閉塞性動脈硬化症 ・慢性閉塞性肺疾患（肺気腫，慢性気管支炎など） ・両側の膝関節または股関節に著しい変形を伴う変形性関節症

アクティブラーニング 1　自分が住んでいる地域で介護保険を利用しようとした場合，どこに相談するか調べてみよう。

3　介護保険導入までの流れ

■申請

介護保険を利用する（介護給付を受ける）場合には要介護認定を受けなければならないが，そのためには申請が必要となる。申請は保険者（市区町村）に対して行うが，窓口は市区町村の機関だけではなく，指定代行機関（介護保険施設・事業所）でも申請できる。申請は，本人もしくは家族が行うが，指定代行機関の居宅支援専門員が代行することもできる。

■認定調査

表2　認定調査票（基本調査）[3]

QRコードを読み取る☞

申請を受けた保険者は，認定調査員に調査を行わせる。これは，認定調査員が認定調査票（表2）[3]に基づき，①麻痺・拘縮，②移動，③複雑な動作，④特別な介護，⑤身の回りの世話，⑥コミュニケーション，⑦問題行動，⑧特別な医療，⑨日常生活自立度に関して，聴取もしくは観察するこ

とでチェックする。

また，医師に意見書の記入を求め，介護認定審査会に提出する。

■介護認定審査会

介護認定審査会は市町村の附属機関として設置され，要介護者の医療，保健，福祉に関する学識経験者によって構成される。学識経験者は医療として医師や歯科医師・薬剤師，保健として看護師や保健師・歯科衛生士，福祉として介護福祉士や社会福祉士・介護支援専門員などの実務経験者が，市町村や関係団体からの推薦によって市町村長から任命される。

認定審査員が記入した認定調査表は，コンピュータ処理され，介護認定審査会で審査される。介護認定審査会では，コンピュータ処理による一次判定結果と，認定調査員が記入した特記事項，医師からの意見書を基に，総合的に判断する（**図2**）[4]。

図2　介護認定審査会

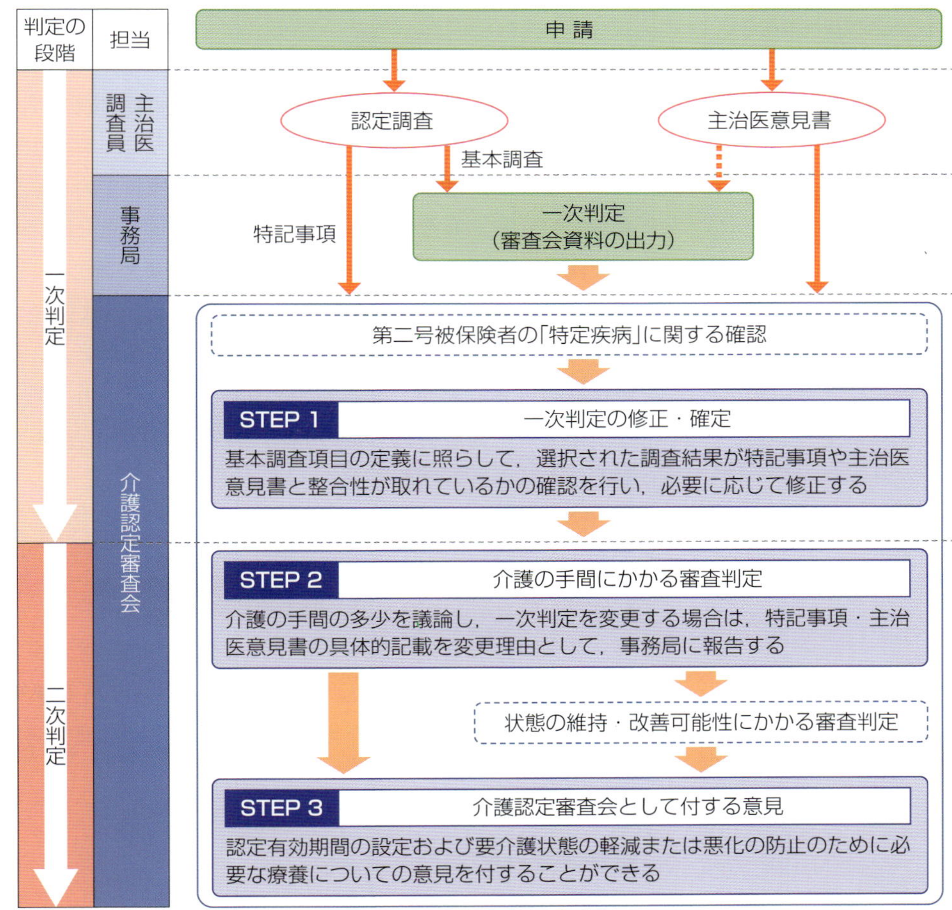

（文献4より引用）

■介護計画の立案

要支援・要介護状態と判定された場合には，制度上，居宅介護予防計画もしくは居宅介護計画が作成されるよう決められている。この計画がなければ，給付を受けることが難しくなる。介護計画（ケアプラン）は，介護支援専門員が策定することが多いが，要支援・要介護者自身，家族も策定することができる。

2000（平成12）年に介護保険法が施行された当初は，それまであまり浸透していなかったケアプランを策定するためのアセスメントシートの見本が提示されていた。しかし，2006（平成18）年に行われた介護報酬改定でリハビリテーション前置が推進され，アセスメントシートよりもICFによる分析に視点が移された。

ケアプランは生活時間を軸に組み立てられ，基本的な週単位のプランを作成した後に1カ月分の実行的な計画を立て，関係機関と調整することになる。サービス提供機関はこの計画を基にサービス提供計画を立て，実施することになる。

補足

介護保険は3年に1度改正される。近年では，2015（平成27）年に，生活行為向上リハビリテーションや社会参加支援，介護予防訪問リハビリテーションにおける事業評価，科学的介護推進体制（Long-term care Information system For Evidence：LIFE）について加算がなされた。2021（令和3）年には，リハビリテーションと機能訓練，口腔栄養が一体化され，リハビリテーション計画書，個別機能訓練計画書に一体的に記入できるようになったほか，生活機能向上連携と個別機能訓練について加算見直しがなされた。

■給付と支払い

対象者がサービスを利用すると，種々の記録を残すことになる。この記録には，介護報酬を請求するために必要なもの，質を担保するために記録するよう義務づけられているもの，任意で残しているものなどさまざまである。しかし，介護保険事業所は，介護保険から介護給付を受けるのに必要な請求を行うために，所定の書類・記録を整備しなければならない（詳細はp.80参照）。必要事項を記入した書類は，主に伝送で社会保険事務所に送られ，これを基に基金から各事業所に支払われる。居宅介護支援計画費以外のほとんどが，介護報酬の9割の給付となり，残りの1割は対象者に請求する。対象者は，この1割に実費（食材費など）を加えたものを，事業所に支払うことになる。

4 各種サービスの概要

介護保険による給付は，介護給付と介護予防給付が主である。予防給付には，居宅サービスと，地域密着型サービスである認知症対応型通所介護，小規模多機能型居宅介護，および認知症対応型共同生活介護などがある。

■居宅サービス

①訪問介護（ホームヘルプサービス）

訪問介護とは，対象者の居宅に訪問して必要な介護サービスを行うものである。提供されるサービスには，身体中心のもの，生活援助（家事など)，通院などの乗降介助中心のものがある。状況に応じて，2人派遣や，夜間・早朝深夜に行うこともある。

②訪問入浴介護

訪問入浴介護は，生活の介助のなかでも，その特殊性から訪問介護とは別に提供される。訪問入浴介護は，基本的に看護職員1名と介護職員2名で，浴槽もしくは入浴設備を有する車両で居宅を訪問し，サービスを提供する。

③訪問看護

訪問看護には，訪問看護ステーションが提供するものと，病院・診療所が提供するものの2種類がある。さらに，訪問看護ステーションのサービスには，看護師が行うものと，作業療法士・理学療法士・言語聴覚士が行うものの2種類がある。いわゆる訪問リハビリテーションが，これにあたる。必要に応じて，夜間・早朝深夜，緊急時に行うことがある。

④訪問リハビリテーション

訪問リハビリテーションは，訪問看護ステーションからの提供が多いが，介護報酬上の訪問リハビリテーション費を請求できる事業所は，病院・診療所または介護老人保健施設となっている。

⑤居宅療養管理指導

対象者が可能な限り居宅で自立した生活ができるように，医師および歯科医師，薬剤師，管理栄養士，歯科衛生士，看護師などが，療養管理を行うサービスである。これは，病院・診療所，薬局，訪問看護ステーションなどで提供される。

⑥通所介護(デイサービス)

通所介護は，対象者が居宅で生活を営めるように，対象者を事業所に通所させて，必要な介護と機能訓練を行うものである。小規模型，通常規模型，大規模型と，療養介護がある。

⑦通所リハビリテーション

通所リハビリテーションは，事業所において，作業療法や理学療法などのリハビリテーションと必要な介護を提供するものである。通常規模型，大規模型がある。

⑧短期入所生活介護(ショートステイ)

短期入所生活介護は，介護福祉施設(特別養護老人ホーム)などで提供される短期間の入所サービスである。連続して30日，認定期間の半分以上を超えない範囲で入所し，必要な介護と機能訓練を受けるサービスで，従来型とユニット型がある。

⑨短期入所療養介護

短期入所療養介護は，介護老人保健施設，診療所，介護療養病床，老人性認知症疾患療養病床で提供される。入所できる期間は，上記の短期入所生活介護と同様である。入所することで提供され，サービスは母体となる施設の特徴に依存している。

⑩特定施設入居者生活介護

特定施設入居者生活介護は，軽費老人ホームや有料老人ホームに入居している要介護者に，必要な生活上の介護だけではなく，機能訓練も提供できるサービスである。事業所で介護職員を雇用する従来型と，外部からのサービスを導入する外部サービス利用型がある。

⑪福祉用具貸与

居宅で生活する要支援・要介護状態の対象者に対して，その環境に合わせて必要な用具を給付するサービスである。

⑫特定福祉用具販売

居宅で生活する要支援・要介護状態の対象者に対して，福祉用具のうち入浴や排泄の際に用いられる貸与にはなじまないもの(特定福祉用具)を販売する。

■施設サービス

①介護福祉施設

介護保険制度が施行される以前は，老人福祉法内の特別養護老人ホームであった事業所が多い。従来型に加え，ユニット型がある。入所者に対して，生活に必要な介護や機能訓練などを提供する。

②介護老人保健施設

介護老人保健施設は，介護保険法内にある唯一の入所サービスである。介護が必要な入所者に対して，医学的な管理とリハビリテーション，生活に必要な介護を提供し，在宅復帰を推進する施設である。

③介護医療院

介護医療院は，従来の介護療養型施設に代わって創設された新しい施設である。これまでの介護療養型病床に相当するⅠ型と介護老人保健施設以上の基準に相当するⅡ型に分類されている。介護療養型病床と医療療養型病床に入院する対象者が混在していることが明らかとなり，両施設の役割分担を明確にしている。介護医療院は住まいとしての機能を確保したうえで終末期まで長期的に療養できる施設になっている。療法士などの配置は適切に配置することが必要となっている。

■地域密着型介護サービス

地域密着型サービスは，2005(平成17)年に改定された介護保険法によって新設されたサービスで，以下のものがある。

①定期巡回・随時対応型訪問介護看護
②夜間対応型訪問介護
③認知症対応型通所介護
④小規模多機能型居宅介護
⑤看護小規模多機能型居宅介護(複合型サービス)
⑥認知症対応型共同生活介護(グループホーム)
⑦地域密着型特定施設入居者生活介護
⑧地域密着型介護老人福祉施設入所者生活介護
⑨地域密着型通所介護
⑩療養通所介護

5 医療保険と介護保険

介護保険は，医療保険に同様のサービスがある場合に，優先的に適用される傾向がある。

特に，施設サービスの介護療養型病床群，介護老人保健施設，居宅サービスの居宅療養管理指導，訪問看護などでは，その整理が必要である(**表3**)[5]。

表3　介護保険の医療系サービスと医療保険の給付

		介護保険	医療保険
施設サービス（短期入所サービスを含む）	介護医療院（旧介護療養医療施設）	• 介護保険適用部分（原則病棟，例外的に病室）の入院患者に限る	• 療養病床などのうちの医療保険適用部分の入院患者の治療（40歳未満の長期療養患者，40歳以上65歳未満の特定疾病以外の長期療養患者，密度の高い医学的管理や治療・回復期のリハビリテーションを必要とする患者）
		• 急性期治療が必要な場合には，急性期病棟に移って，医療保険から給付 ※介護保険適用の療養病床などの入院患者に対する指導管理，リハビリテーションなどの長期療養に対する日常的な医療行為（特定診療費）	• 介護保険適用部分における入院患者が急性増悪した場合で，転院等ができない場合などに介護保険適用部分で行われた医療 ※介護保険適用部分の入院患者に対する透析や人工呼吸器の装着など頻度が少ないような複雑な医療行為
	介護老人保健施設	• 入所者の病状が著しく変化した際に緊急その他やむを得ない事情により介護老人保健施設で行われる緊急時施設療養費 • 介護療養型老健施設における特別療養費	• 対診にかかる医療行為 • 介護老人保健施設の入所者に対して他医療機関が行った介護老人保健施設では通常行えない一定の処置（透析など），手術など
在宅サービス	居宅療養管理指導	• 医師の居宅療養管理指導 通院困難な要介護者などについて訪問して行われる継続的な医学的な管理に基づく ・ケアプラン作成事業者などへの情報提供 ・介護サービス利用上の留意事項，介護方法の相談指導 • 歯科医師の居宅療養管理指導 通院困難な要介護者などについて訪問して行われる継続的な歯科医学的な管理に基づく ・介護サービス利用上の留意事項，口腔衛生などの相談指導 ・ケアプラン作成事業者などへの情報提供 • 要介護者などに対する 訪問薬剤管理指導／訪問栄養食事指導／訪問歯科衛生指導／看護職員の訪問による相談・支援	• 在宅時医学総合管理料・特定施設入居時等医学総合管理料 ・診療計画による医学的管理 ・疾病の治療の指導 ・投薬・検査 • 訪問診療料 • 具体的疾患に関する医学管理料 • 検査，投薬，処置など • 歯科訪問診療料 • 具体的疾患に関する医学管理料 • 検査，投薬，欠損補綴など • 要介護者など以外の者に対する 訪問薬剤管理指導／訪問栄養食事指導／訪問歯科衛生指導
	訪問看護	• 要介護者などに対する訪問看護 （末期癌や難病の要介護者に対しては医療保険が給付） （急性増悪などにより，主治医が一時的に頻回の訪問看護を行うよう指示をした場合には，医療保険が給付）	• 要介護者など以外の者に対する訪問看護 • 要介護者などに対する訪問看護のうち末期癌や難病の要介護者に対する訪問看護／急性増悪時の訪問看護 • 精神科訪問看護
	その他	• 通所リハビリテーション • 訪問リハビリテーション • 要介護者などに対する作業療法士，理学療法士の訪問リハビリテーション	• 重度認知症患者デイケア • 要介護者など以外の者に対する訪問リハビリテーション

（文献5より引用）

【引用文献】
1) 厚生労働省：介護保険制度をめぐる最近の動向について（https://www.mhlw.go.jp/content/12300000/000917423.pdf，2023年5月9日閲覧）
2) 厚生労働省：特定疾病の選定基準の考え方（https://www.mhlw.go.jp/topics/kaigo/nintei/gaiyo3.html，2023年5月9日閲覧）
3) 厚生労働省：認定調査員テキスト2009改訂版【平成30年4月改訂】（https://www.mhlw.go.jp/content/000819416.pdf，2023年5月9日閲覧）
4) 厚生労働省：介護認定審査会委員テキスト2009改訂版【平成30年4月改訂】（「https://www.mhlw.go.jp/content/000819417.pdf，2023年5月9日閲覧）
5) 社会保険研究所：介護報酬の解釈（平成21年4月版）単位数表編，社会保険研究所，2009.

チェックテスト

Q

①1989年に制定された高齢者保健福祉推進十カ年戦略で推進することになった整備事業は何か（☞p.69）。基礎

②介護保険で給付されるサービスは何か（☞p.70）。基礎

③介護保険申請の調査でチェックされる項目を挙げよ（☞p.70）。基礎

④訪問介護とは何か（☞p.72）。基礎

⑤地域密着型サービスにはどのようなものがあるか挙げよ（☞p.75）。基礎

5 介護報酬の算定と業務

田村孝司

Outline

- 介護報酬は厚生労働省によって定められ，提供したサービスに応じて請求する。
- 報酬は基本報酬と各種加算から成り立っている。
- 提供したサービスに基づき，国民健康保険団体連合会に請求することで給付される。

1 介護報酬の算定と事業所の経営

資本主義における自由市場では，価格は需要と供給のバランスによって決定され，会社は利益を追求するものである。しかし，医療や介護の場合は，政府によって報酬が定められている。また，運営にも厳しい基準があり，これによって提供されるサービスの質が担保されている。

介護報酬を受ける事業所の収入はほとんどが介護報酬によるものであり，一部，日用品や食材の費用などを対象者に実費で請求している。介護保険事業所の支出は，ほかの一般的な業種の事業所よりも人件費の比率が高いといわれている。

介護保険のサービスは現物給付であり，対象者がそれを受け取り，利用料として原則1割を負担する仕組みとなっている。介護給付・介護予防給付では基本となる介護サービス費があり，これに追加分が加算される形になっている。

2 算定に必要な書類

居宅サービスで介護報酬を算定するためには，居宅介護計画と，そのサービスを利用した利用記録が必要となることが多い。また，サービスごとに加算がある場合には，その加算に対応した記録や申請が必要となる。

3 申請手続

介護報酬を受ける事業所となるには，サービスごとに人員や設備，運営基準などを記載し，監督官庁や行政に申請しなければならない。

4 介護報酬と算定構造

以下に，作業療法士が関係する主な介護報酬の一部を記す。これは

2015年改定を参考にしているがすべてではなく，今後算定方法や基準の変更および解釈が追加されることがある。改定時点では想定できない問題や判断が難しいものは，後日詳細な基準が通知されることもある。制度自体には大きな変更はないが，詳細は官報に通知が掲載されるため，随時官報や厚生労働省，市区町村の通知を確認する必要がある。

■訪問看護費

訪問看護ステーションの場合と，病院または診療所の場合に分けられる。作業療法士，理学療法士が算定できるのは訪問看護ステーションの場合のみで，30分未満と30分以上1時間未満の場合に分けられる。

■訪問リハビリテーション費

病院または診療所の場合に分けられ，それぞれに短期集中リハビリテーション実施加算が算定できる。

■通所介護費

通所介護は小規模，通常規模，大規模（Ⅰ，Ⅱ），療養通所介護があり，個別機能訓練加算Ⅰもしくは Ⅱが算定できる。

■通所リハビリテーション費

通常規模と大規模（Ⅰ，Ⅱ）があり，それぞれに短時間型がある。これに通所リハビリテーション計画加算（居宅を訪問した場合）とリハビリテーションマネジメント加算が月1回算定でき，短期集中リハビリテーション実施加算，個別リハビリテーション加算，認知症短期集中リハビリテーション実施加算が毎回算定できる。また，2015年より生活行為向上リハビリテーション実施加算が算定できることとなった。生活行為向上リハビリテーション実施加算の算定に関して，「生活行為の内容の充実を図るための専門的な知識や経験を有する作業療法士又は生活行為の内容の充実を図るための研修を修了した理学療法士若しくは言語聴覚士が配置されていること。」とされている。日本作業療法士協会では生活行為向上マネジメント（MTDLP）を開発し推進している。その手法や実践例は日本作業療法士協会ホームページ（http://www.jaot.or.jp/science/MTDLP.html）を参照してほしい（p.283，5章10「MTDLP」参照）。

■介護老人保健サービス費

介護保険施設サービス費とユニット型介護保険施設サービス費に分けられ，それぞれに従来型のものと介護療養型老人保健施設（療養型病床群からの転換）がある。これに短期集中リハビリテーション実施加算，認知症短期集中リハビリテーション実施加算が毎回算定できる。

5 対象者の利用と介護報酬の請求

事業所は，対象者にサービスを提供したら，月末に介護給付費請求書(図1，2)を作成し，国民健康保険団体連合会(国保連合会)へ提出する。国保連合会は，審査会を経て支払い通知を発送し，事業所が介護報酬を受け取る(図3)。

図1 居宅サービス・地域密着型サービス介護給付費明細書 [1]

QRコードを読み取る☞

図2 施設サービス等介護給付費明細書 [1]

QRコードを読み取る☞

図3 介護報酬支払いの流れ

- 介護報酬とは，事業者が利用者(要介護者または要支援者)に介護サービスを提供した場合に，その対価として事業者に支払われるサービス費用をいう
- 介護報酬は各サービスごとに設定されており，各サービスの基本的なサービス提供にかかわる費用に加えて，各事業所のサービス提供体制や利用者の状況などに応じて加算・減算される仕組みとなっている
- なお介護報酬は，介護保険法上，厚生労働大臣が社会保障審議会(介護給付費分科会)の意見を基に定めることとされている

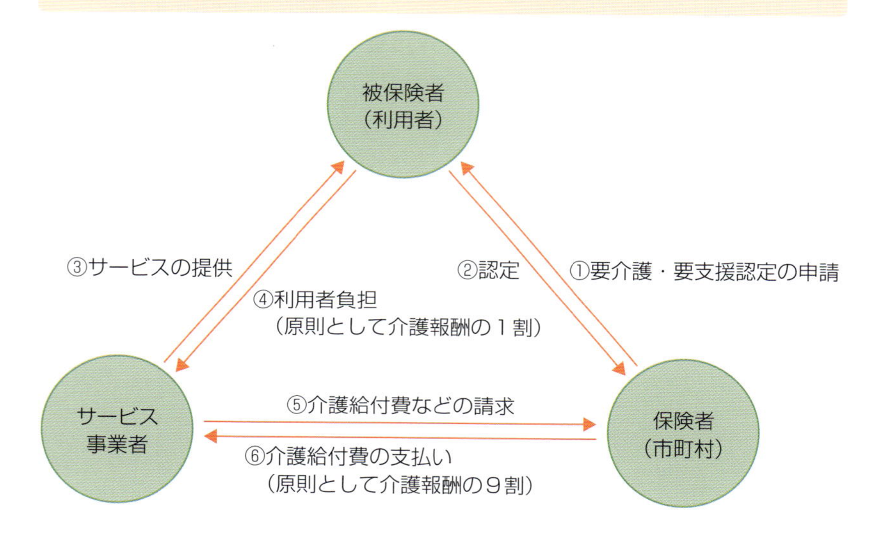

【引用文献】

1) 福祉医療機構：令和元年５月７日改正省令施行に対応した介護給付費請求書等の様式について(https://www.wam.go.jp/content/wamnet/pcpub/top/appContents/20190611_01.html, 2023年3月15日閲覧)

①介護報酬の種類にはどのようなものがあるか(☞p.79)。基礎

障害者施策

田村孝司，德永千尋

Outline

- 障害者に対応する制度は近年大きく変わってきている。
- 施策には障害者が直接支援を受ける制度と差別を禁止するなど関連する施策がある。
- 障害者総合支援法には自立支援給付として介護給付，訓練等給付，自立支援医療などがある。

1 はじめに

日本作業療法士協会の倫理綱領では，「作業療法士は，個人の人権を尊重し，思想，信条，社会的地位等によって個人を差別することをしない。」と明記している。

1970(昭和45)年5月，障害者基本法が制定された。これは，すべての国民が，障害の有無にかかわらず，等しく基本的人権を享有するかけがえのない個人として尊重されるものであるとの理念に則ったものである。

この法律は，国，地方自治体によって，障害者の自立および社会参加の支援として推進することを目的としている。

2011(平成23)年には障害者基本法の一部を改正し，2016(平成28)年4月1日をもって施行した。この動きは，障害者権利条約が国連総会において採択された2006(平成18)年12月から顕著になった。わが国は，2007(平成19)年9月に批准した。以後，上記の障害者基本法の改正が2011(平成23)年，2013(平成25)年に「障害を理由とする差別の解消の推進に関する法律」(通称：障害者差別解消法)が制定された。「障害者の雇用の促進などに関する法律」(通称：障害者雇用促進法)も同年改正された。

また，2018(平成30)年4月には障害者雇用促進法の改正により，発達障害を含む精神障害者が雇用義務の対象となり，2023(令和5)年4月には，3年後に障害者の法定雇用率を2.3%から2.7%に引き上げられることが制定された。

このように人権と尊厳に関する法的整備が進んだ。ここでは，障害者総合支援法と障害者差別解消法を中心に述べる。

2 障害者自立支援法から障害者総合支援法へ

障害者自立支援法では「障害者基本法の基本的な理念に則り，障害者及び障害児が自立した日常生活又は社会生活を営むことができるように，必要な障害福祉サービスに係る給付その他の支援を行い」と記されていた。

障害者総合支援法も「障害者基本法の基本的理念に則り，身体障害者福祉法，知的障害者福祉法，精神保健及び精神障害者福祉に関する法律，児童福祉法その他障害者及び障害児の福祉に関する法律と相まって，障害者及び障害児が基本的人権を享有する個人としての尊厳にふさわしい日常生活又は社会生活を営むことができるよう，必要な障害福祉サービスに係る給付，地域生活事業やその他の支援を総合的に行い，もって障害者及び障害児の福祉の増進を図るとともに，障害の有無にかかわらず国民が相互に人格と個性を尊重し安心して暮らすことのできる地域社会の実現に寄与することを目的とする」と記されている。障害者総合支援法では，障害者の自立支援が人権に配慮され，地域生活支援事業が強化され，総合的なものとして展開されることになった。加えて，難病で苦しむ人への支援拡大が認められる。この総合的な支援は，自立支援給付と地域生活支援事業で構成され，都道府県と市町村の関係は**図1**のとおりである。

2022（令和4）年には，障害者総合支援法が改正され，2024（令和6）年4月に施行される。

> **補足**
> **支援費制度**
> 2003（平成15）年4月に施行された制度で、これまで措置制度により提供されたサービスを障害者自らが選択し事業者との契約を結ぶサービスに変更された。身体障害者および知的障害者を対象とし，居宅サービスおよび更生施設、授産施設などの施設サービスが提供された。制度施行直後は介護保険制度への移行も検討されていが，2006年に障害者自立支援法へ移行した。

■利用の手続き（図2）

成人の対象者が障害福祉サービスを利用する場合，市町村が対象者に必要となるサービスの度合いについて，移動や意思疎通，行動障害など80項目を調査したのち，審査会での判断を経て，6段階の認定区分（**図3**）に応じたサービスの適用が決定される。なお，発達支援については標準となる指標が十分ではないため，区分判定は行われていない。一般的には市区町村の障害福祉サービス担当もしくは相談支援事業所に相談することとなる。

利用者本位のサービス体系は，障害者自立支援法の際に，日中活動支援に関して，療養介護，生活介護，自立訓練，就労移行支援，就労継続支援，地域活動支援センターがあり，規制緩和も行われ，障害者総合支援法に引き継がれている。

3 障害者差別解消法

障害者差別解消法は，正式には，「障害を理由とする差別の解消の推進に関する法律」といい，長年整備が望まれてきた法である。

障害者基本法第四条（差別の禁止）では，「何人も，障害者に対して，障害を理由として，差別することその他の権利利益を侵害する行為をしてはならない」とされており，概要として，①権利侵害行為の禁止，②社会的障壁の除去を怠ることによる権利侵害の防止，③国による啓発・知識の普及を図るための取り組みを行い，より具体的に，国・地方公共団体や民間事業所にガイドラインの策定など法的義務や，努力義務を課したり，支援措置を講じている。

図1 障害者総合支援法における給付・事業

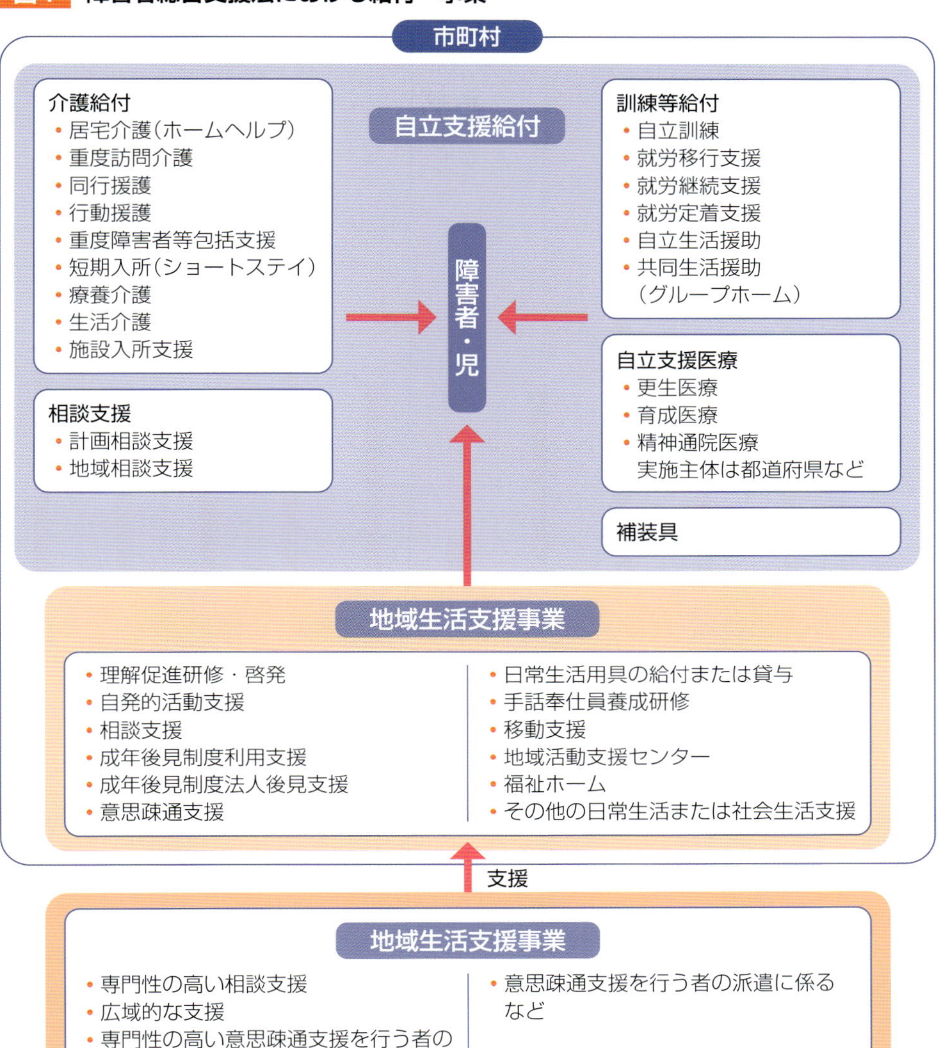

(文献1より引用)

図2 支給決定プロセス

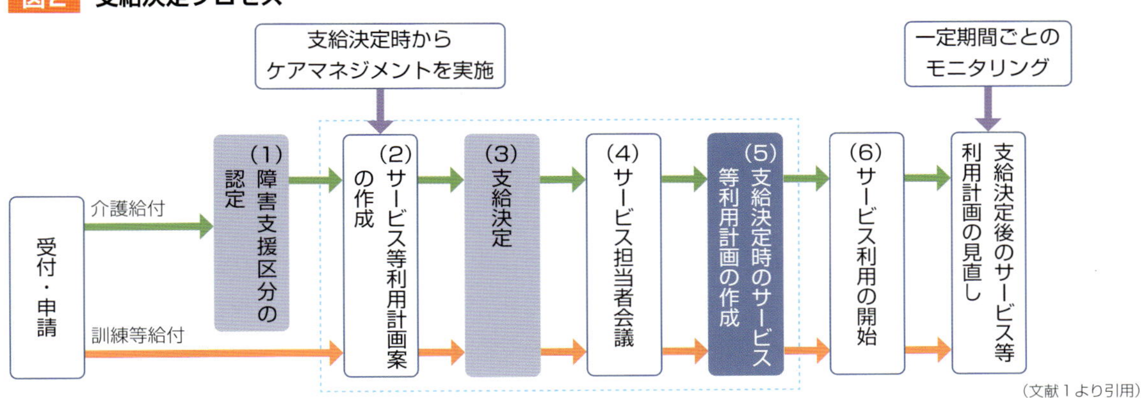

(文献1より引用)

図3　各サービスと障害支援区分の対応（概略）

	訪問系					日中活動系			施設系	居宅支援系
	居宅介護	重度訪問介護	同行援護	行動援護	重度障害者等包括支援	生活介護 ＊1	短期入所	療養介護 ＊2	施設入所支援 ＊3	共同生活援助
非該当			↕							↕
区分1	↕		↕				↕			↕
区分2	↕		↕				↕			↕
区分3	↕		↕	↕		↕	↕			↕
区分4	↕	↕	↕	↕		↕	↕		↕	↕
区分5	↕	↕	↕	↕		↕	↕	↕	↕	↕
区分6	↕	↕	↕	↕	↕	↕	↕	↕	↕	↕

＊1：50歳以上は区分2以上
＊2：ALS患者等は区分6。筋ジストロフィー，重症心身障害者は区分5
＊3：50歳以上は区分3以上
※上記以外にも利用要件や加算要件，経過措置等あり

（文献2より引用）

内閣府のホームページなどで啓発活動を確認することが可能となっている。社会生活を営んでいるなかでの具体的事例は，多岐に及んでいるが，本来，差別禁止や差別解消に，解説や説明が必要とならない社会作りが大切である。

2021（令和3）年に障害者差別解消法の改正があり，事業者による障害のある人への合理的配慮の提供義務が示されている。

アクティブラーニング 1　障害者差別の解消のために行われてきたことを調べ，今後必要になることを考えてみよう。

4　障害福祉制度の今後と作業療法士の役割

障害者施策は内閣が定める障害者基本計画に則り，具体的な行動計画である障害福祉計画が立案され，障害福祉報酬体系の改定が行われる。

2023（令和5）年からは第5期障害者基本計画が施行されている。これには(1)差別の解消，権利擁護の推進及び虐待の防止(2)安全・安心な生活環境の整備(3)情報アクセシビリティの向上及び意思疎通支援の充実(4)防災，防犯等の推進(5)行政等における配慮の充実(6)保健・医療の推進(7)自立した生活の支援・意思決定支援の推進(8)教育の振興(9)雇用・就業，経済的自立の支援(10)文化芸術活動・スポーツ等の振興(11)国際社会での協力・連携の推進が含まれている。

障害福祉計画および障害児福祉計画は基本指針を厚生労働省で立案し，

それを基本として各都道府県，そして各市区町村でそれぞれ具体的な支援方法や提供量などの計画を立案する。

2023（令和5）年は第6期（障害児は第2期）計画期間となる。第6期のポイントは「地域における生活の維持及び継続の推進」「福祉施設から一般就労への移行等」「『地域共生社会』の実現に向けた取り組み」「精神障害にも対応した地域包括ケアシステムの構築」「発達障害者等支援の一層の充実」「障害児通所支援等の地域支援体制の整備」「相談支援体制の充実・強化など」「障害者の社会参加を支える取り組み」「障害福祉サービス等の質の向上・障害福祉人材の確保」となっている。

これらの経過をみると作業療法士の活躍場面は増加している。特に就労支援や障害児関連のサービスで顕著に現れている，サービス量の増大に伴う配置が促進されているが，一方では特定のサービスに関して十分な供給量があり総量規制が行われる可能性もある。つまり，これまでは量の供給であったが，今後は質が求められる傾向となることが予測される。

アクティブラーニング ② 障害福祉基本計画について，これまでどのような改正がされてきたのかを調べてみよう。

【引用文献】
1）全国社会福祉協議会：障害福祉サービスの利用について 2021年4月版（https://www.shakyo.or.jp/download/shougai_pamph/date.pdf，2023年5月24日閲覧）
2）厚生労働省：障害支援区分に係る研修資料 ≪共通編≫ 第5版（https://www.mhlw.go.jp/content/000911529.pdf，2023年5月24日閲覧）

【参考文献】
1. 内閣府：障害者基本法の改正について（http//www8.cao.go.jp/shougai/suishin/kihonhou/kaisei2.html，5月24日閲覧）
2. 伊東弘泰：共生社会の実現を目指して「障害者差別解消法」ー成立までの経緯と展望ー，アビリティーズ選書⑧，日本アビリティーズ協会，2015.
3. 田島明子 ほか：障害者権利条約・障害者差別解消法の時代 作業療法士への期待，作業療法ジャーナル，50(4)：357-362，2016.
4. 長瀬　修：障害者権利条約と障害者差別解消法，改正雇用促進法 尊厳の尊重，作業療法ジャーナル，50(5)：460-464，2016.
5. 日本障害フォーラム（JDF）：（https://www.normanet.ne.jp，2023年5月24日閲覧）

チェックテスト

Q
①障害者基本法の制定年はいつか，社会背景とともに考察せよ（☞p.81）。 基礎
②わが国で障害者権利条約を批准したのはいつか（☞p.81）。 基礎
③総合支援法の対象者はだれか（☞p.82）。 基礎

7 特別支援教育

林　義巳

Outline

- 特別支援教育は，特別支援学校，特別支援学級，通級による指導の3つからなる。
- 特別支援学校は，障害の種類によって，視覚障害，聴覚障害，知的障害，肢体不自由，病弱の5つに分類される。
- 特別支援学級は，通常の小・中学校にクラスを設けており，知的障害，肢体不自由，病弱・身体虚弱，弱視，難聴，言語障害，自閉症・情緒障害の子どもたちが在籍している。
- 通級による指導は，通常の学級に在籍しながら，一部特別の指導を通級指導教室で受ける。

1 特別支援教育の現状

■特別支援学校

特別支援学校は，幼稚部，小学部，中学部，高等部から成り，5つの障害種別（視覚障害，聴覚障害，知的障害，肢体不自由，病弱）に分かれている。児童生徒の障害の状態によって，重複障害学級や訪問教育を設ける学校もある。

2021（令和3）年度の特別支援教育資料（令和4年11月）によると，全国の特別支援学校数は1,160校（複数の障害を対象としている学校は重複あり），学級数は36,701学級，在籍者数は14万6,285人である。通常の幼稚園から高等学校までの生徒を含めると総数は1,450万4,763人であり，特別支援学校の在籍者の割合は全体の1%程度となる。

表1は，2012年度と2022年度の比較である。2012年度の合計は12万9,994人，2022年度の在籍者の合計は14万8,635人となり，増加傾向は続いている。障害種別では，知的障害が増加し，視覚障害・聴覚障害・肢体不自由は減少傾向にある。

表1　特別支援学校の障害種別の学校数と生徒数（幼稚部・小学部・中学部・高等部の合計）

	2012年度		2022年度	
	学校数	生徒数	学校数	生徒数
視覚障害	87校	5,894人	82校	4,764人
聴覚障害	120校	8,533人	118校	7,623人
知的障害	681校	115,355人	814校	137,801人
肢体不自由	324校	32,007人	357校	30,705人
病弱	139校	19,190人	153校	19,360人

（文献1より引用）

通常の小・中学校は，1学級40人（小学1年生は35人）で編制されるが，特別支援学校（小・中学部）では，一人一人の障害に応じた指導を行うため，1学級6人で編制している。高等部は，1学級8人である。また，複数の障害を併せ持つ重複障害学級については1学級3人で編制される。

通常の学校から特別支援学校への転入者は，小学校3,310人，中学校3,813人，高等学校4,775人となっている。また，通常の学校への転出者は，小学部2,576人，中学部1,930人，高等部290人となっている（2020年度）。

■特別支援学級

通常の小・中学校において，対象の障害があり，特別支援教育が必要な生徒に対して，クラスを設けている。

2021年度の小学生の総数は631万70人であり，そのうち特別支援学級の在籍者数は23万3,801人（3.71％）となっている。中学生の総数は329万8,707人であり，特別支援学級の在籍者数は9万2,657人（2.81％）である。

表2は，2012年度と2021年度の学級数・生徒数の比較である。小・中学校ともに学級数は増加し，どちらも生徒数が約2倍に増加している。

特別支援学級の学級編制は，1学級8人である。学年にかかわらず8人までが1学級に編制される。

表2　特別支援学級の学級数・生徒数

	2012年度		2021年度	
	学級数	生徒数	学級数	生徒数
小学校	32,773学級	113,961人	50,909学級	232,105人
中学校	14,870学級	50,467人	21,635学級	91,885人
義務教育学校	－	－	601学級	2,467人
合計	47,643学級	164,428人	73,145学級	326,457人

（文献2より引用）

■通級による指導

通級による指導では，大部分の授業を在籍する通常の学級で受けながら，一部の授業を障害に応じて実施する。小・中学校では，児童生徒13人に1人の教員を配置できる。

幼稚園から高等学校までの生徒総数（令和3年3月31日現在）1,466万8,411人に対して，通級による指導は16万4,697人で，全体の1.12％の割合となる。対象の障害は，言語障害，自閉症，情緒障害，弱視，難聴，学習障害（LD：learning disorder），注意欠陥多動性障害（ADHD：attention deficit hyperactivity disorder），肢体不自由，病弱・身体虚弱となっている。

小・中学校で通級による指導を受けていた生徒が年々増加するなか，2018（平成30）年度から高等学校も通級による指導が制度化された。

■通常の学級

通常の小学校・中学校・高等学校の学級においても，障害のある児童生徒が在籍している。

文部科学省は，小・中学校の教員を対象に，「通常の学級に在籍する特別な支援を必要とする児童生徒に関する調査」を行っている。小・中学校の通常学級に，学習障害，注意欠陥多動性障害，高機能自閉症などの可能性がある児童生徒の割合が，2012年の調査では6.5%，2022年の調査では8.8%が在籍している結果となった。増加している理由として，今まで見過ごされてきた子どもたちに目を向けるようになったこと，言葉や文字に触れる機会や対面での会話，体験活動が減少していることが報告されている。ただし，質問項目が，学習面や行動面で著しい困難を示すとされた児童生徒の割合であることに，注意が必要である。

2 特別支援教育の制度概要

■障害者の権利に関する制度改正

2006年12月，国連総会において「**障害者の権利に関する条約（障害者権利条約）**」が採択され，わが国も2007年9月に署名した。この条約締結に向けて国内の法的整備が推進され，2011年8月「障害者基本法」改正，2012年6月「障害者総合支援法」成立，2013年6月「障害者差別解消法」成立，「障害者雇用促進法」改正となった。このように国内の法的整備がなされ，2014年2月，障害者権利条約は，わが国において効力が発生している。

この障害者の権利に関する制度改正のなかで，2011年8月に改正された**障害者基本法**第16条において，障害者の教育に関する規定が定められた。主なポイントは，以下のとおりである。

①障害特性を踏まえた教育の内容や方法の改善を図ること。

②児童生徒や保護者に対して十分な情報提供を行い，意向を尊重すること。

③障害者でない児童生徒との交流および共同学習を進めること。

④人材の確保および資質の向上，適切な教材などの提供，学校施設の整備を促進すること。

> **補足**
>
> **障害者の権利に関する条約（障害者権利条約）**
> 障害に基づくあらゆる差別（合理的配慮の否定を含む）の禁止，障害者の社会への参加・包容の促進，条約の実施を監視する枠組みの設置などの障害者の権利の実現のための措置などを規定している。

■特別支援教育の制度の経過

2007年4月に学校教育法が改正され，「特別支援教育」が学校教育法に位置付けられた。この改正により，すべての学校において，障害のある児童生徒の支援をさらに充実させることになった。改正前は，障害種別に盲学校，聾学校，養護学校という名称で分けられていたが，改正後は，**特別支援学校**に統一された。また，地域のニーズにより，設置者（都道府県など）の判断で，1つの障害を受け入れる障害種別の特別支援学校でなく，複数の障害を受け入れることができるようになった。これに合わせて，改正前

> **補足**
>
> **個別の教育支援計画**
> 乳幼児期から学齢期の特別支援教育へ円滑に移行させ，かつ就労までを見通した支援計画のこと。
>
> **特別支援教育コーディネーター**
> 学校や施設に所属する特別支援教育コーディネーターが相談業務の窓口となり，個別の教育支援計画の作成や外部機関との連絡調整を行っている。

は小・中学校において特殊学級とよんでいたクラスが，**特別支援学級**に名称変更された。幼稚園・小学校・中学校・高等学校では，通常の学級も含め，障害のある児童生徒には特別支援教育を行うことが示されている。

2011年に改正された障害者基本法第16条（教育）を受けて，2012年7月に中央教育審議会初等中等教育分科会は，「**共生社会の形成に向けたインクルーシブ教育システム構築のための特別支援教育の推進（報告）**」をまとめた。このなかで，子どもの多様なニーズに応えていくために，「就学先決定の仕組みを改めること」，「**特別支援教育支援員**[*1]の充実，**外部専門家**[*2]の活用を図ること」，「**スクールクラスター**[*3]（域内の教育資源の組み合わせ）による連携を図ること」などの提言がなされた。

この提言により，2013年9月に学校教育法の改正が行われた。従来は，就学先の決定にあたり，就学基準（学校教育法施行令第22条の3）に該当する障害のある子どもは特別支援学校に原則就学するとしていた。しかし，この改正で市町村の教育委員会は，障害の状態，教育上必要な支援内容，地域における教育の体制の整備の状況，専門家の意見，本人・保護者の意向を尊重して総合的に判断するようになった。

近年の特別支援教育にかかわる制度改正では，2015年4月の学校教育法施行規則改正において，高等学校・特別支援学校高等部における遠隔教育の制度化がなされた。病気療養児を対象に，メディアを利用して行う同時双方向型授業配信（オンライン授業）が実施可能となった。その後，2018年9月に小・中学校の病気療養児に対しても，同時双方向型授業配信の制度化が行われた。これに続き，2023年3月には，高等学校および小・中学校の病気療養児に対するオンデマンド（録画）型授業配信も可能となった。

2016年6月の児童福祉法改正では，新生児集中治療室（NICU：neonatal intensive care unit）などに長期入院し，引き続き，人工呼吸器や胃ろう，喀痰吸引が必要な**医療的ケア児**に対して，保健・医療・福祉・教育などの関係機関の連携を推進することになった。

2021年8月の「学校教育法施行規則の一部を改正する省令」で，学校の教員と連携する支援スタッフとして，医療的ケア看護職員，情報通信技術支援員，特別支援教育支援員，教員業務支援員の名称と職務内容が規定されている。

補足　特別支援学校のセンター的役割

- 小・中学校などの教員への支援
- 特別支援教育に関する相談・情報提供
- 障害のある児童生徒などへの指導・支援
- 福祉・医療・労働関係機関などとの連絡・調整
- 小・中学校の教員に対する研修協力
- 障害のある児童生徒などへの施設設備の提供

補足

インクルーシブ教育
インクルーシブ教育とは，地域社会において包容された教育のことである。共生社会を実現するため，最初から障害の有無によって分け隔てるのではなく，必要な場合は**合理的配慮**を行うという考え方である。合理的配慮とは，障害のある児童生徒が，他の児童生徒と同様に教育を受けられるように，学校が必要な調整・変更を行うことである。

＊1　**特別支援教育支援員**
学校における日常生活の介助，学習活動のサポート，教室間の移動の介助など，学級担任の補助を行う。

＊2　**外部専門家**
臨床心理士，理学療法士（PT），作業療法士（OT），言語聴覚士（ST）などの専門家のこと。

＊3　**スクールクラスター**
近隣の学校が連携し，協力してお互いに支援し合うネットワークのこと。

補足

医療的ケア看護職員
保健師，助産師，看護師，准看護師が，医療的ケア看護職員にあたる。職務内容は，医療的ケア児のアセスメント，必要に応じた医療的ケアの実施，健康管理，教職員への指導・助言となっている。

【引用文献】
1）文部科学省：文部科学省統計要覧（令和５年度）9. 特別支援学校（https://www.mext.go.jp/b_menu/toukei/002/002b/1417059_00008.htm, 2023年５月24日閲覧）
2）文部科学省：特別支援教育資料（令和３年度）（https://www.mext.go.jp/a_menu/shotou/tokubetu/material/1406456_00010.htm, 2023年５月24日閲覧）

チェックテスト

Q

①特別支援学校は，５つの障害種別に分かれている。その障害種の５つとは何か（☞p.86）。 臨床

②特別支援学校（小・中学部）では，一人一人の障害に応じた指導を行うため，１学級何人で編制されるか（☞p.87）。 臨床

③複数の障害を併せもつ児童生徒が対象となる特別支援学校の重複障害学級は，１学級何人で編制されるか（☞p.87）。 臨床

④地域社会によって包容された教育のことであり，共生社会を実現するため，最初から障害の有無で分け隔てるのではない教育のことを何というか（☞p.89）。 臨床

⑤障害のある児童生徒が，他の児童生徒と同様に教育を受けられるように，学校が必要な調整や変更を行うことを何というか（☞p.89）。 臨床

⑥NICUなどに長期入院し，引き続き，人工呼吸器や胃ろう，喀痰吸引が必要な児を何というか（☞p.89）。 臨床

3章

各事業所の実践

1 訪問作業療法

上野喜世

Outline

- 訪問作業療法の目的は，実際の生活の場でのADL・IADLの自立や社会参加，QOLの向上である。またその対象は，子どもから高齢者まで幅広い。
- 利用者のその人らしさを尊重した支援を行う。また家族支援も大事な役割の一つである。
- 訪問の際は，「利用者の生活空間に入っていく」ことを十分に意識する必要がある。
- 訪問作業療法では，多職種連携・社会資源の活用・各種制度の理解に努め，適切な助言や指導ができなければならない。

1 訪問作業療法の目的と対象

訪問作業療法は，心身になんらかの障害がありながらも在宅生活を続けている利用者に対し，各々の状況に応じた機能訓練やADL訓練，また精神的サポートを住み慣れた環境のなかで行うもので，よりよい生活を送ってもらうために行う在宅支援である。

その目的は，在宅において利用者が日々安全に安心した環境のなかで生きがいをもって日常生活を送れるようにすること，また，その介護者への支援である。

病院では「患者」であった利用者も，自宅へ帰ればその役割は「社会や家族の一員」へと戻っていく。訪問作業療法の基本はそのような地域に戻った利用者に対し，その人らしさを尊重し支援していくことである。

訪問作業療法は，周囲に多くの医療スタッフがいる病院とは違い，さまざまな判断と対応が個々に求められる。本項目ではそれらに必要な知識を再確認していく。

■どこから訪問を行うのか

訪問で作業療法を提供する事業所は，取り扱う保険の違いなどにより異なる。以下がその主な事業所である。

▶訪問看護ステーション（医療保険・介護保険）
▶病院や診療所（医療保険・介護保険）
▶介護老人保健施設（介護保険）
▶行政機関（保険は問わない，あるいは各行政機関による）

■どのような人を対象とするのか

訪問作業療法は，あらゆる年代や障害を対象としており，疾病・事故・

加齢などの影響により心身になんらかの障害をもち在宅生活を送っている人に提供される。

▶介護保険の要介護(要支援)認定を受け，主治医が訪問を必要と認めた者

▶医療保険において主治医が訪問を必要と認めた者(難病・精神疾患・小児疾患・その他心身に障害のある者)

▶その他行政が対象とする者(例：介護保険は非該当だが予防的にリハビリテーションなどのアドバイスを必要とする者，難病患者，精神疾患患者，引きこもりなどの児童への訪問など)

【訪問事業所】
- 訪問看護ステーション
- 病院・診療所(医療機関)
- 介護老人保健施設
- 行政機関

など

【対象者】
- 介護保険利用者
- 医療保険利用者(難病・小児その他心身に障害のある者)
- その他行政が対象とする者

※市区町村や保健所などからの訪問となるが各々により目的や対象者の条件は異なる

試験対策 Point

- 介護保険制度は40歳以上の被保険者が利用できる制度である。
- 第1号被保険者と第2号被保険者に分類される。
- 第1号被保険者：65歳以上で要介護認定を受け要介護者(介護が必要)または，要支援者(介護予防が必要)と認定された者。
- 第2号被保険者：40歳以上64歳以下で特定疾病にかかっており，要介護認定を受け要介護者(介護が必要)または，要支援者(介護予防が必要)と認定された者。

2 訪問作業療法の内容

訪問作業療法の実際は，心身ともに課題となっている状況(心身障害・生活障害・住環境整備など)を把握し，リハビリテーションを実施していくことである。

ここでは，実際の訪問作業療法はどのようなものであるかを確認していく。

アクティブラーニング 1 病院に入院している患者と自宅で生活している利用者の違いを考えてみよう。環境因子や個人因子による影響はどうだろう？

■基本的な病状管理

先に述べたように周囲に多くの医療スタッフがいる病院とは違い，在宅ではさまざまな判断と対応が1人の作業療法士に求められる。

特に，重度で寝たきり状態にある利用者においては，自身の状況を伝えることが困難な人もいる。そのため，表情や全身の観察，体温・血圧・脈拍・呼吸，**動脈血酸素飽和度(サチュレーション)**[*1]といったバイタルサインの正確な把握，褥瘡予防のための**ポジショニング**[*2]の調整など，適切な評価や管理を実施できなければならない。そのうえで異常を早期発見し，看護師や主治医と速やかに連携をとる必要がある。

そのためにも，事前に看護師や主治医からの医療情報を把握し，急変時対応なども確認しておくとよい。

＊1 **動脈血酸素飽和度(サチュレーション)**
動脈血液中のヘモグロビンのうち，酸素と結合したヘモグロビンの占める割合のことで，パーセントで示す。正常値は94～100%である。経皮的にパルスオキシメーターで計測されるのがSpO_2(percutaneous oxygen saturation，またはoxygen saturation by pulse oximetry)である。

＊2 **ポジショニング**
良肢位のこと。臥位や座位において安定し疲労しない姿勢をつくること。
褥瘡予防においては体圧の確認も必要となる。座位では坐骨・仙骨部中心に，背臥位では頭部・肩甲骨部・仙骨部・足部を中心に確認するとよい。確認方法は耐圧計などの測定機器もしくは直接手を入れて実施する方法がある。

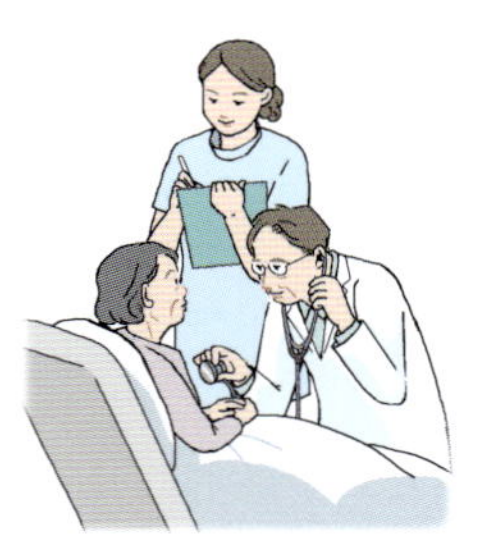
基本的な病状管理

補足　生命の危険となるバイタルサインの数値

体温：35℃以下または42℃以上
血圧：収縮期血圧60mmHg 未満
脈拍：1分間40回未満または測定不能の頻脈
呼吸：1分間以上無呼吸
意識：刺激しても覚醒せず，まったく動かない

● 評価

在宅においてさまざまな職種がその利用者にかかわるなか，作業療法士として専門職の視点をもち，課題となっている生活障害を評価しなくてはならない。心身機能，生活機能，住環境状況のみならず個人因子も含め評価し，それらの課題から生活行為の妨げとなっていることを的確に導き出すことが重要である。

補足　主な評価法

徒手筋力検査法（MMT：Manual Muscle Testing）／関節可動域（ROM：Range Of Motion）／機能的評価（BI：Barthel Index）／機能的自立度評価法（FIM：Functional Independence Measure）／ Frenchay Activies Index（FAI）／ Katz Index／カナダ作業遂行測定（COPM：Canadian Occupational Performance Measure）／ Assessment of Motor and Process Skills（AMPS）／生活の広がり（LSA：Life Space Assessment）／日本理学療法士協会が介護予防事業の「運動器の機能向上」の効果判定のために作成したアセスメントセット（E-SAS：Elderly Status Assessment Set）／老研式活動能力指標

● 実施計画

評価をもとに具体的なリハビリテーション内容，実施頻度や実施期間を決定する。作成した計画書は，本人や家族にわかりやすく説明し，在宅生活にかかわっているすべてのサービス事業所で共有できるようにする。介護保険利用者においては介護支援専門員（以下，ケアマネジャー），医療保険においては担当のケースワーカーや相談支援専門員などに提示しておくとよい。

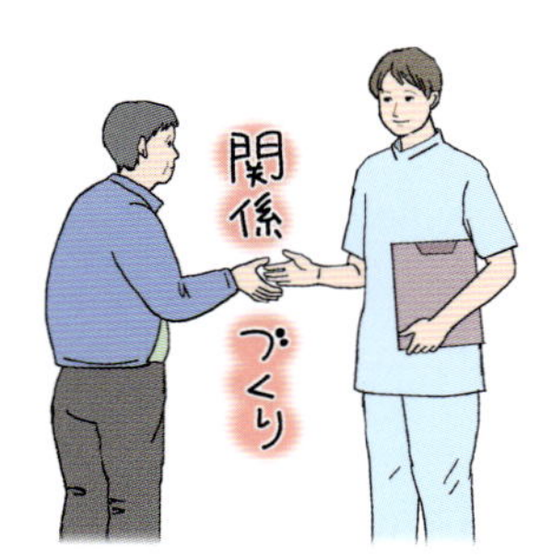

関係づくり

● 関係づくり

訪問作業療法は，生活の拠点である自宅において行うリハビリテーションである。従って，信頼関係の構築が大変重要になる。基本的な接遇を学び，利用者や家族に敬意を払って接していくことが大切である。利用者の心身状況が重度で，会話ができない状態であっても，声かけや身振り，表情で安心感を与えることは大切である。

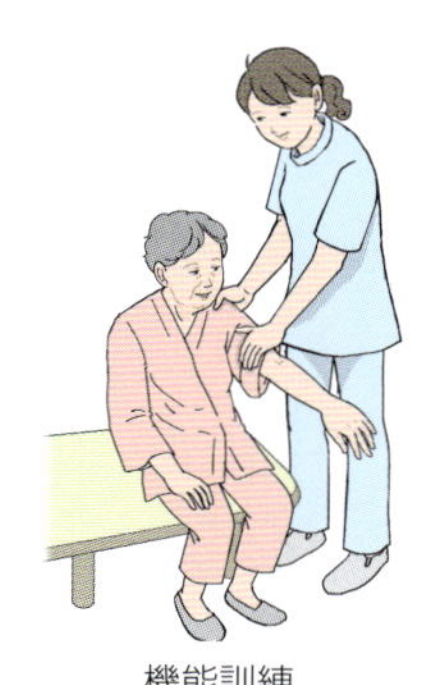
機能訓練

● 機能訓練

作業療法はADLやQOLに着目した訓練が主流と考えられるが，それらも身体機能をきちんと評価したうえに成り立っていると考える。在宅での

利用は一般的には維持期にある人が主な対象となる。必要であれば関節可動域訓練や筋力訓練，その他基本動作訓練などもリハビリテーション内容となる。しかし，利用者のニーズが機能訓練に重きを置いていたとしても，作業療法士は生活機能の改善を目的とした，心身機能・身体構造・活動・参加のバランスのとれたリハビリテーションの実施と自立支援の促進が求められる。

● ADL

ADLを維持向上するためには，現在実行できている動作をきちんと評価し，さらに利用者の能力の可能性を探っていくことが重要である。ADL訓練は日常生活に取り入れていく動作であることから安全かつ負担の少ない方法を模索し，「できる」ADLにとどまらず，日々行いやすい無理のない環境設定を工夫し「している」ADLに繋げていけるとよい。

福祉用具を利用することで可能となるADLがある場合は，タイミングをみて導入していくとよい。

● QOLの向上

人によって，生活の質に対する価値観は異なる。従って，利用者が何に興味をもち，何を大切にしているかなどを普段から情報収集しておくとよい。病前に興味をもっていたものはもちろん，新たな分野に目を向けて新しい世界で充実感を得る利用者もいる。そのため，作業療法士も常にさまざまなことに興味をもち，対象となる利用者の世界を共有し，拡げていくといった役割をもてるとよい。

● 相談や精神面へのサポート

退院して在宅生活が始まると，利用者はさまざまな問題に直面する。ときとして，意欲低下やうつなどを引き起こす場合もある。また，維持期に入り身体機能の回復がみられなくなると，一生懸命行ったリハビリテーションに対して思った効果が得られず，満足感や達成感といったものが感じられなくなる。維持できているという状態も，実は日々の努力の成果ではあるのだが，なかなか実感できるものではない。そういったときに，作業療法士としてどういったかかわりができるかが，利用者にとって非常に重要である。

在宅では本人のみならず家族とのかかわりも重要となる。家族もまた，介護における精神的，身体的負担や経済的負担を抱えている場合がある。作業療法士は，可能な範囲で相談に応じ，必要に応じて看護師や医師，ケアマネジャーへと繋ぐパイプ役を担う。利用者や家族の不安や思い，ストレスをしっかりと傾聴し，受け止める側になることも大きな役割の1つである。

補足

activities of daily living(ADL)
一般的には「日常生活活動」と訳される。日常生活を営むうえで，通常行っている行為，行動のことである。具体的には，食事や排泄，整容，移動，入浴などの基本的な行動を指す。

instrumental ADL (IADL)
「手段的日常生活活動」と訳され，日常生活を送るうえで必要な動作のうち，ADLより複雑で高次な動作を指す。例えば，買い物や洗濯，掃除などの家事全般や，金銭管理や服薬管理，外出して乗り物に乗ることなどで，最近は，趣味のための活動も含むと考えられるようになっている。

ADL

QOL

補足

quality of life (QOL)
「生活の質」と訳され，人間らしく，満足して生活しているかを評価する概念である。

相談や精神面のサポート

● 福祉用具の導入，住環境整備

先に述べたように福祉用具を利用することで可能あるいは容易となるADLがある場合，導入のタイミングを図るのはわれわれ作業療法士の役割である。しかし道具の導入は，個々の能力を正確に把握せずに行うと，逆にリスクへと繋がる場合がある。難病や進行性疾患の場合，道具の導入を症状の悪化ととらえ，受容できずに機を逃しADLやQOLの妨げとなる利用者もいる。従って，日々新しく開発されている福祉用具へ目を向け，常に情報収集していくことはもちろん重要なことだが，作業療法士として利用者の心身状態を評価するとともに導入には十分な配慮が必要である。

また，導入後も，その福祉用具を利用し，安全に使用できるよう繰り返し動作訓練を行っていくとよい。福祉用具を使用するにあたり，家族の協力が必要な場合は家族の能力も評価すべきである。

住宅改修は，福祉用具では補えない環境がある場合に検討する（**図1**）。ただし介護保険の場合，決められた金額の範囲内において実施するため，予後予測をし，必要な箇所から提案していくとよい。また，住環境は他の同居家族の生活も考慮しなくてはならない。手すりを付けすぎてかえってけがをする，もしくは家族が生活しづらくなるといった事態は避けなければならない。

アクティブラーニング ② 介護保険利用者の住環境整備において，福祉用具レンタルと住宅改修の導入理由の違いについて考えてみよう。

図1　住宅改修前に検討したい福祉用具

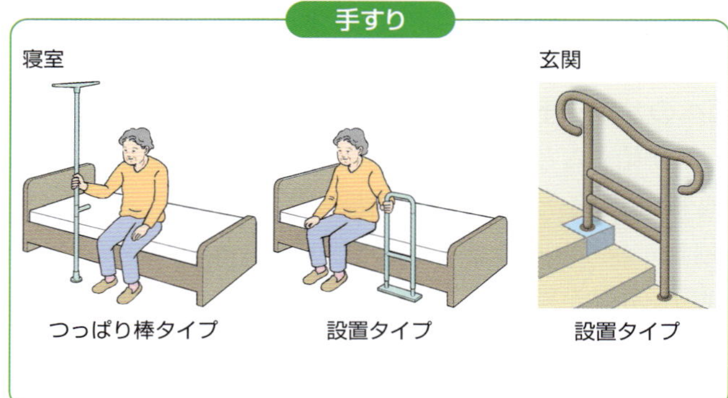

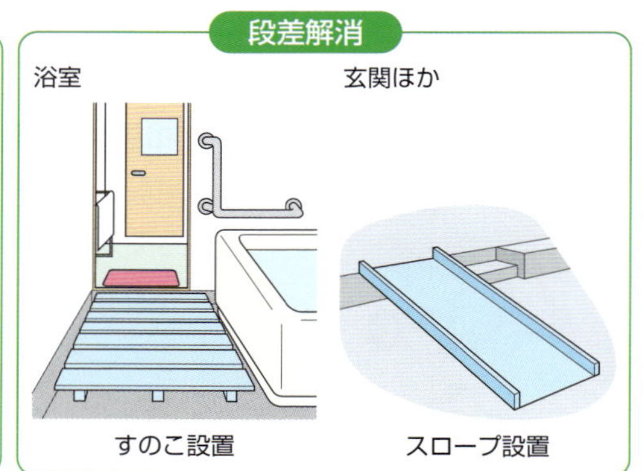

補 足　生活範囲拡大を目的とする福祉用具

福祉用具の導入に際し，利用者の生活範囲拡大を目的に電動車いすやシニアカーといった利用も検討しなくてはならない。また，障害に合わせて普通自動車を改造することも選択肢の1つといえる。

※片麻痺がある場合の自動車改造：ハンドルにノブを取り付けて片手操作できるようにする。右片麻痺ではアクセルとブレーキを左側に設置する。

※高次脳機能障害がある場合はその他に，アクセル，ハンドル，クラッチの操作確認やドライブシミュレーターを用いた模擬運転，紙面での運転性格検査など専門の教習所などで臨時適性検査を受けなくてはならない。

住宅改修について

①手すり

- 太さ：手を滑らせながら使用する階段や廊下，広い空間で使用される手すりは直径32～36mm程度，トイレや浴室などの上下運動，移乗時に使われる手すりの直径は，しっかりと把持したときに親指と他の指の指先が軽く重なる程度がよいとされ，直径28～32mm程度とする。
- 手すりの端部：壁側に曲げこむか，下方に曲げて収める。エンドキャップを取り付ける方法では手すりの端部に衝突したり，衣服の袖口をひっかけるなどの危険性がある。
- 高さ：場所によって異なり一般的には横手すりは床から750～800mmとされているが，使用する個人の身体状況や生活環境に合わせ柔軟に対応する必要がある。
- 階段の手すり：上下階水平部分は延長して長めに付けると，最後の一歩までしっかりと握ることができる。
- トイレの手すり：立ち上がり時の動作を考慮し，縦手すりあるいはL字の手すりが望ましい。
- 玄関の手すり：上がり框を昇降するために縦手すりを設置する。下端は土間から750～850mm程度，上端はホール床面に立ったときの肩の高さより100mm程度上方の高さとする。
- 浴室の手すり：浴室出入り用縦手すり・洗い場立ち座り用縦手すり・浴槽出入り用縦手すり・浴槽内での立ち座りおよび姿勢保持用のL字手すりのいずれも重要であるが，使用者の状況により設置していく。

②スロープ：理想的なスロープの勾配は1/12～1/15であり，車椅子を想定するスロープ幅は120cm以上である。

③片麻痺者の住宅改修ポイント

車椅子利用の場合，廊下の幅は800mm必要であり，スロープは1/12～1/15勾配が望ましい。浴槽は埋め込み式の和式タイプがよい。また，浴槽への出入りはベンチやバスボードのようなものに一度腰を掛けてから行えるとより安全である。

④脊髄損傷者の住宅改修ポイント

基本的な考え方：脊髄損傷者は損傷の度合いや部位によって残存能力が異なる。それらを把握したうえで利用可能な福祉用具の検討や，車椅子の場合の移乗および移動能力などを検討していき，住環境を整備する。

● 就労支援

身体障害・精神障害・知的障害・高次脳機能障害において，現在地域ではさまざまな就労支援体制が整っている。訪問作業療法では直接それらを実施することはないが制度を把握し，必要に応じて各機関と連携を取りチームの一員として支援していく。

実際に企業側の再雇用や受け入れ態勢が整った場合は，通勤や勤務内容のシミュレーションを行い，体力や身体機能に応じた環境調整などを検討していく。また，企業側が評価しにくい高次脳機能障害の状況などは情報提供し，職場復帰および再就職した際に予測できるトラブルを未然に防げるよう担当者や周囲の人に理解をしておいてもらうことも重要である。

> **補足**
>
> **障害者の法定雇用率**
>
> 民間企業，国，地方公共団体は，「障害者の雇用の促進等に関する法律」に基づき，それぞれ一定割合（法定雇用率）に相当する数以上の身体障害者，知的障害者および精神障害者を雇用しなければならないとされている。法定雇用率は，国，地方公共団体，一定の特殊法人は2.6%，都道府県などの教育委員会は2.5%，民間企業は2.3%とされている（2026［令和8］年にかけて段階的な引き上げが予定されている）。

● 精神疾患をもつ対象者への訪問

精神疾患をもつ対象者への訪問の目的は，体調や病状の把握，服薬管理，生活支援（自立した生活を営むために必要な精神的・身体的技能の獲得や向上），社会資源活用のサポート（役所での手続きサポート・復学／就職サポート）などである。リハビリテーションの具体的な内容は，生活リズムを整える，体力の維持向上，気分転換やストレスの発散，家事能力を身に付けそれを維持する，生きがいや趣味をみつける，リラクゼーションを図る，病気の学習，本人家族と主治医のパイプ役などである。

その他，自立した社会生活を営むにあたり近隣の人とトラブルを起こすことがなく日常生活を送れるように支援していく。

● 小児の訪問作業療法

小児の訪問作業療法は，脳性麻痺などの身体障害，言語や知能の遅れなどの知的障害，自閉症やアスペルガー症候群などの発達障害がある子どもへの訪問である。小児は成人とは違い，成長途中であり，自己矯正能力も高いという点が大きな特徴の一つである。そのため，その子どもの発達状況を見据えた介入が必要となる。目標設定においては，子ども自身だけではなく，子どもの養育をしている保護者の思いを受けとめながら設定していく。そして，在宅の環境を活かしながら，対象者である子どもと作業療法を楽しんで行うという視点を大事にして介入していく。手遊び，体を動かすこと，歌やリズム遊びなど楽しみながら五感を使って，身体機能，精神機能，周囲とのコミュニケーションへのアプローチなどを気づかないうちに自然に行えるように進めていく。そのほかの作業療法士の役割としては，学校や幼稚園・保育園，行政機関，その他医療・福祉施設といった関係機関と連携を図っていくことが重要である。よりよい環境設定を調整し，病気や障害を抱え成長していく，その子どもを尊重しながら生活しやすい状況をつくっていくことが大切である。

● 社会資源などに対するサポート

さまざまな社会資源があるなか，利用者はその情報収集や情報の整理が困難であることが多い。従って，われわれはさまざまな制度や公的機関，医療機関，社会復帰施設，人的支援，また近隣のボランティアや民生委員，自治会やその自治会の行事といったフォーマル，インフォーマルな資源の活用方法を把握しておくべきである。

自治会の文化祭といった地域行事は，アクティビティとして作成した作品の発表の場として活用することも可能である。成果を発表できるような場は，意欲を向上させ，生活の張りにつながる。

また，社会参加としてデイサービスなどへ繋げることも，生活に変化をもたらす。杖や車椅子などで外出し，電車やバスといった交通機関を利用することは，今ある能力を生かして生活範囲を広げていくこととなり，在宅生活を送っている利用者にとっては重要である。

われわれ作業療法士は，専門的な視点で，それらの環境や設備などを情報収集し，活用していけるとよい。

補足

社会資源
社会資源とは，利用者がニーズを充足し，問題解決するために活用される各種の制度・施設・機関・設備・資金・物質・法律・情報・集団・個人の有する知識や技術などを総称していう(『精神保健福祉用語辞典』中央法規出版より)。

補足

- 病状管理：体温・血圧・脈拍・呼吸・血中酸素飽和度といったバイタルサインの正確な計測方法を取得し，数値に対する知識を身に付けること。
- 評価・実施計画：さまざまな評価方法はあるが，大切なのは評価結果から生活行為の妨げとなっていることを導き出し，作業療法を実施していくとともに，他職種へもそれを伝えていくことである。
- 住環境整備：住宅改修においてはその利用者の疾患を把握し，予後予測をしながら進めるとよい。

■訪問における接遇および倫理

接遇の遇は「もてなす」ことである。すなわち接遇とは相手をもてなす気持ち，思いやる気持ちで接することである。

倫理とは，社会生活を送るうえでの一般的な決まりごと，マナーのことをいう。従って，われわれは，世間一般的なマナーを守り，その家のルールを把握し，思いやりの心をもってリハビリテーションを行わなくてはならない。

訪問は「利用者の生活空間に入っていくということ」を十分に意識し，家族やそこに住む地域の人や環境，それら全てに対する接遇を意識して介入しなければならない。

補足　訪問時のマナー

- あいさつはきちんと行う
- 言葉遣いは丁寧に行う
- 相手の立場に立って，相手を尊重し思いやる気持ちで接する
- その家によってルールが違うので，訪問先の家のルールを理解する
- 身だしなみに気を付ける
  ※服装や髪形，爪の手入れなどのほかに，香水や柔軟剤のにおいなどで気分を害する利用者もいるので，臭いのエチケットも忘れずに気を付ける
- 玄関先では靴をそろえる，上着は脱いでから入る，訪問鞄を置く場所に気を付けるなど基本的なマナーを確認しておく

■多職種連携

利用者を地域全体で支えていくためには，さまざまな職種との連携が必

補足

バリアフリー法
高齢者や障害者などの自立した日常生活や社会生活を確保するために，旅客施設・車両など，道路，路外駐車場，都市公園，建築物に対して，バリアフリー化基準(移動等円滑化基準)への適合を求めるとともに，駅を中心とした地区や，高齢者や障害者などが利用する施設が集中する地区(重点整備地区)において，住民参加による重点的かつ一体的なバリアフリー化を進めるための措置などを定めている。

障害者総合支援法
2013年4月から「障害者自立支援法」が「障害者の日常生活及び社会生活を総合的に支援するための法律(障害者総合支援法)」となった。障害者(児)の定義に政令で定める難病が追加され，難病患者で，疾状の変動などにより，身体障害者手帳の取得はできないが，一定の障害がある人が障害福祉サービスなどの対象となった。障害程度区分から障害支援区分への見直し，重度訪問介護の対象拡大，ケアホームとグループホームの一元化などが実施された。2021年11月からは，障害者総合支援法の対象となる難病などが見直され，対象となる疾病が366疾病に拡大された。

要となる。

連携のためには他職種がどのような専門性をもっているかなど，役割の理解が重要となる。他職種を理解することは自分たちの職種，すなわち作業療法士の特性にも目を向けることにつながり，自職種の役割についても十分に認識していく必要がある。

このように他職種と自職種を合わせた多職種が連携を図ることを多職種連携とよぶ。それぞれの専門性を理解し，役割や目標を共有していくことが，地域でのよりよい利用者支援につながっていく。

補足

地域で連携する多職種
医師・看護師・理学療法士・言語聴覚士・介護支援専門員・ヘルパー・保健師・行政のケースワーカー・MSW（medical social worker）・薬剤師・歯科医師・歯科衛生士・栄養士・地域包括支援センター担当など

カンファレンスへの参加
介護保険であればケアマネジャーが中心に行うサービス担当者会議，医療保険であれば，ケースワーカーやその他状況に応じてチームのキーパーソンとなる職種が中心に行うケースカンファレンスが実施される。
他職種と連携するうえでカンファレンスは重要な役割を担う。可能な限り参加をして顔の見えるチームをつくっていくとよい。

Case Study

- 60歳代女性，左視床出血による右片麻痺，構音障害，注意障害あり。既往歴として統合失調症と高血圧があった。
- 退院後自宅へ帰り，すぐに訪問作業療法が導入される。
  ケアマネジャーの意向は主婦としての役割の再獲得をリハビリテーションでお願いしたいとのこと。初回のサービス担当者会議で，今まで行ってきた家事を確認し，これから再挑戦したい家事を本人より聞く。本人は「家事はあんまり自信がない。できないと思う」と話す。夫より「食事は自分では作れないから，調理をやってくれれば，あとの家事は自分がやる」と提案あり。
- 調理訓練を目的に訪問作業療法を開始する。夫はプレッシャーになってはいけないと週6日は宅配弁当を頼み，週1日は本人の作ったご飯を食べるといった環境にしてくれる。始めは包丁を使用しない簡単なおかずにし，作った料理を家族に食べてもらい達成感を感じてもらう。成功体験を積み重ね，次の段階で少しずつ包丁作業を取り入れる。作業療法士も調理に参加し，本人は3～4割程度の参加で達成感を味わうことができるようにもっていき，包丁を使う作業の恐怖感を少しずつ取り除く。
- 調理後は必ず麻痺側上肢のリハビリテーションを行い状態を確認する。
- 簡単な調理内容で安全な動作を繰り返して習得できるようにし，1人で行う作業量を増やしていき，自信をもって作れるメニューを何品か繰り返し作り続ける。
- 訪問がない日に1人で作れるメニューを実際に作ってもらう。
- 調理に対する恐怖感や精神的な拒絶感を乗り越え，心身ともに負担の少ない家事となるように移行していき，少しずつメニューのレパートリーを増やし，実用的なものとしていく。
- その後自分から雑誌を見て新しいメニューを提案したり，訪問作業療法の曜日を増やし，今まで夫に頼んでいた買い物も歩行訓練も兼ねて作業療法士と一緒に買い物に行くようになる。
- もともと統合失調症があるため，今回の脳出血後遺症で右片麻痺という障害が残ったことについて，それに伴う生活障害を受け入れるまでに時間を要したケースだが，家族の協力もあり，現在は主婦としての役割を少しずつ拡大させている。

【参考文献】
1. 厚生労働省ホームページ
2. 国土交通省ホームページ
3. 東京商工会議所 編：福祉住環境コーディネーター検定試験２級公式テキスト，東京商工会議所，2011.
4. 長﨑重信 監：作業療法学 ゴールド・マスター・テキスト９ 地域作業療法学・老年期作業療法学，メジカルビュー社，2011.
5. 発達障害支援法(文部科学省).
6. 小西紀一，ほか 編：改訂第２版　子どもの能力から考える発達障害領域の作業療法アプローチ．メジカルビュー社，2018.

チェックテスト

Q

①訪問作業療法の目的は何か(☞p.92)。 基礎
②どのような施設から訪問を行うのか(☞p.92)。 基礎
③訪問作業療法の対象者はどのような者が該当するか(☞p.92)。 基礎
④訪問作業療法の主な内容はどのようなものか(☞p.93)。 基礎
⑤訪問作業療法における接遇および倫理とは何か(☞p.99)。 基礎
⑥多職種連携において大切なことは何か(☞p.99，100)。 臨床

2 通所リハビリテーション

大内義隆

Outline

- 通所リハビリテーションは，「医学的管理」や「心身・生活活動の維持・向上」のサービス機能を有する通所系サービスである。
- 作業療法士は，リハビリテーションマネジメントを行いながら，ADLやIADL訓練など活動と参加に焦点を当てた効果的なリハビリテーションを提供し，社会参加に向けた支援を行う。

1 通所リハビリテーションとは

通所リハビリテーションは，病院を退院，または介護老人保健施設を退所した人などを対象に，主に生活期のリハビリテーションとして，生活機能の向上を目的としたリハビリテーションが行われる。サービス提供時間は，「1時間以上2時間未満」の短時間型から「7時間以上8時間未満」の長時間型などがある。

通所リハビリテーションには，通所介護と共通機能である「社会活動の維持・向上」と「介護者等家族支援」に加えて，通所リハビリテーション特有の「医学的管理」と「心身・生活活動の維持・向上」機能がある（**表1**）。す

表1 通所系サービスの普遍的機能と実施内容

区分		通所系サービス機能	実施内容など
通所リハビリテーション	医学的管理	・医師の診察などによる医学的管理 ・看護師による処置などの医療機能	・通所リハビリテーション担当医と主治医が情報交換を行い，定期的な診療などにより疾患管理を行う ・通所リハビリテーション担当医の指示に基づき，看護職が処置などを実施する
	心身・生活活動の維持・向上	・早期退院・退所者，在宅にて急変した方への専門的リハビリテーション医療 ・生活活動（ADL/IADL）の各行為を維持・向上するリハビリテーション医療	・医師の指示に基づき，理学療法士・作業療法士・言語聴覚士が専門的観点から評価し，チームとして目標設定を行い，その設定された期間内において心身機能や生活活動（ADL/IADL）の各行為の維持・向上を図る ・自宅訪問など，当事者の日々の暮らしを把握する
通所介護・通所リハビリテーションの共通機能	社会活動の維持・向上	・日常の健康管理，自立した生活に資する社会的活動・参加機会の確保 ・地域での自立した暮らしに資する知識・技術の啓発	・利用時の体調管理や，関連職種による運動指導など，活動の機会を確保する ・他利用者・職員との交流を通じた参加機会の確保により，社会性の向上を図る ・暮らしに必要な知識・技術について，当事者・家族に専門職の立場から啓発する
	介護者など家族支援	・介護者など家族の支援 ①精神的介護負担軽減（お預かり機能など） ②身体的介護負担軽減（介護環境調整や介護技術向上による負担軽減）	・サービス利用（いわゆるお預かり機能）による介護者など家族の直接的軽減を図る ・介護者など家族の心身および介護環境の両面にわたる負担の軽減を図り，介護技術向上をはじめ，介護者など家族の社会参加を含めた介護者支援を行う

（文献1より引用）

なわち活動・参加機会の確保やお預かり機能だけではなく，自立に向けた在宅生活支援サービスとして，通所リハビリテーション担当医の指示に基づき，作業療法士，理学療法士，言語聴覚士(以下，作業療法士など)が個別的なリハビリテーションに取り組んでいるほか，多職種協働により包括的なリハビリテーションが提供されている。

■人員に関する基準(表2)

通所リハビリテーションにおいては，医師およびリハビリテーション専門職の配置が必須となっている。リハビリテーションに関する人員基準について，通所リハビリテーションと通所介護との比較を表2に示す。

表2 リハビリテーションに関する人員基準の通所リハビリテーションと通所介護との比較

	通所リハビリテーション	通所介護
医師の配置	1名以上	(−)
リハビリテーションまたは機能訓練指導員の配置	作業療法士，理学療法士または言語聴覚士　1名以上(利用者の数が100名またはその単数を増すごと) ＊リハビリテーション提供体制加算：作業療法士，理学療法士または言語聴覚士の合計が利用者の数が25またはその単数を増すごとに1以上	機能訓練指導員　1名以上(機能訓練指導員：作業療法士，理学療法士，言語聴覚士，看護職員，柔道整復師またはあん摩マッサージ指圧師など)

■設備に関する基準

通所リハビリテーションを行うにふさわしい専用の部屋などがあり，利用定員数に$3m^2$を乗じた床面積以上を有さなければならない。また，通所リハビリテーションを行うために必要な専用の機械および器具を備えなければならない。

アクティブラーニング 1 利用者定員30名の通所リハビリテーションに必要な床面積を考えてみよう。

2 主な業務の概要

通所リハビリテーションの主な1日のスケジュールを表3に示す。

■利用者の送迎

通所リハビリテーションは，通所介護同様に，自宅への送迎サービスが行われており，作業療法士が送迎業務を担うこともある。単なる移送サービスとしてだけでなく，玄関周囲の環境や家族の介護状況の確認，介護指導などの機会ともなっている。対象者によっては送迎サービスを利用せず，利用者自身あるいは家族とともに通所されるケースもある。

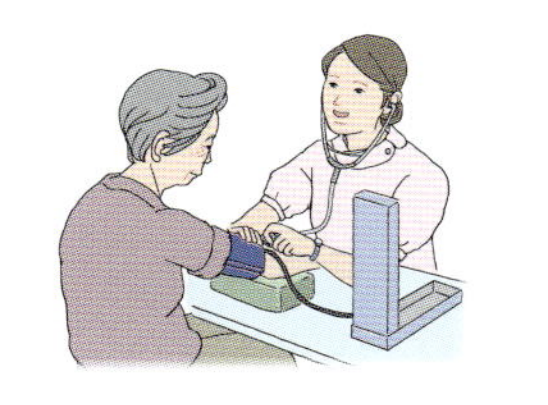

■日常の健康管理および活動や参加の機会の確保

送迎により施設到着後には，血圧や体温測定などバイタルサインの確認

表3 通所リハビリテーションの主な1日(長時間型の例)

	通所利用者の過ごし方	作業療法士の業務
8：30	送迎	出勤，業務準備
9：00		送迎，ミーティング
9：30	施設到着	
10：00	バイタルチェック	個別リハビリテーション(基礎訓練やADL訓練など)
10：30	集団活動 (レクリエーション，嚥下体操など)	
11：00		
11：30		
12：00	昼食	食事評価(嚥下状態など)
12：30		休憩
13：00	入浴	
13：30		個別・集団リハビリテーション(調理・外出訓練など)
14：00	個別リハビリテーション	
14：30		
15：00	おやつ	
15：30	集団活動 (趣味活動など)	カンファレンス
16：00		
16：30～	送迎	居宅訪問指導，記録

が行われる。その後は，作業療法士などによるリハビリテーション，介護職などによる集団での活動(体操や趣味活動)などが行われている。排泄や入浴などのADL支援については，できないことの単なる手伝いではなく，自宅の物理的環境や介護状況をイメージしながら，自立に結びつくような支援が必要である。そのため，作業療法士は直接的なADL訓練や指導だけではなく，介護職や家族に対して介護の際の工夫などに関する適切な情報提供を行うことが重要である。

● リハビリテーションマネジメントの流れ

リハビリテーションマネジメントは，調査(Survey)，計画(Plan)，実行(Do)，評価(Check)，改善(Action)といったSPDCAサイクルを通じて，質の高いリハビリテーションを提供できるよう継続的に管理するものである。以下に，通所リハビリテーションにおけるSPDCAサイクルの主な流れを示す。

調査(Survey)

利用開始から1カ月以内に居宅を訪問し，利用者の心身機能やADL，IADL，地域活動などについて，生活環境を含めて状況の把握に努めるとともに，「興味・関心チェックシート」(**図1**)を活用し，利用者自身の興味や関心のある生活行為を把握する。

また，介護支援専門員から居宅サービス計画の総合的援助の方針や，医療機関から医療提供状況についての情報を入手する。

図1 興味・関心チェックシート

資料2

興味・関心チェックシート

氏名：＿＿＿＿＿＿＿＿年齢：＿＿歳　性別（男・女）記入日：H＿＿年＿＿月＿＿日

表の生活行為について，現在しているものには「している」の列に，現在していないがしてみたいものには「してみたい」の列に，する・しない，できる・できないにかかわらず，興味があるものには「興味がある」の列に○を付けてください．どれにも該当しないものは「している」の列に×をつけてください．リスト以外の生活行為に思いあたるものがあれば，空欄を利用して記載してください．

生活行為	している	してみたい	興味がある	生活行為	している	してみたい	興味がある
自分でトイレへ行く				生涯学習・歴史			
一人でお風呂に入る				読書			
自分で服を着る				俳句			
自分で食べる				書道・習字			
歯磨きをする				絵を描く・絵手紙			
身だしなみを整える				パソコン・ワープロ			
好きなときに眠る				写真			
掃除・整理整頓				映画・観劇・演奏会			
料理を作る				お茶・お花			
買い物				歌を歌う・カラオケ			
家や庭の手入れ・世話				音楽を聴く・楽器演奏			
洗濯・洗濯物たたみ				将棋・囲碁・ゲーム			
自転車・車の運転				体操･運動			
電車・バスでの外出				散歩			
孫・子供の世話				ゴルフ・グランドゴルフ・水泳・テニスなどのスポーツ			
動物の世話				ダンス・踊り			
友達とおしゃべり・遊ぶ				野球・相撲観戦			
家族・親戚との団らん				競馬・競輪・競艇・パチンコ			
デート・異性との交流				編み物			
居酒屋に行く				針仕事			
ボランティア				畑仕事			
地域活動（町内会・老人クラブ）				賃金を伴う仕事			
お参り・宗教活動				旅行・温泉			

生活行為向上マネジメント™

（文献2より引用）

図2 リハビリテーション計画書（別紙様式2-2-1）[3]

QRコードを読み取る☞

図3 リハビリテーション計画書（別紙様式2-2-2）[3]

QRコードを読み取る☞

計画（Plan）

前述した情報を踏まえ，利用者の心身機能，活動および参加の視点からアセスメントを行い，リハビリテーション計画(**図2，3**)を作成する。「リハビリテーションサービス」については，目標（解決すべき課題），期間，具体的支援内容，頻度，時間などを明記する。その際，目標とする生活行為を達成するために，心身機能に偏らず，活動と参加にも焦点を当てたバランスのよい計画を作成することが重要である。また，計画書作成においては，**リハビリテーション会議**[*1]を開催し，多職種協働で支援の方針や各職種のかかわりなどについて協議を行う。

＊1 **リハビリテーション会議**

通所リハビリテーションなどが開催する，医師や作業療法士のほか，居宅介護支援専門員や他介護サービス事業所の担当者が参加し，リハビリテーション計画書についての検討を行う会議。

実行(Do)

事業所の医師による詳細指示(リハビリテーションの目的に加えて，開始前または実施中の留意事項，利用者に対する負荷量など)を受け，リハビリテーション計画に基づき，リハビリテーションを提供する。

通所リハビリテーションは，事業所内でサービスを提供することが原則であるが，買物練習などの参加プログラムにおいては，事業所の屋外での実施が必要となる場合がある。このような事業所の屋外でのサービスについては，「あらかじめ通所リハビリテーション計画書に位置付けられていること」，「効果的なリハビリテーションのサービスが提供できること」という2つの条件を満たす場合にはサービス提供をすることが可能である。

評価(Check)，改善(Action)

目標の達成状況やADLおよびIADLの改善状況などを評価したうえで，再度アセスメントを行い，それに基づくリハビリテーション計画の見直しを行う。また，サービスの利用が終了する1月前以内には，**リハビリテーション会議**を開催し，介護支援専門員や終了後に利用予定の他の居宅サービス事業所担当者などに対して，リハビリテーションの観点から必要な情報提供を行うことが必要である。

■リハビリテーションの実施(各種加算などの紹介)

リハビリテーションサービスの提供については，2015年の介護報酬改定によって個別リハビリテーション実施加算は本体報酬に包括化されたことに伴い，利用者の状態に応じ，個別にリハビリテーションを実施することが望ましいとされている。また，その内容においては，心身機能だけでなく，利用者の個々の目標に合わせたADLやIADL訓練などの活動と参加に焦点を当てた効果的なリハビリテーションの提供が必要とされる。そのため，個別での対応はもちろんであるが，集団活動なども有効に活用しながら，利用者の自立支援に資するリハビリテーションの実施が期待される。

以下に，2023年時点でのリハビリテーションに関連する主な加算を示す(**図4**)。

①短期集中個別リハビリテーション実施加算(②, ③との併用は不可)

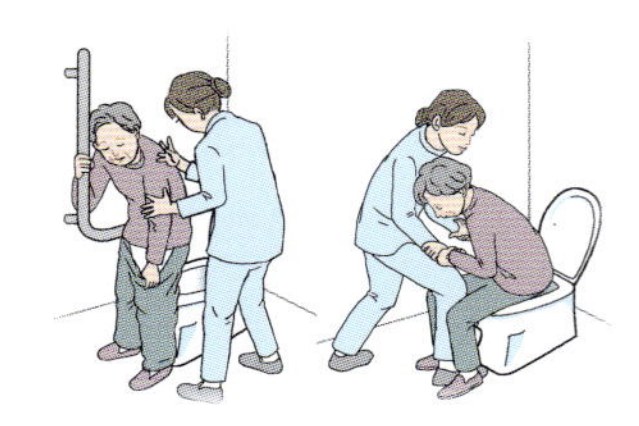

病院退院から間もない利用者など(退院退所日または通所利用開始日から3カ月以内)に対して，基本的動作能力および応用的動作能力を向上させ，身体機能を回復するために短期集中リハビリテーションとして，個別リハビリテーション(週2回以上，1日当たり40分以上)を提供する。

図4 通所リハビリテーションにおける主な加算のイメージ

急性期・回復期
リハビリテーション
生活期リハビリテーション
（通所リハビリテーション）
廃用症候群等による生活機能の低下
（廃用症候群モデル）
生活機能
脳卒中等の発症
入院・入所
診断・治療
短期集中個別
リハビリ実施加算
退院（所）日又は
認定日から3月以内
認知症短期集中
リハビリ実施加算
退院（所）日または
開始日から3月以内
移行可能
生活行為向上
リハビリ実施加算
6月間の生活行為向上リハビリの内容を生活行為向上リハビリ実施計画にあらかじめ定めた上で計画的に実施するもの
リハビリテーションマネジメント加算

（文献4より引用）

②認知症短期集中リハビリテーション実施加算Ⅰ・Ⅱ（①，③との併用は不可）

認知症で生活機能の改善が見込まれると判断された利用者で，病院退院から間もない利用者などに対して，認知症短期集中リハビリテーションを提供する。加算Ⅰは個別で20分以上の実施（週2回を限度）となっているが，加算Ⅱにおいては，認知症高齢者には，活動などを実施していくうえで，個別よりも集団で実施するほうが状況を理解されやすいことを踏まえ，対象者の状態に合わせて効果的な方法や介入時間を選択することが可能である（月8回以上の実施が望ましい）。

③生活行為向上リハビリテーション実施加算（①，②との併用は不可）

通所リハビリテーションで実施されるリハビリテーションを，自宅生活での課題解決に効果的に結び付けるためには，通所事業所内だけでなく，居宅などを訪問し必要に応じて実際場面での評価や指導などを行うことも必要である。そのため2015年度介護報酬改定では，生活行為向上リハビリテーション実施加算として，ADL・IADL，社会参加などの**生活行為**[*2]の向上に焦点を当て，通所事業所内でのかかわりだけでなく，訪問による居宅や地域での実際の生活場面における具体的な指導などを組み合わせたリハビリテーションが提供できる加算が新設された。生活行為向上リハビリテーション実施計画（**図5**）は，本人の生活行為の目標達成に向けてバランスよくプログラムを計画できるよう，心身機能，活動，参加と項目が分かれているのが特徴である。加算算定の要件として，おおむね月1回以上，居宅を訪問して，生活環境への適応状況の評価や練習などを行うことが必要である。

また当加算は，前述した短期集中リハビリテーション（①，②）とは異なり，加齢や廃用症候群などにより生活機能の一つである活動をするための

＊2 生活行為
個人の活動として行う，排泄，入浴，買い物，趣味活動などの行為であり，ADLやIADLのほか，賃金を伴う仕事，町内会やボランティア活動などの社会参加活動が含まれる。

図5 **生活行為向上リハビリテーション実施計画**

（別紙様式6）

生活行為向上リハビリテーション実施計画

利用者氏名　　　　　　　　　　　　殿

本人の生活行為の目標			
家族の目標			
実施期間		通所訓練期（・・　～　・・） 【通所頻度】　　　回/週	社会適応訓練期（・・　～　・・） 【通所頻度】　　　回/週
活動	プログラム		
	自己訓練		
心身機能	プログラム		
	自己訓練		
参加	プログラム		
	自己訓練		

【支援内容の評価】

（文献5より引用）

機能が低下した利用者を対象に実施することを目的としている。そのため，対象者の状況に応じて柔軟に活用できように，算定可能期間については開始日の制約がなく最大6カ月間となっており，また条件を満たせば再算定も可能である。

④移行支援加算

家庭や社会への参加を可能とするために利用者のADLやIADL能力を向上させ，通所介護などへの移行支援に対して，評価される加算である。通所リハビリテーションでは，心身機能への支援に留まらず，社会参加などに結びつけられるような支援が期待されている。サービス終了に向けては，移行先への情報提供だけでなく，移行後においてもADLとIADLが維持または改善していることを確認するなどの丁寧なかかわりが求められている。

【引用文献】
1) 全国デイ・ケア協会 監：生活行為向上リハビリテーション 実践マニュアル．中央法規出版．2015.
2) 日本作業療法士協会：作業療法マニュアル75「生活行為向上マネジメント 改訂第４版」．2022
3) 厚生労働省：リハビリテーション・個別機能訓練，栄養管理及び口腔管理の実施に関する基本的な考え方並びに事務処理手順及び様式例の提示について．老認発0316 第３号，老老発0316 第２号．2021.
4) 厚生労働省：通所リハビリテーションの報酬・基準について（検討の方向性）。第188回社会保障審議会介護給付費分科会（Web会議）（2020年10月15日）資料3.
5) 作業療法士協会：生活行為向上リハビリテーション実施計画（https://www.jaot.or.jp/files/page/wp-content/uploads/2015/06/besshi6.xlsx, 2023年3月31日閲覧）

【参考文献】
1. 社会保健研究所：介護報酬の解釈，令和３年４月版．（1 単位数表編）．2021.
2. 社会保健研究所：介護報酬の解釈，令和３年４月版．（2 指定基準編）．2021.

チェックテスト

Q

①通所リハビリテーションと通所介護における機能の違いとは何か（☞p.102，103）。 臨床
②リハビリテーションに関連する主な加算は何か（☞p.106〜108）。 臨床
③生活行為向上リハビリテーション実施加算の特徴は何か（☞p.107，108）。 臨床

3 介護老人保健施設

大内義隆

Outline

- 介護老人保健施設は，在宅復帰・在宅療養支援機能が求められる。
- 作業療法士は，自宅環境などの評価を踏まえながらADLやIADL訓練を行うとともに，利用者の潜在能力を十分に発揮させるための介護指導などを行い，在宅復帰に向けた支援を行う。

1 基準と概要

介護老人保健施設は，1998年に施行された老人保健法において設置され，病状などは安定しているもののケアやリハビリテーションが必要な人などを対象に，主に在宅復帰を支援する施設である。全国老人保健施設協会の定める5つの役割[1)]を**表1**に示す。2017年に介護保険法が改正(2018年4月1日施行)され，介護老人保健施設の定義(介護保険法第8条第28項)の対象者についての記載が，「要介護者」から「要介護者であって，主としてその心身機能の維持回復を図り，居宅における生活を営むための支援を必要とするもの」と修正された。また，2018年(平成30年)度の介護報酬改定では，「在宅復帰率*1」や「リハビリテーション専門職の配置割合」，「要介護4または5の割合」などの10項目で構成される在宅復帰・在宅療養支援等指標(**表2**)などに基づき，5類型(超強化型，在宅強化型，加算型，基本型，その他型)に分類されることとなった。これにより，改めて介護老人保健施設における在宅復帰・在宅療養支援の役割が明確化された。

在宅復帰の形式については，通過型と往復型(**図1**)が挙げられる。通過型とは，病院に入院した際，介護老人保健施設の入所を経由し，在宅復帰する形式である。一方，往復型とは，自宅で生活していたものの継続に困難さが生じた際に，介護老人保健施設に入所しリハビリテーションを経て在宅復帰する形式である。利用者の入所元の割合としては，施設全体においては病院50.6%，在宅37.8%となっているが，施設類型別では類型が高いほど在宅からの割合が高くなる傾向となり，超強化型では病院よりもむしろ在宅の割合が高くなっている[2)]。

補足

介護老人保健施設は「老健」と略称でよばれることが多い。

＊1 在宅復帰率

計算式：在宅復帰率(直近6カ月)＝在宅復帰者÷退所者(死亡者を除く)

「在宅復帰者」とは自宅だけでなく，グループホームや有料老人ホーム，サービス付き高齢者向け住宅などへの退所者も含まれる。

表1 介護老人保健施設の5つの役割(全国老人保健施設協会)

1. 包括的ケアサービス施設
2. リハビリテーション施設
3. 在宅復帰施設
4. 在宅生活支援施設
5. 地域に根ざした施設

(文献1より引用)

表2　在宅復帰・在宅療養支援等指標

下記評価項目(①〜⑩)について，項目に応じた値を足し合わせた値(最高値：90)

評価項目	値	基準
①在宅復帰率	20	50%超
	10	30%超
	0	30%以下
②ベッド回転率	20	10%以上
	10	5%以上
	0	5%未満
③入所前後訪問指導割合	10	30%以上
	5	10%以上
	0	10%未満
④退所前後訪問指導割合	10	30%以上
	5	10%以上
	0	10%未満
⑤居宅サービスの実施数（訪問リハビリテーション，通所リハビリテーション，短期入所療養介護）	5	3サービス
	3	2サービス(訪問リハビリテーションを含む)
	1	2サービス
	0	1サービス以下
⑥リハビリテーション専門職の配置割合（入所者100名に対して）	5	5以上(PT,OT,STいずれも配置)
	3	5以上
	2	3以上
	0	3未満
⑦支援相談員の配置（入所者100名に対して）	5	3以上
	3	2以上
	0	2未満
⑧要介護4または5の割合	5	50%以上
	3	35%以上
	0	35%未満
⑨喀痰吸引の実施割合	5	10%以上
	3	5%以上
	0	5%未満
⑩経管栄養の実施割合	5	10%以上
	3	5%以上
	0	5%未満

施設類型の基準(在宅復帰・在宅療養支援等指標)：超強化型70以上，在宅強化型60以上，加算型40以上，基本型20以上，その他型20未満(その他要件あり)

図1　在宅復帰の形式（通過型と往復型）

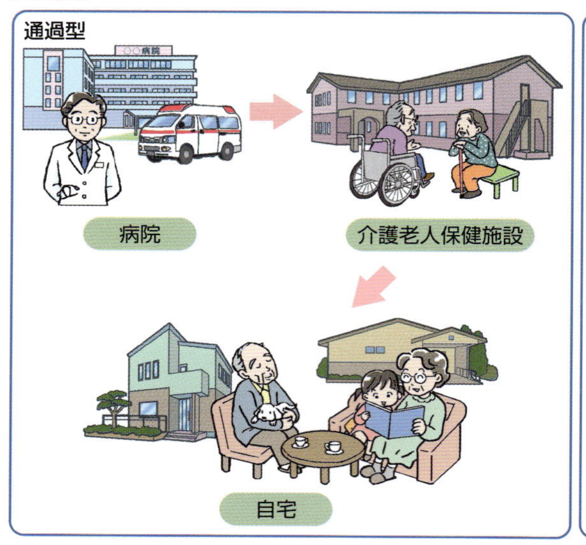

在宅復帰後には，介護老人保健施設で行うことができる短期入所療養介護（ショートステイ），通所リハビリテーション，訪問リハビリテーションなどの居宅サービスを利用するなど，介護老人保健施設の機能を上手に活用することで在宅生活を長く継続できるようになる。一方，医学的知見に基づき回復の見込みがない入所者に対しては，ターミナルケア[＊2]を行うことも可能である。このように介護老人保健施設においては，在宅復帰に向けた入所サービスだけでなく，包括的なサービス提供体制を有しており，地域における介護サービスの中核的な役割が期待されている。

＊2　ターミナルケア
医師が医学的知見に基づき回復の見込みがないと判断した対象者に対して，その人らしさを尊重した看取りを行う。本人および家族に対して，多職種により説明を行い，同意を得ることが必要である。死亡日を含め30日を上限とし，ターミナルケア加算を算定することが可能である。

■人員に関する基準

前述したように，介護老人保健施設ではリハビリテーション機能が求められるため，常勤医師およびリハビリテーション専門職の配置が必須となっている。介護老人保健施設における主な人員基準を**表3**に示す。

■設備に関する基準

介護老人保健施設に必要とされている主な設備を**表4**に示す。

アクティブラーニング 1　在宅復帰・在宅療養支援等指標（**表2**）の評価項目⑥「リハビリテーション専門職の配置割合」で「5」を得るために必要な人員配置を考えてみよう。

表3　介護老人保健施設の主な人員基準

医師	対象者100名に対して1名以上
作業療法士，理学療法士，言語聴覚士	対象者100名に対して1名以上
薬剤師	実情に応じた相当数
看護師，准看護師もしくは介護職員	対象者3名に対して1名以上
支援相談員	対象者100名に対して1名以上
介護支援専門員	対象者100名に対して1名以上
栄養士	1名以上

（文献4より引用）

表4　介護老人保健施設の主な設備

療養室	• 定員4人以下，1人当たり $8m^2$ 以上の面積
診察室	• 医師の診察に適したもの
機能訓練室	• 定員数× $1m^2$ 以上の面積 • 必要な器具や器械
食堂	• 定員数× $2m^2$ 以上の面積
浴室	• 一般浴槽 • 介助が必要な対象者に適した特別浴槽
洗面所	• 療養室のある階ごとに設置
便所	• 療養室のある階ごとに設置 • 身体の不自由な対象者に適したもの • 呼び出しブザーや常夜灯を設置
サービスステーション	• 療養室のある階ごとに設置
談話室	• 対象者同士やその家族が談話を楽しめる広さを有する
レクリエーションルーム	• レクリエーションに適した十分な広さ • 必要な設備

（文献4より引用）

2 主な業務の概要

介護老人保健施設入所者の主な1日のスケジュールを**表5**に示す。介護老人保健施設においては作業療法士などによる個別や集団的リハビリテーションのみでなく，リハビリテーションの一環として介護職などによる食事や排泄などの日常的ケア場面においても，個々の目標や能力に応じて自立支援に資するケアが行われている。そのため作業療法士は，利用者の潜在する能力を十分に発揮させるための介護方法や環境設定などについて情報提供を行うことも重要である。

■ 入所判定会議

入所から退所までの流れを**図2**に示す。入所判定会議では，入所希望者に対して医師，看護師，作業療法士，介護職，管理栄養士，および支援相談員などの構成メンバーによって，介護老人保健施設の利用が適切か判断する。作業療法士は，特にその人の在宅復帰などに向けた具体的な課題の確認などを行い，生活行為の予後予測を踏まえて，介護老人保健施設入所が適切かどうか意見を述べる。

表5　介護老人保健施設入所者の主な1日（入所利用者の過ごし方と作業療法士の業務）

	通所利用者の過ごし方		OTの業務
7：00	健康チェック，整容	～9：00	出勤，業務準備，ミーティング
7：30	朝食		
8：00			
8：30	口腔ケア		
9：00	入浴	9：00	個別リハビリテーション（基礎訓練やADL訓練など）
9：30		9：30	
10：00		10：00	
10：30		10：30	
11：00		11：00	
11：30	嚥下体操	11：30	
12：00	昼食	12：00	ミールラウンド※
12：30		12：30	休憩
13：00	お昼寝	13：00	
13：30		13：30	個別リハビリテーション，また集団リハビリテーション（調理訓練や趣味活動など）
14：00	個別リハビリテーション	14：00	
14：30		14：30	
15：00	おやつ	15：00	
15：30		15：30	
16：00	集団活動（レクリエーションなど）	16：00	カンファレンス（または訪問指導）
16：30		16：30	
17：00	余暇活動	17：00～	記録・計画書作成
17：30			
18：00			
18：30	夕食		
19：00			

※ミールラウンド：医師，歯科医師，看護師，管理栄養士，言語聴覚士，作業療法士，介護福祉士などが実際の食事場面を観察し，改善に向けて話し合いを行う。

図2　介護老人保健施設入所から退所の主な流れ

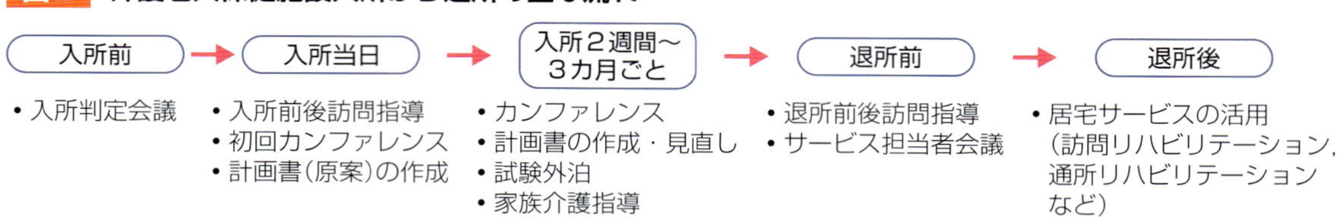

図3 リハビリテーション実施計画書(1)[3)]

QRコードを読み取る☞

図4 リハビリテーション実施計画書(2)[3)]

QRコードを読み取る☞

＊3 **科学的介護情報システム〔LIFE：Long-term care Information system For Evidence(ライフ)〕**
全国の事業所の利用者の状態やケアの実績などのデータを収集・蓄積および分析し，その結果を現場にフィードバックする仕組みであり，フィードバック情報をサービスの改善に活かしていくことで，質の高いケアにつなげていくことが期待されている。

補足
医師による詳細指示
リハビリテーションの目的に加えて，開始前または実施中の留意事項，利用者に対する負荷量などを指す。

■入所前後訪問指導およびリハビリテーション計画の作成

介護老人保健施設の入所前後(入所予定30日前から入所後7日以内)に居宅を訪問し，退所を目的とした具体的な生活機能の改善目標を定め，施設内サービス計画やリハビリテーション実施計画書(**図3，4**)の作成を行う。なお，リハビリテーション実施計画書については，別紙様式2-2-1および2-2-2(3章2「通所リハビリテーション」p.105，**図2，3**)を用いても差し支えないとされており，科学的介護情報システム＊3との連動や退所後の通所リハビリテーションへの移行などを考慮すると，こちらの書式の活用が望ましい。

居宅訪問時には，利用者および家族の意向を踏まえ在宅復帰において課題となる生活行為などについて，手すりや段差などに関する物的環境や家族の介護力などに関する人的環境も含め評価を行い，利用者の残された機能を最大限に発揮し在宅復帰を実現するための支援計画を多職種協働で作成する。その内容については，入所期間だけでなく，退所後の在宅生活において想定される居宅サービスの利用や介護老人保健施設の往復利用などを含めた切れ目のない支援計画が求められている。

■リハビリテーションの実施

事業所の医師による詳細指示を受け，リハビリテーション計画に基づき，リハビリテーションを提供する。個々の入所者に対して，少なくとも週2回程度行うこととなっており，さらに在宅強化型以上では，少なくとも週3回程度以上のリハビリテーションを実施しなければならない。また，その内容においては，心身機能だけでなく，利用者の個々の目標に合わせたADLやIADL訓練など活動と参加に焦点を当てた効果的なリハビリテーションの提供が必要とされる。

以下に，2023年時点でのリハビリテーションに関連する主な加算を示す。

● 短期集中リハビリテーション加算

入所日から3カ月以内の利用者を対象に，短期集中リハビリテーションとして1回20分以上の個別リハビリテーションを週3回以上提供する。

● 認知症短期集中リハビリテーション加算

医師が認知症であると判断し，リハビリテーションによって生活機能の改善が見込まれる利用者を対象に，在宅復帰に向けた生活機能の改善を目的として，記憶や見当識訓練，日常生活動作の訓練などを組み合わせた個別リハビリテーションのプログラムを，週3回を限度に1回20分以上提供する。

■カンファレンス

サービス計画の作成および見直しをするため，本人や家族を含めて，医師，看護師，作業療法士，介護職などによって構成された多職種による話し合いを行う。本人や家族の意向を確認しながら，現状の課題を共有することで，在宅復帰に向けて意味のある支援に結び付けることができる。中間カンファレンスにおいては，目標の達成状況を確認しながら，必要に応じて目標の時期やプログラムなどの修正を行う。

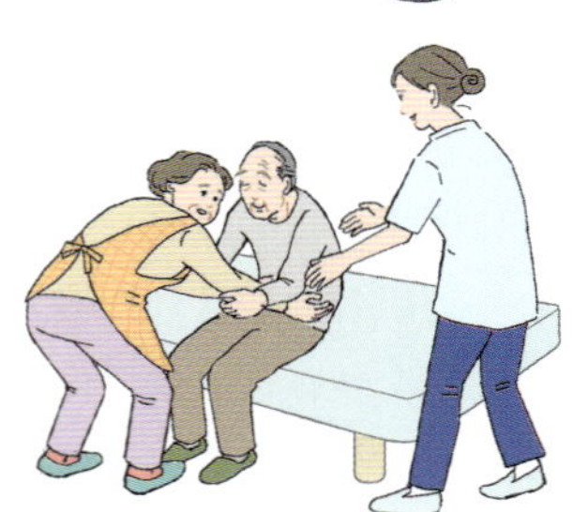

■家族指導

在宅復帰に向けて，本人へのADLやIADL練習だけでなく，在宅復帰後に実際に介護にあたる家族へ介護指導を行うことも重要である。この際には，自宅環境を想定し，また必要に応じて福祉用具や環境調整についての指導を行う。介護老人保健施設の多くは，これらを目的とした家族相談室や家族介護教室などが設置されている。

■退所に向けた支援

在宅復帰に向けては，退所前後訪問指導として，退所後に生活することが見込まれる居宅を訪問して，利用者および家族に対して，環境調整なども含めた療養上の指導が行われる。また，退所前に試行的退所を行い，ADL指導，家屋改修などの指導，家族介護者の指導などを実施することも望ましい。また在宅復帰後の生活について，主治医や居宅ケアマネジャーらと連携しながら，必要に応じて訪問リハビリテーションや通所リハビリテーションの利用などの検討も行う。

【引用文献】
1) 全国老人保健施設協会：介護老人保健施設職員ハンドブック．厚生科学研究所．2006.
2) 全国老人保健施設協会：介護老人保健施設の目的を踏まえた施設の在り方に関する調査研究事業報告書．2019.
3) 厚生労働省：リハビリテーション・個別機能訓練，栄養管理及び口腔管理の実施に関する基本的な考え方並びに事務処理手順及び様式例の提示について．老認発0316 第3号，老老発0316 第2号．2021.
4) 社会保健研究所：介護報酬の解釈，令和３年４月版.(2指定基準編)．2021.

【参考文献】
1. 社会保健研究所：介護報酬の解釈，令和３年４月版.(1単位数表編)．2021.

チェックテスト

Q
①在宅復帰に含まれる自宅以外の退所先はどこか(☞p.110)。臨床
②介護老人保健施設で行うことができる居宅サービス事業は何か(☞p.112)。臨床
③科学的介護情報システム(LIFE)とはどのような内容か(☞p.115)。臨床
④リハビリテーションに関連する主な加算について答えよ(☞p.115)。臨床

4 介護老人福祉施設

西留桂子

Outline

- 介護老人福祉施設は要介護３以上の高齢者が入所できる施設である。
- 介護老人福祉施設でのリハビリテーションの目的は日常生活の活動性を高め，社会参加を促し，生きがいや自己実現への取り組みを支援し，QOLの向上を目指すことである。

1 基準と概要

特別養護老人ホームの歴史は長く，1963年に制定された老人福祉法に基づいて介護を必要とする高齢者が安心して暮らせる場所として「特別養護老人ホーム」が設置された。2000年からは介護保険法に基づいて高齢者に介護を提供する介護保険施設として認可を受けることにより，介護保険法では「介護老人福祉施設」という名称でよばれている。社会福祉法人や地方自治体が運営する公的な施設である。介護老人福祉施設は，重度の心身障害をもった高齢者で自宅での生活が困難な人が入所しており，**ケアプラン**[*1]に基づき，入浴，排泄，食事などの介護，その他日常生活の世話，機能訓練，健康管理および療養上の世話などを提供している。

定員が29名以下のものは，**地域密着型**[*2]介護老人福祉施設とよばれる。

介護福祉施設で働く職種は，医師，生活相談員，看護職員，介護職員，管理栄養士，**機能訓練指導員**[*3]，介護支援専門員などである。作業療法士は機能訓練指導員の位置付けとなる。

入所対象者は65歳以上または40歳以上64歳以下の人で，要介護状態となった原因が16種類の特定疾病によるもので，身体上・精神上著しい障害があるため常時介護を必要とし，在宅介護が困難な要介護者（要介護3～5）である。

＊1 ケアプラン
アセスメントに基づいて作成された施設介護サービス計画書。

＊2 地域密着型
地域密着型サービスとは，要介護高齢者が住み慣れた地域での生活が継続できるための介護サービスである。その市町村の住民のみがサービスを利用できる。施設などの規模が小さいため，利用者のニーズにきめ細かく応えられる。

＊3 機能訓練指導員
機能訓練指導員とは理学療法士，作業療法士，言語聴覚士，看護師または准看護師，柔道整復師またはあん摩マッサージ指圧師，一定の実務経験を有するはり師またはきゅう師の資格をもった者。

アクティブラーニング ① 40～64歳の入所対象者の加齢に伴って生じる特定疾病（16種類）とは何か，調べてみよう。

アクティブラーニング ② 要介護3～5とはどのような状態か調べてみよう。

介護老人福祉施設には従来型（多床室：1部屋定員4人以下）とユニット型（個室：1ユニット10名以下）があり，現在はユニット型が主流となっている。ユニットは入居者の個性や生活リズムを保つための個室と，他の入居者との人間関係を築くための食堂，浴室，トイレなどの共有スペースを備えている。ユニットケアは，在宅に近い居住環境で，入居者一人一人の個性や生活リズムに沿い，また，他人との人間関係を築きながら日常生活を営めるように行うケアである。そのためユニットケアでは，一人一人の生活習慣や好みを尊重し，今までの暮らしが継続できるようにサポートすることが必要である。

■人員基準

人員基準を**表1**に示す。

■設備基準

設備基準を**表2**に示す。

表1 介護老人福祉施設の人員基準

職種	基準
医師	必要数
生活相談員	対象者100人に対して1名
介護・看護職員	対象者3人に対して1名
栄養士	1名以上
機能訓練指導員	1名以上
介護支援専門員	対象者100人に対して1名

表2 介護老人福祉施設の設備基準

設備	基準
居室	原則1人，入所者1人当たりの床面積10.65m^{2}以上
居室面積	1人当たり10.65m^{2}以上
食堂および機能訓練室	床面積　入所者定員×3m^{2}以上
廊下幅	原則1.8m以上
浴室	要介護者が入浴するのに適したものとすること

■作業療法士がかかわる加算：機能訓練加算（12単位）

介護老人福祉施設に常勤の作業療法士等が1名以上従事し，他職種と共同で入所者ごとに作成した個別機能訓練計画に基づき，計画的に機能訓練を実施した場合に個別機能訓練加算を算定できる。

2 業務の概要

介護老人福祉施設はいわば家庭生活に代わる「生活の場」であり，生活支援がサービスの中心となる。

介護老人福祉施設のリハビリテーションには，作業療法士などが直接リハビリテーションを実施する場合や多職種と連携してリハビリテーションを実施する場合のほか，環境調整などがある。

リハビリテーションを実施するにあたり評価を行い計画を立案するが，特に計画は他職種とともにサービス担当者会議などで決定し，ケアプランにプログラム内容を反映させ，チーム一体となって入所者を支援していく。

介護老人福祉施設では，「訓練の場」だけでリハビリテーションを実施するのではなく，入所者の生活場面での行為を訓練（生活リハビリテーション）として他職種と協働して支援を行っていく必要がある。そのためリハビリテーション職種は，入所者の生活行為の評価・支援方法を他職種に伝達し，検討し合い支援していくことで，その人らしい生活に繋げていく。その際他職種に対して，介助方法やポジショニング，シーティングなど，環境調整の方法のアドバイスや指導を行うことも重要である。

高齢者のリハビリテーションの目的は日常生活の活動性を高め，社会参加を促し，生きがいや自己実現への取り組みを支援し，QOLの向上を目指すことである。最後まで「ケアされるだけの存在」にならないように，入所者の「したい」「やってみたい」作業を支援し，「その人らしい生活」が長く送れるように支援していくことが重要である。

また，終末期を迎える入所者に対しても同様で，最期まで人としての尊厳を保つことができるように生活の質を維持する取り組みが必要である。

補足

ポジショニング
ベッド上臥位への安楽姿勢保持（除圧，除緊張，ずれ予防など）のこと

シーティング
車椅子座位（効果的な作業姿勢や安楽な姿勢保持など）および移動・駆動への対策のこと

生活リハビリテーション
日常的な生活行為そのものを訓練の機会ととらえるリハビリテーションのアプローチ方法。入所者個々の評価に基づいて，残存する機能を活用し，安全性が高く，かつ継続して実施できる生活行為の遂行方法や支援・介助の方法を検討する。

【参考文献】

1. 日本作業療法士協会 監：作業療法学全書第13巻 地域作業療法学，協同医書出版社，2012.
2. 日本作業療法士協会 監：作業療法学全書第7巻 作業治療学4 老年期，協同医書出版社，2012.
3. 長崎重信 監：作業療法学 ゴールド・マスター・テキスト9 地域作業療法学・老年期作業療法学，メジカルビュー社，2011.
4. 社団法人 全国国民健康保険診療施設協議会：特別養護老人ホームにおけるリハビリテーションの手引き
5. 高齢者リハビリテーション研究会報告書：「高齢者リハビリテーションのあるべき方向」，2005.
6. 野尻明子：特別養護老人ホームでの終末期作業療法，OTジャーナル Vol.49 No.4，三輪書店，2015.

チェックテスト

Q

①介護老人福祉施設には，どのような人が入所するのか（☞p.117）。 基礎
②介護老人福祉施設と特別養護老人ホームは違うのか（☞p.117）。 基礎
③介護老人福祉施設における高齢者リハビリテーションの目標は何か（☞p.119）。 臨床

5 特定施設入居者生活介護

田村孝司

Outline

- 特定施設入居者生活介護は有料老人ホームやケアハウス，サービス付き高齢者向け住宅などのうち，特定施設に指定されたものを指す。
- 特定施設は運営法人によってさまざまな特徴がある。

1 基準と概要

近年，高齢者の住環境は多様化してきている。これには，在宅ケアが増えていることや，入院期間の短縮，入所型の介護保険施設の不足，独居高齢者の増加など複雑な要因がある。特に，高齢者専用賃貸住宅(高専賃)と有料老人ホームは増加が著しい。高専賃は，国土交通省による“高齢者の居住の安定確保に関する法律”によって整備された住宅である。これに対し，特定入居者生活介護はいわゆる有料老人ホームで算定される。これには，従来型と外部利用型があるが，作業療法士が主にかかわっているのは従来型であろう。有料老人ホームは，2000年の介護保険制度の施行以降，急激に増加している(図1)。近年では提供されるサービス内容も独自に変化してきている。新たな高齢者の住まい方の提言や作業療法士による起業も含め，今後さらに展開されると考えられる領域である。

図1 有料老人ホームの年次推移

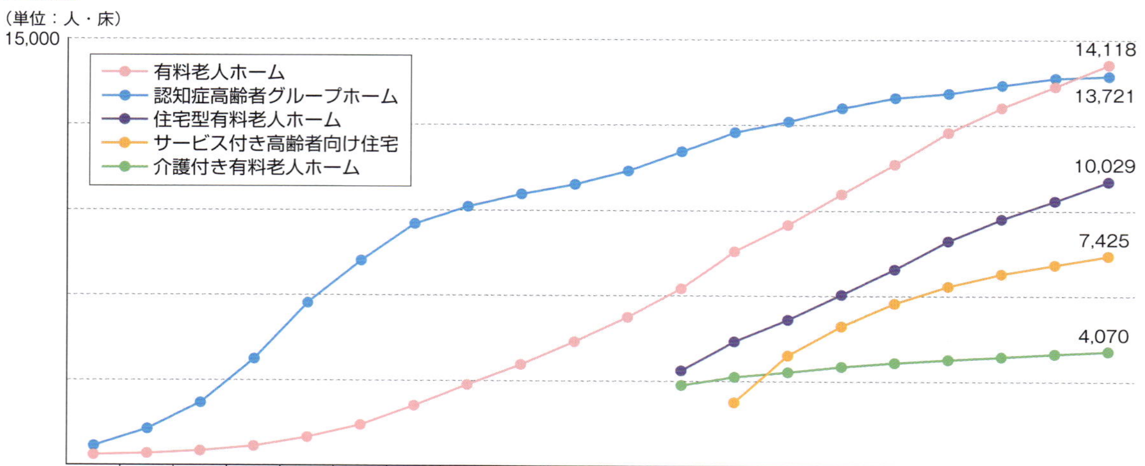

(文献1を基に作成)

人員基準（表1）

表1　特定施設入居者生活介護の人員基準

- 管理者：１人［兼務可］
- 生活相談員：対象者100人に対して１人
- 看護・介護職員：
  ①要支援者10人に対して１人
  ②要介護者３人に対して１人
  ※ただし看護職員は要介護者等が30人までは１人，30人を超える場合は，50人ごとに１人
  ※夜間帯の職員は１人以上
- 機能訓練指導員：１人以上［兼務可］
- 計画作成担当者：介護支援専門員１人以上［兼務可］
  ※ただし，要介護者等：計画作成担当者100：１を標準

（文献2より引用）

設備基準

浴室，便所，食堂，機能訓練室などがあり，居室は個室であることが必要である。

作業療法士がかかわる加算

通所介護事業所に作業療法士などが1名以上従事し，他職種と共同で個別機能訓練計画を立案・実施した場合に，個別機能訓練加算を算定できる。

2 業務の概要

1日の流れ

入所施設であるため，介護老人保健施設や指定介護福祉施設と同じような業務の組み立てが考えられる。まずは朝のミーティングや業務の確認などがあり，午前中の活動が始まる。利用者によっては，午前中から入浴介助を行う場合もある。午前中の活動が終了したら排泄介助などを行い，昼食を準備する。昼食が済んだら午後の活動の時間がある。午前・午後を通じて，訓練や介護職との相談などを行う。

作業療法士の業務内容

主な業務は，利用者の評価と訓練計画の立案・実施，それに伴う書類作成と整備，福祉用具や介助方法に関する相談，食事・排泄・入浴など実際の場面での介助指導，実際の介助などである。入所施設なので各種の行事が企画されることも多いため，利用者がどのように行事に参加できるのか評価を行うとともに，利用者が参加できるように配慮することも求められる。また，各種委員会が設置されるため，ここでの他職種との連携が欠かせない。

特に，個別機能訓練加算を算定する場合には，個別機能訓練計画の立案

が求められる。また，利用者に対して，開始時と3カ月に1回以上，計画について説明する必要がある。

■主な目標設定

利用者は在宅ではなく，施設に入所している。しかし，介護保険法上では居宅サービスであり，自由度が高いのが特定施設の特徴である。そのため，利用者の希望（要望）にできるだけ沿うような目標や訓練が求められ，生活上必要なニーズが後回しになる可能性がある。入所生活は，自宅という認識で活動を選択できるが，場合によっては生活機能を維持できるように配慮し，目標設定を行う。また，急性期もしくは回復期に近い状態で入所する対象者もいるため，医療機関と連携した目標設定も必要となることがある。

■実施される訓練

●遂行レベルのアプローチ

特定施設では，介護保険施設（介護老人保健施設，指定福祉施設）よりも入所者の入所基準に幅があることが多い。従って，関節可動域や筋力などに加え，疾患ごとのアプローチも考慮する必要がある。

また，その施設での生活に合わせて機能訓練を行うこともある。

●活動レベルのアプローチ

まずは短期的に，施設での生活に合わせてADLの目標設定を行い，訓練を実施する。必要であれば車いすなどの福祉用具なども導入し，適合訓練を行う。その後，生活の安定を見据えて，長期的な展望から活動レベルへのアプローチを考える。

●生活レベルのアプローチ

施設のなかで，できる限り自律した生活を組み立てられるように援助を行う。施設で提供しているサービスや家族の協力などによって，利用者にとって意味ある作業を見出し提供する。

【引用文献】

1）厚生労働省：第179回社会保障審議会介護給付費分科会資料 7「特定施設入居生活介護」（https://www.mhlw.go.jp/content/12300000/000648154.pdf，2023年6月30日閲覧）

2）厚生労働省：特定施設入居者生活介護（https://www.mhlw.go.jp/content/12300000/000648154.pdf，2023年6月30日閲覧）

チェックテスト

Q
①高齢者専用賃貸住宅が整備される基になった法律は何か（☞p.120）。基礎
②特定入居者生活介護における目標設定の注意点は何か（（☞p.122）。基礎

6 介護予防事業

田村孝司，徳永千尋

Outline

- 介護予防は介護保険法における介護予防サービス，地域における介護予防・日常生活支援総合事業（総合事業）など多岐にわたる。
- 作業療法士には生活機能における専門的な支援に加え，高齢者がサービスの担い手でもあるという視点からの支援も必要になっている。
- 近年では地域に住む高齢者をはじめ地域住民が活動を行う「通いの場」の整備が進んでいる。

1 はじめに

介護保険制度上における介護予防施策は，要介護状態を予防する観点から，要支援判定を受けた対象者に介護保険サービスの一環として，訪問サービスや通所系サービスを中心に提供されてきた。2021（令和3）年の介護報酬改定により，通所介護における要支援者は市区町村などが行う総合事業へ移管した。サービス内容は従前の通所介護サービスを踏襲している。これに加え，市区町村独自の介護予防事業の取り組みが増えている。

介護予防事業は単独で進めるものではなく，生活支援事業と相まって，「総合事業」とすることで発展するものである。これは2025年をめどに地域包括ケアシステムの構築実現のためにも重要なものである（**図1**）。

地域包括ケアシステムの全体像はp.288，**図1**のとおりである。

対象者とその住まいを中心に，医療との関係性，介護との関係性を明示し，いつまでも元気に暮らすために，その基盤を支える生活支援・介護予防をおよそ中学校区の単位で展開することになっている。介護予防は，特に医療・介護・住まい・生活支援が一体的に提供される地域包括ケアシステムの一環として見直しが進んでいる。

2 これまでの介護予防の考え方

これまでの介護予防で指摘されていたいくつかの課題として，心身機能の改善を目的とした機能回復に偏りがちであったこと，介護予防が終了した後，状態維持をすることが困難であったこと，機能回復を中心とした訓練の継続だけで十分で，地域参加や環境改善の視点が欠けていたことなどが挙げられる。

図1　市町村における地域包括ケアシステム構築のプロセス（概念図）

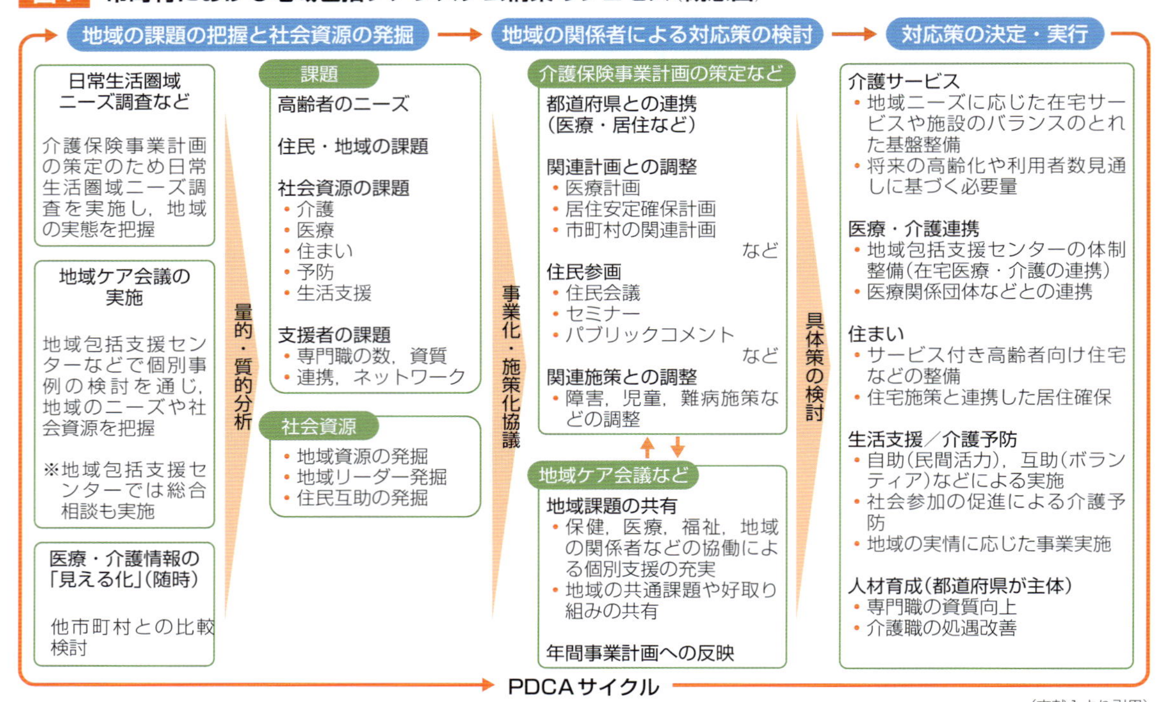

（文献1より引用）

3　これからの介護予防の考え方

これからの介護予防の考え方は，国際生活機能分類（ICF：International Classification of Functioning, Disability and Health，図2）の「心身機能・身体構造」，「活動」，「参加」の3要素の構成を核として**本人だけでなく本人を取り巻く環境へのアプローチも含めたバランスのとれたアプローチ**を重視している。地域の高齢者を生活支援サービスの担い手ととらえることで支援を必要とする高齢者の多様な生活支援のニーズに応えるとともに，担い手にとっても地域のなかで新たな社会的役割を有することにより，結果として介護予防にも繋がるという相乗効果を期待している。

図2　ICFの概念図

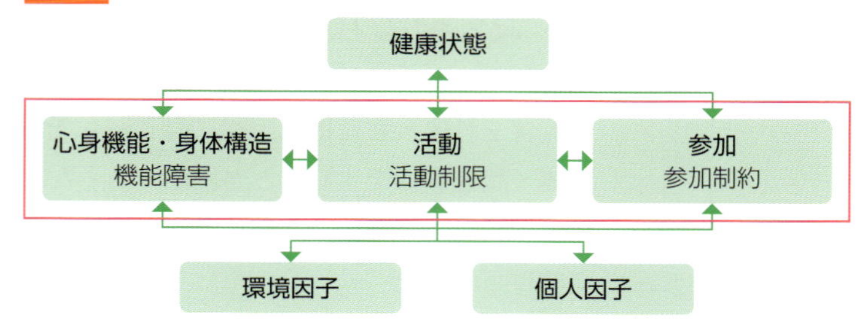

これからの介護予防の具体的アプローチに関して以下に示す。

■リハビリテーション職などが取り組む介護予防の機能強化

- リハビリテーション職などが，ケアカンファレンスなどに参加することにより，疾病の特徴を踏まえた生活行為の改善の見通しを立てることが可能となり，要支援者などの有する能力を最大限に引き出すための方法を検討しやすくなる。
- リハビリテーション職などが，通所と訪問の双方に一貫して集中的にかかわることで，居宅や地域での生活環境を踏まえた適切なアセスメントに基づくADL訓練やIADL訓練を提供することにより，「活動」を高めることができる。
- リハビリテーション職などが，住民運営の通いの場において，参加者の状態に応じて，安全な動き方など，適切な助言を行うことにより，生活機能の低下の程度にかかわらず，さまざまな状態の高齢者の参加が可能になる。

■住民運営の通いの場の充実

- 市町村が住民に対し強い動機付けを行い，住民主体の活動的な通いの場を創出する。
- 住民主体の体操教室などの通いの場は，高齢者自身が一定の知識を取得したうえで指導役を担うことにより役割や生きがいを認識するとともに，幅広い年齢やさまざまな状態の高齢者が参加し，高齢者同士の助け合いや学びの場として魅力的な場になる。また，参加している高齢者も指導者として通いの場の運営に参加するという動機付けにも繋がっていく。
- 市町村の積極的な広報により，生活機能の改善効果が住民に理解され，さらに，実際に生活機能の改善した参加者の声が口コミなどにより拡がることで，住民主体の通いの場が新たに展開されるようになる。
- このような好循環が生まれると，住民主体の活動的な通いの場が持続的に拡大していく。

■高齢者の社会参加を通じた介護予防の推進

- 定年後の社会参加を支援することなどを通じて，シニア世代に担い手になってもらうことにより，社会的役割や自己実現を果たすことが，介護予防にも繋がる。
- 介護予防の取り組みは通いの場を作ることに重点が置かれ，厚生労働省のホームページにはデータベースも存在する[2]。

4 最後に

作業療法士は地域での活躍を大いに期待されている。「生活機能」と記されたところを「生活行為」と読み替えると，作業療法士の業務内容として最も適した，そして得意とするところであろう。

作業療法士が，今後の社会情勢の変化によって求められる要素の多くを担うことができる職種として注目されることを期待する。

アクティブラーニング ① 今後，新たに介護予防に資するサービスを提供するとしたら，どのようなサービスがよいか考えてみよう。

【引用文献】
1）厚生労働省：平成27年版厚生労働白書，2015（https://www.mhlw.go.jp/wp/hakusyo/kousei/15/backdata/01-02-02-006.html，2023年6月14日閲覧）
2）厚生労働省：通いの場のオープンデータ（https://www.mhlw.go.jp/stf/kayoinoba_opendata_00002.html，2023年9月閲覧）

【参考文献】
1. 日本能率協会総合研究所：地域づくりによる介護予防を推進するための手引き「地域展開編」，2016.

チェックテスト

Q

①現在の介護予防事業の取り組みとしてどのようなものがあるか（☞p.125）。 基礎
②介護予防事業の課題を述べよ（☞p.125）。 基礎

7 精神障害領域における地域作業療法

杉長　彬

Outline

- 精神障害領域における地域作業療法は，自宅で支援する訪問型と，特定の場所に通うことで支援する通所型がある。
- 訪問型としては精神科訪問看護，通所型としては外来作業療法，精神科ショート・ケア，精神科デイ・ケア，精神科ナイト・ケア，精神科デイ・ナイト・ケア，重度認知症患者デイ・ケアがある。

1 地域生活支援にかかわる作業療法士数

ここでは，精神障害領域における地域作業療法の制度について説明する。近年の精神科医療は，入院医療中心から地域生活中心へといわれるように，適切な入院医療による早期退院や，円滑な地域生活への移行を実現するための支援が重要課題とされている[1)]。

では，精神障害領域において，地域生活支援に従事する作業療法士はどれくらいいるのだろうか。**表1**[2)]のうち，精神科デイ・ケア(大規模)，精神科デイ・ケア(小規模)，精神科デイ・ナイト・ケア，精神科ナイト・ケア，精神科ショート・ケア(大規模)，精神科ショート・ケア(小規模)，精神科訪問看護指導料(1)(2)(3)，重度認知症患者デイ・ケアが地域生活支援にあたる。地域生活支援に従事する作業療法士が一定の割合を占めていることがわかるだろう。

日本作業療法士協会は2008年に「作業療法5ヵ年戦略」を策定し，5年間で5割の作業療法士を地域へ移行することを目標とした精神障害領域においては，地域で働く作業療法士の数は今後もっと増えていくと考えられる。こうした状況において，以前はまず病院で経験を積んでから，転職や異動をし，地域で働く作業療法士が多かったが，現在は免許を取得して1年目から地域支援の領域で働く作業療法士の数が増えてきているともいえる。

表1 精神障害領域の作業療法にかかわる診療報酬

項目	回答数(%)
精神科作業療法	543(65.9)
精神科デイ・ケア	265(32.2)
精神療養病棟入院料	175(21.2)
精神科ショート・ケア	161(19.5)
認知症治療病棟入院料	140(17.0)
精神科訪問看護基本療養費Ⅰ	72(8.7)
重度認知症患者デイ・ケア料	67(8.1)
精神科訪問看護基本療養費	59(7.2)
精神科デイ・ナイト・ケア料	56(6.8)
精神科訪問看護・指導料	55(6.7)
認知症患者リハビリテーション料	51(6.2)
訪問看護管理療養費	33(4.0)
複数名精神科訪問看護加算	32(3.9)
精神科ナイト・ケア料	25(3.0)
訪問看護基本療養費	17(2.1)
リハビリテーション総合計画評価料	16(1.9)
運動器リハビリテーション料(Ⅰ)	13(1.6)
脳血管疾患等リハビリテーション料(Ⅰ)	12(1.5)
精神科継続外来支援・指導料	11(1.3)
精神科退院前訪問指導料	11(1.3)
廃用症候群リハビリテーション料(Ⅰ)	10(1.2)
地域移行機能強化病棟入院料	10(1.2)
摂食機能療法	9(1.1)
入院生活技能訓練療法	9(1.1)
訪問看護基本療養費Ⅰ	9(1.1)
脳血管疾患等リハビリテーション料(Ⅱ)	8(1.0)
早期リハビリテーション加算	8(1.0)

2021年，n＝824，無回答138除く　(文献1より引用)

2 精神障害領域における地域生活支援

次に，精神障害領域における地域生活支援のサービスのなかから，精神科デイ・ケア，精神科ショート・ケア，精神科訪問看護，外来作業療法，重度認知症患者デイ・ケアについて全体像を簡単に説明する(**表2**)。

統合失調症など精神疾患にかかった場合，精神科的な治療が必要となれば，精神科病院に入院する。その後退院となったときに，病気になる前の生活に戻れるわけではないということが精神疾患の特徴である。

表2 各サービスの概要

種類	精神科訪問看護	外来作業療法	精神科ショート・ケア	精神科デイ・ケア	精神科ナイト・ケア	精神科デイ・ナイト・ケア	重度認知症患者デイ・ケア
時間	1回 30分未満 30分以上	2時間	3時間	6時間	4時間 (午後4時以降開始)	10時間	6時間
対象	精神疾患を有するもの						認知症患者 (Mランク)
種別	訪問	通所	通所	通所	通所	通所	通所

多くの場合，退院後の継続的な通院，服薬，リハビリテーションが必要となる。退院後そのまま自宅での生活となると，生活リズムの乱れ，**怠薬**[*1]などにより再発する危険性が高まる。従って，退院後は外来通院だけでなく，なんらかの通所施設に通うことが再発予防のために重要である。

精神障害者が退院後に利用できる通所施設には，外来作業療法，精神科ショート・ケア，精神科デイ・ケア，精神科ナイト・ケア，精神科デイ・ナイト・ケアがある。

これらの大きな違いは，標準とされる時間である。外来作業療法は2時間，精神科ショート・ケアは3時間，精神科デイ・ケアは6時間である。

精神疾患を抱える人にとって，再燃予防という意味で考えると，退院後はできるだけ6時間を標準とする精神科デイ・ケアに通うことが望ましい。なぜなら，日中6時間という長い時間を社会的な環境のなかで過ごすことによって，昼間は活動的に過ごし，夜は家に帰って寝るという生活リズムをつくることができるからである。そして，このことが再発予防になるのである。

しかし，統合失調症など，人に対して緊張感をもつ人たちにとっては，退院後いきなり6時間もほかの人と一緒に過ごすのが困難なことも多い。そういった人にとって，2〜3時間過ごすだけですむ精神科ショート・ケアや外来作業療法が必要となる。

しかし，精神科ショート・ケアや外来作業療法などの短時間で利用できる通所施設があったとしても，なんらかの理由で通えない人もいる。そうした場合，退院後再び自宅での引きこもり生活に戻ることになり，場合によってはそのまま生活リズムを崩し，怠薬し，症状が再燃してしまうこともある。それを防ぐため，通所できない人に向けて支援者側から，対象者宅に出向いていくという精神科訪問看護というサービスもある。

図1 [3)]を参照すると，精神科訪問看護を利用する前に他の社会資源を使っていない人は61%に及ぶ。精神科訪問看護を利用することが，デイ・ケアなど他の社会資源に繋がるきっかけになる。

重度認知症患者デイ・ケアは，認知症を対象とするものである。認知症

＊1 怠薬
薬を飲まなくなること。精神疾患において怠薬は再発・再燃につながる大きな理由の1つである。特に統合失調症は「勝手に服薬を中断すると2年以内に80%以上が再発する」とされており，きわめて再発しやすい。

外来作業療法 2時間

精神科ショート・ケア 3時間

精神科デイ・ケア 6時間

精神科デイ・ナイト・ケア
精神科ナイト・ケア
夜の支援が必要

重度認知症患者デイケア

のなかでもMランクとし，精神症状，問題行動が著しく，精神科的な対応が必要となる人が対象となる(**表3**)。

図1　精神科訪問看護利用者の他の社会資源利用状況

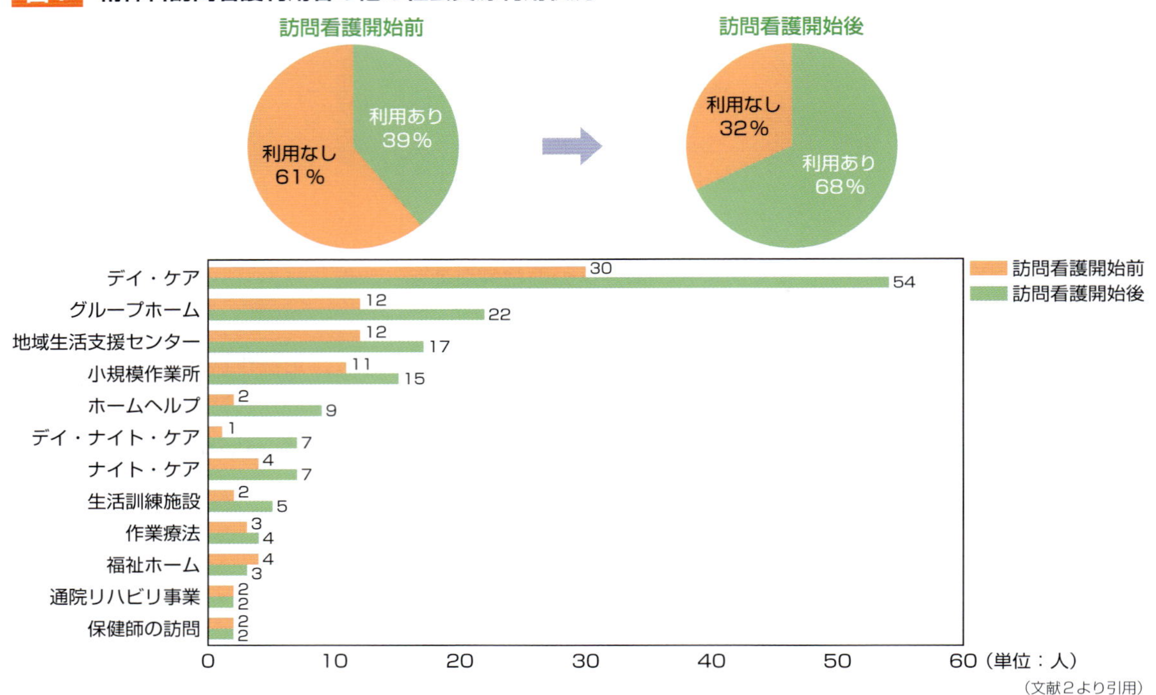

(文献2より引用)

表3　認知症高齢者の日常生活自立度判定基準

ランク	判断基準	見られる症状・行動の例
Ⅰ	なんらかの認知症を有するが，日常生活は家庭内および社会的にほぼ自立している	
Ⅱ	日常生活に支障をきたすような症状・行動や意思疎通の困難さが多少みられても，誰かが注意していれば自立できる	
Ⅱa	家庭外で上記Ⅱの状態がみられる	たびたび道に迷う，買い物や事務，金銭管理など，それまでできたことにミスが目立つ
Ⅱb	家庭内でも上記Ⅱの状態がみられる	服薬管理ができない，電話の応対や訪問者との対応など，1人で留守番ができない
Ⅲ	日常生活に支障をきたすような症状・行動や意思疎通の困難さがみられ，介護を必要とする	
Ⅲa	日中を中心として上記Ⅲの状態がみられる	着替え，食事，排便，排尿が上手にできない，時間がかかる。やたら物を口に入れる，物を拾い集める，徘徊，失禁，大声や奇声をあげる，火の不始末，不潔行為，性的異常行為など
Ⅲb	夜間を中心として上記Ⅲの状態がみられる	ランクⅢaに同じ
Ⅳ	日常生活に支障をきたすような症状・行動や意思疎通の困難さが頻繁にみられ，常に介護を必要とする	ランクⅢに同じ
M	著しい精神症状や周辺症状あるいは重篤な身体疾患がみられ，専門医療を必要とする	せん妄，妄想，興奮，自傷・他害などの精神症状や精神症状に起因する周辺症状が継続する状態

(文献3より引用)

3 精神科訪問看護について

精神科訪問看護

自己通所不可または
自宅での生活支援が必要

次に，精神科訪問看護について説明する。

■精神科訪問看護の対象者

精神科訪問看護の対象者は，精神障害により，なんらかの生活障害のある在宅生活者が中心である。特にデイ・ケアや外来作業療法などリハビリテーション施設に通うことができず，外来通院以外は自宅に引きこもってしまうような人である。医師の指示によりその対象となる。

■どこから派遣されるのか

作業療法士による精神科訪問看護は以下のいずれかの施設，事業所から派遣される。

▶訪問看護ステーション

▶病院・診療所

■精神科訪問看護の目的

なんのために精神科訪問看護に作業療法士が加わるのであろうか？ 精神科病院で行われる精神科作業療法，精神科デイ・ケアでの活動とはどのような点が違うのだろうか？

まず，精神科訪問看護において，作業療法は，看護師の組んだ計画のもとに行われる。看護師が対象者宅に訪問し，訪問看護を進めるうえで，作業療法を導入する必要があると判断したときに，作業療法士は対象者宅の訪問を開始することになる。

表4は精神科訪問看護の主なケア内容である。作業療法士は(1)，(2)，(8)の点で特化している。これらについて以下に述べる。

表4 精神科訪問看護のケア内容

(1)日常生活の維持/生活技能の獲得・拡大	食生活・活動・整容・安全確保などのモニタリングおよび技能の維持向上のためのケア
(2)対人関係の維持・構築	コミュニケーション能力の維持向上の援助，他者との関係性への援助
(3)家族関係の調整	家族に対する援助，家族との関係性に関する援助
(4)精神症状の悪化や増悪を防ぐ	症状のモニタリング，症状安定・改善のためのケア，服薬・通院継続のためのかかわり
(5)身体症状の発症や進行を防ぐ	身体症状のモニタリング，生活習慣に関する助言・指導，自己管理能力を高める援助
(6)ケアの連携	施設内外の関連職種との連携・ネットワーキング
(7)社会資源の活用	社会資源に関する情報提供，利用のための援助
(8)対象者のエンパワメント	自己効力感を高める，コントロール感を高める，肯定的フィードバック

(文献2より引用)

● 日常生活の維持/生活技能の獲得・拡大

決まった曜日，時間に訪問することが対象者にとって，生活リズムを整えるきっかけになる。

対象者によっては，退院後，昼夜逆転の生活に戻ってしまうことも少なくない。何曜日の何時に必ず人が訪ねてくるということは，その時間までに起きている必要があり，身支度を整えておき，部屋の準備をする必要がある。そのように週1度は必ず人が来るという状況は，対象者にとって，生活の張りとなり，生活リズムを整える1つのきっかけとなるのである。

また，訪問中の活動としては，一緒に料理を作る練習をしたり，部屋の片付けをしたり，対象者にとって必要な生活技能を身に付けることもできる。

● 対人関係の維持・構築

対象者にとっては，自宅での生活において，家族としか対人関係をもたない人も多い。対象者にとって外部から人が来て，話をする機会というのは，意味のあることである。

そのように普段家族としか話さない対象者にとって，いきなり次のステップとしてデイ・ケアを進めていくことは，対人緊張が高まり難しいことがある。訪問し，いろいろな外部の人とかかわることにより，人とかかわることに慣れ，次第に関係が築けるようになってくると，その後デイ・ケアなどの社会的通所施設にスムーズに繋げていけるようになる。

● 対象者のエンパワメント*2

訪問看護において作業療法士は対象者とさまざまな活動を行う。病院内での作業療法と同じように，対象者の好きなことや興味をひきそうなことを選ぶ。

具体的には，塗り絵，ビーズ，編み物などの創作活動，ストレッチやラジオ体操，屋外に出てキャッチボールをするなどの身体を動かす活動，他に歌唱，ゲーム，会話など自宅で行えることであれば，どんなものでもよい。

このような活動を通して，対象者は自己効力感*3を高め，外来作業療法や精神科デイ・ケアなど，さらなる社会的活動の場へ行ってみようという意欲が出てくるのである。

＊2 エンパワメント
対象者が自らかかわる問題状況において主体的生活者として自己決定能力を高め，自己を主張し，生きていく力を発揮していくこと。

＊3 自己効力感
バンデューラによって提唱された概念。自分自身がやりたいと思っていることの実現可能性に関する知識，あるいは，自分にはこのようなことがここまでできるという考えのことである。

【引用文献】
1) 日本作業療法士協会：作業療法白書2021. p.81, 2021
2) 第15回今後の精神保健医療福祉のあり方に関する検討会資料（http://www.mhlw.go.jp/shingi/2009/04/dl/s0423-7c.pdf, 6月20日閲覧）
3) 厚生労働省：認知症高齢者の日常生活自立度判断基準（https://www.mhlw.go.jp/topics/2013/02/dl/tp0215-11-11d.pdf, 2023年6月20日閲覧）

【参考文献】
1. 蜂矢英彦 ほか監：精神障害リハビリテーション学，金剛出版，2014.
2. 坂野雄二 ほか著：セルフ・エフィカシーの臨床心理学，北大路書房，2002.

チェックテスト

①精神障害領域における地域作業療法の制度として，どのようなものがあるか（☞p.127）。 基礎

②精神科病院を退院した精神障害者にとって，精神科デイ・ケア，外来作業療法などの通所型施設が必要になるのはなぜか（☞p.129）。 臨床

③退院後，精神科デイ・ケア，外来作業療法などの通所型施設に通うことができず，家に引きこもりがちになってしまう人にとって，外来診察以外で医療支援ができるサービスは何か（☞p.131）。 臨床

8 精神障害領域における就労支援

杉長　彬

Outline

- 精神科デイ・ケア，精神科ショート・ケア，精神科作業療法など医療の場で行われる就労支援としてリワークがある。
- リワークは主に休職中の気分障害，適応障害などの疾患を対象として元の職場への復帰，再発予防のために行われるリハビリテーションである。

1 リワークとは

リワークとは，「retern to work」の略で，休職者が復職するという意味である。うつ病など気分障害のある人の精神面の不調を理由に休職した従業員に対する復職支援プログラムをリワーク支援とよぶ。

適切なリワーク支援を受けることで，復職へのハードルを下げることができる。また，休職者の多くが，再発しやすいことがいわれており，復職後の再休職を防ぎ，就労を継続するためにリワークを利用することが有用といわれている。

2 リワークの実施場所

リワークの実施場所としては，3つ挙げられる（**表1**）。

医療機関で行われる「医療リワーク」，地域障害者職業センターで行う「職リハリワーク」，企業内や従業員支援プログラムなどで行われる「職場リワーク」がある。

表1　3つのリワークとその違い

	実施機関	費用	対象	主な目的
医療リワーク	医療機関	健康保険	休職者	精神科治療 再休職予防
職リハリワーク	地域障害者職業センター	労働保険	休職者 事業者	支援プランに基づく支援
職場リワーク	企業内，従業員支援プログラム（EAP）など	企業負担	休職者	労働させてよいかの見極め

（文献1より引用）

■医療リワーク（医療機関で実施するもの）

精神科病院や精神科の診療所の精神科デイ・ケア，精神科ショート・ケア，精神科作業療法の場面で行われるものが多く，作業療法士もその支援にかかわる（**図1**）[2)]。

図1　医療リワークにかかわる職種

スタッフの職種（166施設975人）

主資格	
看護師	211
保健師	15
精神保健福祉士	181
作業療法士	126
理学療法士	3
臨床心理士	309
その他の心理職	42
産業カウンセラー	8
キャリアコンサルタント	4
その他	76

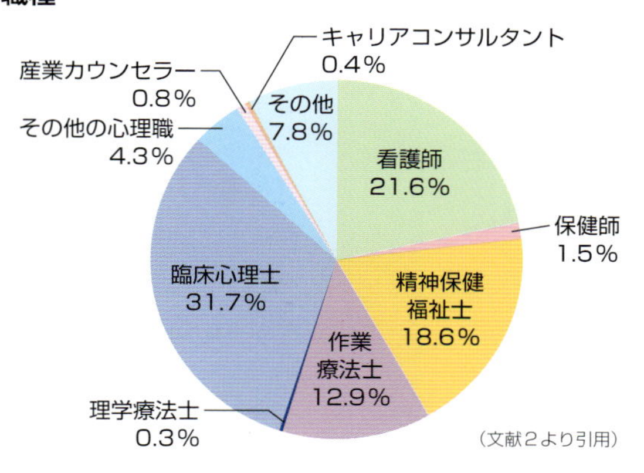

（文献2より引用）

■地域障害者職業センター

地域障害者職業センターは，障害者に対する職業準備訓練，事業主が障害者を雇用する際の相談・援助，地域の関係機関に対する助言・援助を行っている。ここで行われる職業準備訓練もリワークといわれるが，ここでは医療的なかかわりよりどちらかというと職業訓練に重点が置かれたプログラムが多い。また，雇用保険に加入している民間企業の休職中の労働者が対象となるため，公務員は利用できない。

■企業内で実施するもの

企業内で復職支援のために行われるプログラムを「リワーク」とよぶ場合もある。これは企業が復職前に「試し出勤」「リハビリ勤務」などの形をとり，実際に職場にきて復職可能なレベルにまで回復しているのか企業が判断するためと，対象者自身が職場に戻るリハビリテーションとして行っている。

アクティブラーニング 1　精神障害者の就労支援方法としては，リワークのほかに，「職場適応訓練」「トライアル雇用」「ジョブガイダンス」「就労継続支援」「就労移行支援」「ジョブコーチ」などいろいろなものがある。それぞれの対象者と支援方法について調べてみよう。

3 リワークの対象者

■リワークの対象者について

リワークとは，もともとうつ病を対象に作成されたプログラムであり，気分障害・適応障害が多い。施設によっては，統合失調症，アルコール依存症など多様な疾患を受け入れているところもある。また，発達障害（自閉スペクトラム症・注意欠陥多動症）の傾向があり，会社でのストレスを機にうつ症状が発現し，休職となりリワークに通所することになったケースもある。

■リワークの通所開始までの経緯

リワークに通所するまでの経緯としては2つある。

1つは本人が自分から希望して通所するパターンである。本人が復職までの準備をしたいと考え，自分でインターネットなどを調べてリワーク施設を探し，開始するパターンである。

2つめは産業医や会社からの勧めでリワークを始めるパターンである。主治医は診察室での本人の受け答えだけでは，復職後の職場の環境やストレス負荷にどれくらい対応できるか，判断することが難しい。主治医は診察室での本人の様子から働く意欲がみられると，「復職許可」を出すことも多いが，職場の産業医や人事担当は主治医の診断書だけでなく，復職前のリワーク利用を復職条件にしているところが増えている。

多くの対象者は休職するまでリワークの存在を知らない。うつになり休職をし，体調がよくなれば，すぐに復職できると考える人が多い。しかし，うつ病は再発を繰り返しやすい疾患である。本人がもう大丈夫と思って復職しても，すぐにまた休職してしまうケースが多々ある。そのような状況を見越して，産業医，会社から復職の条件として，リワークに参加することを求められるのである。リワークに通い，ある程度の負荷のもとで，安全に活動できる力があることや再発予防策を立てていることを確認したうえで，復職可と判断するのである。

「心の健康問題により休業した労働者の職場復帰支援の手引き」[4]のなかの「職場復帰可否の判断基準」という項目には，次のような要件が記載されている。

- 労働者が十分な意欲を示している
- 通勤時間帯に一人で安全に通勤ができる
- 決まった勤務日，時間に就労が継続して可能である
- 業務に必要な作業ができる
- 作業による疲労が翌日までに十分回復する
- 適切な睡眠覚醒リズムが整っている，昼間に眠気がない
- 業務遂行に必要な注意力・集中力が回復している

前記のような要件がクリアされているかどうかを判定できるように，産業医や企業はリワークプログラムを推奨する。しかしながら，このような状況でリワークに参加する対象者は「なぜ自分がこんなことをしないといけないのか」というような，リワークに対する不信感を感じていることが多く，導入の際にリワークへの動機づけを丁寧に行うことが大切である。

4 リワークでの評価

リワーク通所で行う主な評価を以下に挙げる。

- ベックうつ病調査票
  (BDI-Ⅱ：Beck Depression Inventory second edition)*1
- 自記式社会適応度評価尺度
  (SASS：Social Adaptation Self-evaluation Scale)*2
- アテネ不眠尺度(AIS：Athens Insomnia Scale)*3
- 復職準備性標準化評価シート(図2)[3]
- 生活記録表(図3)
- 職場復帰への情報提供書(図4)

多くのリワーク施設では，さまざまな評価シートを複合的に使用しながら，現在の対象者の状況と復職先の求めている回復像を確認しながら，復職準備性を高めるためのプログラムを作成していく。

＊1 ベックうつ病調査票(BDI)
抑うつの代表的な研究者であるベックが開発した抑うつ症状の重症度を判定する自己記入式質問紙票のこと

＊2 自記式社会適応度評価尺度(SASS)
うつ病患者の社会機能の回復程度を見るための尺度。自己記入式質問紙票

＊3 アテネ不眠尺度(AIS)
睡眠の状況を測る自己記入式質問紙票

図2 復職準備性標準化評価シート[3]

QRコードを読み取る☞

図3 生活記録表

QRコードを読み取る☞

図4 職場復帰への情報提供書[5]

QRコードを読み取る☞

5 リワークでのプログラム：治療

リワークでの治療の流れとしては3段階ある。通う利用者にもわかりやすいように初期，中期，後期に分けてプログラムを進めていく。

①初期：生活リズムの確立

リワークを導入してまず初めに大切なことは，生活リズムを整えることである。休職して自宅療養をしていた人にとって，毎日，決まった時間に決まった場所に通うことは，大変なことも多い。通常フルタイムの復職を目指す場合，復職するまでの間に，週5日間7.5時間程度の活動ができることを目指していく。しかし，リワークを始めたばかりの場合，いきなりそのレベルまで活動性を高めるのは難しく，最初は週2～3回程度，2～3時間程度の活動から始めていくケースが多い。

リワーク初期はオフィスワーク(図5)など，机での読書やパソコン作業などを行うことが多い。簡単なパズルや脳トレのような活動や病気との付き合い方，コミュニケーションの取り方，認知行動療法についての本などを読んで自己理解を深めていく。いずれにしてもこの時期は自分の体調に気を遣いながら，無理のない範囲で負荷をかけつつ，通所できる体力・精神力をつけていくことが大切である。また，適度に大人の交流なども楽しみながら，同じ境遇の仲間とのピアサポートを通して，リワークに通うことに慣れていく。

通所に慣れてきたところで，認知行動療法，社会生活技能訓練(SST：social skills training)，グループワーク，疾患教育など集団で行うさまざまな心理プログラムを通して，自身の特徴や病気を理解するプログラムを進めていく(図6)。

また，卓球，モルック(図7)，エアロビクスなどの簡単な運動のプログラムや創作などのプログラムも行い，人とのかかわりに慣れたり，体力や集中力の回復，ストレス解消法の体得などを目指していく。

補足

認知行動療法
物事のとらえ方(認知)や行動に働きかけて，ストレスを軽減する心理療法のことである。

SST
人が社会でほかの人とかかわりながら生きていくために欠かせないスキルを身につける訓練のことを指す。リワークでは，上司と部下，同僚との関係など職場で起こりがちな対人関係の場面を設定し，コミュニケーションの練習をするプログラムである。

図5 オフィスワーク

図6 疾患教育

図7 モルック

②中期：休職原因の振り返り・再発予防策の立案

生活リズムが安定し，週5日間，1日6時間程度の活動に耐えられるようになっただけでは，復職が可能であると考えるのは難しい。なぜなら，リワークとは元いたストレスのある職場環境に戻ることだからである。同じ環境，同じ上司のもとで，同じストレス化にあっても，病気を再発せずに働ける能力，つまり**職業準備性**が備わっていることが復職には必要となる。復職準備性を整えていくためには，休職原因の振り返りが必要な作業となる。自分がどのような経緯でストレスを抱えることになったのか，そのときに**適切なストレスコーピング**ができているのか，**再発サイン**はどのようなものがあるのか。

こういったことを振り返ることで，自分の再発サインを知り，また同じような環境に陥ったとしても，ストレスを回避できるような考え方，行動の仕方を検討していくのである。

③後期：通勤訓練・リハビリ出勤

生活リズムが確立し，再発予防策について振り返りもできてくると，具体的に職場と連絡をとり，職場復帰に向けた最終調整をしていくこととなる。

ここでの段階では，職場の人事担当者と話し合いをしながら，リハビリ出勤や通勤訓練，短時間勤務などを行い，実際の職場に出向いて作業をするなど，訓練をリワークのデイケアでの活動と組み合わせながら，復職に向けた取り組みを行う。ここは企業によって違いがあり，企業独自の復職プログラムを設けているところもあるため，その場合はそれに沿った形でプログラムを進めていく。

①～③までの時期を経て，主治医の復職許可，産業医の復職許可，職場の上長の許可を得たうえで，職場復帰となる。

職場によっては，その後，職場独自の職場復帰トレーニングをするところもあり，通勤練習，短時間勤務，フルタイム勤務(残業制限あり)，フルタイム勤務(残業制限なし)などの段階を経ながら，完全な復職へと回復を進めていく。

6 復職後のフォローアップについて

うつ病などの精神疾患が再発しやすいことは前述の通りである。復職後もフォローアップ参加として，リワークに参加し，面談やメンバー同士の交流などを通して，再発予防に努めることが大切である。

復職後の再発予防のチェックリストとして図8があり，これらを振り返りながら，スタッフとともに再発の傾向が出ていないか，思考の偏りが出始めていないか，職場での適切なコミュニケーションがとれているかなどを確認し，再発予防に努める。

図8 再発予防のためのチェックリスト

治療計画確認シート　Step5

～職場での勤務を継続させる～

本人氏名：

記入日：　　　年　　月　　日

担当スタッフ：

	下記の項目について満足度を10点満点で採点してみましょう	
Step5	□ 定期的に通院している	(　　) 点
	□ 主治医の指示通りに服薬している	(　　) 点
	□ 主治医や家族等と連携して自身の健康チェック・維持に努めている	(　　) 点
	□ 決まった時間に自分で起床・就寝が出来ている	(　　) 点
	□ 起床時，過度な疲労感や目覚めの悪さを感じる事はない	(　　) 点
	□ 食事が3食しっかりとれている（バランス・量も含む）	(　　) 点
	□ 一般的な健康管理が出来ている	(　　) 点
	□ 遅刻・欠勤・早退がなく勤務できている	(　　) 点
	□ 残業時間の確認〈通常時〉　時間／1カ月 〈繁忙期〉　時間／1カ月	
	□ 別紙「ストレス反応チェックシート」によるチェックを実施している（独自のチェックリストでも可）	(　　) 点
	□ 職場内での必要なコミュニケーションが取れている 理由（　　　）	(　　) 点
	□ 不調時も対処法を取り，継続して就業生活を続けられている 理由（　　　）	(　　) 点
	□ 休日に生活リズムを崩さず充実して過ごせている	(　　) 点
	□ 社会や身近な物事に興味・関心が持てている	(　　) 点
	□ 自身の身体症状は安定している（　　　）	(　　) 点
	□ 自身の精神症状は安定している（　　　）	(　　) 点
	□ 強い疲労感や気分の落ち込みを2週間以上継続して感じることはない	(　　) 点

【引用文献】
1) 日本うつ病リワーク協会：リワークプログラムとは(https://utsu-rework.org/rework/, 2023年6月19日閲覧)
2) 日本うつ病リワーク協会：うつ病リワーク研究会平成27年度基礎調査(https://utsu-rework.org/cms/wp-content/themes/the-thor-child/img/pdf/2017_bi.pdf, 2023年6月19日閲覧)
3) 秋山　剛：うつ病休職者の職場復帰準備性－リワークプログラムにおける標準化評価シート－(http://utsu-rework.org/info/no15_02.pdf, 2023年6月閲覧)
4) 厚生労働省：心の健康問題により休業した労働者の職場復帰支援の手引き～メンタルヘルス対策における職場復帰支援～.(https://www.mhlw.go.jp/content/000561013.pdf, 2023年6月閲覧)
5) 中村美奈子：復職支援ハンドブック―休職を成長につなげよう. 金剛出版, 2017.

【参考文献】
1. 日本うつ病リワーク協会：医療従事者向け研修テキスト(基礎コース).

チェックテスト

Q

①リワークはどのような人が対象となるか(☞p.134)。 臨床
②リワークに携わる専門職は作業療法士のほかにどのような職種があるか(☞p.134)。 臨床
③リワークへの通所当初はどのようなことが目標となるか(☞p.137, 138)。 臨床

9 特別支援

林　義巳

Outline

- 障害児通所支援は，①児童発達支援，②医療型児童発達支援，③放課後等デイサービス，④保育所等訪問支援の４種類がある。
- 障害児入所支援は，①福祉型障害児入所施設，②医療型障害児入所施設の２種類がある。
- 障害児の支援は，巧緻動作の発達を促す指導，セルフケアや道具の持ち方・使い方の指導，認知機能の発達を促す指導，遊びの質を高める指導などを行っている。

1 特別支援と障害児施設

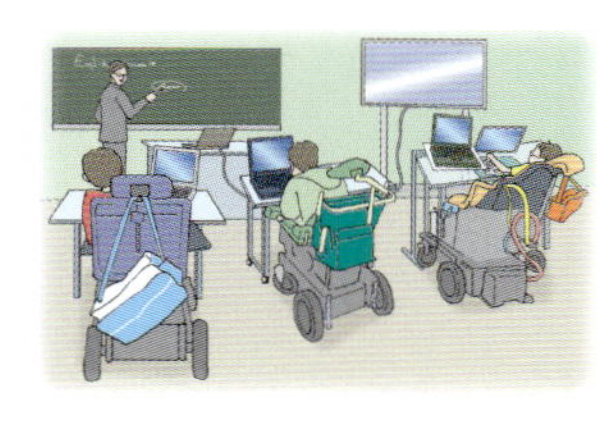

特別支援とは，発達に遅れや問題がある子どもたちの自立や社会参加を支援することで，障害児支援，発達障害児支援ともよばれている。発達を促す訓練を行うだけではなく，母親への育児指導や訓練指導，心理的フォロー，家族への啓発，保育園や幼稚園あるいは学校でかかわる教職員に対しての協力や理解を得る働きかけを含むものになる。

障害児施設は，通所（障害児通所支援）と入所（障害児入所支援）に分かれている。

障害児通所支援は，①児童発達支援（児童発達支援センター，児童発達支援事業），②医療型児童発達支援，③放課後等デイサービス，④保育所等訪問支援の4種類あり，市区町村が窓口となっている。

障害児入所支援は，①福祉型障害児入所施設と②医療型障害児入所施設の2種類があり，都道府県の管轄で，児童相談センター・児童相談所が窓口となっている。

通所施設のうち，児童発達支援は，日常生活の指導および知識技能の付与，集団生活への適応訓練を行っている。医療型児童発達支援は，児童発達支援に加えて，治療を提供する事業所である。放課後等デイサービスは，特別支援学校の児童生徒が放課後に通う事業所である。就業する両親に代わり，児童生徒を安全に預かって，リハビリテーション専門職が個別支援や集団行動を通じた支援を行う事業所が増えている。保育所等訪問支援は，障害児が通う保育所に心理相談員等が訪問し，発達支援や集団生活への支援を行うものである。

入所施設のうち，福祉型障害児入所施設は，知的障害児・自閉症児・視覚障害児・聴覚障害児・肢体不自由児を対象としている。医療型障害児入所施設では，自閉症児・肢体不自由児・重症心身障害児を対象としている。いずれも，家族の介護負担を軽減する目的がある。施設内では，身体機能の維持向上，日常生活活動の指導，生活の質の向上に取り組んでいる。

2 特別支援の相談内容

特別支援学校・特別支援学級の担任教諭は，授業のなかでの支援方法について悩みながら生徒とかかわっている。外部専門家は，担任教諭の授業への参加や課題となっている活動を一緒に確認することで，問題点を共有し，障害理解の促進や支援方法を検討することが大切である。以下に，相談例を挙げる。

- カエル跳び，スキップ，サッカーなどの運動種目の支援方法
- 書字・ボタンはめ・ビーズ通しなどの各課題の支援方法
- 楽器の選び方・使い方や表現活動（ダンス）の支援方法
- 学習や食事時の姿勢，机や椅子の高さの設定
- 体操着やエプロンへの着替え，靴の着脱の支援方法

補足

特別支援学校の取り組み
高等部就業技術科（知的教育部門）を設置した特別支援学校では，企業就労をめざす就労支援に力を入れている。職業コース（環境サービス，物流，食品，福祉など）があり，校内模擬現場実習やインターンシップ（就業体験）を通して，生徒全員の企業への就職を目指している。

3 特別支援における作業療法士のかかわり

特別支援における作業療法士のかかわりは，**発達を促す訓練**，**身辺自立と学習指導**，**学校生活の支援**に分けることができる（**表1**）。子どもの指導のみではなく，母親をはじめその家族を支援するとともに，子どもを取り巻く保育園・幼稚園・学校の教職員などの協力と理解を求めていくことが必要になる。乳幼児期では，発達を促す訓練や育児支援が主となるが，徐々に家庭での生活と学習の指導になり，就学前には学校生活への準備に移る。学齢期では，子どもの自立や適応を念頭に置き，学校生活に必要なスキルの練習を行い，社会生活に繋げることが必要である。いずれの時期でも子どもの**発達年齢**[*1]とニードを考慮した課題の獲得を目指すが，経験不足による**二次的な未発達**が起こらないように，さまざまな経験の機会を提供することが重要である。

＊1 **発達年齢**
発達に遅れがある場合，子どもの年齢を暦年齢（実年齢）と発達年齢に分けて考える。発達年齢はできている課題（発達指標）から考えて，現在何歳レベルという評価を行ったものである。

補足

二次的な未発達
子どもがセルフケア（着替え・食事・トイレなど）を行う際，時間がかかるため，つい手助けをして，過介助となることがある。また，注意集中が持続しない，感情の起伏が激しいことで，学習や活動に参加できないことがある。例えばタイマーを10分間セットして練習時間を作ること，教室の環境を整えること，一度その場を離れて落ち着くことが大切になる。

■巧緻運動の発達を促す指導

巧緻運動とは，手指の運動である。作業活動を行い，つまみの発達順序に沿って，手指の分離を促す。次に，ピンチ力を高めること，指先を動かしながら手掌の動きも促す。

図1は，穴の開いたタッパー容器に，指でつまんだビー玉を押し込んで入れるプットインである。穴の大きさは，ビー玉より少し小さいので，指先の力が必要になる。**図2**は，洗濯バサミをつまんで，挟む練習である。ブロックの分解や組み立てる遊びもピンチ力を高める練習になる。**図3**は，ペットボトルの蓋を回転させて開閉する練習である。お弁当用のソース・醤油入れのタレビンの蓋の開閉や水筒の蓋の開閉も練習する。

表1　特別支援における作業療法士のかかわり

分類	項目	内容
発達を促す指導	粗大運動	定頸，寝返り，座位，四つ這い，膝立ち，立位，歩行など
	巧緻運動	把握動作，つまみ動作など
	感覚機能	触覚，視覚，聴覚，味覚，嗅覚，バランス感覚を用いて適応反応を促す活動（遊具，プール，外遊びなど）
	認知機能	空間，形，大小，色，数，時間，曜日，お天気など
	遊び	歌・リズム・手遊び，創作活動（絵・工作），身体運動など
	社会性・対人関係	独り遊び，場の共有，2～3人での遊び，集団遊び，ルールのある遊びなど
	コミュニケーション	Yes･Noの理解，絵本，指さし，ジェスチャーなど
身辺自立と学習指導	日常生活活動	移動，移乗，食事，更衣，トイレ，入浴，歯磨き，顔を洗う動作など
	基礎学習能力	読み・書き（ひらがな，漢字，数字），計算など
	環境設定	座位保持装置，歩行器，装具，住宅改修など
	自助具の適応	情報提供，製作，使い方指導など
	健康管理	体温調節，呼吸，嚥下，拘縮予防など
学校生活の支援	環境設定	姿勢，椅子と机，教室の場所，間仕切り，カーテン，音の制限など
	学習方法	机上動作，学習道具の使い方（ノート，鉛筆，消しゴム，定規，コンパス），教科書・黒板の使用，ガイダンスの方法など
	生活方法	学校での移動，食事，更衣，トイレ動作など
	教材・自助具	パソコン・情報機器の使用，自助具の提供と製作，使い方指導など
	健康管理	体温調節，呼吸，嚥下，拘縮予防，環境整備など

図1　プットイン

図2　洗濯バサミ

図3　ペットボトル

■道具の持ち方・使い方の指導

就学（小学校入学）前後の子どもには，セルフケアや学校生活で必要な道具の持ち方や使い方の指導を行う。使用する道具は，スプーン，お箸，鉛筆，ハサミなどである。道具を使用することにより，利き手の操作性が向上する（図4～9）。また，上手に使うためには，利き手の練習だけでなく，補助手（非利き手）の使い方も指導が必要である。

図4　スプーン練習

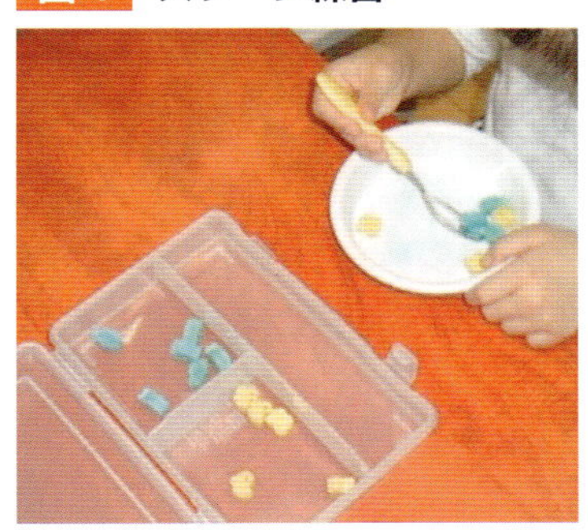

図5　補助具付お箸

図6　お箸の持ち方指導

図7　運筆の練習

図8　平仮名の練習

図9　ハサミの練習

■認知機能の発達を促す指導

認知機能における初期の学習は，物の名前，文字や数字を理解することである。この理解が難しい子どもたちには，教材を手で操作する学習指導を行う。絵カードや文字，おはじきや数字のマッチングで理解を促進させる。図10は，果物のマッチングであるが，よく見ると同じイラストではない。スイカやリンゴのイラストが違っていても，同じ名前の果物であるという認識が必要である。図11は，イラストと平仮名のマッチングである。その文字が何を意味するものか，認識が必要になる。

図10　果物のイラスト

図11　イラストと平仮名

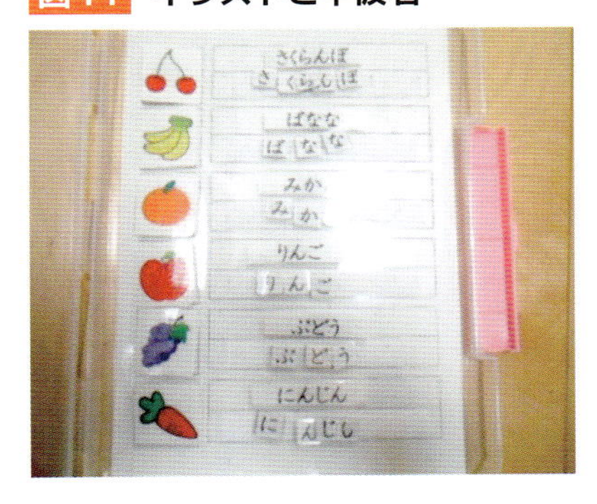

■遊びの質を高める指導

障害のある子どもには，遊びの質を高めるため，さまざまな遊びを提供することが必要である。図は，創造遊びのアイロンビーズ（図12），作り方の本を見ながら行う折り紙（図13），ルールのあるオセロゲーム（図14）である。そのほか，草木や木の実などの自然の素材を用いた工作，小動物や昆虫との触れあい，農作業や園芸作業などの活動を取り入れる指導がある。

図12 アイロンビーズ

図13 折り紙

図14 オセロゲーム

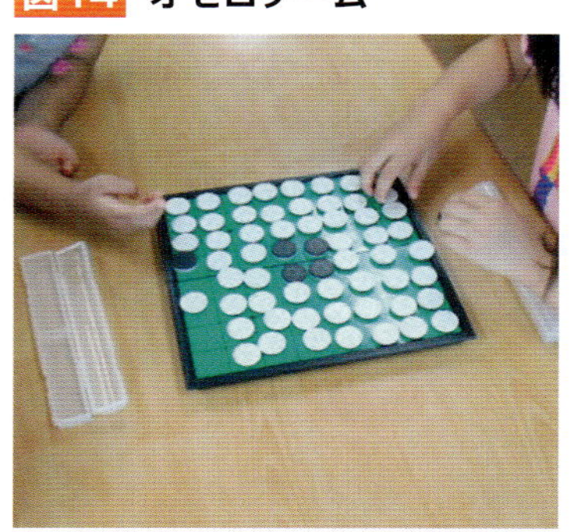

補足　発達障害の子どもを指導するポイント

- 説明するときは，言葉だけでなく，絵カード，写真，実物などの視覚情報を用いる。
- 会話では，「あれ」「そこ」などの代名詞は避けて，具体的な名称を用いる。
- 棚や引き出しには，道具の名称シールや道具を片付けた状態の写真を貼る。
- 時間割や予定表，写真や動画を見せて，活動の予定と内容を説明する。
- 活動の予定変更がありうる場合，あらかじめその可能性を説明する。
- 見るものに固執する場合，カーテンやパーテーションで隠す，見えない位置に座席を移動する。
- 遊びに固執する場合，キッチンタイマーを利用して，音が鳴ったら終わりの約束をする。
- 感情を抑えられない場合，一度，そこから離れ，クールダウン後にその場所に戻る。
- 音が原因でパニックに陥った場合，耳を塞ぎ，イヤーマフの装着，場所の移動を行う。
- 自分のやりたいことを友達に押し付ける子どもの場合は，次の行動の声かけをするタイミングを図っておく。

■特別支援学校（小学部）での指導

脳性まひ痙直型右片麻痺児のケースを示す。健側の左手で操作をするが，連合反応の影響で麻痺側の右手が挙上し，補助手として使えない（図15）。この使い方が続くと，視野から右手が消えるため，右手の身体無視（ボディーイメージの欠如）に繋がる。右手も机上に置くこと（図16），机の縁を持つこと（図17）で，視覚的に麻痺側の右手を認識させる。雑巾がけ，雑巾干し活動では両手動作を促し，手洗いでは視覚・触覚を通して麻痺側の認識を高めている（図18～20）。担任にもポイントを伝えて，協力体制を築いていく。

図15 麻痺側が挙上

図16 麻痺側を机上に置く

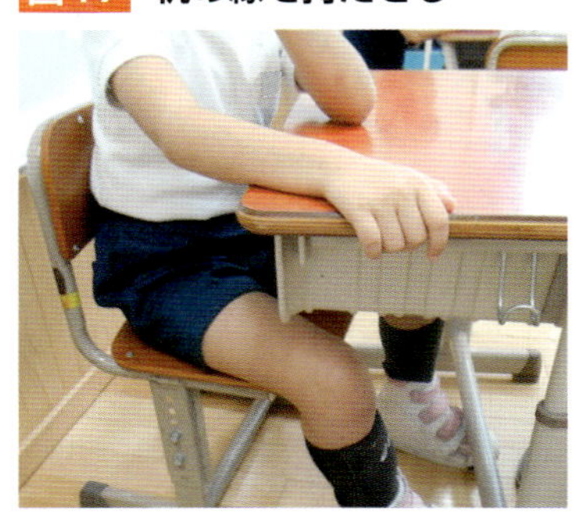
図17 机の縁を持たせる

図18 雑巾がけ

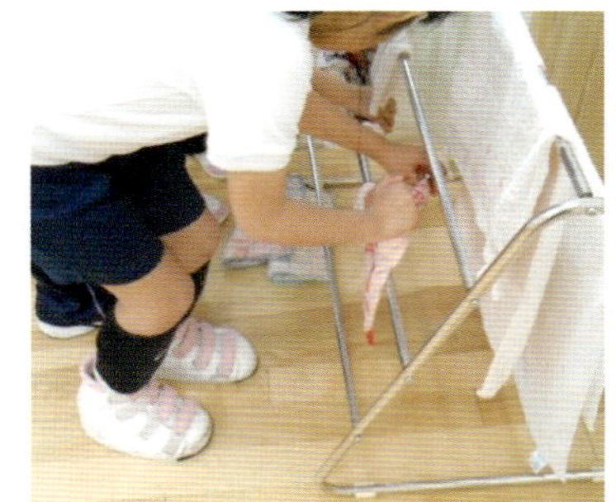
図19 雑巾干し

図20 手洗い

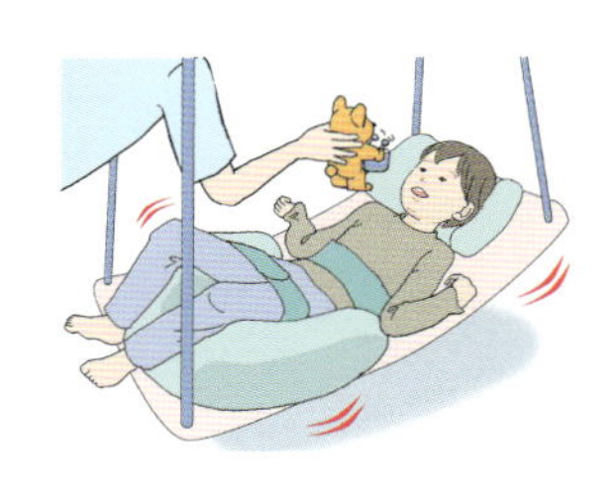

■重症心身障害児の指導

重症心身障害児の特徴は，抗重力姿勢がとれない，抗重力伸展活動が難しい，動きが乏しいことである。寝たきりのため，人とのかかわりが少なく，経験不足による廃用性拘縮や表情の乏しさに繋がっている。外界に興味が向かず，舐める・噛む・引っ掻くなどの身体の内的刺激に固執することも多い。潜在能力を引き出すアプローチが必要である。

感覚遊びが主になるが，さまざまな活動を経験させて，外界に興味をもたせることが大切である（**表2**）。姿勢では，側臥位，体幹を安定させた座位・立位であれば，上肢の動きがでやすい。姿勢の工夫を行い，何に興味を示すか，活動を通して探っていく。

表2 重症心身障害児の主な感覚遊び

視覚	色鮮やかなガラガラ，ミラーボール，カーテン調節，消灯，懐中電灯など
聴覚	音の出る玩具全般，キーボード，ツリーチャイム，ボタンスイッチで音楽など
触覚	タオルマッサージ，ボールプール，フィンガーペイント，小麦粉粘土，水遊びなど
前庭覚	抱っこで揺らす，バランスボール，タオルハンモック，プラットホームスイングなど

チェックテスト

Q

①就学(小学校入学)前後の子どもには，どのようなことを指導するのがよいか(☞p.144)。 臨床

②物の名前，文字や数字の理解が難しい子どもたちには，認知機能を促すために，どのような指導がよいか(☞p.145)。 臨床

③発達障害の子どもの指導ポイントとして，言葉だけではなく，視覚情報を用いて説明するとよいが具体的に何を用いるか(☞p.146)。 臨床

④遊びに固執する場合，何を利用して，終わりの約束をすればよいか(☞p.146)。 臨床

⑤重症心身障害児について，上肢の動きがでやすい姿勢を答えよ(☞p.147)。 臨床

10 児童発達支援・放課後等デイサービス

田村孝司

Outline

- 児童発達支援は就学前の乳幼児を対象とし，放課後等デイサービスは小学生から高校卒業までが対象となる。
- 基準人員に加えて作業療法士などを配置することで加算を算定することができる。
- 対象児や保護者だけでなく，保育園や学校も含めた連携が重要となる。

1 児童発達支援と放課後等デイサービスの概要

児童発達支援・放課後等デイサービスは平成24年(2012年)の児童福祉法および障害者支援法の改定により設置された。それまで，障害児の通所型支援は障害の種類に応じた支援だったが，年齢によって支援内容が異なる制度に変更された。

児童発達支援を行う施設としては児童発達支援センター，医療型児童発達支援事業所，児童発達支援事業所があり，その機能に応じた報酬単価が設定されている。一方，放課後等デイサービスは1類型となっている(2024年度の法改正で2類型となり指定基準が見直され質の向上が図られる)。どちらについても，その機能と配置に応じた加算が設定されている。また，保育所等訪問支援事業は児童発達支援事業と放課後等デイサービス事業を運営する事業所から保育所，幼稚園，学校などを訪問し，子どもの集団生活の適応を促すことを目的とした事業である。保育所等訪問事業を行う職員の所属は，児童発達支援事業所もしくは放課後等デイサービス事業所となるが，それらの事業所から訪問していることで，配置基準(勤務している状態であること)から外れるため，注意が必要である。

> **補足**
>
> **保育所等訪問指導**
> 保育所や学校などに所属する障害のある児童・生徒に対して，対象者が円滑に集団生活を送ることができるよう，訪問支援員が直接指導もしくは職員や教員へ助言を行う間接指導を行うものである。

児童発達支援は児童福祉法において「児童発達支援とは，障害児につき，児童発達支援センターその他の厚生労働省令で定める施設に通わせ，日常生活における基本的な動作の指導，知識技能の付与，集団生活への適応訓練その他の厚生労働省令で定める便宜を供与することをいう」[1]と定められ，未就学児を対象としている。

放課後等デイサービスは児童福祉法において，「学校教育法(昭和二十二年法律第二十六号)第一条に規定する学校(幼稚園及び大学を除く)に就学している障害児につき，授業の終了後又は休業日に児童発達支援センターその他の厚生労働省令で定める施設に通わせ，生活能力の向上のために必要な訓練，社会との交流の促進その他の便宜を供与することをいう」[1]と定められ，小学校入学から高校卒業までを対象としている。児童発達支援事業所と放課後等デイサービス事業所は，0歳から高校卒業までの期間で，発達に課題のある子どもの地域生活について保育園や学校と連携しながら，社会生活の自立を目指していく施設である（**図1**）。

アクティブラーニング 1 児童発達支援事と放課後等デイサービスを実施している近隣の事業所を調べ，その特徴を考察しよう。

図1 ライフコースと支援の提供

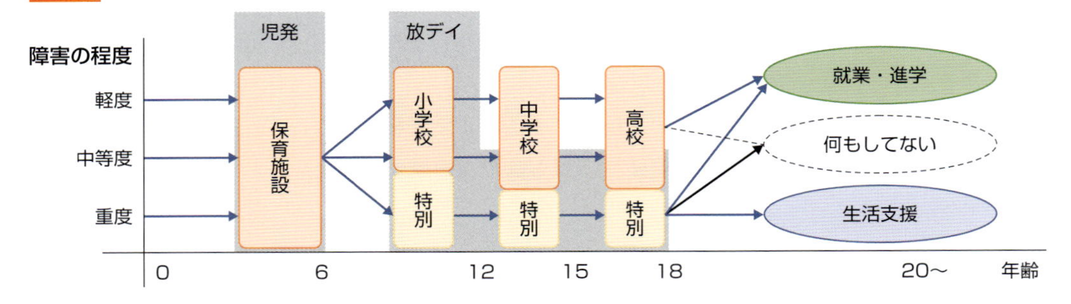

■児童発達支援事業所の概要

2021年の調査で全国に児童発達支援事業所は51,521カ所あり，53%が営利法人によって開設されている。『児童発達支援ガイドライン』[2]で示されている基本理念と役割を**表1，2**に示す。配置基準は管理者常勤1人で児童指導員は10人が定員の場合，2人（うち1人は常勤）以上の配置が求められている。また，機能訓練を提供する場合に作業療法士などを配置すると加算を算定することが可能となる（**図2**）[3]。

■放課後等デイサービス事業所の概要

2021年の調査で全国に放課後等デイサービス事業所は92,455カ所あり，63%が営利法人によって開設されている。就学児が対象となるため，利用時間は学校などに通う時間以外となるため，午後もしくは休日が中心となる。以下に『放課後等デイサービスガイドライン』[4]で定められている基本的役割と基本姿勢を示す（**表3，4**）。運営基準などは児童発達支援に準じている（**図3**）[5]。

表1 障害児支援の基本理念

- 障害のある子ども本人の最善の利益の保障：
  地域社会への参加・包容（インクルージョン）の推進と合理的配慮
- 家族支援の重視：
  障害のある子どもの地域社会への参加・包容（インクルージョン）を子育て支援において推進するための後方支援としての専門的役割

（文献2より引用）

表2 障害児支援の役割

児童発達支援は，児童福祉法第6条の2の2第2項の規定に基づき，障害のある子どもに対し，児童発達支援センター等において，日常生活における基本的な動作の指導，知識技能の付与，集団生活への適応訓練その他の便宜を提供するものである。

（文献2より引用）

図2　児童発達支援事業所の配置基準

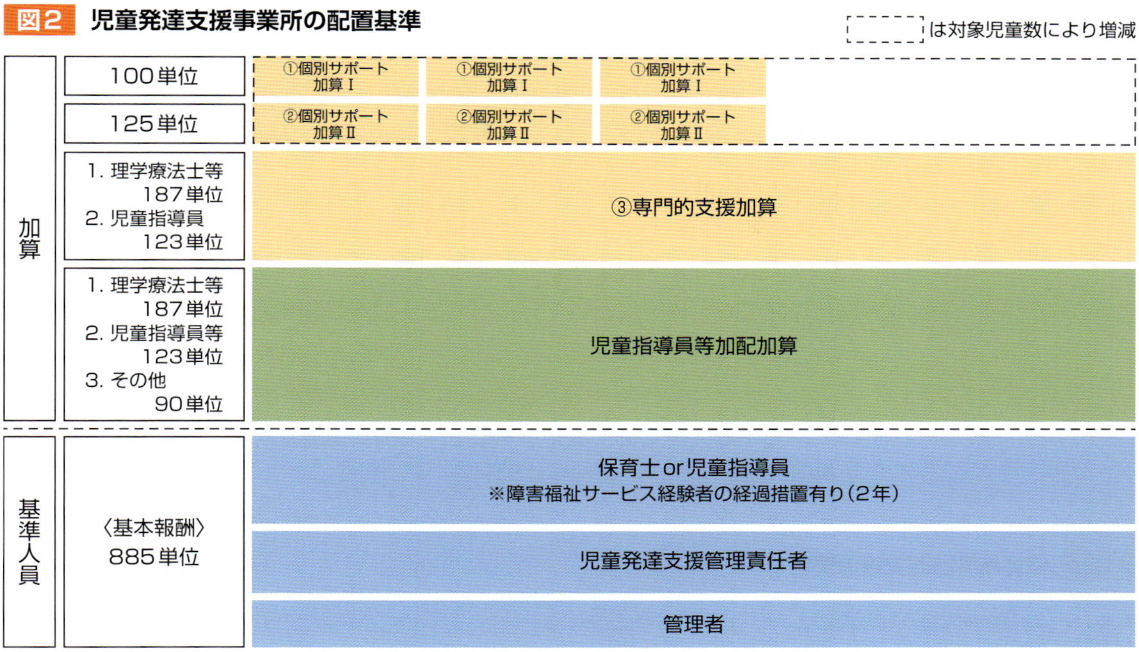

┆　┆は対象児童数により増減

区分	単位	内容
加算	100単位	①個別サポート加算Ⅰ／①個別サポート加算Ⅰ／①個別サポート加算Ⅰ
加算	125単位	②個別サポート加算Ⅱ／②個別サポート加算Ⅱ／②個別サポート加算Ⅱ
加算	1. 理学療法士等 187単位 2. 児童指導員 123単位	③専門的支援加算
加算	1. 理学療法士等 187単位 2. 児童指導員等 123単位 3. その他 90単位	児童指導員等加配加算
基準人員	〈基本報酬〉 885単位	保育士or児童指導員 ※障害福祉サービス経験者の経過措置有り（2年）
基準人員		児童発達支援管理責任者
基準人員		管理者

（文献3より引用）

表3　放課後等デイサービスの基本的役割

- 子どもの最善の利益の保障
- 共生社会の実現に向けた後方支援
- 保護者支援

（文献4より引用）

表4　放課後等デイサービスの基本姿勢（一部抜粋）

放課後等デイサービスの対象は，心身の変化の大きい小学校や特別支援学校の小学部から高等学校等までの子どもであるため，この時期の子どもの発達過程や特性，適応行動の状況を理解した上で，コミュニケーション面で特に配慮が必要な課題等も理解し，一人ひとりの状態に即した放課後等デイサービス計画（＝個別支援計画）に沿って発達支援を行う。

（文献4より引用）

図3　放課後等デイサービスの運営基準

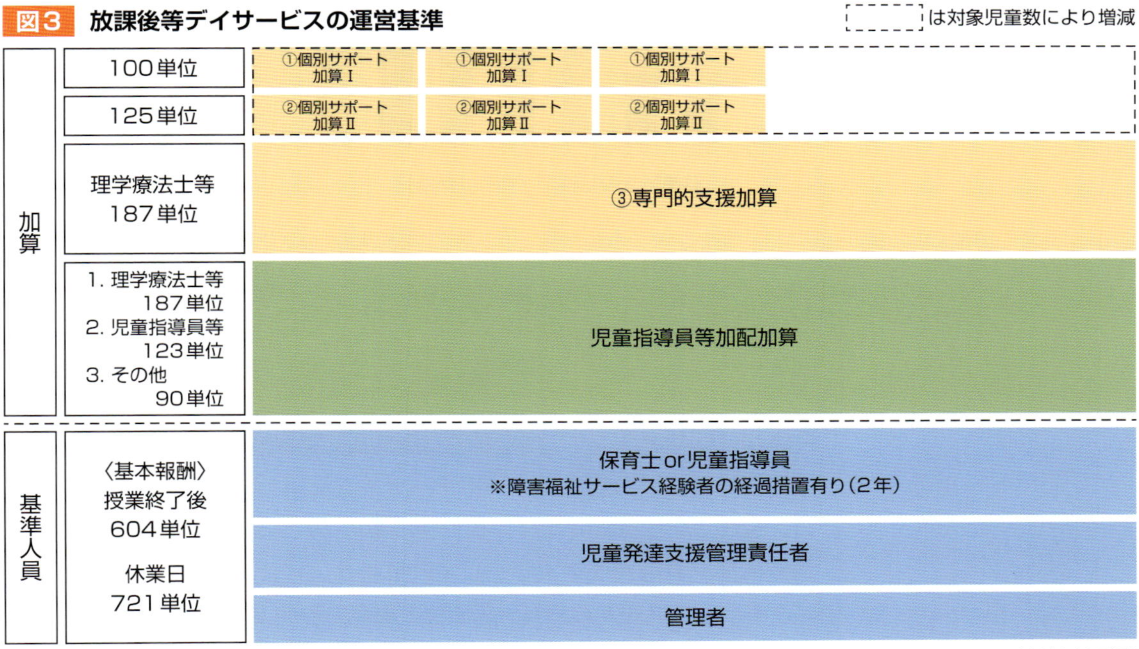

┆　┆は対象児童数により増減

区分	単位	内容
加算	100単位	①個別サポート加算Ⅰ／①個別サポート加算Ⅰ／①個別サポート加算Ⅰ
加算	125単位	②個別サポート加算Ⅱ／②個別サポート加算Ⅱ／②個別サポート加算Ⅱ
加算	理学療法士等 187単位	③専門的支援加算
加算	1. 理学療法士等 187単位 2. 児童指導員等 123単位 3. その他 90単位	児童指導員等加配加算
基準人員	〈基本報酬〉 授業終了後 604単位 休業日 721単位	保育士or児童指導員 ※障害福祉サービス経験者の経過措置有り（2年）
基準人員		児童発達支援管理責任者
基準人員		管理者

（文献3より引用）

■保育所等訪問支援事業の概要

保育所等訪問支援事業は2012年(平成24)から施行された新サービスである。本事業は「障害児支援の見直しに関する検討会報告書」(2008年)[5]では，障害のある子どもの地域社会への参加・包容(インクルージョン)を推進するためには，①保育所等においては障害のある子どもの受け入れを促進していくこと，②障害児通園施設等に通っていた子どもが円滑に保育所等に通えるようにすることが必要であるとされ，子どもが生活をしている保育園や学校等において，その場で支援を提供するものである。

児童発達支援事業所，放課後等デイサービス事業所の普及に比較すると，サービスの増加量が少ない現状がある(**図4**)[6]。支援の内容は子どもに対する直接支援，職員などに対する間接支援，アセスメントが含まれている。

図4 保育所等訪問支援の現状

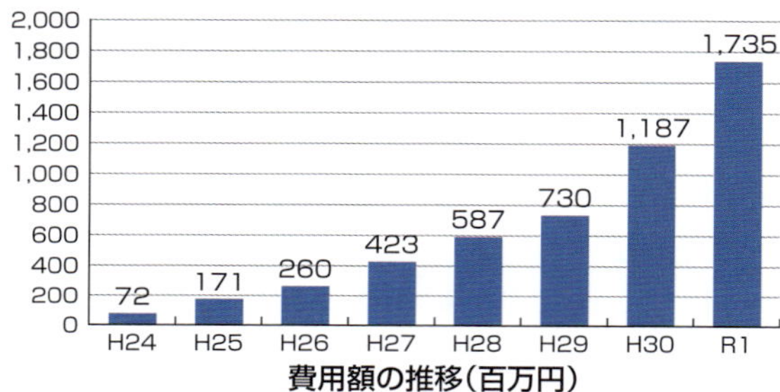

費用額の推移(百万円)

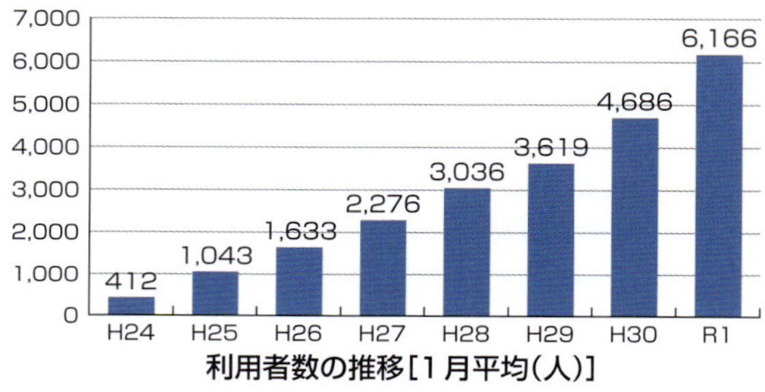

利用者数の推移[1月平均(人)]

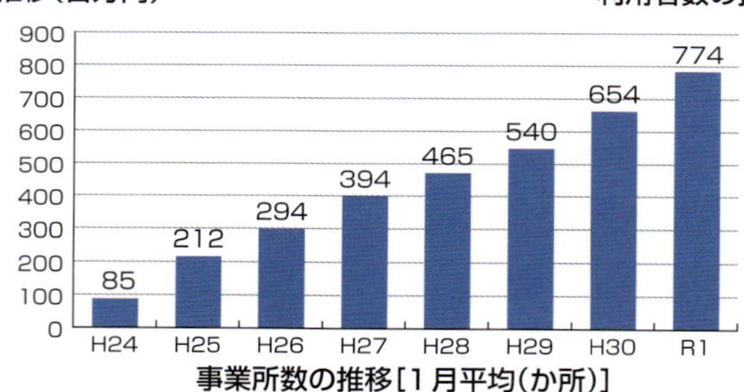

事業所数の推移[1月平均(か所)]

【保育所等訪問支援の現状】
○令和元年度の費用額は約17億円であり，障害福祉サービス等全体の総費用額の0.06%，障害児支援全体の総費用額の0.4%を占めている。
○平成24年度の新制度開始時に新規事業として創設。増加傾向ではあるが，児童発達支援，放課後等デイサービスと比較すると小規模。

(文献6より引用)

2 作業療法士の役割

児童発達支援，放課後等デイサービスを利用している**保護者のニーズ**は，令和2年度障害者総合福祉推進事業の「障害者支援のあり方に関する調査研究－放課後等デイサービスの在り方－」[7]によると社会性やコミュニケーションスキルの獲得，④感性と表現力の向上を重視している傾向が示されている(**図5**)[8]。

図5　障害児通所支援事業所における保護者の利用ニーズ

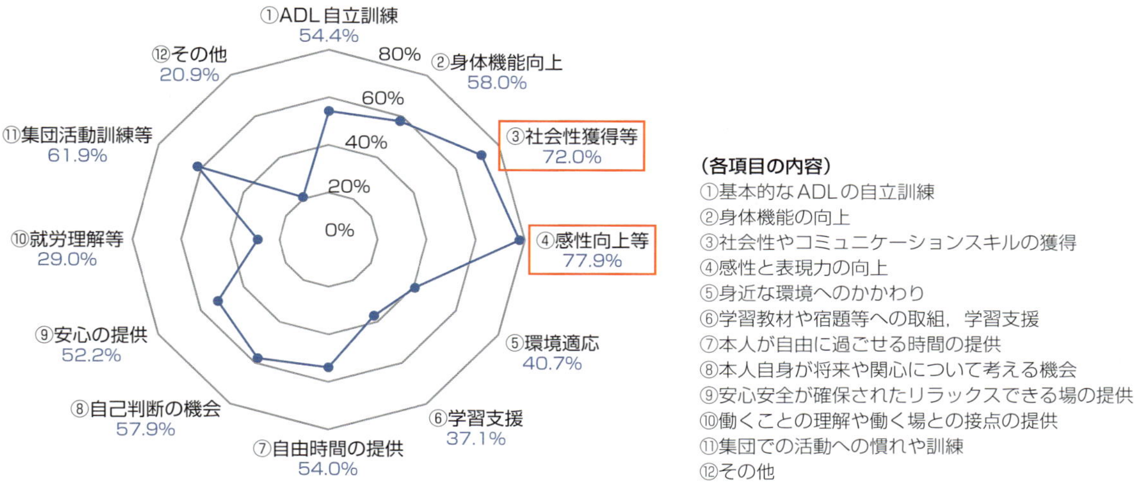

※複数回答可。各項目の選択率を%で表示

障害児通所支援事業所を利用する児童の保護者に対して実施したアンケート調査では，③社会性やコミュニケーションスキルの獲得，④感性と表現力の向上を重視している保護者が多かった。
なお，母親の就労形態（正規・非正規の別，土日祝日勤務の有無等）との相関関係は見られなかった。

（文献8より引用）

支援を受けるにあたって，保護者の気付きは重要である。普段の生活や集団生活などにおいて，育てにくさや何らかの課題に気付いた保護者は，行政機関，保育園や学校等，相談支援事業所などで相談し，通所の必要性を認識して通所支援を提供される。通所支援が提供されるとき，保護者が気付いている生活上の困りごとは，表面に現れている一側面であることが多い。作業療法士は心身の機能発達，活動の発達を分析して，**生活上の困りごとを解決する手段を提供**できる（図6，7）。子どもの機能や活動の状態を把握したうえで，子どものライフステージに合わせた支援内容を計画し，現在の子どもの社会で求められている活動に着目したプログラムを立案することになる。

児童発達支援事業所・放課後等デイサービス事業所の運営には，大きく分けて2種類の傾向がある。一つは子どもの生活上の課題を解決することに主眼を置いた専門療育型の事業であり，もう一つは保護者のレスパイトを中心とする1日預かり型の事業である。専門療育型の事業所は滞在時間が少なく，個別もしくは小集団でのプログラムが中心となる。1日預かり型の事業所は滞在時間が長く，個別の活動時間は限られる傾向にある。

プログラムの内容は専門療育型では，より専門性を追求したサービスが求められる傾向がある。詳細に子どもの生活上の課題を分析し，解決できる手段を提示し，保護者や子どもの社会に必要な支援者と連携する。1日預かり型の施設では，個別的な支援を提供できる時間が限られるため，子どものケアについて，生活上の困りごとを軽減できるケアを提供するために，職員間の連携が重要となる。

図6　心身の機能発達，活動の発達による支援

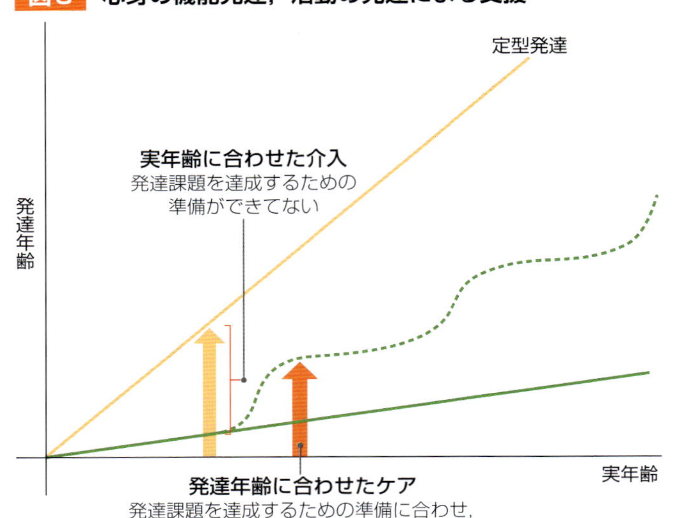

図7　それぞれの発達障害における特性

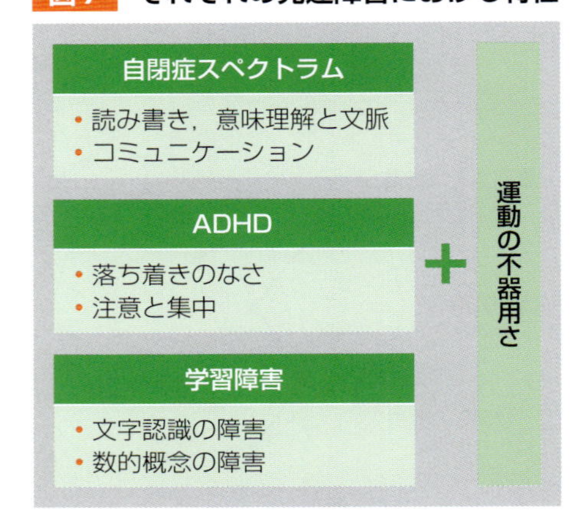

Case Study

Aさんは小学2年生の女児で，入学前から言葉が遅いこと，動きが多いことを保護者が気にしていた。就学前健診で発達の遅れを指摘され，サービス開始となった。本児の課題は言語発達の遅れ，多動性に加えて，目と手の協調性の低さ，感覚入力の未熟さが挙げられた。

言語聴覚士による「ことば」へのアプローチに加え，目と手の協調性の低さについて作業療法士にコンサルテーションが求められ作業療法が開始された。当初は鉛筆を持つことが安定せず，集団握りで書きなぐる，線に沿って書くことができない状況であった。眼球運動，紙面上の視覚走査が不十分で，ボールを取ることができなかった。

Question 1

上記の課題に対して，Aさんへの就学前の作業療法としてどのような介入が考えられるか

☞ 解答 p.177

小学校入学ごろまでに，「ことば」の発達は向上し，通常級に通うことになった。小学校ではひらがなや漢字を書くことについて，マスに収まらないことが課題とされた。漢字については特に横線が多いものについて，線の数が合わない傾向があった。

Question 2

上記の課題に対して，小学校に通うAさんへの作業療法としてどのような介入が考えられるか

☞ 解答 p.177

本児への介入で心がけていたことは，保護者への説明である。保護者は子どもの特徴について熱心に調査し，作業療法士に提案してきた。作業療法士は保護者からの相談に対して，現在の機能や状態と活動との関連を丁寧に説明し，理解を求めると同時に，優先順位をつけたうえで家庭での支援と事業所の支援，学校への働きかけを行った。その結果，学校を楽しみながら，必要な学習活動に取り組むことができるようになった（図8）。

図8　学習活動に取り組む様子

手掌握りでなぞり書きをする様子

【引用文献】
1) 児童福祉法(昭和二十二年法律第百六十四号)第六条の二の二.
2) 厚生労働省：児童発達支援ガイドライン(https://www.mhlw.go.jp/file/06-Seisakujouhou-12200000-Shakaiengokyokushougaihokenfukushibu/0000171670.pdf, 2023年5月19日閲覧)
3) 厚生労働省：令和3年度障害福祉サービス等報酬改定における主な改定内容(https://www.mhlw.go.jp/content/000759620.pdf, 2023年5月13日閲覧)
4) 厚生労働省：放課後等デイサービスガイドライン(https://www.mhlw.go.jp/file/05-Shingikai-12201000-Shakaiengokyokushougaihokenfukushibu-Kikakuka/0000082829.pdf, 2023年5月19日閲覧)
5) 厚生労働省：障害児支援の見直しに関する検討会報告書. 平成20年7月22日(https://www.mhlw.go.jp/shingi/2008/07/dl/s0722-5a.pdf, 2023年5月19日閲覧)
6) 厚生労働省：インクルージョンの推進関連資料(https://www.mhlw.go.jp/content/12401000/000824134.pdf, 2023年5月19日閲覧)
7) 令和2年度障害者総合福祉推進事業：障害者支援のあり方に関する調査研究－放課後等デイサービスの在り方－事業報告書. 令和3年3月(https://www.mhlw.go.jp/content/12200000/000797294.pdf, 2023年5月19日閲覧)
8) 障害児通所支援の在り方に関する検討会：障害児通所支援の現状等について. 令和2年度障害者総合福祉推進事業「障害者支援のあり方に関する調査研究-放課後等デイサービスの在り方-」報告書より(https://www.mhlw.go.jp/content/12401000/000801033.pdf, 2023年5月19日閲覧)

チェックテスト

Q

①児童発達支援事業所にはどのような類型があるか(☞p.149)。 基礎

②児童発達支援事業所・放課後等デイサービス事業所のサービス内容について，レスパイト型である場合には，作業療法士の役割はどのようなものがあるか(☞p.153)。 臨床

③障害児通所支援における保護者のニーズとして多いものを挙げよ(☞p.153)。 臨床

11 認知症対応型共同生活介護，看護小規模多機能型居宅介護

村島久美子

Outline

- 認知症対応型共同生活介護は，要支援２以上の認知症と診断された人が共同生活を行う場所である。また，小規模多機能型居宅介護や看護小規模多機能型居宅介護は，自宅で暮らしながら「訪問・通い・泊まり」を一体的に利用できるサービスである。
- わかりやすいサインの掲示やコントラストの明確な家具を配置することが，認知症の人が新しい環境に適応できる手助けになる。
- 本人の残存能力を活かせるように職員が，身体機能・認知機能面を踏まえたかかわりができるように共有することで，人的環境を整えることができる。

1 認知症の人が暮らす場所

認知症の人が暮らす場所は，大きく分けて"自宅"と"施設"がある。施設は，老人保健施設（通称：老健）や特別養護老人ホーム（通称：特養）などさまざまな種類があるが，そのなかでも認知症と診断された人だけが利用できる施設がある。それが，「認知症対応型共同生活介護（以下，認知症グループホーム）」である。

認知症グループホームは，認知症と診断された人が，住み慣れた地域で生活を続けられるようにすることが目的である。小規模で家庭的な生活環境のもと，低下した認知機能をサポートしながら本人の自己決定を支援し，できることやわかることに着眼しながら，生活支援を中心とするケア[1]を提供している。認知症グループホームの大きな特徴として，建物自体が家庭的で落ち着いた環境を整えることが推奨されている。また，一事業所の定員は，5～18人と少人数であるため，入居者や介護職員など顔なじみの人と日常生活を送ることができる。食事は大規模な施設のように調理室で職員が調理したものを提供するのではなく，入居者が一緒になって献立を考えて調理するというのが特徴である。人員配置基準に作業療法士を含めリハビリテーション専門職は求められていないが，生活そのものをリハビリテーションととらえるならば作業療法士は一人一人の能力に応じた手段的日常生活活動（IADL：instrumental activities of daily living）の参画方法を提案することができる。

もう1つの認知症の人が暮らす場所として，"自宅"がある。「住み慣れた自宅で暮らしたい，家族と暮らしたい，自分一人で気ままに暮らしたい」など，さまざまな思いで自宅での暮らしを選択している。施設で暮らすよりも，比較的自分のペースで過ごすことが可能である。しかし，住み

補足

認知症グループホーム[2]

対象：要支援２または要介護１以上の認知症の診断を受けた者

- 入居者数：１ユニット当たり5～9人，１事業所で2ユニットまで運営可能（※地域によっては3ユニットまで運営可能）
- 施設内設備：居間，食堂，台所，浴室，防火設備等
- 人員配置：代表者，管理者，計画作成担当者，介護従事者（日中は3人の入居者に対して1人配置される）

慣れた自宅で最期まで暮らすためには，認知機能の低下に伴い自分一人ですべて生活を営むことが難しくなることが予測されるため，先々に“備え”なければいけない。具体的な“備え”とは，残存機能を活かせる環境の調整や道具の活用，友人や地域住民とのネットワークを活かした互助，高齢者クラブや老人会などのインフォーマル・サービス(互助)，介護保険サービスといった公的サービスの活用である。

介護保険サービスは多様化しつつあり，デイサービスやデイケアといった居宅サービスだけではなく，地域密着型サービスを利用する人が増えている。自宅で暮らしている人が利用できる地域密着型サービスには，「小規模多機能型居宅介護(通称：小多機)」や「看護小規模多機能型居宅介護(通称：看多機)」がある。これらは，①通い，②泊まり，③訪問が一体になったサービス体系である。つまり，顔なじみのスタッフが利用者の自宅を訪問したり，通いの場にもいるため，利用者にとっては安心できる環境といえる。また，看護小規模多機能型居宅介護は，訪問看護ステーションも併設しているため，医療と介護の一体的支援が可能である。

補足

地域密着型サービス[3]

地域密着型サービスとは，今後増加が見込まれる認知症高齢者や中重度の要介護高齢者等が，出来る限り住み慣れた地域で生活が継続できるように，市町村指定の事業者が地域住民に提供するサービス。

(1)定期巡回・随時対応型訪問介護看護
(2)夜間対応型訪問介護
(3)認知症対応型通所介護
(4)小規模多機能居宅介護
(5)看護小規模多機能型居宅介護(複合型サービス)
(6)認知症対応型共同生活介護(グループホーム)
(7)地域密着型特定施設入居者生活介護
(8)地域密着型介護老人福祉施設入所者生活介護
(9)地域密着型通所介護

補足

看護小規模多機能型居宅介護[4]

- 対象：要介護1以上で看多機事業所がある市町村在住
- 登録者数：29人以下
- 施設内設備：居間，食堂，台所，浴室，防火設備等
- 人員配置：代表者，管理者，専属のケアマネジャー，従事者(日中は3人の入居者に対して1人配置される。必ずしも資格を有する必要はない)

※自治体によってルールが異なるので，詳細は各市町村に確認を。

アクティブラーニング 1 認知症グループホームは，どのような人が対象か。また，そこでどのような生活を送っているか。厚生労働省のホームページから「認知症対応型共同生活介護・認知症グループホーム」と検索して調べてみよう。

2 安心して過ごせる環境づくり

認知症グループホームでの生活であっても，小多機や看多機など通いの場であっても，認知症の人が安心して過ごせる環境をいかにつくるかという点が重要である。住み慣れた自宅では，加齢に伴う視覚・聴覚機能の低下や認知症の中核症状である場所の見当識障害，理解・判断力の低下，記憶障害を有していても，手続き記憶を活かして“なんとなく”行動することができる。例えば，寝室からトイレまでの動線は暗闇の中であっても移動が可能であったり，体がキッチン内の家具や道具の配置に慣れているため調理が継続できることもある。しかし，認知症グループホームは家庭的な環境であったとしても，今まで何十年と過ごした環境とは異なるため，“なんとなく”感覚的に動くことが難しい。小多機や看多機も同じように日ごろ過ごす自宅とは違う環境になじめず，感覚的に動くことが難しくなる。特に，トイレの場所がわからず混乱し不安が増強するなど行動・心理症状(BPSD：behavioral and psychological symptoms of dementia)に発展することもある。そこで，筆者がかかわった看多機では英国スターリング大学認知症サービス開発センター(DSDC：Dementia Services Development Centre)の認知症デザインを適応し，物理的環境を工夫した。以下にその例を示す。

■トイレのサイン掲示

「トイレに行く」という動作をうまく引き出すためには，①トイレに行きたいと感じる，②トイレの場所まで移動する，③トイレと認識してドアを開ける，④便座の位置を確認するという工程を経て，便座の前にたどり着くことができる。これらの工程をサポートするために，通り道にサインを掲示することやトイレのドアの先に便座があることをイメージしやすくなるようピクトグラムを活用している。また，サインを掲示する高さは高齢者の視線の高さに合わせて床から1.2m程度に配置することとしている（図1）。

■椅子へのアプローチ

加齢に伴い視覚機能が低下するが，認知症の人の場合さらに視野が狭くなったりコントラストの認識が低下したりする。そのため，手すりを把持しようとして掴み損ねたり，椅子に腰かけようとして転倒したりすることがある。そこで，明るくなるように部屋の照度を高めに設定し，加えて床と家具のコントラストを強くすることで手すりや椅子を認識しやすくしている（図2）。

図1　トイレのサイン掲示

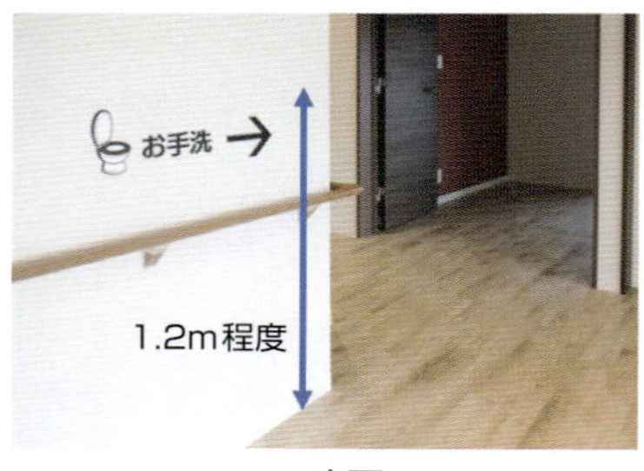

a　廊下

b　トイレのドア

図2　椅子へのアプローチ

a
椅子と床とのコントラストが明確

b
テーブル・椅子と床とのコントラストが明確

■食事環境へのアプローチ

前述したコントラストの応用として，食事もその一つとして考えることができる。一般に使われる茶碗は，陶器製で内側が白色なものが多い。その茶碗の中にご飯を入れると，同色であるため認識できず完食できないという人もいる。そこで，茶碗は黒色のものを用いて，ご飯とのコントラストが明確になるようにした。加えて，テーブルとランチョンマット，ランチョンマットと茶碗ともコントラストが明確になるようにランチョンマットの色も工夫した（図3）。

図3 食事環境へのアプローチ

a
濃い色の丼にすることで，スープの量が明確になる。

b
濃い色の茶碗にすることでご飯が認識しやすい。

アクティブラーニング② 認知症の人の残存機能・能力を活かした環境づくりは，どのように一人一人に合わせるとよいだろうか。身体機能，認知機能，加齢に伴う変化，認知症による症状などを組み合わせて考えてみよう。

3 作業療法士の強みを活かす

認知症グループホームや小多機・看多機に，作業療法士の設置基準がないため，必ずしも各事業所の利用者に作業療法士がかかわるわけではない。しかし，作業療法士がかかわることで得られるメリットも多い。作業療法マニュアルでは，認知症高齢者のリハビリテーションの目的は，①情緒の安定，②残存する機能・能力の維持・向上，③生活環境の調整，④安定した日常生活の維持と書かれている[5)]。前述したような物理的環境を整えることは，不安が軽減し落ち着いて過ごすきっかけになる。しかし，認知症の人の不安や混乱がすべて解決するわけではない。あくまでも一人一人の残存機能・能力に合わせて環境や道具を微調整する必要がある。例えば，トイレの場所がわかりやすいようにサインの掲示を工夫したとする。併記する言葉が「お手洗い」がわかりやすい人と，「トイレ」がわかりやすい人がいるだろう（図4）。その場合，入居者や利用者がよく使うトイレまでの動線を本人が理解しやすい言葉と向きやすい目線の先にサインを掲示することで，混乱を引き起こさずに移動することができる。これは，その人の認知機能面を評価できているから提案できることである。

図4 トイレのサイン

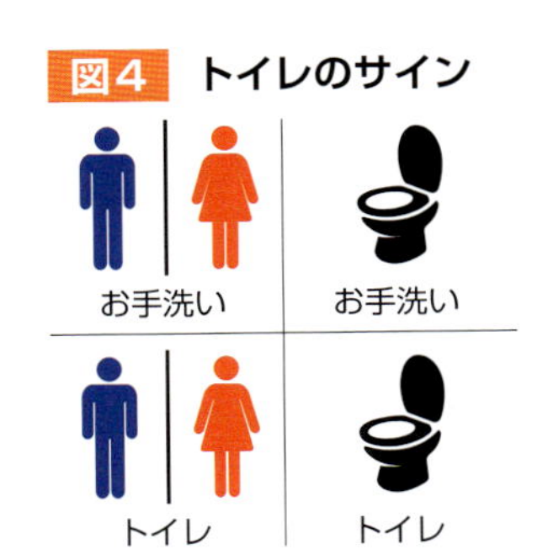

もう1つ重要な環境調整は，人的環境である。ここでいう人的環境は，本人にかかわる支援者・事業所職員などを指す。本人が安心してよりよく過ごすためには，人とのコミュニケーションや声かけが重要である。作業療法士として人的環境となる職員へどのようにかかわることができるだろうか。いくつかポイントはあるが，ここでは2つ挙げる。

①**本人の生活に即したリハビリテーションの共有**：本人が主体的に語った情報を踏まえた姿勢や歩行の介助提案，本人が受け入れやすい口腔ケアの提案，認知機能面や心肺機能・嚥下機能を踏まえたコミュニケーションの提案など
②**介護スタッフの技術相談**：ポジショニングや車椅子，一般の椅子のシーティング，解除方法，転倒予防，安全な環境づくりなど

本人の生活に即したリハビリテーションの共有では，各職種が聞き取る生活歴の情報も重要だが，作業療法士の面接場面で聞き取る「意味のある作業」に関する聞き取りが活かされるだろう。本人がこれまでの人生のなかで何を大切にしてきたのか，これからも続けたいと思っている生活行為は何か，などである。そこから，本人のコミュニケーション能力や理解・判断力，短期記憶や見当識，注意機能など認知機能面を評価し状態を把握することで，本人の混乱を防ぐコミュニケーションの方法や各種介助方法の提案などに活かされるだろう。例えば，本人が行動しようとした瞬間，職員から不用意に声をかけるとどうなるだろうか。呼び止められたと認識して振り向くなど新たな行動を起こすため，その前に行動しようとしていたことが中断される。そのような場面が繰り返されると，行いたいと思う行動を起こさなくなる可能性もある。また，動作を中断することで本人のなかで思考の混乱が起こる可能性があり，それが不安や興奮などのBPSDへと発展する可能性もゼロではない。

それでは，どうすればよいだろうか。まずは本人が職員を認識できるように本人の注意が向きやすい方向から視野に入り，注意喚起を促す。そのうえで，評価した言語理解力を踏まえて単語レベルでの会話がよいか，短文レベルでの会話がよいかを職員と共有した方法で声をかける。このようなやり取りを繰り返すことで，本人が過ごしやすい環境を整えることにつながるのである。また，介護スタッフの技術相談という点においては，本人の身体機能・認知機能面の残存能力を活かした介助方法を提案することが重要である。介助方法は画一的なものであってはならず，一人一人に合わせて変えていくべきものである。そこで，作業療法士が行う一人一人の身体機能・認知機能面の評価を踏まえた介助方法の提案が，介護スタッフの後方支援となる。

4 まとめ

認知症の人の生活において，作業療法士は本人の身体機能・認知機能の残存能力を活かし，生活歴を踏まえた過ごしやすい環境をつくることを教育課程から学んでいる。特に，認知症グループホームや看多機など集団生活を求められる環境では，画一的な環境や介助になりがちであるが，作業療法士がかかわることで一人一人の特徴をとらえた物理的環境調整や介護方法の共有が期待できる。

【参考文献】
1. 厚生労働省：認知症グループホームの強みを活かして！（https://www.mhlw.go.jp/file/06-Seisakujouhou-12300000-Roukenkyoku/grouphome.pdf，2023年5月8日閲覧）
2. 厚生労働省：社会保障審議会ー介護保険給付費分科会第179回資料6. 認知症対応型共同生活介護（https://www.mhlw.go.jp/content/12300000/000647295.pdf，2023年5月8日閲覧）
3. 長寿科学振興財団健康長寿ネット：地域密着型サービスとは（https://www.tyojyu.or.jp/net/kaigo-seido/chiiki-service/chiiki-service.html，2023年5月8日閲覧）
4. 長寿科学振興財団健康長寿ネット：“看護小規模多機能型居宅介護とは（https://www.tyojyu.or.jp/net/kaigo-seido/chiiki-service/fukugogatasabisu.html，2023年5月8日閲覧）
5. 日本作業療法士協会：認知症高齢者の治療・援助．作業療法マニュアル39認知症高齢者の作業療法の実際ーICFを用いた事例の紹介ー，p.10，2014.

チェックテスト

Q

①認知症グループホームや小規模多機能型居宅介護（小多機），看護小規模多機能型居宅介護（看多機）の特徴は何か（☞p.156，157）。 臨床

②認知症の人が暮らす場所の1つである自宅では，どのようなサービスが利用できるか（☞p.157）。 臨床

③本人の動きを自然と導き出せるような環境の工夫にはどのようなものがあるか（☞p.157，158）。 臨床

④作業療法士は物理的環境や人的環境に対してどのようにアプローチができるか（☞p.159，160）。 臨床

12 障害者グループホーム

水野高昌

Outline

- 障害者グループホームとは「共同生活援助」のことであり，物件の形態，サービス提供の方法，利用期限による類型がある。
- 障害者グループホームの利用には各市町村への申請が必要であり，承認を受けると個別支援計画に沿ったサービス内容が施設スタッフより提供される。
- 臨床での実践について，地域では作業療法士の特性を活かした評価・介入を行っている。

1 障害者グループホームについて

障害者グループホームとは，障害者総合支援法(障害者の日常生活及び社会生活を総合的に支援するための法律)に基づく障害福祉サービスの1つで，「自立支援給付」の内の「訓練等給付」に位置付けられている。正式な事業名称を「**共同生活援助**」とよび，障害を抱えた利用者が少人数(6名程度)で共同生活を行う住まいのことをいう。利用者の個室のほか，居間や食堂の機能をもった**交流室**(図1)や台所，浴室，食堂などが設置されており，共同生活を通じて他者との接し方を学びながら，日常生活を送ることができる[1)]。

図1 交流室

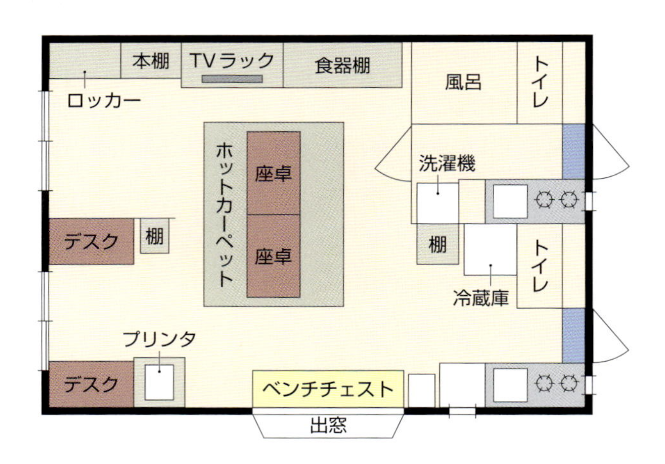

■物件の形態による類型

一軒家や賃貸マンション・アパート，公営住宅など，さまざまな物件の形態があり，大まかにはシェアハウス型(図2a)とアパート型(図2b)，そしてサテライト型(図2c)に分かれる。自身の障害や状態などによって，住居のタイプを選ぶことができる。

図2　シェアハウス型とアパート型とサテライト型

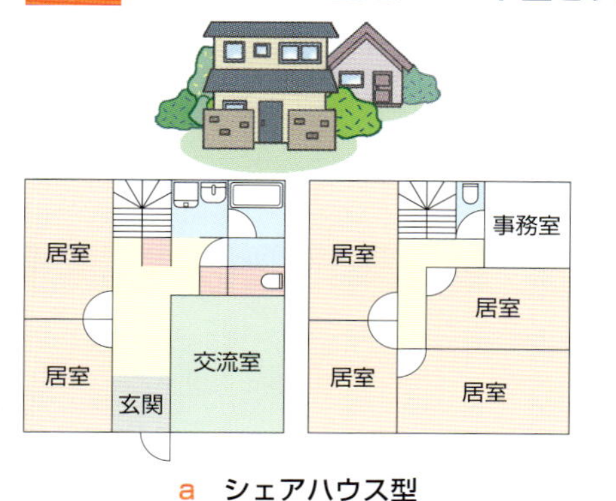

a　シェアハウス型

居室3	居室4	居室5
居室1	居室2	交流室

b　アパート型

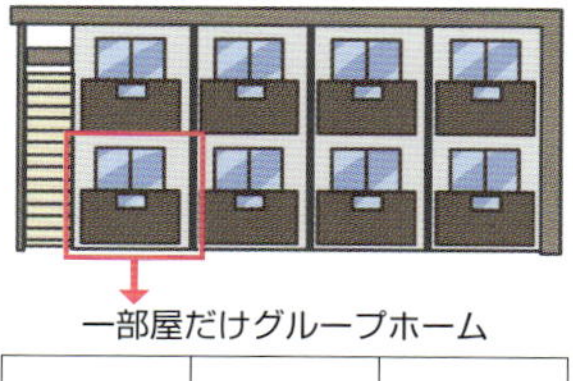

一般	一般	一般
居室6	一般	一般

c　サテライト型

①シェアハウス型（図2a）

一軒家などで少人数が共同生活を行う。アパート型と比べ，スタッフがより身近にいるので，相談などがしやすい。他の入居者やスタッフとの接点が自然と増え，社会性が身に付く。

②アパート型（図2b）

アパートやマンションタイプの個室で生活する。別室に交流室などは設けられているが，シェアハウスと比べれば一人暮らしに近い環境である。将来，自立して単身生活するための準備や心構えができる。

③サテライト型

緊急時や困りごとが発生した際にスタッフがいつでも駆けつけられるように，本体住居（上記①②）からおおむね20分以内で移動可能な距離に設置されている。また，スタッフによる定期巡回もあるため，支援を受けつつ自立に向けた支援を受けられる（図2c，3）。

図3　サテライト型

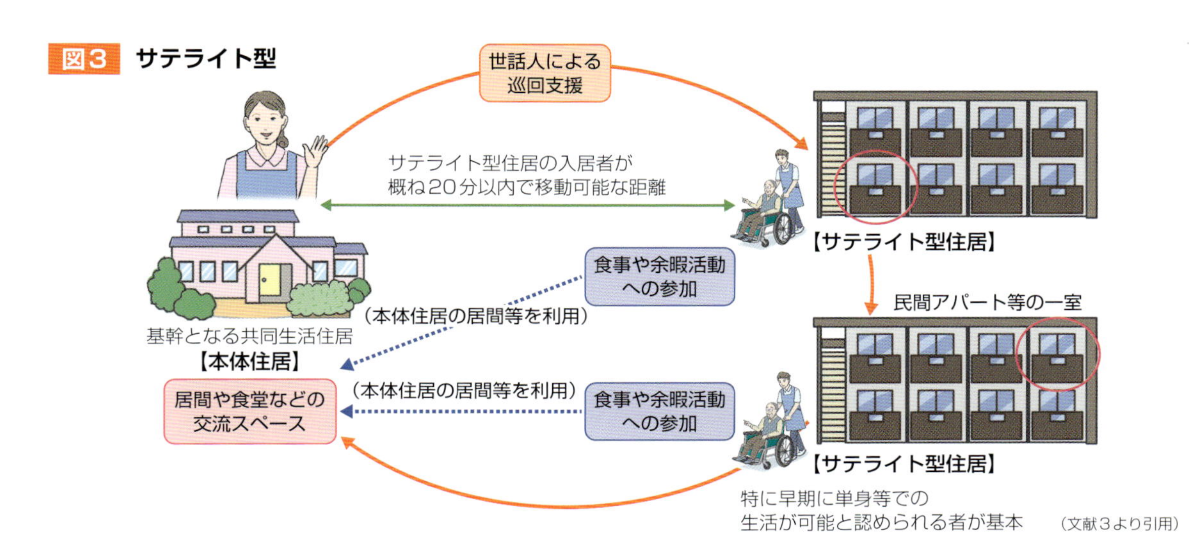

（文献3より引用）

■サービス提供の方法による類型

障害者グループホームには，サービス提供の方法によって3つの種類に分類される(**表1**，**図4，5**)。

表1　障害者グループホームのサービス提供方法と利用期限による類型

		介護サービス包括型	外部サービス利用型	日中サービス支援型
国制度	介護対応	あり	居宅介護事業所に委託	あり
	世話人	6：1以上	6：1以上	5：1以上
	生活支援員	区分に応じて配置	不要(居宅介護事業所に委託)	区分に応じて配置
	職員の夜間配置	必要に応じて(夜勤または宿直)	必要に応じて(夜勤または宿直)	必置(夜勤)
	ユニットの定員	2～10人	2～10人	2～10人
都制度	滞在型	• 都内に存在し，障害者総合支援法に基づく東京都知事等の指定を受けているグループホーム(国制度の3類型いずれか)であって，通過型の指定を受けていないもの →上記の国制度と同じ		
	通過型	• 都内に存在し，障害者総合支援法に基づく東京都知事等の指定を受けているグループホームであって，次の要件を満たすもの • 利用期限：概ね3年で単身生活へ移行 • 定員：4～7人 • 職員：常勤専従1名以上，世話人は精神保健福祉士または社会福祉士等の国家資格を取得しているもの		

(文献1より改変引用)

図4　介護サービス包括型と外部サービス利用型

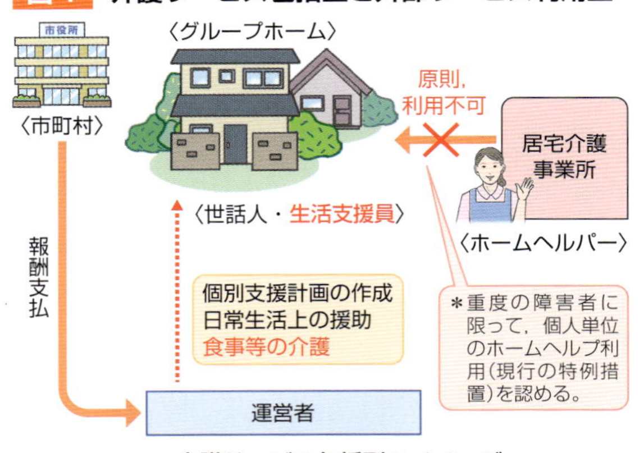

a　介護サービス包括型のイメージ

介護サービスについては，現行のケアホームと同様に当該事業所の従業者が提供。
利用者の状態に応じて，介護スタッフ(生活支援員)を配置。

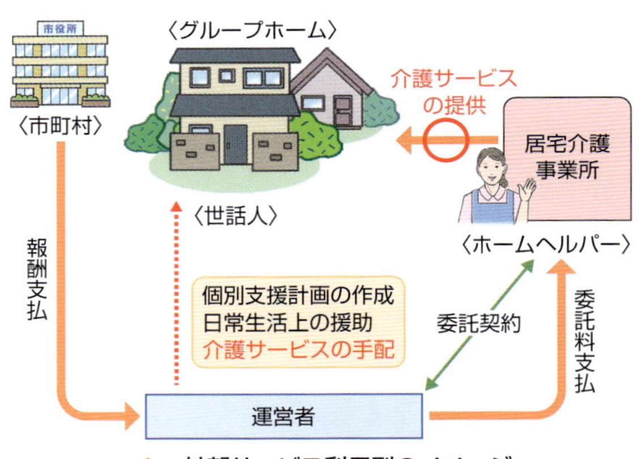

b　外部サービス利用型のイメージ

介護サービスについて，事業所はアレンジメント(手配)のみを行い，外部の居宅介護事業者等に委託。
介護スタッフ(生活支援員)については配置不要。

(文献4より引用)

図5 日中サービス支援型

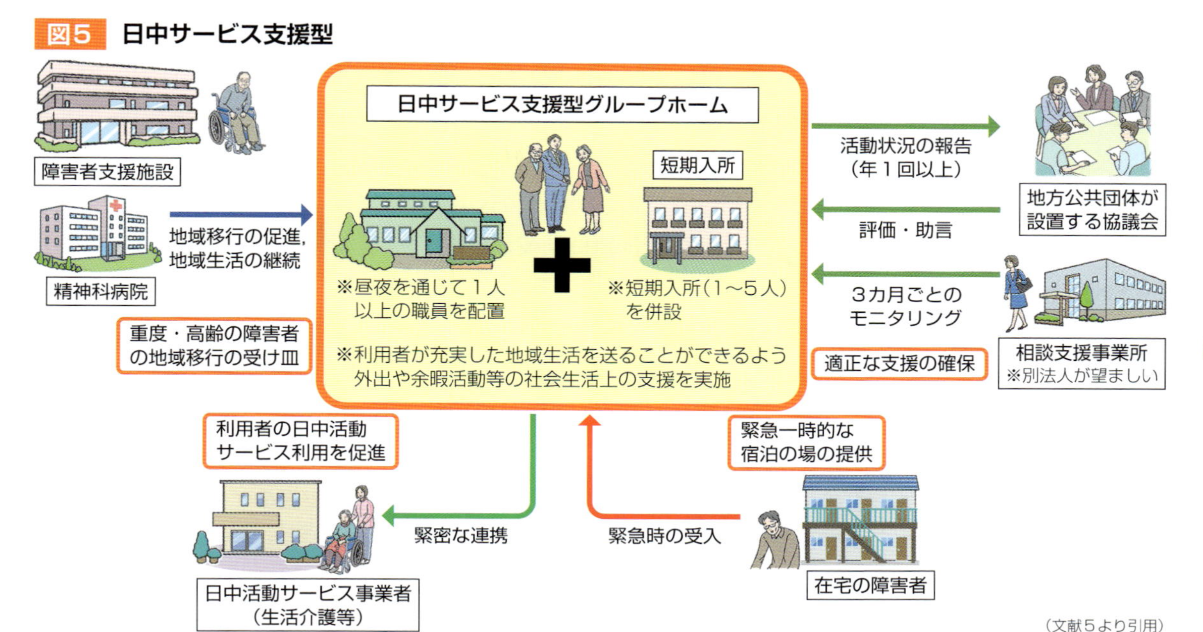

（文献5より引用）

①介護サービス包括型（図4a）

主に夜間や休日において介護が必要な人のため，食事や入浴，排泄などの介護サービスを**グループホームのスタッフが提供する**。

②外部サービス利用型（図4b）

主に夜間や休日に相談や家事といった日常生活上の援助を提供し，入浴や排泄などの介護は事業所が委託契約を結んだ**外部の介護事業者が行う**。

③日中サービス支援型（図5）

2018年に新設された，障害者の重度化・高齢化に対応するために創設された共同生活援助の新たな類型であり，短期入所を併設し地域で生活する障害者の緊急一時的な宿泊の場を提供する。施設などからの地域移行の促進および地域生活の継続など，地域生活支援の中核的な役割を担う。

24時間の支援体制もしくは短期入所施設の併設によって，日常生活の支援や相談，介護など幅広いサービスを提供する。

■利用期限による類型

精神障害を対象にした障害者グループホームの場合，自治体によっては通過型と滞在型の2種類を設けている（表１）。

①滞在型

利用者の単身生活への移行に関する期限はなく，長期にわたり利用することができる。

補足

グループホーム
地域にあるグループホームには，障害者が利用するものと，高齢者が利用するものがある。前者は障害者総合支援法に基づく共同生活援助であり，後者は介護保険法による認知症対応型共同生活介護である。

②通過型

利用者が地域で自立した生活ができるよう，住居の提供と日常生活において必要な援助を行うとともに，単身生活への移行を図るための取り組みや援助を提供する。単身生活への移行は，おおむね3年間でできるよう取り組み，利用者が正当な理由なく長期にわたり利用することはできない。先行して東京都では独自事業として2009年より実施しており，国としても「新たなグループホームにおける支援のイメージ」として，今後の導入を検討している（図6）。

図6　今後のグループホームの検討の方向性と新たなグループホームにおける支援のイメージ

今後のグループホームの検討の方向性（案）

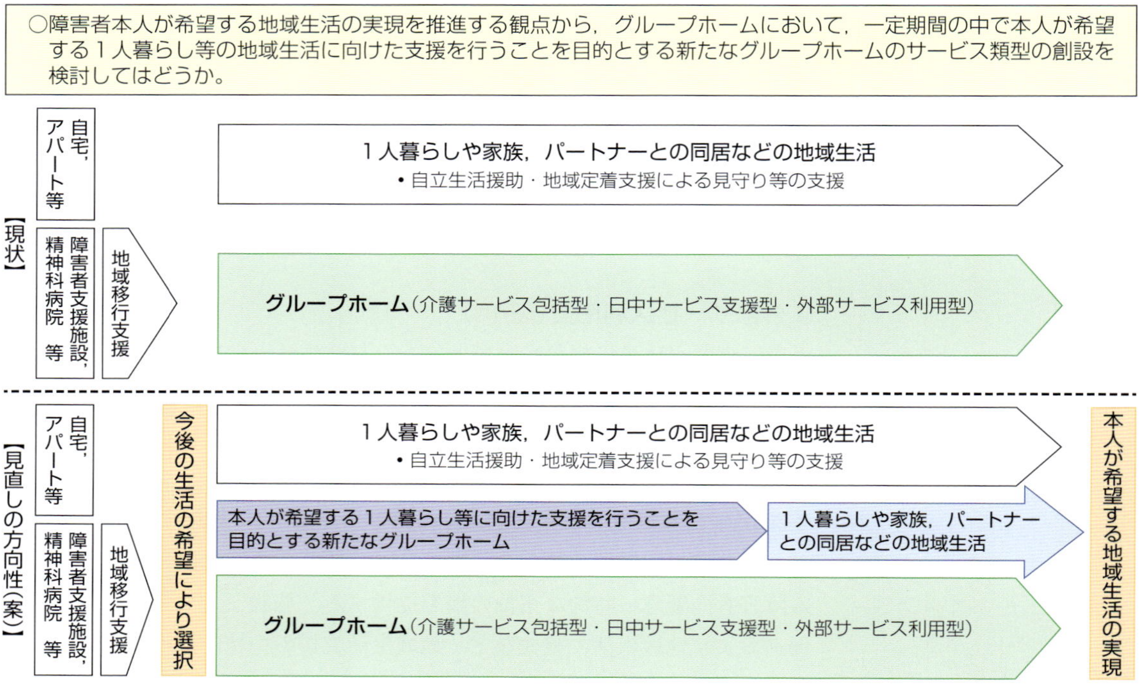

○障害者本人が希望する地域生活の実現を推進する観点から，グループホームにおいて，一定期間の中で本人が希望する１人暮らし等の地域生活に向けた支援を行うことを目的とする新たなグループホームのサービス類型の創設を検討してはどうか。

【現状】
- 自宅，アパート等 → 1人暮らしや家族，パートナーとの同居などの地域生活
  - •自立生活援助・地域定着支援による見守り等の支援
- 障害者支援施設，精神科病院　等 → 地域移行支援 → グループホーム（介護サービス包括型・日中サービス支援型・外部サービス利用型）

【見直しの方向性（案）】
- 自宅，アパート等 → 今後の生活の希望により選択 → 1人暮らしや家族，パートナーとの同居などの地域生活
  - •自立生活援助・地域定着支援による見守り等の支援
- 本人が希望する1人暮らし等に向けた支援を行うことを目的とする新たなグループホーム → 1人暮らしや家族，パートナーとの同居などの地域生活
- 障害者支援施設，精神科病院　等 → 地域移行支援 → グループホーム（介護サービス包括型・日中サービス支援型・外部サービス利用型）
- → 本人が希望する地域生活の実現

（文献6より引用）

アクティブラーニング ① 地域精神保健医療福祉資源分析データベース（ReMHRAD）を参照し，住んでいる地域にどのような障害者グループホームがあるか調べてみよう。

地域精神保健医療福祉資源分析データベース

2　障害者グループホームの利用について

■具体的なサービス内容

障害者グループホームでは，利用者に対し，日常生活を送るうえで必要なさまざまな支援を行う。また，生活面でのサポートだけではなく，相談対応や日中活動支援なども行う。具体的なサービス内容（表2）は，利用者

ごとに**個別支援計画**(**参考例**)(**表3**)を作成し，**サービス等利用計画**に反映し，その計画の内容にそって必要なサービスが提供される。また，グループホームの運営方針や体制などによっても提供しているサービス内容が異なるため，利用する前に確認することが重要である。

表2　グループホームの具体的なサービス内容

- 食事提供
- 食事づくり支援
- 掃除
- ゴミ出し
- 洗濯
- 金銭管理
- 買物支援
- 銀行・行政手続き支援
- 服薬管理
- 通院同行
- 体調管理
- 日中活動支援
- レクリエーション支援
- 夜間巡回
- アパート探し
- 入居・引っ越し　など

表3　個別支援計画(グループホームの参考例)

〈○○□□さんの個別支援計画表〉

作成日　：20XX年○月○日
事業者名：グループホーム○○
サービス管理責任者：○○△△

【グループホーム利用の目標】
今の仕事を続ける。(グループホーム利用後は)アパートを探して自立する

支援	到達目標	私が取り組もうと思うこと	ホームの職員が手伝うこと	頻度や時間
健康	体調管理をしっかりする	睡眠時間などに気をつける	必要時相談に乗ります 上手く休息が取れるようにお声掛けします	必要時
日中活動	仕事を続ける	仕事を休まずに続ける 遅刻しないように出勤する	お仕事に関して心配なことがあれば相談に乗ります。必要に応じて就労支援事業所や主治医と連携しサポートします	必要時
金銭	給料をもらったら自己管理をきちんとやりくりしたい	家計簿をつける 貯金をする	家計簿の記入方法や，やりくりについて必要に応じて相談に乗ります	適宜
服薬	自分で服薬の管理ができる	これまで同様に服薬を忘れずにする	必要時に病院と連携をとりつつ服薬が継続できるようにサポートします	必要時
食事	自炊を続ける バリエーションを広げたい	疲れているときは手抜きの工夫 野菜を摂るようにして，偏食しないようにする	食事の状況について伺います 必要あれば簡単な調理方法の紹介や，ともに作ってみることを行います	適宜
その他	SOSを自ら発信できる	スタッフへ相談する	GH交流室でお話を伺います 時間外には携帯電話への連絡可能です 外泊時の家族との連絡調整，万一入院した場合の病院との調整，面会等行います	常時
その他	家族・関係機関とのやり取りができる	必要時に連絡・報告をする	ご自身で行えない場合など，連絡調整その他必要な支援を行います 入院時，外泊時などに連絡調整，面会など必要なサポートを行います	必要時

私はこの計画の説明を受け同意しました。　　20XX年　○月　○日　　氏名　○○□□

■サービス利用の手続き

利用するには各市町村での申請が必要となり，サービス利用にかかる支給決定が必要となる。手続きの流れを以下に示す（図7）。

①市区町村（障害福祉課や指定相談支援事業所）へ相談に行き，障害福祉サービス利用の支給申請（本人または指定相談支援事業者による申請代行）を行う。

②①より紹介された指定特定相談支援事業者の相談支援専門員によるサービス等利用計画案を作成してもらい市区町村に提出する。

③支給決定がおり，障害福祉サービス受給者証（図8）が交付される。

④サービス担当者会議を受けて，障害者グループホーム（サービス提供事業者）のサービス管理責任者はアセスメント内容に基づいて個別支援計画を市町村及び指定特定相談支援事業者に提出。〈1〉ご本人の利用意思の確認，〈2〉サービスが適切かどうかを確認，サービス等利用計画を作成し，契約を結び，利用を開始する。

⑤本人が引き続きサービスの継続を希望する場合，市町村は，サービス提供事業者から提出のあった書類や，指定特定相談支援事業者のモニタリング結果を踏まえ，サービスを継続することによる改善効果が見込まれるか否かを判断する。

図8 障害福祉サービス受給者証

QRコードを読み取る☞

■障害者グループホームのスタッフ

障害者グループホームでは，管理者やサービス管理責任者，世話人，生活支援員など，さまざまな職種のスタッフがかかわり，利用者の日常生活を支援する。それぞれの職種には，障害者総合支援法によって人員配置基準が設けてあり，障害者グループホームはその基準を満たして運営している（表1）。全国的にみて障害者グループホームへの作業療法士の配置は多

図7 グループホーム（訓練等給付）を希望する場合の支給決定までの流れ

①相談・申し込み（市町村）（指定相談支援事業者）
↓
利用申請
↓
必要に応じ，障害支援区分の調査。心身の状況に関する80項目のアセスメント（市町村）
↓
②サービス等利用計画案の作成・提出依頼（市町村）
↓
サービス等利用計画案の作成・提出（指定特定相談支援事業者）
↓
③支給決定（市町村）
↓
申請者に支給決定通知・受給者証交付（市町村）
↓
④サービス担当者会議の開催（指定特定相談支援事業者）
↓
個別支援計画（サービス提供事業者：グループホームのサービス管理責任者）
↓
サービス等利用計画の作成（指定特定相談支援事業者）
↓
サービスの利用開始
↓
⑤サービスの一定期間ごとの見直し（モニタリング）

くはないが，生活機能を評価し，支援する職種として今後の拡充が期待される。

①**管理者**：障害者グループホームの業務全体の管理を行っている。

②**サービス管理責任者**：利用者の**個別支援計画**の策定や，スタッフへの指導助言，他機関との連携などを行う。

③**世話人**：家事支援や日常生活の相談業務など，利用者の生活全般のサポートを行う。

④**生活支援員**：入浴や排せつ，食事介助など，介護を含むサポートを行う（**外部サービス利用型**は配置不要）。

アクティブラーニング ② 住んでいる地域で障害者グループホームを利用する際の相談窓口を調べてみよう。自治体のホームページを参照してみよう。

3 臨床での実践について

障害者グループホームにおける事例（精神障害領域）を用いて，地域における作業療法士の役割である評価と介入に関する具体例を挙げていく[2)]。

Case Study

【事例】

統合失調症，40歳代，男性。10歳代から幻聴，身体違和感，不眠が出現し不登校となり，病院を初診するも通院は継続せず，被害的な幻聴や体感幻覚，注察妄想から長期自宅閉居状態にあった。20歳代前半から数年間家業を手伝うが，状態悪化して再び閉居となる。病院に定期的な通院を開始するが状態は改善せず，再びひきこもり状態となる。40歳代前半，兄嫁が同居することになり，家人との関係性が悪化する。同時に「隣人が嫌がらせのために音を立てている」などの訴えがみられ，対処に苦慮した両親が自治体の窓口に相談し，利用開始となった（**表4**）。

表4 各時期におけるケースの希望・願望と状況，作業療法士の介入方法と結果

	第1期 活動範囲の拡大期 （7〜18カ月）	第2期 活動範囲の拡大期 （7〜18カ月）	第3期 興味関心の拡大期 （19〜33カ月）	第4期 グループホームからの卒業期（34〜36カ月）
希望・願望	「親もいつまでもいないし，世の中に慣れて，一人暮らしの準備をしていきたいんです」	「薬を減らしてほしいんです」	「できることを焦らずに，少しずつ増やしていきたいです」	「今とそんなに変わらない環境の家を探したいです」
状況	単独での外出が困難 交流室に居られない	イライラ感が強く表出される 減薬へのこだわりが増大する	「やりたいこと」は具体化するが，実施に踏み出せない	住宅探しに対して不安を訴える OB らからアパート探しの経験を聞いている
介入	外出，通院同行 安心できる場（交流スペース）の保障 通所先の見学同行	受診時の主治医への相談方法の模索	「やりたいこと」を具体化する方法の提案 学童期に得意だった活動（野球）の実施	不動産業者への同行 諸手続きの援助・環境調整
結果	単独での外出が可能になった 自立訓練（生活訓練）事業所への通所が開始された 交流室で過ごす時間が増加した	服薬に対する訴えが減少した 交流室で他のメンバー，OBらとの交流の機会が増加した	自己肯定的な発言が増加した 「やりたいこと」の一部が実行された 「やりたいこと」の内容が拡大された	単身アパート生活へ移行できた

（文献7より引用）

（次ページへ続く）

（前ページより続く）

【評価と介入】

作業療法士は，利用者から漠然とした形で語られる希望・願望といった**「やりたい」作業の文脈**を汲み取り，**障壁となる状況**を把握した**【評価】**。そして，**具体化する方法と活動**を提案し，さらに**ともに行う**ことを通じて関係性を構築し，対象者の**体験の積み重ね**を促進することで，自己肯定感が高まり**自尊心の回復**へとつなげ，新たな**社会技能獲得への動機づけ**を引き出すことが役割であった**【介入】**。結果，適切な介入によって行動変容がみられ，アパート単身生活への移行につながった（**表4**）。

アクティブラーニング③ 自分自身が一人暮らしをする際に，「できない」作業と「できる」作業，「やりたい」作業と「やることが求められている」作業をピックアップしてみよう。そして，「誰」から「何」を「どのタイミング」でサポートしてもらいたいか，想像を巡らせて書き出してみよう。

作業療法参加型臨床実習に向けて

作業療法参加型実習での「見学」の段階とは

障害者グループホームでの実習における見学では，施設内での支援内容にとどまらず，施設を取り巻くエコマップを把握する必要がある。地域にある社会資源としての施設にはどのようなものがあり，そこの職員と具体的にどのような連携と業務分担をしているのかについて，理解したことと疑問に思ったことを指導者に伝える。

試験対策 Point

障害者総合支援法に規定されている「自立支援給付」「介護給付」「訓練等給付」「補装具の給付」「日常生活用具の給付」の違いを説明できるように整理しておこう。また，障害者グループホームがどのサービスに含まれているか，きちんと理解しておこう。

【引用文献】

1）東京都福祉保健局障害者施策推進部：東京都が定めるグループホームの２つの類型，障害者グループホーム事業≪令和５年度版≫東京都障害者グループホーム説明会　資料1.（https://www.shougaifukushi.metro.tokyo.lg.jp/Lib/LibDspList.php?catid=015-004，2023年５月30日）

2）鈴木一広，水野高昌：精神障害者グループホームにおける作業療法士の支援　長く自宅閉居状態にあったケースが活動性を取り戻すに至った経緯．作業療法，35：319-326，2016.

3）厚生労働省：障害者の居住支援について（共同生活援助について），第125回　社会保障審議会障害者部会　資料1. p.41，2022.

4）姫路市：障害者総合支援法関係事業者説明会資料．p.4，2014.

5）東京都：平成30年度東京都自立支援協議会第２回本会議開催報告　資料４　重度の障害者への支援を可能とするグループホームの新たな類型の創設．2018.

6）厚生労働省：障害者の居住支援について（共同生活援助について），第121回　社会保障審議会障害者部会　資料2. p.21，23，2021.

7）横浜市：障害福祉サービス受給者証，障害者の日常生活及び社会生活を総合的に支援するための法律の施行に関する条例等施行規則．p.17，2020.

チェックテスト

①障害者グループホームの「物件の形態による類型」には，どのようなものがあるか（☞p.162）。 基礎

②障害者グループホームの「サービス提供の方法による類型」には，どのようなものがあるか（☞p.164）。 基礎

③障害者グループホームの「利用期限による類型」には，どのようなものがあるか（☞p.165）。 基礎

④個別支援計画の内容に沿って提供されるサービスの具体的な内容には，どのようなものがあるか列挙せよ（☞p.167）。 臨床

13 民間企業

田村孝司

Outline

- 民間企業で働くにあたって，一般的な会社などの業態や，会社の運営や経営に必要な知識，一般的なビジネススキルが求められる。
- 企業は商品やサービスの提供を通じて利益を追求する。
- 近年，営利法人による医療，福祉領域への参入が増え，作業療法士が営利法人で活躍する場面も増えている。

医療・福祉領域において法人の経営を安定させることは，民間企業が国の行政の一翼を担っている点で見ても重要である。不足しているサービスを充実させるために民間の活用が進み，福祉では一般企業が参入してきている。一方で大規模災害や感染症の蔓延により社会経済は大きな影響を受け，医療，介護，福祉領域でも営業継続のための人材確保，利用者の募集に関する課題など，これまでの経営方法では対応しにくい状況が生まれている。

作業療法白書[1]によると作業療法士の就業状態は，2016年度に比べ2021年度では医療法人に就業する比率は1.7ポイント減少したのに対し，会社は1.3ポイント増加し，1,000人以上増加している。本項目では，今後増加する可能性がある，一般企業に就業する場合に必要となる知識を整理する。

1 法人格と会社

作業療法などが必要な対象者に対してサービスを提供する場合，個人的に提供するか，何らかの法人に所属し，法人のサービスとして提供することが考えられる。作業療法士に開業権は認められていないことから，個人経営としてサービスを提供することはほとんどない。従って，ほとんどの作業療法士は何らかの法人に所属したうえでサービスを提供し，報酬を得ることになる。

現在，作業療法士が最も多く就業しているのは医療法人だが，会社に所属する作業療法士も増加している。医療法人とは民法に定められた医療を提供する法人であり，会社とは会社の定款に沿った活動により収益を上げ，利益を構成員に分配する法人である（図1）。

法人には活動による利益の余剰金の分配を目的としない非営利法人と余

剰金を構成員（株主など）に分配することを目的とする営利法人がある。医療法人は医療の提供を目的として結社された法人であり，医療法を根拠法としている。医療法人は非営利であり公益的な性格をもつ。会社は会社法によって定められた法人であり，その活動内容は自由に定めることができる。会社の目的や活動内容を定めたものが定款であり，これをみることでその企業の特徴が理解できる。会社は定款に定めた目的や活動内容を達成するために，「理念」や「活動指針」，「ビジョン」などが策定され，これらを共有し達成するための活動を行い，収益を得る。株式会社の場合には収益のうち必要な経費を除いた利益を株主に分配する。

図1　法人の分類

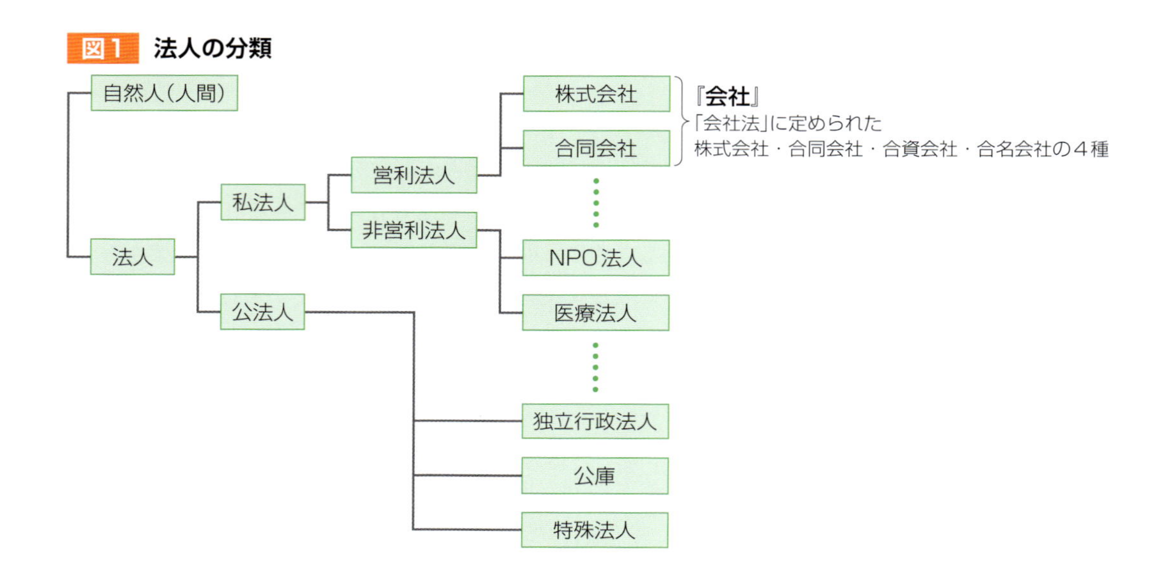

2　作業療法士が働く会社の特徴

作業療法士は名称独占[*1]ではあるものの，作業療法を提供する専門職である。一般企業において作業療法士が必要となるのは，一部の医療や介護，福祉領域において事業を行うための基準，例えば診療報酬，介護保険，障害福祉サービス等報酬[*2]を得るために必要な**人員基準を満たし，専門的なサービスを提供するため**であることが多い。

作業療法は「人々の健康と幸福を促進するために，医療，保健，福祉，教育，職業などの領域で行われる，作業に焦点を当てた治療，指導，援助である」[2)]とされ，**作業療法士の活動は公益性が高くなりやすい。**

会社は活動や理念に共感した出資者による出資により企業活動を行い，出資者に対して余剰金（利益）を分配することを目的としている。余剰金がない状態は投資した経費などに対して収入（売上など）が下回る赤字の状態に近くなり，企業の存続自体が難しくなる。これに対して公益性を追求した場合には，活動にかかる経費は上昇しやすい傾向があり，このバランス

＊1　**名称独占**

有資格者以外はその名称を用いて業務を行うことが認められていない資格。

＊2　**障害福祉サービス等報酬**[2)]

事業者が利用者に障害福祉サービスを提供した場合，その対価として事業者に支払われるサービス費用のこと。報酬は各サービスごとに設定されており，基本的なサービス提供にかかる費用に加え，各事業所のサービス提供体制や利用者の状況などに応じて加算・減算される仕組みとなっている。

をとるために各企業はさまざまな工夫を行っている。

企業においては作業療法士の多くが，各企業の理念を実現するために活動し，会社の収益に貢献する。作業療法士の活動自体に公益性が高い傾向があるため，企業の理念や経営，運営を理解しないまま公益性を追求した場合に，自身の活動と会社の理念にずれが生じ，活動が評価されにくく，優れた専門性をもっていたとしても十分に発揮できない場合がある。このため，一般企業で働く場合には，その企業の理念などを十分に理解するとともに，一般的な経営に関する知識を得ておく必要がある。

アクティブラーニング 1 作業療法士が働く株式会社にはどのような企業があるか調べてみよう。

■経営を理解するための４つの視点

経営を理解するには，①どのような活動によって収益を得るのかという，ビジネスモデルの組み立て，②利用する人がどこにどのくらいいるのか，どのようにサービスを届けるのかを考えるマーケティング，③活動によって得た収益の状態や活動にかかる費用の適切さを管理する財務や会計の知識，④活動する組織づくりを行うチームマネジメントの4つの視点がある。

● ①ビジネスモデルの策定

医療・福祉・介護に関する活動と収益の関係性，つまりビジネスモデルの中心は医療における診療報酬や介護報酬，障害福祉サービス等報酬などの制度に規定されているため，需要と供給や経費と利益などを考えて価格の設定をする必要はなく，制度を遵守することで基本的な構造は確定できる。つまり，企業が運営している事業所の根拠法令と運営基準がビジネスモデルの基本となる。

● ②マーケティング

日本マーケティング協会では，「マーケティングとは，企業および他の組織がグローバルな視野に立ち，顧客との相互理解を得ながら，公正な競争を通じて行う市場創造のための総合的活動である」[3]としている。例えば，飲食サービスを提供する企業で，「おいしい食事を提供することでお客様の生活の質を高める」という理念のもとレストランを運営する企業の場合，主な対象となる客のペルソナ(そのサービスを利用する典型像)を設定し，その思考や好みを調査し，好まれるメニューを決定する。出店するためには，その地域での競合店舗の有無，人口やアクセスのよさなど地理的な条件を勘案し出店を決定する。出店後は最も購入を希望する対象者層の認知度を高くする広報活動を行い，提供した料理の改善に関するPDCAを回すことなどが含まれる。

補足

PDCA
Plan(計画)，Do(実行)，Check(評価)，Action(改善)のサイクルを回すことで，継続的な改善を進める手法。

マーケティングは常に進化している（**表1**）。近年はインターネットの普及に伴いAISASの法則に従いやすいと考えられている。これは消費者の行動が認知・注意（Attention）から興味・関心（Interest）に変わり，検索（Search）し行動（Action）つまり購入し，購入できた体験を共有（Share）することでさらに新しい認知・注意につながる。企業はこのような法則を把握したうえでwebの活用を工夫している。

表1　マーケティングの進化

	年代	特徴
1.0	1900～1960年代	製品中心
2.0	1970～1980年代	消費者（顧客）の満足
3.0	1990～2000年代	価値主導・人間中心
4.0	2010年代～	デジタル型への移行
5.0	2020年代～	人間とデジタルの融合

● ③財務・会計の知識

財務・会計の知識は各企業で専門のチームが存在し，管理していることが多い。作業療法士が対象者に対してサービスを提供しているとき，これを意識することは少ないかもしれない。しかし，作業療法士も財務会計の基本的な知識をもっていると，その企業の経営方針に合った適切なサービス提供につながりうる。

企業は活動することで収益を生むが，その活動には経費が必要となる。収益に対し経費が多い場合は赤字であり，経費を除いた余剰金がある場合には黒字である。

財務状況を示すものは，資産の状況を示す貸借（たいしゃく）対照表（B/S），会計上の収益と経費を表した損益計算書（P/L），その時点でのキャッシュの状態を示すキャッシュフロー計算書（C/F）がある。一般的な管理者の場合，対象者の利用状況（稼働率や売上高）や損益計算書（P/L）による収益と経費を把握することが求められる。

● ④チームマネジメント

一般企業においても，1つの事業についてチームで業務を遂行することが求められている。地域作業療法において，対象者に支援を提供するとき，対象者を中心としたサービス提供者のチームアプローチを行うことは当たり前になってきている。この場合，対象者や対象者の家族を含めた会議を行い，目標を共有し，対象者にかかわる事業者や職員が役割分担を行う。一般企業におけるチームマネジメントについても，同じプロセスで考えることができる。

3 管理，企画などで作業療法士に期待されること

■売上と臨床活動のマネジメント

作業療法士が一般的に求められるのは，対象者に対して作業療法などのサービス提供である。この場合，作業療法の提供により報酬を得ることになり，それが法人の売上の一部となる。作業療法の提供にはその提供者の人件費，提供する場所を使用するためにかかる家賃に加えて，光熱費や消耗品などの経費が必要となる。提供されるサービスの質が高いこと，経費を管理することが臨床活動をマネジメントするうえで重要となる。質の高いサービスを提供するためには，事業所における適切な教育システムの運用も欠かせない。

● 販売促進

販売促進活動は作業療法を必要とする対象者を発見し，適切なサービス提供に結び付けるまでにかかわる活動を指す。一般的な企業活動では近年，前述したAISASの法則が重視されているが，作業療法を必要とする対象者についても同様のアプローチを行うことができる。しかし，作業療法が必要な対象者の中にはインターネットを十分に活用できていない場合も多く，従来の電話や訪問によるアプローチも有効である。また，対象者に相談支援を行っている，居宅介護支援事業所（介護保険）や相談支援事業所（障害福祉）に所属法人の特徴を理解してもらうことは，ニーズのある対象者の紹介を受けサービスを十分に届けるために必要となる。医療，介護，福祉は制度上，同一価格になることが多いことから，対象者に合わせた質の高いサービスを提供するとともにそれを知ってもらうことが，販売促進活動で重要な視点である。

● 事業企画

一般的に企業では経営理念に基づく中期経営計画を立案していることが多い。事業企画を立案する際は，この中長期的な計画に基づいて検討するとともに，企業の成長に向けて新規事業がどのような貢献ができるかを提示する。

経験のある作業療法士は，これまでの経験と客観的な社会情勢の分析を加えて企画を立案することになる。作業療法を提供するにあたり蓄積される経験は，対象者の障害などにかかわる分析と，地域連携で得られた地域の分析において役立てられる。これらを客観的に把握することで，有効な企画が立案できるようになる。

立案した企画は経営者や株主などに説明し，承認を得ることで新規事業が開始される。従って，企画は立案だけではなく，説得力のある説明も必要となる。この場合，説明の内容にかかわる精度の高さは，臨床で行ってきた研究活動に準じて考えることができる。一方で，経営者や株主の理解

を得るためには，高度な専門的内容をできるだけわかりやすく説明することが必要となる。このことは，学会などにおける研究結果の報告と，家族などに対するわかりやすい説明をすることに似ている。この2つの活動の経験が事業企画の基本となろう。

アクティブラーニング ② 作業療法士として，一般企業で働く場合に，やってみたいことを考えてみよう。

【引用文献】

1) 日本作業療法士協会：作業療法白書2021．日本作業療法士協会．2021．
2) 厚生労働省：障害福祉分野の最近の動向（https://www.mhlw.go.jp/content/12401000/000918838.pdf，2023年6月14日閲覧）
3) 日本作業療法士協会：作業療法の定義（https://www.jaot.or.jp/about/definition/，2023年5月19日閲覧）
4) 日本マーケティング協会：マーケティングの定義．1990（https://www.jma2-jp.org/jma/aboutjma/jmaorganization，2023年5月19日閲覧）

チェックテスト

Q

①法人にはどのような種類があるか（☞p.171）。基礎
②経営を理解するための視点を挙げよ（☞p.173）。基礎
③マーケティングとは何か（☞p.173）。基礎
④事業企画を立案するにあたり作業療法士が企画するメリットを述べよ（☞p.175）。臨床

11 各事業所の実践　児童発達支援・放課後等デイサービス

Question 1

作業療法では，紙面上で線の両端を認識すること，巧緻性が求められる作業を提供すること，ボールを使った遊びで力の調整と眼球運動を促すことから介入した。具体的には，なぞり書きを行うことで目と手の協調性を促した。また、キャッチボールを行うなかで，投げる速度や方向を調整することで投げるときには手の力の調整を，捕球するときには眼球運動を促し，目と手の協調性を促した。

Question 2

作業療法では手指の巧緻性と視覚認知機能の向上を促す活動に加え，実際に使用しているノートを用いた練習も取り入れた。具体的には，使用しているノートに書かれている文字の特徴から普段の授業で行っている書字動作を推察し，できるだけ同じ書字動作となる条件について検討した。書字における巧緻性を向上させるとともに，使用しやすいマスの大きさのノートについても提案した。このことによって，漢字の書き取りがしやすくなり，学校を楽しむことができている。

4章

発展する作業療法の地域支援

1 予防

浅井憲義，中村美緒

Outline

- 地域において，作業療法士はさまざまな場所で多職種と協業して，生活をよくする技術を使いながら，病気や障害を予防する事業へ積極的に参加することが望まれる。
- 作業療法士は，地域住民やボランティアと連携して介護予防事業の効果を高めつつ，症状の遅延や介護負担の軽減に尽力する。
- 作業療法士は，地域在住の高齢者・障害者の機能低下を予防するため，新しい機器や技術，活用方法に関する情報を積極的に収集し，自立(律)生活を支援する役割を担う。

1 はじめに

行政は2014年に保健，医療，福祉を横断的にとらえ，総合的に地域住民のサービスをきめ細かく行う地域包括ケアシステムを施行し，人々が住み慣れた地域で，元気に快適な生活が長くできるよう施策を打ち出した。

作業療法は従来から急性期，回復期，生活期(維持期)，終末期の病期だけでなく，市町村，複合市町村，都道府県などの行政による圏域を活躍の場とし，保健，福祉，教育，就労などの領域にも寄与している。作業療法士は，さまざまな場所で多職種と協業して，生活をよくする技術を使いながら，病気や障害を予防する事業へ積極的に参加することが望まれる。

補足

予防の概念
病気にかからないよう予防する医学を予防医学とよぶ。
予防は一次から三次予防に分けられており，一次予防は病気にかからないように施す処置や指導である(生活習慣病の改善，健康教育，予防接種など)。二次予防は早期発見，早期治療を促して病気が重症化しないよう行われる処置や指導である(健康診断など)。三次予防は社会復帰を促したり再発を防止するための取り組みである(保健指導やリハビリテーションなど)。

2 地域生活者のための制度

厚生労働省は2010年に国民が安心して暮らせる健康な福祉社会をつくり出すために，これまで国が行ってきた多額の税金で国民を擁護する「消費型・保護型」から，国民が自分たちの可能性を自ら引き出せる「参加型」の社会保障の体制を提示した。この参加型保障の具体的な中身は①医療・福祉では入院患者は早期に家庭復帰し社会での生活を可能にすること，②生活に困窮している人はNPOなどの「新たな公共」を活用して就労体験，福祉的就労，ボランテイアなどのプログラムに参加してもらい，社会とのつながりをもち，社会への参加を促すことなどの基本方針を示した[1)]。その後，この考えは保健，医療，福祉サービスを地域で連携してかかわる地域包括ケアシステムにつながってきた(**表1**)。

2014年には保健，医療，福祉の領域で行われているサービスを連携して，効率よく，切れ目なく行うことで，病気，障害，経済的な困窮などで地域での生活に支障が起きないように，地域包括ケアシステムが制度化された。これによって，住民は地域で生まれ，生活し，一生を終えるための行政によるサポートシステムが構築された。サービスの基幹的役割を地域包括センターが担うこととして，小学校と同程度の範囲に地域割をして，住民の保健，医療，福祉にかかわる悩みに対処できるようにした。内容は在宅医療，生活支援コーディネート，認知症の支援，介護予防の実施や調整で地域住民の保健，医療，福祉に関することに対応している。厚生労働省は2025年を目途にこのシステムの整備を進めている。

表1　消費型から参加型への移行（2010年）

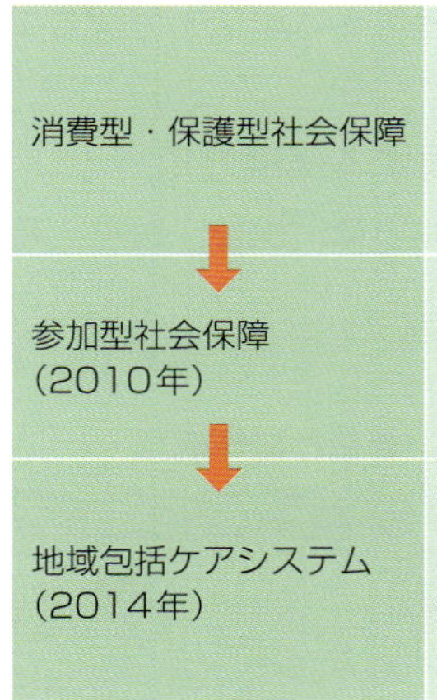

消費型・保護型社会保障	・医療・介護：医師不足や医療機関のネットワーク不足 救急医療などの地域医療の維持が困難 入院期間も長く，なかなか退院できない ・在宅医療福祉サービスの不足 住み慣れた地域や家での暮らしが難しい
参加型社会保障（2010年）	・救急医療を中心に医療機関の役割分担と連携 早期の社会復帰，家庭復帰 ・一定の区域に在宅医療・福祉サービスを整備 本人の希望を踏まえ最後まで自宅で過ごす
地域包括ケアシステム（2014年）	・住まい・医療・介護・予防・生活支援を一体的にして提供する，認知症高齢者の地域での生活を支える ・市町村や都道府県が主体に，地域の特性に応じて作る 方法：在宅医療，生活支援コーデイネート，認知症の支援，介護予防の実施など

（文献1より抜粋）

3　地域社会での作業療法士がかかわる時期と働く場所

作業療法士は病気や心身の障害が原因でそれまでの生活を維持ができなくなった対象者の心身機能をよくし，活動をしやすくするための方法，技術，道具，さらには環境を整えて，再び健康で幸せな社会生活に戻るための治療・援助を行う医学モデル，ならびに対象者を「生活者＝生活をする主体」ととらえることで，健康でよりよい生活や人生を送ることができるように援助・支援を行う生活モデル[2]の視点を兼ね備えた職種である。そのため，作業療法は疾病や障害の時期に応じサービスだけでなく，地域で作業療法がかかわる領域，提供施設や場所，行政の区割（圏域）りなど，障害の予防や軽減のために多角的な視点をもって行われる必要がある[3-5]。

■障害の経過と時期

疾病の症状や障害のために生じる活動の制限への対応は，障害の経過を追って行う。

①予防期：加齢やストレスで心身機能が低下し疾病や障害を引き起こしやすい人に，疾病や障害がなく地域で生活していけるように健康増進を図る。

②急性期：発症して間もなく，心身機能が不安定な時期で，高度な医療処置を必要とする対象者に，症状の改善や障害を未然に防ぐために集中的な対応をする。

③回復期：医療機関での対応が中心で，機能や障害の改善を図り，活動，参加ができるように援助を行う。

④生活期：症状や障害が安定した時期で，疾病や障害の再発や，症状の悪化を防ぎ，心身機能を改善し，活動を広げ，社会参加を維持できるように援助をする。

⑤終末期：人生の終焉を迎える時期で心身機能，活動，参加を可能な限り維持し尊厳のある生活ができる援助を行う。

■作業療法士が勤務する領域と場所

作業療法士が働く場所は，保健，医療，福祉，教育，職業関連などの領域である（図1）。

図1　作業療法士が働く場所（作業療法ガイドラインをもとに作成）

		在宅	病院		在宅・施設	病院・在宅
		生活モデル 医療モデル	医療モデル	医療モデル 生活モデル	生活モデル 医療モデル	医療モデル 生活モデル
時期		予防期	急性期	回復期	生活期	終末期
領域と場所		保健：居宅，地域の集会所，地域介護保険関連施設	医療：病室，病棟，作業療法室	医療：病室，病棟作業療法室，デイルーム	保健・福祉：居宅，地域の介護保険関連施設，地域の集会所，その他 医療：居宅（訪問）診療所，病院，その他 福祉：生活棟，機能訓練室，デイルーム，居宅，各種入所，通所施設，その他 教育：プレイルーム，教室，運動訓練室 職業関連：職場，社会復帰施設，作業療法室，デイ・ケア，ナイト・ケア，その他	病棟，病室，デイルーム，居宅（訪問）
圏域	都道府県		特定機能病院　国立病院機構，大学附属病院，公立病院など		知的障害者更生相談所，精神保健福祉センター，老人認知症疾患センター，高齢者総合相談センター，心身障害児総合通園センター	特定機能病院 大学附属病院 公立・国立病院 など
	複数の市町村		保健所，一般病院，総合病院，精科病院，回復期リハビリテーション病棟など		精神障害者社会復帰施設，地域包括支援センター，身体障害者更生援助施設，児童福祉施設，知的障害者援護施設，複数市町村が行う自立支援法関連事業所など	一般病院 総合病院 ホスピスなど
	単一市町村	診療所 保健福祉センター			診療所，介護老人保健施設，訪問看護ステーション，市町村が行う自立支援法関連事業所など	診療所

①保健領域：市町村の健康教室や介護予防事業にかかわり，地域住民の疾病を予防し，健康を維持・増進を図る。

②医療領域：医療機関で疾病から起こる症状や心身機能の障害を改善し，

活動への制限を最小限に抑えて，社会参加を促す。

③福祉領域：障害の軽減を図ることで，生活を維持・向上させる。障害者の自立・支援・援助を行い，高齢者の在宅生活の支援も行う。

④教育領域：心身に障害のある児童の教育を援助する。普通学級，特別支援学校など。

⑤職業関連領域：障害をもつ人の就労や継続を援助する。作業療法士は就労支援ワーカーやジョブコーチとして働くことが期待されている。

■公的管理領域

作業療法を実施する施設を行政の側面で，都道府県，複数市町村，単一市町村として地域区分を行う。

①都道府県圏域：高度で専門的な医療を提供している。

②複数市町村圏域：一般的な医療，保健，福祉サービスをする。

③単一市町村圏域：住み慣れた地域の医療，保健，福祉サービスをする。

■作業療法を実施する場所

作業療法士が日々働いている場所は，訓練室，病室，居宅などさまざまである。作業療法を提供している場所は居宅，機能訓練室，病棟，作業療法室，デイ・ケア，デイ・サービス，ナイト・ケア，職場，社会復帰施設，その他が挙げられる（**図1**）。

4 地域での作業療法アプローチ

■地域に住む人の作業を知る

作業療法の実施では，対象者の作業を把握する必要がある。作業を人の営みととらえ，作業に焦点を当て，生活の具合や人生の質について考える理論が外国の作業療法士によっていくつか提唱されている。これらの理論には具体的に人の作業を把握し，作業がよくなることが，人生の質につながるととらえ，作業の質の改善度を計る評価方法も提示されている[6, 7]。また，これらの理論は障害者だけでなく地域で普通に生活している人々の作業を考えるときにも使える。

■地域生活者の生活の様子を把握する手段

日常生活活動を把握する方法には，Barthel IndexやFIM[8]などが活用されている。日本作業療法士協会は作業を「日常生活の諸動作や仕事，遊びなど人間にかかわるすべての諸活動を指し，治療や援助もしくは指導の手段となるもの」と定義して[3]，活動が作業療法における，治療・援助手段と考えている。さらに，病気や老化，環境の変化で活動が制限され，日常生活活動の遂行ができなくなった人に焦点を当てた生活行為向上マネジメントを提唱している。

生活行為向上マネジメントは，人が生きていくうえで営まれる生活全般の行為，すなわち生活行為を支援するためのツールである。対象者が本来もっている能力を引き出し，意味のある生活行為でその能力を活かす支援を行う。

生活行為向上マネジメントシートは，対象者の生活状態の把握，評価，実施・効果判定ができる。このシートを使って対象者，家族に作業療法の内容を簡潔に説明し，職種間で対象者にかかわる情報を共有することで，各職種のサービスを効率よく提供できる[9]。

■活動を使った作業療法の実践

作業療法の実践は対象者の生活を見て，必要な活動を選択して作業療法をすることが大事である。作業療法で行う活動には目的のある活動と意味のある活動に大別できる。目的のある活動とはADL，IADL，仕事，趣味などにおける個々の活動ができることを指す。意味のある活動とはこれらの活動ができることで，個人が社会参加や役割を果たし，意義や生きがいを感じることをいう。

作業療法士は対象者のADL，IADL，意欲，困り事などの活動状況を把握する。次に，必要とする活動を見出し，活動が対象者にとって目的や意味をもつことを明確にする。そして，活動の遂行状況を観察し分析（工程，動作）して，分析結果をもとに遂行状態を心身機能・身体構造，活動・参加でとらえ，環境や個人因子も含めて改善計画を立て，作業療法を実施する必要がある[10]（**表2**）。

表2　作業療法の実践

（1）活動状況の把握	ADL，IADLなど，個々の活動から，心身機能，動作を知り，してみたい活動や意欲，興味，困り事などを知る
（2）作業療法を必要とする活動の決定	①対象者にとって目的のある活動（ADL，IADL，趣味などの活動ができるようにする） ②対象者にとって意味のある活動（活動ができることで，役割を獲得し，社会参加を果たすことができる）
（3）活動の分析	個々の活動の工程分析，対象者の動作分析
（4）作業活動をしやすい場の提供	活動への意欲，説明，道具，材料，環境
（5）活動実施	対象者の心身機能，認知機能，意欲などに応じてわかりやすい説明と指導方法，環境調整
（6）遂行の把握・援助	活動の様子を観察し，必要に応じた援助を行い，活動を完遂させて目的と意味のある活動を提供する

特に，地域で周囲とのかかわりが少なくの虚弱傾向にある高齢者は意味のある活動を見出せず日々を家庭で過ごし，心身の活性化を失い，目的や意味のある活動もできなくなる。予防の観点からも，個人の目的や意味のある活動を維持，活性化させることが重要となる(**表3**)。

表3　地域高齢者の目的と意味のある活動

目的のある活動(ADL，IADL，趣味などの活動ができる)	意味のある活動(役割を獲得し，社会参加をする)
・仕事(就労，地域活動，家事) ・日常生活活動(ADL，IADL) ・趣味活動(カラオケ，絵画，ダンス，読書，スポーツ，その他) ・休息(喫茶店で過ごす，軽い昼寝，睡眠)	・就労して生活を支える ・孫の世話，家事，介護などで家族を支える ・地域ボランティアをする ・自治会役員，民生委員などで地域に貢献する

Case Study

80歳代の女性，2年前に夫と死別し，平屋の持ち家に一人暮らし．3カ月前に屋内で転倒し，右大腿骨頸部骨折で入院した。人工骨頭置換術後の日常生活活動は杖歩行で，入浴のみ見守り，その他は自立し自宅退院となった。他院時のHDS-Rは28点であった。介護保険にて要支援1と認定され，通所リハビリテーションを利用するにあたり，担当作業療法士が自宅訪問することとなった。

Question 1

初回訪問時の対応で正しいのはどれか。

a. 住宅改修を提案する
b. 年金受領額を聴取する
c. 訪問作業療法を進める
d. 夫の死亡理由を聴取する
e. 生活の困りごとを聴取する

☞ 解答 p.207

5 地域での予防事業

障害をもった人が自立して参加できる環境はすべての人々にとって住みやすい社会といえる。そのためには地域の行政サービスだけでなくNPOや地域住民の互助機能を活用して地域づくりをする必要がある。そして，作業療法のもつ技術や知識が住民サービスに提供できれば，リハビリテーション専門職としての役割を果たす機会が広まると考える。

■介護予防での作業療法士

世界保健統計2022年版によると，日本人は平均寿命が女性86.9歳，男性81.5歳で，女性は世界第1位，男性も世界1位の長寿国となり，2036年には75歳以上の後期高齢者が国民の1/3を占めることになる。このような，長寿社会と認知症高齢者の増加を迎えるなか，単なる長寿ではなく地域で自分らしく，自立して健康な生活ができる健康寿命[11]に関心が向けられている。現在，地域で暮らす高齢者のなかには病気になりやすい虚弱高齢者，外出の機会がなく家に閉じこもりがちで他者との交流が減り，うつ症状を呈する人も多い。

● 高齢者へのサービス

米国では1990年代に他者との交流の場が少ない居宅高齢者に栄養バランスのよい昼食を提供するデイサービスが行われていた。デイサービスセンターに集まった高齢者は昼食後に，陶芸や絵画など，色々な手工芸を楽しみ，ボランテイアの進行で歌やビンゴゲームなどのレクリエーションをして過ごし，血圧測定の器具を使い健康の自己管理もしていた。また，センターに対象者を送ってきた家族は受け付けや掃除などのボランティアをする人もいた。このように，デイサービスは高齢者どうしやボランティアなどとの交流を図り，地域生活に必要な情報交換をする場ともなっていた。そして，作業療法士はセンターで運営責任者として働き，他にプログラム立案の援助者としてのボランティアをしている者もいた。

日本においては，高齢人口の増加で生じる医療費負担を配慮し，現在行われている虚弱老人や軽度認知症老人の健康維持や認知症予防を目的に介護予防事業が実施されている。作業療法士は介護保険での対応以外に，地域住民やボランティアと連携して作業療法士の知識，技術を活用し，事業の効果を高めることが強く望まれている。

● 介護負担軽減

平成29年度高齢者白書によると，2025年には認知症の有病者数が約700万人となり，5人に1人が認知症になると推計されている。認知症の当事者と家族の苦悩や負担を考えると，環境を変えず住み慣れた地域できめ細かく対応する必要がある。すでに，いくつかのボランティア組織がこれらの認知症者に対して地域でのサポート活動を始めている。作業療法も対象者の認知機能を把握し，作業遂行との関係を見極めたうえで，当事者や家族の意味や目的のある活動を可能にすることにより，地域生活の維持ならびに介護負担の軽減につなげることができる（**表4**）。

表4　地域支援事業に貢献できる作業療法の知識（例）

(1)住民主体で参加しやすい，地域に根差した介護予防活動推進	・認知症を含む介護予防教室の援助
(2)元気なときから切れ目ない介護予防の継続	・趣味を生かしたボランティア活動の組織づくり
(3)リハビリテーション専門職の関与による介護予防の取り組み	・症状・障害に応じた作業療法の知識・技術の提供
(4)見守りなど生活支援の担い手として，生きがいと役割づくりによる互助の推進	・ボランティアと在宅訪問し対象者や家族への支援

■在宅高齢者・障害者の機能低下を予防する福祉用具

地域で生活する人にとって，家庭で使う車椅子，ベッド，手すりなどの福祉用具は必要不可欠であり，生活の自立や介護負担軽減につながる。福祉用具の貸与，供給，購入には医療保険，介護保険などの行政からの援助があり，作業療法士，理学療法士，福祉用具プランナー，ケアマネジャーなどの専門職が対象者に適した福祉用具の選定にかかわっている。

なかでも，作業療法士は対象者の心身機能，活動，参加を把握し，予後を予測する知識をもち，適宜，自立に必要な福祉用具の選択，調整，使用法などを対象者に提供できる技能を備えた，福祉用具に関するスペシャリストといえる。

● 北欧における福祉用具サービスの流れと作業療法士のかかわり

福祉先進国である北欧では，作業療法士が福祉用具にかかわる役割を担っており，福祉用具の専門家として知られている。なかでもスウェーデンは作業療法士の多くが広域自治体であるランスティングや，地方自治体のコミューンに所属し[12]，約9割が保健，医療に関するサービスに従事している[13]。作業療法において対象者の日常生活や余暇活動を可能な限り自立できるようにするための重要なアプローチの1つに，対象者の生活を支援するための福祉用具・補助具の開発と適用がある。

スウェーデンでは，全国25カ所の補助器具センターで福祉用具の調達給付事業を行って，作業療法士の約4%が補助器具センターで，公費負担による貸与決定や福祉用具の選定，購入時の対象者やその家族への助言にかかわっている。福祉用具の給付は必要な人には無料で給付されるが，作業療法士らが福祉用具の選定を行うため対象者が自由に選択することができない。しかし，対象者やその家族が欲しいものは自費で購入することもでき，貸与できる福祉用具は幅が広く，レクリエーションや余暇活動，仕事などに必要なもので，作業療法士などが認めた場合に給付される。

尾台ら[14]によると，①福祉用具を利用したい者（以下，利用者）は，市の社会福祉事務所へ申請するか，県（広域自治体を意味する）の医療機関の医師または看護師に申請をする。それぞれから，補助器具センター（以下，センター）に審査要請が出され，申請を受けたセンターは，②利用者の身体・精神的機能と必要性を最優先して，作業療法士・理学療法士・言語聴覚士，看護師と相談して貸与を決定する。貸与が決まると，③利用者は直接センターに行くか，または作業療法士が家庭訪問をして利用者に合った用具を選定する。センターではできあがった福祉用具を確認，調整して貸与する。基本的に貸与であるため，センター内には，貸与から戻ってきた機器の洗浄や用具を保管する場所がある。そのなかから利用者の必要に応じて福祉用具を選定し，利用者に合うように調整して支給を行っている（**図2**）。住宅改修に関しては，作業療法士が必要と認めた場合，広域自治体や地方自治体から住宅改修費が支払われる。

図2　福祉用具給付の流れ

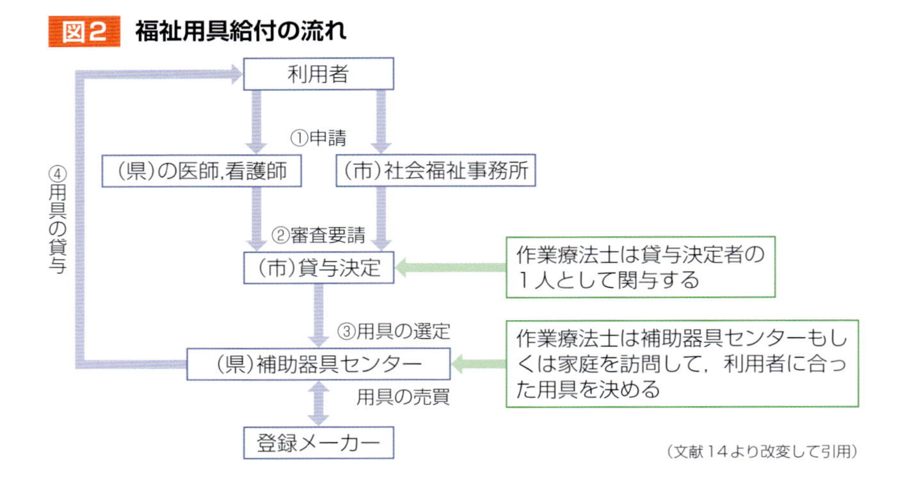

● 認知症者に対する福祉用具の導入

スウェーデンでは地域での福祉機器導入にも作業療法士がかかわることが多く，認知症高齢者の規則的に服薬を促す機器導入にも作業療法士が役割を果たしていた。郊外で，馬が放牧された広い牧場をもつ家に住む夫婦は，認知症の重症度は異なるが服薬を忘れることが問題となっていた。作業療法士はこの夫婦にそれぞれの名前を貼ったアラーム付き薬入れを導入したことで，服薬が自立可能となり，2人で生活を送ることができていた。アラーム付き薬入れは，任意に設定した時刻にアラームが鳴りライトが点滅し，取り出し口に1回分の薬が出てくるもので，薬を放置すると，一定の時間内は間欠的に鳴る仕様である[15]。作業療法士はそれぞれにアラーム付き薬入れの使い勝手，実際の使用方法を確認して必要があれば環境を調整し，看護師も訪問し，作業療法士とともに薬の飲み忘れを確認しながら，新たな薬を機器にセットしていた(図3)。

図3　夫婦で使用しているアラーム付き薬入れ

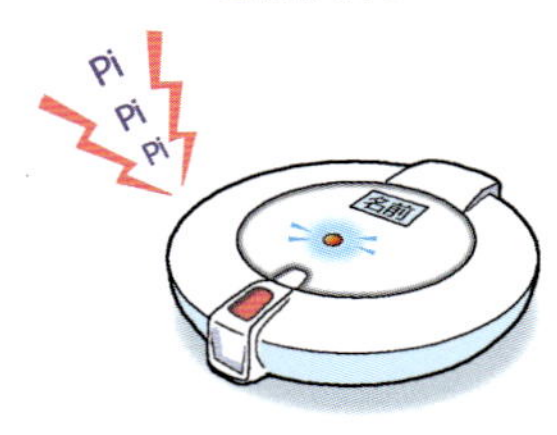

■ ウェルフェア・テクノロジーと介護ロボット

人口の高齢化に伴う介護ニーズの増大に対応する方策の1つとして，介護ロボットへの 期待が高まっており[16, 17]，厚生労働省と経済産業省では「ロボット技術の介護利用における重点分野」を策定し，開発支援を行っているが，現実には介護ロボットの普及は容易には進んでいない。しかし，近年のコロナ禍をきっかけに，日本の介護現場のデジタル化がコロナ禍の必要に迫られて進展してきた。新型コロナウイルス感染が拡大した 2020年3月以降，新たに44.8%の介護事業所がICTを導入していたことが明らかになった[18]。

北欧では，「ウェルフェア・テクノロジー（Welfare Technology)」という用語が使われている。ウェルフェア・テクノロジーとは，機器を必要とする人々の生活を支える機器全般のことを指す。活動への参加や生活を向上させるための機器であり，介護ロボットなどの給付制度などに該当しない機器も含まれる。北欧では，このウェルフェア・テクノロジーの活用を積極的に推進するため先進的な取り組みを行っており，実際に介護現場で活用されている。

日本においては，介護現場における介護ロボットの導入が進められている。このような状況下で，作業療法士は新しい機器や技術の情報を常に学び，機器の適切な選定および適合の技術，活用方法を習得して，地域で高齢者や障害者の自立生活を積極的に支援していくことが求められている。

● 認知症者支援の風景をつくり出すウェルフェア・テクノロジー

デンマークのオールボー市テクニカルエイドセンターの屋外には，施設内の窓から見渡せる場所に牛の彫刻が設置されている（**図4**）。市の職員に問うと，「この牛もウェルフェア・テクノロジーの1つだ」と言っていた。デンマークの郊外は牛の放牧を行っている農村地域が多く，デンマークの人々にとっては親しみのある慣れた風景のようだ。この牛の彫刻は，認知症になった高齢者などのリロケーションダメージを軽減するために，住み慣れた土地の風景を再現するという目的で設置されたウェルフェア・テクノロジーであった。

補足

リロケーションダメージ
急激な環境変化に適応できず，心身に不調をきたす状態。高齢者が施設入居や転居，入院などをする際に起こりやすい。

地域における作業療法では，環境設定も非常に重要な支援の1つである。作業療法士は，対象者にとって馴染みのある風景においてもウェルフェア・テクノロジーとして位置づけ，環境整備を行っていくことが求められるだろう。

近い将来，日本では，どのような風景が高齢者や障害者などに馴染みのある，心落ち着く風景となるのだろうか，考えてみてほしい。

図4　デンマークオールボー市のテクニカルエイドセンター玄関に設置された牛の彫刻

（山内関子氏より提供）

【引用文献】
1) 厚生労働省：参加型社会保障(ポジティブ・ウェルフェア)の確立に向けて，平成22年版厚生労働省白書，p.144-145, 2010.
2) 日本作業療法士協会：作業療法ガイドラインの枠組み，作業療法ガイドライン2002年版，p.3-4, 2003.
3) 日本作業療法士協会：作業療法ガイドライン2012年版，p.12-13, 35-37, 2012.
4) 日本作業療法士協会：作業療法ガイドライン実践指針 2013年度版，p.4-11, 2013.
5) 日本作業療法士協会 監：作業療法学全書 改訂第3版 第1巻 作業療法概論，p.197-204, 協同医書出版，2010.
6) 吉川ひろみ：作業における「作業」の変遷，作業療法ジャーナル，1160-1166, 2005.
7) 齋藤佑樹 編：作業で語る事例報告，p.44-80, 医学書院，2015.
8) 田尻寿子 ほか：機能的自立度評価法，作業療法ジャーナル，568-577, 2004.
9) 日本作業療法士協会 編著：事例で学ぶ生活行為向上マネジメント，p.9, 医歯薬出版，2015.
10) 浅井憲義 ほか 編：認知症のある人への作業療法，p.11-15, 中央法規，2013.
11) 厚生労働省：平均寿命と健康寿命を見る(http://asaet.org/science/8no.html, 2023年6月閲覧)
12) 中島民恵子：認知症ケアの国際比較に関する研究 総括・分担報告書，財団法人医療経済研究・社会保険福祉協会 医療経済研究機構，2011
13) 東 泰弘：作業療法士の仕事とは何かースウェーデン作業療法協会の訪問を通じてわかったことー，発達人間学論叢 第13号，p.21-30, 2010.
14) 尾台安子：スウェーデンの高齢者福祉の現状，松本短期大学紀要，p.27-44, 2005.
15) 上村智子：服薬支援機器，地域リハビリテーション7(8), 674-677, 2012.
16) 首相官邸：新成長戦略(https://www.kantei.go.jp/jp/sinseichousenryaku/index.html, 2023年6月閲覧)
17) 新たな成長戦略～「日本再興戦略ーJAPAN is BACKー」～ 日本産業再興プラン(成長戦略2013)(https://www.kantei.go.jp/jp/headline/seicho_senryaku2013_plan1.html, 2023年6月閲覧)
18) 介護労働安定センター：コロナ禍における介護事業所の課題と対策～継続的な介護サービスの提供に向けて～. 2021.

チェックテスト

Q

①地域での生活を支える社会保障制度の流れを挙げよ(☞p.180, 181)。 基礎

②作業療法がかかわる時期，領域，圏域，場所を挙げよ(☞p.181～183)。 基礎

③地域包括ケアシステムにおいて，サービスの基本的役割を担う機関はどこか(☞p.181)。 臨床

④生活行為向上マネジメントシートを用いることで可能となることを挙げよ(☞p.184)。 基礎

⑤在宅高齢者・障害者の機能低下を予防するために作業療法士が提供できることを挙げよ(☞p.186)。 臨床

2 災害／被災地支援

中山奈保子

Outline

- 自然災害は，それまで積み重ねてきた日課や習慣，住まい，家族や仲間，地域の人々を繋ぐ伝統や文化など，ありとあらゆるものを一瞬にして奪い，人々の生命や健康を著しく脅かす。自然災害による被害は一時的なものではない。社会全体の構造や脆弱さから生じる二次的，三次的な諸問題に対しても長期的な視野をもって支援に臨みたい。
- 作業療法士は，被災住民一人一人の健康状態を的確に把握し，予後を見据えた持続可能な支援を提供するだけではなく，被災住民の主体性や被災住民同士の助け合いを後押しするような場や環境を準備し，地域コミュニティの再生と復興・発展の土台づくりを支援することが求められる。

1 はじめに　～災害を乗り越える人々の暮らし～

自然災害は人々の暮らしそのものを一瞬にして奪い去る。その規模が大きければ大きいほど平時の暮らしを取り戻すまでの道のりは困難を極め，病気や障害の有無にかかわらず誰もが心身の不安定さや健康被害のリスクを抱える。被災した人々が失うものは，それまで築き上げてきた日課や習慣，住まいだけではない。ある日突然，心の支えとなっていた家族や仲間，居場所，ふるさとの景色，地域の人々を繋ぐ伝統や文化，近い将来に向けて思い描いてきた夢や希望を失うことにより，自らの立場や目指すべき道を見失い途方に暮れることとなる。

自然災害による被害は一時的なものではない。不自由な避難生活や一変した生活環境により二次的，三次的にさまざまな問題が生じ，被災住民の暮らしに多大な影響を与えていく（図1）。これらの問題には，地域社会全体にもともと潜んでいた脆弱性が引き起こすものも少なくないだろう。

筆者自身も，2011年3月11日に発生した東日本大震災で被災し，長きにわたる避難生活を余儀なくされた（図2，3）。窮地に追い込まれ，二児の母として家庭を支えるのに精一杯となる最中も，時折，大津波が目前まで迫ったときの情景を繰り返し思い出し，言葉にならない不安や恐怖に脅かされる日々であった。避難先では，思い通りにならない環境に適応しようと努めていたが，早々と住まいを再建する人や，学校・仕事に復帰し被災前の暮らしを取り戻す人との間に隔たりができ孤独を感じていた。近い将来を見通せない時間が長くなればなるほど，作業療法士の仕事に復帰することに対しても強い葛藤が生まれ，「何をしても無駄」「自分にはもう何もない」と無力感を抱いていたことを思い出す。

図4に被災住民の一般的な心理変化を示す。おおむね満足のいく暮らし

に落ち着くまでの時間やスピードは人それぞれで一定ではない。一歩一歩階段を昇っているように見えても，そこでまた新たな困難に遭遇し立ちすくむ「踊り場」のような時間もある。被災住民の暮らしは実に多様である。

図1　自然災害後の暮らし

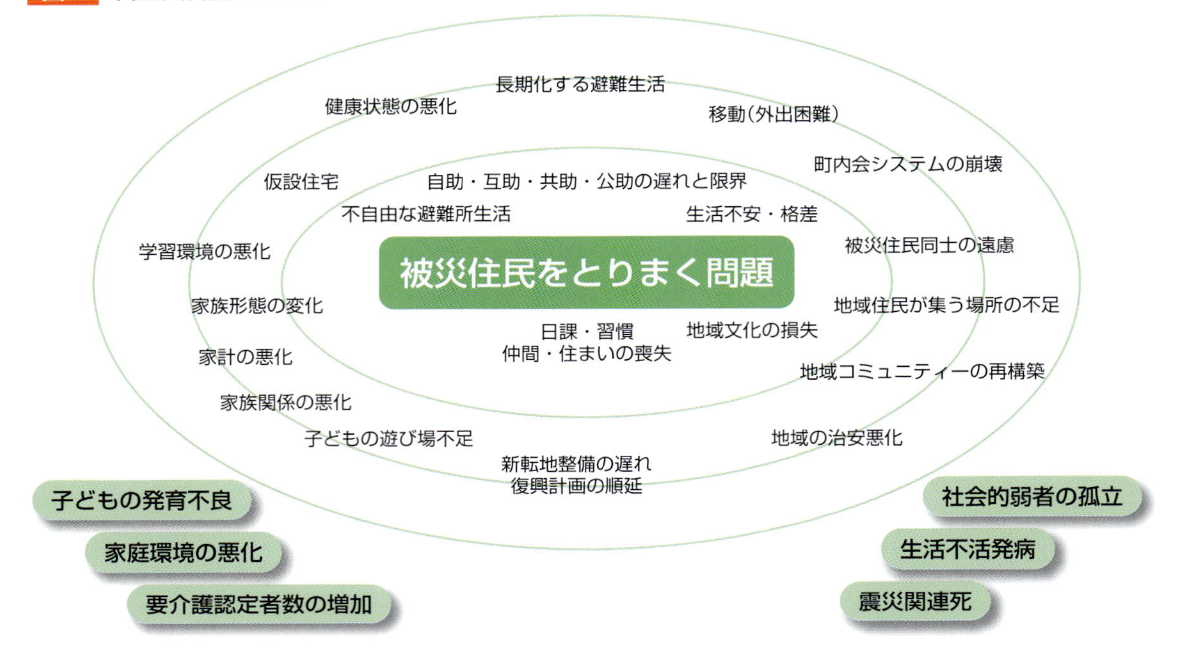

図2　自宅2階のベランダから見た津波

(2011年3月11日16時5分，筆者撮影)

図3　大津波の被害を受けた家屋内の様子

(2011年4月11日，筆者撮影)

図4　被災住民の一般的な心理変化

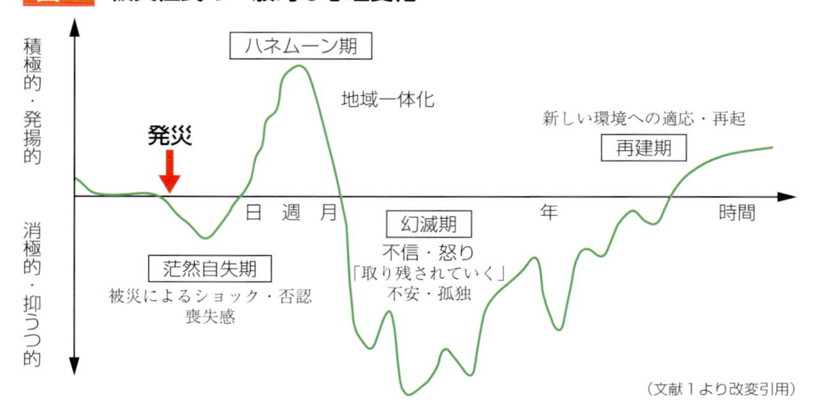

（文献1より改変引用）

2　被災地支援に期待される専門職の姿

日本は言わずと知れた災害大国である。暴風，豪雨，豪雪，洪水，地震，津波，噴火，土砂崩れなどの自然災害が次々と襲ってくる。わが国では1959年9月に発生した伊勢湾台風での教訓をもとに制定された「災害対策基本法」を軸とし，自然災害から人々の生命と心身の健康，財産を守り，国民が一体となって被災地域の復旧・復興に取り組む。災害対策基本法は，阪神・淡路大震災や東日本大震災などの経験により改正を図っている。被災住民の年齢や性別，障害の有無，個々の事情にかかわらず，すべての被災住民の主体性に配慮した適切な援護が図られるよう，国や自治体，事業者，住民の役割が示されている。また災害の種類・発災からの時期ごとの対策や支援，ボランティアの活動環境の整備，過去の自然災害から得た教訓を踏まえた防災訓練，防災教育のあり方などが明記されている。自治体では，これらの内容を土台とした地域防災計画を各地域の実情に即し検討・策定している。

職能団体においても，社会から何を求められ，それぞれの専門的立場からどのような使命を果たせるのか検討が重ねられている。日本作業療法士協会では，「大規模災害時支援指針」や「災害ボランティア活動マニュアル」，「災害ボランティア受け入れマニュアル」を策定したほか，実際に作業療法士が行った支援活動の記録集などが共有され，作業療法士が被災住民や他職種と協働し円滑に活動するための多くの道筋が示されるようになった。しかしながら，被災地支援は災害の種類および規模，地域の特性によって復旧・復興までの過程が大きく異なるため，過去の経験をそのまま当てはめるだけの支援活動はあまり現実的ではないだろう。

より長期的な見地で被災住民の暮らしを支え，住民主体による住民のための地域づくりを後押しする姿勢も重要である。東日本大震災を例に挙げると，地震や津波による被害から一命はとりとめたものの，長期化する避難生活による病気や怪我の悪化，精神的な不安や経済的な困窮によるストレスなどが原因となり，一都九県で3,794人の方が亡くなっている（災害関連死：2023年3月31日現在）。今もなお家族のもとに帰ることができていない行方不明者は2,523人，発災から10年以上が経過してもいまだ避難生活を続ける人の数は全国で約3万人にも上っている（2023年5月1日現在）。私たちは，地域の復旧・復興の陰に潜み，辛く困難な立場に置かれる人々の暮らしを決して見逃してはならない。

支援活動を行う地域あるいは住民のニーズを的確に把握しながら，いつ，誰に，どのような形で作業療法の知識や技術を提供できるのか，被災後の暮らしを直接肌で感じながら被災住民や他職種とともに判断することが求められる。ときには，作業療法の枠組みを超えた支援活動が求められることもあるだろう。次項からは，筆者の経験をもとに被災住民を取り巻く諸問題を列挙しながら，作業療法士として被災地支援や地域の防災活動に携わる際に必要な心構えや期待される役割について考察したい。

3 被災住民の生活を取り巻く諸問題① 災害発生～避難生活のはじまり

■ 災害発生時における「自助・互助・共助・公助」の重要性

災害発生時は，自助・互助・共助・公助（**表1**）が一体となってそれぞれの役割を果たすことで，被災地域に暮らす住民の安全を確保するだけではなく，避難生活における不安解消にもつながる。

表1　災害発生時における自助・互助・共助・公助

自助	自ら身の安全や健康を守ること
互助	家族や近隣住民，友人と助け合うこと
共助	地域コミュニティや民間ボランティアを中心とした助け合い活動
公助	国や自治体，防災機関などによる救助・災害支援活動

ただし，災害の規模が大きくなるほど「公助」・「共助」の力がすべての被災住民に及ぶまでには相当の時間を要することを覚悟しておきたい。東日本大震災においては，市町村庁舎が被災し行政機能が完全に麻痺する事態に陥った。また，災害発生直後から，数々のNPO団体などが救援活動を展開させたが，被災範囲が広く，限局的にならざるをえなかった。そのような状況下においても，日頃の防災教育や町ぐるみの災害対策が実を結び，地域住民の力で多くの命を守った事例など，さまざまな形で「自助・互助」が自然と発生していたことも忘れてはならない。

■取り残される社会的弱者

被災住民を主体とした「自助・互助」の力には，限界があることも認識しておかなければならない。特に，東日本大震災発生直後の避難行動では，心身に不自由を抱える高齢者や障害者，身寄りの少ない住民，外国人など地域社会のなかで弱い立場になりやすい住民が，十分な手助けを得られなかったために，命を落としてしまった事例も少なくなかった。なかでも，高齢者の死亡率は全体の半数を超え，障害者手帳所持者の死亡率についても，全住民の死亡率の2倍近くにまで及んだという調査報告もある。

■被災によるショックと喪失感による孤立

災害直後の避難所では，一時的な失見当識はもちろんのこと，被災したことによるショックや喪失感，周囲への気遣いから自分の気持ちを率直に表すきっかけを失い，周囲とのコミュニケーションや「互助・共助」への参加に支障をきたし，孤立化する被災住民がしばしば見受けられた。特に，高齢者は避難生活になじめない不安が重なり閉じこもりがちになっていく傾向が強い。そのため，早い段階で被災住民の気持ちにじっくり耳を傾けることができる環境を準備するよう配慮しなければならないだろう。

例えば，避難所内に簡単な手工芸あるいは喫茶コーナーを設置し，「気晴らし」を促しながら，作業を通した被災住民同士の交流を図り，固く閉ざされがちな心を徐々に解きほぐす方法が有効かもしれない。以下に，東日本大震災の被災住民が避難所での出来事を綴った手記を紹介する。

体験手記その1「避難所での出来事」（宮城県石巻市で被災・30歳代女性）

「震災発生５日目。やっとの思いでたどり着いた避難所で義父の死を知らされた。（中略）私は義母に義父の遺体が自衛隊に運ばれていったことをそっと伝える。（中略）義母はしだいに自分から話したり何かをしようとすることがなくなり，じっと座ったまま過ごすようになる。数日後，避難所にいる高齢者の体調をチェックするボランティアが訪れる。血圧計と問診票を義母に差し出され体調を聞かれると，驚いたことに，義母は，私が今まで見たことのない表情で突然これまでのことを涙ながらに語りはじめていた。大津波が目の前まで迫ってきたこと，夫が亡くなったこと，これからどうしたらよいかわからないこと……そばにいた私は，自分の気持ちを代弁してもらっているかのような気持ちで義母を見つめていた。いつしか私も涙が止まらなくなっていた」

（三陸こざかなネット制作 東日本大震災を乗り越える親子の記録集より）

この手記は，東日本大震災で被災した女性が，震災発生から5日目の避難所で，生まれて初めてボランティアによる支援を受けた出来事を綴ったものである。「同じ部屋に200人～300人以上の避難者がいるなかで，悲しみに暮れている様子は見せられない，きっと自分たち以上に辛い思いをしているはずだ」と考え，自分たちの気持ちは表に出さないようしていた。「どんなに辛いことがあっても，その気持ちを誰かに打ち明けることができない心境こそ，何よりも辛かった」と教えてくれた。また，この出来事を境に，自分が「被災」したことを現実として認識するようになり，積極的に周囲の人々と交わり情報を集めに行くようになったことも付け加えられた。

4 被災住民の生活を取り巻く諸問題② 避難所における生活不活発病の予防

生活不活発病は，運動量の減少に限らず，日課の持ち方や他者とのかかわり，環境の変化が発端となり発症するおそれがある。東日本大震災では，震災発生後に要介護・要支援者の認定率が軒並み高くなっていたことからも（**表2**），高齢者やもともと心身に障害を抱えた人々はもちろんのこと，すべての避難住民に配慮した取り組みが求められる。以下に，避難所における主な生活不活発病発症の背景を列挙する。

表2 市町村別要介護者の増加率（2012年3月末）

市町村	2011年5月比：増加率(%)
陸前高田市	20.1
大船渡市	17.9
山田町	13.6
女川町	84.6
石巻市	40.3
東松島	28.2
富岡町	66.2
葛尾村	47.3
大熊町	43.2

（文献7より引用）

■バリアだらけの避難所・長期化する床上生活

災害が起こった際，いまだ多くの避難所では，病気や心身に障害を抱える障害者などに対する備えが不十分であり，誰からも支援を受けられないまま孤立してしまうおそれがある。設備が整えられた福祉避難所には，自治体があらかじめ指定した受入対象者が避難できるが，発災後，福祉避難所へ真っ先に避難できるとは限らず，一度は一般の避難所へ避難することが想定される。そのため，一般の避難所においても，誰がどのような支援を必要としているのか全体像を把握していなければならない。車椅子や簡易ベッドなどの備えがあっても，数が限られている場合もあるため，対象となる避難住民の心身状態や予後予測に基づき支援の優先順位を決めざるをえない状況もあるだろう(トリアージ)。また，長期間床上での生活を強いられる可能性が高く，独歩で移動が可能な状態でも，「避難所内は荷物が多くてどこを歩いたらよいかわからない」「人が大勢行き交うなかを歩くと転ぶかもしれない」といった理由により，運動量・活動量が極端に低下してしまうケースもあり，動線の確保といった環境の整備も併せて行う必要がある。避難所には，こうした物理的なバリアのほかにも，障害に対する理解不足を発端とした，心理・社会的バリアも多く存在する。過去には，騒音が激しく混雑している場所が苦手な子どもが急に声をあげ，周囲の避難住民から非難を浴び，肩身の狭い思いをしながら避難生活を送ったという事例も少なくなかった。

■ボランティアへの依存

避難所では，ときに「ボランティア過多」といった事態に遭遇する。支援物資として全国各地から届いた衣類や生活用品が大量に余って山積みになることもある。すると「助けてもらうのが当たり前」といった態度でボランティアに接し支援に依存する者が現れる。「ボランティアが中心になって運営する避難所よりも，被災住民同士で運営する避難所のほうがよい雰囲気づくりができる」という意見もよく聞かれるため注意したい。

なかには，避難所で出会った被災住民同士が避難所が閉鎖された後も定期的に集まってお互いの近況を話し合ったり，自分たちの地域を盛り上げようとさまざまな取り組みを行う事例もあり，被災住民同士が心の支えとなっている。被災住民同士の協力や意思を最優先とし，ボランティアの支援に依存的にならないような働きかけが大切である。

● 在宅避難のメリット・デメリット

発災時に避難所には避難せず，安全を確保したうえで自宅での生活を継続する「在宅避難」は，避難所への密集を避ける分散避難にもつながるが，避難所と比べ情報が入りにくかったり，支援物資が行き渡らなかったりするなどのデメリットもある。医療・福祉専門職の巡回やボランティアの支援を受ける機会が少なく，必要なときに必要な支援を受けられず不安やストレスを抱え込みやすい。周囲と比べ明らかにライフラインの復旧が遅れていたり，不衛生な環境のまま生活をしているケースもあるだろう。プライバシーが守られる安心感はあるものの，発災後の混乱から家族間のトラブルが生じることもしばしばである。在宅避難者が多い地域では，在宅避難者を支援の網からとりこぼさないよう，巡回訪問による声かけ・安否確認，在宅避難者同士が集う場づくりなどの働きかけが大切である。

以下に，東日本大震災で在宅被災者となった男性の手記を紹介する。

体験手記その2「日常を１つ取り戻せたら，家族に笑顔が戻った」(宮城県仙台市で被災・40歳代男性)

「震災発生当時，季節は冬であったが忙しく働いていたため毎日汗をかいていた。しかし，風呂には入れない。シャワーは冷水しか出てこない。(中略)いつまで我慢すればいいのか，先が見えないというものは焦りをかきたてる。家族のストレスも溜まっている。特に祖母が心配。イライラを周囲に撒き散らし始めている。ゆっくりと風呂に入れてあげたい，そう思ったとき，廃油ストーブの上でグラグラと沸き立つお湯が目に入った。

(中略)大鍋いっぱいに入れたお湯は，30分ほどで沸くことがわかった。それを20ℓのポリタンクに移し，風呂に流し込む。大鍋に水を汲み，再び温める。ひたすらこれの繰り返し。くじけずにお湯を作り続ける。風呂に半分もたまれば家族に次々と入ってもらう。全員が入浴し終えるまでの約３時間，水を入れ湯を沸かし続けた。最後のお湯で自分も風呂に入る。実に気持ちいい。風呂がこんなに気持ちがいいとは。懐中電灯の明かりに淡く照らされた浴室が，ひなびた温泉宿を連想させる。

(中略)風呂に入れたということは，また一つ，日常を取り戻せたということである。日常を一つ取り戻せた家族に笑顔が戻った。祖母のイライラも目に見えて解消された。今にして思えば，家族がもっと早く日常を取り戻せていたら，他の被災住民に対しても余裕をもって優しく接することができたのだと思う。──お風呂，偉大なり。」

(三陸こざかなネット制作 東日本大震災を乗り越える親子の記録集より)

5 被災住民の生活を取り巻く諸問題③ 避難所以降の暮らし

■応急仮設住宅（図5）

応急仮設住宅は，あくまでも「仮」であり恒久的な住居ではない。住民たちは，新しいコミュニティの構築に労を費やしながらも，いずれは別々の場所へ転居する必要がある。原則2年の入居期限で建設されているため，全体的に造りが簡素で，個々のライフスタイルに応じたものにはほど遠い。壁が薄く，隣り合う部屋から生活音が漏れるなどプライバシー性に欠けるため，「ひっそりと」過ごすようになりやすい。部屋数や広さはもちろんのこと，収納場所が限られ徐々に生活スペースが減っていく。また，要介護者にとっては不自由が多すぎる空間である。例えば介護用ベッドを使用する者は，その狭さゆえに必要な動線が妨げられるだろう。トイレや浴室に動作を助ける手すりがいくつか設置されているが，すべての住宅に同じように取り付けられている。そのため詳細な身体機能評価の下，自治体および施工業者などとの連携による改修工事が求められる。

また，施行不良や老朽化を主な原因とした問題も発生する。東日本大震災の被災各地では，建物自体が傾き転居せざるをえないケースもあった。

結露や換気不足によるカビは，喘息の悪化や肺炎のリスクを高めた。度重なる復興計画の順延が影響し転居先の整備が遅れると入居期間が長期化し，それらの問題は一層深刻化する。

図5　仮設住宅における住環境整備の一例（石巻市内仮設住宅にて撮影）

a　玄関前に新設されたスロープ

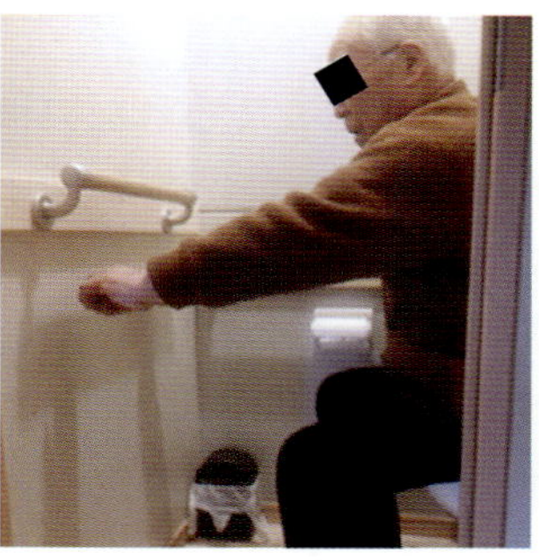

b　トイレ内に設置された手すり

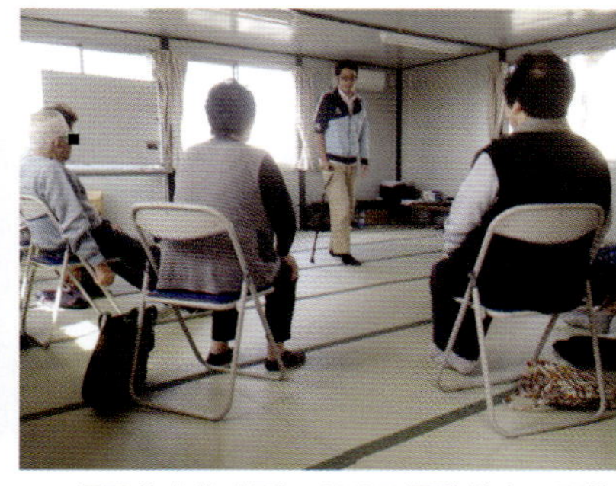

c　仮設住宅集会所における運動教室の開催

（写真提供：face to face 東日本大震災リハネットワーク）

■損壊した自宅を修繕し元の生活を再開

損壊した家屋を修繕し，元の場所で生活を再開することができても，被災前と同様の生活を送ることは難しい。被害が大きかった地域では「災害危険区域」に指定され住居の建築自体が制限されてしまったり，地元を離れて別の土地に住居を求める人が続出することから，見渡す限り更地となった場所にぽつりと明かりが灯ることもしばしばである。町内会の機能は失われ，たった数世帯で新たな組織を立ち上げるのは非常に難儀である。また，歩いて行ける場所にあったスーパーや病院が被災し移転や廃業を余儀なくされれば，移動手段をもたない住民が軒並み外出困難となり，日常的な買い物や通院に支障をきたす。

応急仮設住宅には「市内巡回バス」の停留所や「移動販売車」が配備されても，それ以外の場所には支援の手が十分に行き届かないといった問題も散見される。「家を失い，仮設住宅に暮らしている人に比べれば恵まれている」という遠慮の気持ちから，不便なことがあっても誰にも相談せずにいる傾向がある。地域の公民館なども被災し，住民が気軽に集い語り合う機会も激減していることから，こうした住民の心の声に耳を傾ける存在が求められる。

6　被災住民の生活を取り巻く諸問題④　仮のわが家から「終の住処」へ

■復興途上における新たな課題

応急仮設住宅入居者の転居先は，自治体が整備する集団移転先に新築する自宅もしくは災害公営住宅に大別される。いずれにせよ，転居により少なくても二度のコミュニティー喪失と再構築を体験し，年齢を重ねた高齢者を中心に環境への適応能力が一層低下していることが懸念される。「仮」の住まいから「終(つい)の住処」へたどり着いたものの，その先には人間関係の希薄化，単身化，孤独などの不安が待っているといっても過言ではない。住まいの整備は，被災地域の復興を左右する大きな要素ではあるものの，それはたった一局面に過ぎないのである。

■住まいのめどを立てられない被災住民

集団移転先や災害公営住宅の整備が進んでも，応急仮設住宅退去後の移転先を決められずにいる事例も少なくない。東日本大震災により甚大な被害を受けた宮城県では，震災発生から5年あまりが経過してもなお，応急仮設住宅に入居していた世帯のうち約一割が「転居先未定」と回答した。自治体独自に家賃負担を軽減する制度を設け転居先の決定を後押ししているが，新たな土地で一からまた生活を築くことに対する不安から，なかなか次の住まいを選べずにいたり，被災後の失職や収入の著しい減少により，家賃を支払う余裕がないといった事情がみられた。

7 子どもの成長と家庭環境① 被災した子ども達をとりまく環境

■遊び場の激減（図6）

東日本大震災では，被災により幼い子ども達の遊び場となる公園施設などが激減した。学校の校庭に仮設住宅が建設されたり，体育館が被災し長期間使用不能となったことも加わり，子ども達はより閉鎖的な環境で過ごすこととなる。多くの子ども達が応急仮設住宅からスクールバスなどで通学するようになり，さらに体を動かす機会が減っていった。遊びや運動機会の制限により，子どもの体力・運動能力が低下し，肥満の増加が懸念される。

図6　震災後の整備が進まず自由に遊ぶことができない公園（石巻市）

使用できないようにテープが全体に巻き付けられた滑り台

（2015年9月，筆者撮影）

■幼くして被災した子どものケアと成長

被災当時まだ幼かった子ども達は，確かに生死の狭間を生きるような体験をしているものの，その記憶をうまく言葉に表現できないまま成長していく。震災発生以降，いまだ避難訓練を怖がったり震災の映像に過剰な反応を見せる子どもが少なくないことから，被災した子ども達の継続的なケアが求められる。子どもの親も被災していることから家族単位で見守る姿勢も欠かせないだろう。一方で，幼くして被災した子どもが大人になり，自らも被災した当事者として，被災体験を語り継ぎたいと，語り部として活躍するケースも少なくないため，個々の可能性を長期的に支える必要がある。

■学習環境の悪化

被災により失った教科書や筆記用具は比較的早期に手配できるものの，親が住まいや仕事を失っていたり，学校が被災したといった状況下では，子ども達の「学ぶ意欲」そのものが低下しやすいということを何よりも先に問題視しなければならない。避難所はもちろんのこと，手狭な応急仮設住宅で勉強スペースを確保できない子どもを含め，家庭環境が激変した子ども達は，掲げていた目標を諦めてしまっている可能性が高い。子ども達が再び意欲的な暮らしを送るためにも，安心して学べる環境を整備し，子ども達自身が将来どのような形で社会貢献できるかを自由に想像する時間を設ける必要がある。

8 子どもの成長と家庭環境② 家庭環境の変化

被災により，住まいなどの物理的環境だけではなく，家族形態までもが変化する家庭が増える。住まいにかかる費用負担を軽減するために，それまで核家族だった世帯が親世帯・子世帯の二世帯で同居生活を始める事例も少なくない。仕事を失った主人が家族を離れ単身生活を送る家庭も多い。

こうした事例では，被災後あまり時間が経過しないうちに家庭環境が変化している例が多く，新しい家庭環境になじめないといった悩みを一人で抱えこむおそれがある。さらに，個人的な事情を第三者に相談することを拒み，家庭内のトラブルに発展してしまう場合もある。東日本大震災では，被災後に家庭内暴力（DV）やアルコール依存，児童虐待による事案が急増したことも報告されており，こうした状況に直面する子ども達が家庭での居場所を失っていくことも懸念されている。

9 おわりに　～被災地域で求められる作業療法士像～

被災住民は，身体的・心理的・社会的・経済的にさまざまな問題に直面する。たとえ健康であっても，身体または精神になんらかの機能不全をきたすおそれや，それらの問題に誰にも気付かれないまま，あるいは自覚することもないまま潜在化してしまう可能性が非常に高い。被災の内容や程度には個人差が大きく，なおかつ個人によって受け止め方も異なる。被災地域の支援に携わろうとする際には，被災住民一人一人の状況をより多角的な視点でとらえ，解決すべき課題を迅速かつ具体的に察する能力が求められる。先々の見通しが難しく複雑化する被災住民の生活背景をより理解し，被災住民の主体性を埋もれさせないための場や環境に関心をもち，被災住民の健康状態や暮らしを改善するための作業を選択する過程では，被災前の生活様式や地域の特性，地域社会が抱える諸問題にまで関心を広げる必要があるだろう。

今後発生が予想されている自然災害に備え，平時からの取り組みも欠かせない。災害発生時に弱い立場に置かれやすい人々の命と暮らしを守るためにも，地域住民の自助力や住民同士のコミュニティ形成支援に対しても積極的な働きかけが期待される。

アクティブラーニング ① 復旧・復興のプロセスにおいて被災住民の主体的な行動を十分に引き出すために，支援者としてどのような心構えが必要か考えてみよう。

【引用文献】

1) 日本作業療法士協会：災害支援ボランティア活動マニュアル，日本作業療法士協会誌，26：7-11，2014.
2) 総務省消防庁：災害対策基本法の制定から現在までの主な改正の経緯について（https://www.fdma.go.jp/publication/ugoki/items/rei_0404_04.pdf，2023年4月20日閲覧）
3) 復興庁：東日本大震災における震災関連死の死者数［令和5年3月31日現在調査結果］（https://www.reconstruction.go.jp/topics/main-cat2/sub-cat2-6/20230630_kanrenshi.pdf，2023年4月20日閲覧）
4) 復興庁：全国の避難者数（https://www.reconstruction.go.jp/topics/main-cat2/sub-cat2-1/20230609_kouhou.pdf，2023年4月20日閲覧）
5) 岡田広行：災害弱者，岩波新書，2015.
6) 清水貞夫 ほか：高齢者と東日本大震災，奈良教育大学紀要，62-1，2013.
7) 橋本大吾：東日本大震災後の石巻市における民間組織でのリハビリテーション支援活動，理学療法ジャーナル49-3，2015.
8) 東日本大震災女性支援ネットワーク：東日本大震災「災害・復興時における女性と子どもへの暴力」に関する調査報告書，2015.

【参考文献】

1. 金 吉晴 編：心的トラウマの理解とケア第2版，じほう，2006.

チェックテスト

Q

①自然災害による直接的な被害のほか，どのような問題が被災住民の生活行為に影響を及ぼすか（☞p.191，192）。 臨床

②自然災害発生後に生活不活発病が多発する背景には何があるか。また，生活不活発病を予防・回復させるためにどのような支援が必要か（☞p.196～199）。 臨床

3 ICTとロボット技術

田村孝司

Outline

- ICT・ロボット技術は作業療法にも大きな影響を与えている。
- 作業療法への応用には直接支援と間接支援がある。
- 直接支援としてはロボット技術による介助などへの支援があり，間接支援としては管理や記録業務の円滑化がある。

1 作業療法に関連するICT・ロボット技術の概要

■ICT技術と作業療法

ICT（information and communication technology）は情報および通信にかかわる技術の総称のことである。国は人口減，特に労働人口の減少による生産量の不足を補うべくICTを用いた生産性の向上に取り組んでいる。作業療法士が関連する**医療・介護・福祉領域は人材不足が深刻**であり，**生産性の向上**は喫緊の課題である。

生産性とは生産/投資で考えられる。医療・介護・福祉領域で生産されるのはサービスであり，投資は労働者のサービス提供時間に代表されやすい。例えば，1日8時間勤務し，8人の対象者に対し1人当たり40分の作業療法を提供した場合と6人に同様のサービスを提供した場合，同じ質の作業療法が提供できたのであれば8人に提供できたほうが，生産性が高いこととなる。作業療法の提供には準備や記録が必要であるが，これらの時間を短縮するためにICT技術が使われている。

また，ICTは対象者に対する支援ツールの一つとして用いられる。これは意思伝達装置などに代表されるようなコミュニケーション支援ツールや，認知機能を訓練するためのアプリケーションなども開発されている。このような支援ツールを用いることで対象者の生活の質（QOL：quality of life）を高めることができる。近年ではインターネットに接続することにより，さまざまなサービス〔例えばTwitter（現X）やLINEなど〕へのアクセスが容易となり，自己表現することについての障壁は下がってきている。

これに加え，最近では3Dプリンターを用いて自助具や簡易的なスプリントなどの作成の試みもある。3Dプリント技術はデータを作成することにより情報を共有しやすいことや，調整のための変更も容易であるため，作成から適合までの流れが効率的になる。

2 ロボット技術と作業療法

ロボットとはセンサー，制御や知能，駆動系の要素を有する知能化された機械と定義されている。「ロボット政策研究会 報告書」(平成18年5月，経済産業省)において国は2015年度からの5年間をロボット革命集中実行期間と位置付け，集中的な投資，実証フィールドの設置，イノベーションの加速や人材育成などの施策を実行している。介護・医療領域ではロボット新戦略において，移乗などでの腰痛リスクの高い作業機会をゼロにすること，介護関係諸制度の見直し，医療ロボットの開発・普及の推進を行っている。ロボット介護機器は移乗支援，移動支援(外出サポートを含む)，排泄支援(誘導，動作支援を含む)，見守り・コミュニケーション支援，入浴支援，介護業務支援に分けられ，開発が進んでいる。

■直接支援

作業療法士は対象者に対する直接支援と対象者を取り巻く人的，物理的環境への間接支援を行うが，直接支援では障害されている機能を補完するロボットの適合や使用のための訓練を行うこととなる。これは義肢装具や自助具のチェックアウト同様，対象者の評価およびロボット利用後の効果判定までを行うことが期待される。

■間接支援

間接支援では対象者個人の環境だけでなく複数の対象者や対象者の暮らす社会について考慮する必要がある。間接支援において，介助者に使用するもの，要介護高齢者に直接使用するもの，見守りやセンシング技術を用いて行動を記録するものなどがある。これらについて作業療法士は，①ロボットを使用した介護方法に関する介助方法の技術的支援，②センシング技術から得られたデータの分析による行動の分析と予測に基づく介護への助言が求められる。このために，作業療法士は開発されたロボットの使用方法と効果について身体的，心理的側面から分析する。また，行動の予測と介護に関する助言について，対象者の生活機能とその経過を推察できるような評価を行うことが求められる[1)]。

アクティブラーニング ① 医療・介護の現場で用いられているICT・ロボット技術を調べてみよう。

3 介護保険領域におけるICTの活用

介護保険領域では令和3年度の介護報酬の改定においても，自立支援・重度化防止の取り組みの推進において，質の評価やデータ活用を行いながら，科学的に効果が裏付けられた質の高いサービスの提供を推進するために，リハビリテーションの取り組みが強化されるとともに，科学的介護情報システム(LIFE：Long-term care Information system For Evidence)の活用が示されている。また，介護人材の確保・介護現場の革新においてテクノロジーの活用と業務効率化，負担軽減が推進されている。この中には，見守り機器を導入した場合の夜間における人員配置の緩和，会議や多職種連携におけるICTの活用などが示されている。

国は2013年(平成25年)より介護ロボットの開発支援について，主に5分野を選定し進めている。①移動支援は屋内移動支援と外出をサポートする屋外支援，②排泄支援は排泄物の処理，トイレ誘導，動作支援，③見守りおよびコミュニケーション支援では施設内を対象としたセンサーなど，在宅ではセンサーに加えて外部連絡までを考慮したもの，④入浴支援では浴槽の出入り，⑤介護業務支援ではロボット技術によって得られた情報の集約および活用を促すものとされ，開発が進み実用化されている(**図1**)[2]。

図1　介護ロボットの開発支援

民間企業・研究機関等〈経産省中心〉		介護現場〈厚労省中心〉
○日本の高度な水準の工学技術を活用し，高齢者や介護現場の具体的なニーズを踏まえた機器の開発支援	モニター調査の依頼等 → ← 試作機器の評価等	○開発の早い段階から，現場のニーズの伝達や試作機器について介護現場での実証(モニター調査・評価)

開発重点分野　○経済産業省と厚生労働省において，重点的に開発支援する分野を特定(平成25年度から開発支援)
○平成29年10月に重点分野を改訂し，赤字箇所を追加

移乗支援

○装着

• ロボット技術を用いて介助者のパワーアシストを行う装着型の機器

○非装着

• ロボット技術を用いて介助者による抱え上げ動作のパワーアシストを行う非装着型の機器

移動支援

○屋外

• 高齢者等の外出をサポートし，荷物等を安全に運搬できるロボット技術を用いた歩行支援機器

○屋内

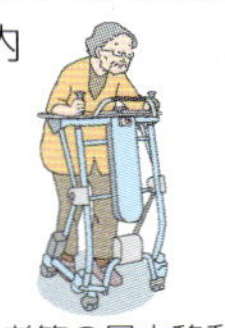

• 高齢者等の屋内移動や立ち座りをサポートし，特にトイレへの往復やトイレ内での姿勢保持を支援するロボット技術を用いた歩行支援機器

○装着

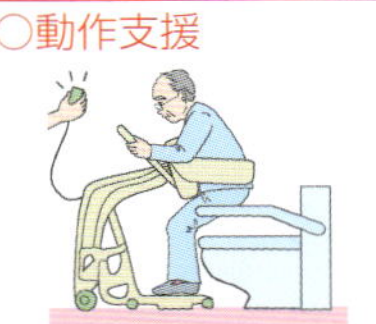

• 高齢者等の外出をサポートし，転倒予防や歩行等を補助するロボット技術を用いた装着型の移動支援機器

排泄支援

○排泄物処理

• 排泄物の処理にロボット技術を用いた設置位置調節可能なトイレ

○トイレ誘導

• ロボット技術を用いて排泄を予測し，的確なタイミングでトイレへ誘導する機器

○動作支援

• ロボット技術を用いてトイレ内での下衣の着脱等の排泄の一連の動作を支援する機器

見守り・コミュニケーション

○施設

• 介護施設において使用する，センサーや外部通信機能を備えたロボット技術を用いた機器のプラットフォーム

○在宅

• 在宅介護において使用する，転倒検知センサーや外部通信機能を備えたロボット技術を用いた機器のプラットフォーム

○生活支援

• 高齢者等とのコミュニケーションにロボット技術を用いた生活支援機器

入浴支援

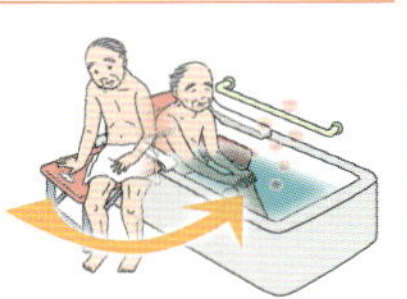

• ロボット技術を用いて浴槽に出入りする際の一連の動作を支援する機器

介護業務支援

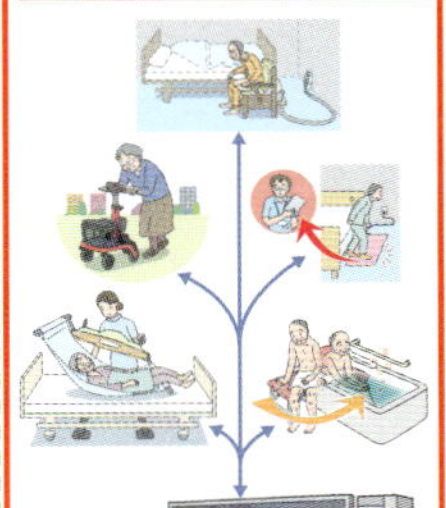

• ロボット技術を用いて，見守り，移動支援，排泄支援をはじめとする介護業務に伴う情報を収集・蓄積し，それを基に，高齢者等の必要な支援に活用することを可能とする機器

(文献3より引用)

また，科学的介護加算では国にADLなどの情報を提供することが求められているが，これらの情報を入力し活用するために，介護ソフトが活用されており，作業療法士が行う評価や日々の記録についてもデジタル化が進んでいる。

アクティブラーニング ② ICT技術の活用によって記録業務の負担を軽減する方法について考えてみよう。

【引用文献】

1）経済産業省 ロボット政策室：経済産業省におけるロボット政策．令和元年７月９日（https://www.techno-aids.or.jp/robot/file01/03shiryo.pdf, 2023年６月閲覧）

2）最近のロボットの具体例（https://www.kantei.go.jp/jp/singi/robot/dai1/sankou4.pdf, 2023年６月閲覧）

3）厚生労働省：ロボット技術の介護利用における重点分野（https://www.mhlw.go.jp/file/06-Seisakujouhou-12300000-Roukenkyoku/2_3.pdf, 2023年６月閲覧）

チェックテスト

Q

①日本がICTを用いた生産性向上に取り組む理由を述べよ（☞p.203）。 基礎

②作業療法士がICT・ロボット技術を用いて行う支援方法を挙げよ（☞p.204）。 臨床

③国が行う介護ロボットの開発支援で選定された重点分野を５つ挙げよ（☞p.205）。 基礎 臨床

 予防

Question 1

× a：住宅改修は初回評価後の支援であるため適さない

× b：初回訪問では，利用者との信頼関係構築に努めることが重要である。プライバシーに立ち入りすぎる情報聴取は信頼関係を損なうおそれがあるため適さない

× c：初回訪問ではどの支援が必要なのかを見極め，利用者にとってどのような支援が必要か評価する。初回から作業療法支援を展開するのは時期尚早である

× d：初回訪問では，利用者との信頼関係構築に努めることが重要である。プライバシーに立ち入りすぎる情報聴取は信頼関係を損なうおそれがあるため適さない

○ e：初回訪問ではどの支援が必要なのかを見極め，利用者の困りごとを聞き取り，どのような支援が必要か評価する

5章

地域作業療法で必要な知識

1 感染症と公衆衛生・疫学

田村孝司

Outline

- 感染症は病原体と感染経路，宿主があることで成立する。
- 病原体にはウイルスや菌，寄生虫などがある。
- 公衆衛生や疫学は感染予防だけでなく，普段の業務にも有効な考え方である。

1 感染症の基礎知識

■感染症を引き起こす原因

●感染症とは

感染症とはウイルスや細菌などが体内に侵入して増殖することによってさまざまな症状を引き起こすことを指す。このような感染症を引き起こすウイルスや細菌を病原体とよぶ。病原体は環境のさまざまな場所に存在し，人との接触により感染する。病原体と接触しても発症せずに経過する場合がある。病原体が体内にあり症状が治まっている場合を保菌者といい，感染しても発症しない感染を不顕性（ふけんせい）感染という。また，感染してから発症するまでの期間を潜伏期間という。

●感染源の種類

ウイルス

ウイルスは細胞をもたない，遺伝子情報をもった病原体である。自己増殖することができず，他の生物の細胞内に感染して初めて増殖する。感染予防ではワクチンにより予防できるウイルスがある。治療ではいくつかのウイルスには抗ウイルス薬を使用することがあるが，まだ開発段階のものが多い。このため，治療は保存的であり二次感染（ある感染症にかかることで免疫機能などが低下し，ほかの感染症に感染すること）の予防になる。

細菌，真菌

細菌や真菌は細胞があり，自己複製能力のある微生物である。いくつかの細菌にはワクチンを使用した予防が行われている。治療には細菌に対して抗生物質，真菌では抗真菌薬の投与が行われるが，耐性菌[*1]に注意が必要である。

＊1 **耐性菌（薬剤耐性菌）**
ある菌に使用していた薬剤に対して抵抗性をもった菌のこと。複数の薬剤に耐性をもった菌を多剤耐性菌という。

寄生虫，原虫

寄生虫は原虫と蠕虫（ぜんちゅう）に分類されている。原虫は単細胞生物であり，蠕虫は多細胞生物である。経口もしくは皮膚から感染することが多いため，予防には衛生保持が重要となる。治療は寄生虫によって異なるが，薬物による死滅や外科的な除去が用いられることもある。

■感染成立の３要因と基本的な対策

感染は病原体，感染経路，宿主（しゅくしゅ）があって成立する。感染症を予防するためには，病原微生物の感染源確認の有無にかかわらず，血液，体液，分泌物，嘔吐物，排泄物，傷のある皮膚，そして粘膜が感染する危険性があるという考えに基づき，**標準予防策（スタンダード・プリコーション）**や**感染経路別予防策**とよばれる基本的な措置を徹底することが重要である。

> **補足**
> **標準予防策（スタンダード・プリコーション）**
> 1985 年に米国CDC（国立疾病予防センター）が病院感染対策のガイドラインとして，ユニバーサル・プリコーション（universal precautions，一般予防策）を提唱した。これは，患者の血液，体液，分泌物，嘔吐物，排泄物，創傷皮膚，粘膜，血液は感染する危険性があるため，その接触をコントロールすることを目的とした。その後，1996年に，これを拡大し整理した予防策が，スタンダード・プリコーション（standard precautions，標準予防策）である[1]。

● 病原体（感染源）の排除

前述したように感染症の原因となる微生物（細菌，ウイルスなど）を含んでいるものを病原体（感染源）といい，次のものは病原体（感染源）となる可能性がある。

a．嘔吐物，排泄物（便・尿など），創傷皮膚，粘膜など
b．血液，体液，分泌物（喀痰・膿など）
c．使用した器具・器材（注射針・ガーゼなど）
d．上記に触れた手指

a，b，cは，素手で触らず，必ず手袋を着用して取り扱う。また，手袋を脱いだ後は，手指消毒が必要となる。

● 感染経路の遮断

感染経路には，接触感染，飛沫感染，空気感染，および血液媒介感染などがある。以下に主な感染経路と原因微生物を示す（**表1**）。

感染経路を遮断するためには，病原体を持ち込まないこと，病原体を持ち出さないこと，病原体を拡げないことが必要となる。このために標準予防策と感染経路別予防策を実施する。

標準予防策として，手洗いのほか，血液，体液，分泌物，嘔吐物，排泄物などを扱うときは，手袋を着用するとともに，これらが飛び散る可能性のある場合に備えて，マスクやエプロン・ガウンを着用する。

● 宿主抵抗力の向上

宿主の抵抗力を向上させるには，日ごろから十分な栄養と睡眠をとるとともに，ワクチン接種によりあらかじめ免疫を得ることも重要となる。

予防接種法においては，高齢者のインフルエンザおよび肺炎球菌感染症が予防接種を受ける必要性の高い疾病として定められている。本人や家族にワクチンの意義や有効性，副反応なども説明のうえ，同意を得たうえで，積極的に予防接種の機会を提供する。特に，インフルエンザについて

表1　主な感染経路と原因微生物

感染経路	特徴	主な原因微生物
接触感染（経口感染含む）	手指・食品・器具を介して伝播する頻度の高い伝播経路である。	• ノロウイルス※1 • 腸管出血性大腸菌 • メチシリン耐性黄色ブドウ球菌（MRSA）　など
飛沫感染	咳，くしゃみ，会話などで，飛沫粒子（5μm）により伝播する。1m以内に床に落下し，空中を浮遊し続けることはない。	• インフルエンザウイルス※2 • ムンプスウイルス • 風しんウイルス　など
空気感染	咳，くしゃみなどで飛沫核（5μm未満）として伝播し，空中に浮遊し，空気の流れにより飛散する。	• 結核菌 • 麻しんウイルス • 水痘ウイルス　など
血液媒介感染	病原体に汚染された血液や体液，分泌物が，針刺しなどにより体内に入ることにより感染する。	• B型肝炎ウイルス • C型肝炎ウイルス　など

※1　ノロウイルス，インフルエンザウイルスは，空気感染の可能性が報告されている。
※2　インフルエンザウイルスは，接触感染により感染する場合がある。
MRSA：Methicillin-resistant *Staphylococcus Aureus*

（文献1より引用）

は毎年接種状況を確認し，早めに接種するよう促す。

入居者だけでなく，職員も入職時に予防接種歴や罹患歴を確認し，必要なワクチンは接種する。

● 感染症の種類

感染症の予防および感染症の患者に対する医療に関する法律では症状の重さや病原体の感染力などから感染症を一類感染症，二類感染症，三類感染症，四類感染症，五類感染症のほか，世界における感染症の流行状況などに迅速に対応できるように，指定感染症や新感染症などを加えた8種類に分類されている（**表2**）。

■感染症予防の段階

● 予防の考え方

予防医学では予防について一次予防，二次予防，三次予防に分けて対策を立案している。一次予防とは疾病の発生を未然に防ぐ対策のことで，公衆衛生において一次予防は予防接種，生活習慣の改善，良好な環境などがある。二次予防は疾患の早期発見，早期治療による疾患の進行を抑制することであり，健康診断やスクリーニングなどが該当する。三次予防は疾患からの回復や症状の進行防止，リハビリテーション，再発防止などが含まれる。

表2　感染症の類型・定義・対応

感染症類型	定義	主な対応
一類感染症	感染力，罹患した場合の重篤性等に基づく総合的な観点からみた危険性が極めて高い感染症	原則として入院 エボラ出血熱，クリミア・コンゴ出血熱，痘そうなど7疾患
二類感染症	感染力，罹患した場合の重篤性等に基づく総合的な観点からみた危険性が高い感染症	必要に応じて入院。食品製造等特定業務への就業制限 急性灰白髄炎，結核，ジフテリア
三類感染症	感染力，罹患した場合の重篤性等に基づく総合的な観点からみた危険性は高くないが，特定の職業への就業によって感染症の集団発生を起こし得る感染症	食品製造等特定業務への就業制限
四類感染症	動物又はその死体，飲食物，衣類，寝具その他の物件を介して人に感染し，国民の健康に影響を与えるおそれのある感染症	動物の輸入禁止，輸入検疫
五類感染症	国が感染症発生動向調査を行い，その結果等に基づいて必要な情報を国民や医療関係者等に提供・公開していくことによって，発生・拡大を防止すべき感染症	発生動向の収集把握と情報の提供
新型インフルエンザ等感染症	新型インフルエンザ(新たに人から人に伝染する能力を有することとなったウイルスを病原体とするもの)，再興型インフルエンザ(かつて世界的規模で流行したインフルエンザであってその後流行することなく長期間が経過しているものとして厚生労働大臣が定めるもの)をいう。	原則として入院
指定感染症	既知の感染症の中で一類から三類に分類されていない感染症において，一類から三類に準じた対応の必要性が生じた感染症で，1年を限度として政令で指定	原則として入院
新感染症	人から人に伝染すると認められる疾病であって，既知の感染症と症状等が明らかに異なり，その伝染力及び罹患した場合の重篤度から判断した危険性が極めて高い感染症	政令で指定する

(文献2より引用)

①一次予防：感染症の発生防止

感染症が発生していない状況における予防活動であり，予防接種の推奨，標準予防策の励行(れいこう)，宿主抵抗力の向上が中心であり，総合的な対策立案のために感染症対策委員会で継続的に検討する。

②二次予防：早期発見，早期治療

疾患の進行を抑制し，障害の発生を予防するために必要となるのが二次予防であり，健康診断による疾患の発見などが挙げられる。感染症における二次予防では，すでに感染症が発生している段階である。感染経路には前述したとおり接触感染，飛沫感染，空気感染，血液媒介感染などがある。日常の健康観察や感染症の流行状況から感染症の疑いがある場合には，かかりつけ医と相談する。入居が継続される場合には感染経路に応じて，それぞれに対する予防策を，標準予防策(スタンダード・プリコーション)に追加して行い，**疑われる症状がある場合には，診断される前であっても，すみやかに予防措置をとる。**

③三次予防：疾患の進行防止，再発防止，リハビリテーション

三次予防では疾患の重症化と再発の防止，生活の再構築のためのリハビリテーションが提供される段階である。感染症の発生が確定した場合，かかりつけ医と連携し，疾患の進行を抑制するための医学的処置を優先し，併せて生活の再建に必要となる体力などの心身機能の低下を防止する。

■WHOによる感染拡大のフェーズ

世界のグローバル化に伴い，人や物の交流が世界的に拡大したことは感染症の拡大にも大きく影響している。世界保健機関（WHO：World Health Organization）は感染症の世界的大流行（パンデミック）の脅威を理解しやすくするために，感染症（新型インフルエンザを想定）がパンデミックに至るまでを6つのフェーズに分類して公表している。（**図1**，**表3**）。

図1　WHOの新型インフルエンザにおける警戒フェーズ

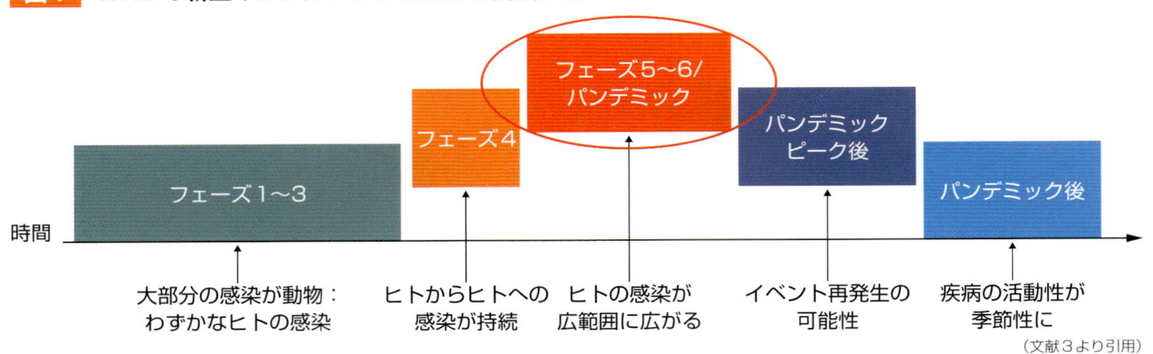

（文献3より引用）

表3　WHOの新型インフルエンザにおける警戒フェーズの概要

フェーズ1	動物の中で循環しているウイルスがヒトにおいて感染を引き起こしたとの報告がない段階。
フェーズ2	家畜または野生の動物の間で循環している動物のインフルエンザウイルスが，ヒトに感染を引き起こしたことが知られ，潜在的なパンデミックの脅威であると考えられる段階。
フェーズ3	動物インフルエンザまたはヒト－動物のインフルエンザの再集合ウイルスが，ヒトにおいて散発例を発生させるか小集団集積症例を発生させたが，市中レベルでのアウトブレイクを維持できるだけの十分なヒト－ヒト感染伝播を起こしていない段階。
フェーズ4	"市中レベルでのアウトブレイク"を引き起こすことが可能な動物のウイルスのヒト－ヒト感染伝播またはヒトインフルエンザ－動物インフルエンザの再集合体ウイルスのヒト－ヒト感染伝播が確認された段階。
フェーズ5	1つのWHO地域で少なくとも2つの国でウイルスのヒト－ヒト感染拡大がある段階。
フェーズ6（パンデミックフェーズ）	フェーズ 5に定義された基準に加え，WHOの異なる地域において少なくとも他の1つの国で市中レベルでのアウトブレイクがある段階。
パンデミックピーク後	ピーク後の期間は，パンデミックの活動が減少していると思われることを表すが，さらに別の流行波が発生するかどうかは不確かであり国々は第二波に備える必要がある段階。
パンデミック後	インフルエンザ疾患の流行は季節性インフルエンザで通常見られる水準に戻る段階。

（文献3より引用）

2 作業療法と公衆衛生・疫学

公衆衛生は人の集団における集団全体の健康の維持，増進への取り組み全般を取り扱うものであり，集団における健康に対する脅威や疾患の危険性を客観的に研究するのが疫学である。

> **補足**
> **ポピュレーションアプローチ**
> 集団に対して健康障害へのリスク因子の低下を図る方法。

■健康促進と疾病予防

公衆衛生の主要な目標は，疾病や障害の予防と健康の促進である。作業療法は，個々の人が作業を通じて健康を維持し，疾病や障害を予防することを支援する。作業療法は，**作業を再構成し，ライフスタイルを変容させ，適切な運動や栄養，ストレス管理などの健康促進のアドバイスや支援を提供する役割を果たす**。具体的な施策では，介護予防活動におけるポピュレーションアプローチなどが含まれる。

■社会的公正

公衆衛生は，社会全体の健康格差を是正し，健康格差の是正に取り組むことを目的としている。作業療法は，人の作業的公正に取り組むことで，社会的な包摂（ほうせつ）を促進することができる。

> **補足**
> **疫学に関連する用語の理解**
>
> - **曝露（ばくろ）**
>
> 疾病などが発生する前に存在する状態を曝露としている。疾患などの前に存在する状態とは，例えば週に2回は集団活動を行うなどの状態も含まれる。
>
> - **疫学的指標**
>
> ①割合，②比，③率がある。①割合とは集団における，ある特徴をもつ者の個数のことを指し，作業療法士全体のうち，回復期病院に勤務する者の割合など指す。②比は異なるもの同士を比較するものであり，作業療法士免許取得者数と理学療法士免許取得者数の比のように表すことができる。③率を疫学上で使用する場合は分母に時間の概念が必要となる。罹患率や死亡率などは期間当たりの事象の発生者となる。
>
> - **罹患（りかん）率の考え方**
>
> 罹患率は集団における疾病発生の率のことを指す。この場合の分母は観察対象集団各人の観察期間の合計を指す。これを疫学では「人年」という単位で使用する。例えば，100人を5年間観察した場合には500人年となり，50人を10年間観察した場合と同じ扱いとなる。この間に5人に対象となる疾患が発生したとすると，罹患率は5人/500人年=0.01/年と表すことができる。
>
> - **感度**
>
> 感度とは真の感染者のうち，検査で陽性と判定される者の割合を指す。
>
> - **特異度**
>
> 特異度とは真の感染者のうち，検査で陰性と判定される者の割合を指す。
>
> - **相対危険**
>
> 相対危険は全国の死亡率を1とした場合，「喫煙者の死亡率は4倍高い」と表現されることがある。「外出が週に2回程度ある人は外出機会がない人に比べて転倒のリスクが1/2である」などのように用いる。この場合曝露は「週に2回程度の外出」であり，曝露のない集団と比較することとなる。

（次ページへ続く）

（前ページより続く）

• 交絡(こうらく)因子

交絡因子とは観察する曝露と疾病発生の関係に影響を与える，第3の因子のことを指す。年齢，性別は疫学上，常に交絡因子として取り扱う。例えば，80歳以上の高齢者と50歳代の成人における転倒の発生率を考えた場合に，「週に2回程度の外出」が与える影響を考えた場合などに，検討が必要となる。

【引用文献】

1）厚生労働省：高齢者介護施設における感染対策マニュアル改訂版（https://www.mhlw.go.jp/content/000500646.pdf，2023年6月3日閲覧）
2）三重県感染症情報センター：感染症の類型・定義・対応（http://www.kenkou.pref.mie.jp/kansensyoutte.html，2023年6月3日閲覧）
3）厚生労働省：改訂 WHO リスクマネージメントガイダンス（案）におけるパンデミックインフルエンザ警戒フェーズの概要（https://www.cas.go.jp/jp/seisaku/ful/yusikisyakaigi/dai10/siryou5.pdf，2023年6月3日閲覧）

チェックテスト

Q

①病原体の種類にはどのようなものがあるか（☞p.210）。 基礎
②感染予防における一次予防の中心となる活動にはどのようなものがあるか（☞p.213）。 基礎
③罹患率とは何か。簡単に説明せよ（☞p.215）。 基礎

2 評価方法

田村孝司

Outline

- 地域作業療法では対象者の生活機能や実際の生活における困りごとについて，ライフステージに合わせた評価が必要となる。
- 具体的な評価方法はライフステージごとに特徴があるが，生活者視点で評価することが重要である。
- 目標や作業療法計画などについて多職種や対象者とともに立案するなど、共有することが重要となる。

1 地域作業療法における評価内容

地域で暮らす人に対して作業療法を提供する場合，その対象者がその地域で安心して自分らしい生活を送るために，必要な心身の機能や活動・参加の状態を把握し，生活上の困りごとに対しどのような影響を及ぼしているのかを分析することから始まる。この過程は作業療法の提供にあたり不変である。

地域で暮らす人にとって，これまでの生活環境の状態は，疾患などによる生活機能の変化と同様に検討が必要な内容となる。地域で質の高い生活を定着させていくためには，**生活者の視点から生活機能を分析する**。

2 目標設定とモニタリング

生活上の課題を解決できる目標設定を行う。長期目標の設定は，障害福祉領域において個別支援計画を作成する場合おおむね6カ月であり，介護保険において事業所ごとの支援計画であれば6カ月～1年，個別リハビリテーション計画および個別機能訓練計画などであれば6カ月程度を見込むことが多い。これらの目標設定は対象者が望む生活の方向性のなかにあり，対象者が暮らす地域の文化や風習に影響を受けて，自分らしい生き方に反映されることになる。

3 領域別評価法

■ 発達障害領域の特徴

発達障害領域の評価は，心身の機能，活動や参加の状態について，定型発達と比較した場合の遅れを確認する場合が多い。発達状態を把握することは，保護者の心理的安定にも繋がる。対象児，保護者ともに細かく細分化されたライフステージごとの課題が提供され，これについて解決する方法を模索する。特に，保護者は子どもについて，発達の遅れがある領域とそうではない領域を認識することで，心理的な安定を図ることにつながる。対象となる子どもの子育てにおける悩みがほかの親と同様である場合，複数の保護者に対しても共有がしやすくなり，一般的な悩みとして多方面に相談しやすくなる。

また，多職種協働で子どもの生活機能を把握するにあたり，知能検査などの結果について理解し，作業療法プログラムの参考にすることも求められる。

活動場面における評価として，Vineland-Ⅱ適応行動尺度などのように対象児の発達状況を客観的に把握する検査と，対象児が所属する集団で発生している生活のしづらさを把握することが重要である。子ども自身がしづらさを十分に言語化することは困難であるため，最近の生活状況について，作業療法の実施ごとに確認する必要もある。

観察や聴取，検査などで得られた生活機能の状態は，個別支援計画に反映させる必要がある。地域ではチームアプローチが基本となるため，多職種で共有しやすいよう表現を工夫することや，分析内容の理解を促す取り組みが必要となる。

■成人における評価の特徴

65歳未満の障害者の日中の活動は障害福祉サービスの利用と自宅で過ごす割合が多いが，就労に対する意識は高い。近年の障害者雇用の推進施策，働き手の不足，ICTなどによる業務内容の変化は，障害者雇用が行われやすい状況になっている。しかし，就労支援を受け，就業したにもかかわらず継続が難しい現状もある。これには複合的な要因があることから，対象者の生活機能に加え，就業環境，業務内容の評価も重要となる。

就労移行支援のためのチェックリスト（**表1**）は，就労移行支援事業者な

表1　就労移行支援のためのチェックリスト

「必須チェック項目」一覧	
日常生活	•起床　•生活リズム　•食事　•服薬管理　•外来通院　•体調不良時の対処 •身だしなみ　•金銭管理　•自分の障害や症状の理解　•援助の要請　•社会性
働く場での対人関係	•あいさつ　•会話　•言葉遣い　•非言語的コミュニケーション　•協調性 •感情のコントロール　•意思表示　•共同作業
働く場での行動・態度	•一般就労への意欲　•作業意欲　•就労能力の自覚　•働く場のルールの理解 •仕事の報告　•欠勤などの連絡　•出勤状況　•作業に取り組む態度　•持続力 •作業速度　•作業能率の向上　•指示内容の理解　•作業の正確性　•危険への対処 •作業環境の変化への対応
「参考チェック項目」の一覧	
•仕事の自発性　•仕事の準備と後片付け　•巧緻性　•労働福祉的知識　•家族の理解　•交通機関の利用 •指示系統の理解　•数量，計算　•文字	

（文献1より引用）

どにおいて支援対象者が就労支援サービスを受ける諸段階の状態を把握するために独立行政法人高齢・障害・求職者雇用支援機構の障害者職業総合センターが作成した。

高齢期における特徴

地域で暮らす高齢者の評価では心身機能の評価に加え，家族の介護能力や心理的負担状況を把握する必要がある。また，2021年の介護報酬改定で算定可能となった科学的介護推進体制加算と関連する加算については，ICD-10コード*1による疾患の把握やBarthel index(BI)によるADLの把握とその情報提出が求められており，作業療法士が標準的に実施している検査内容について，より具体的な内容を共有する必要も生まれている。特に，BIについては科学的介護推進体制加算の手引きにおいて，介護職などが評価することを否定していないが，経験ある作業療法士などの指導を受けることも明記されており，評価方法について説明できるよう準備する必要がある。

そのうえで，地域の文化や風習と対象者の生活歴の聴取により，その人らしい生活を明らかにする評価が求められている。

＊1 ICD-10コード

疾病及び関連保健問題の国際統計分類(ICD：International Statistical Classification of Diseases and Related Health Problems)は集計された死因や疾病のデータの記録，分析，比較を行うために国際的に統一した基準で設けられた分類である。分類項目は，3桁分類(アルファベット1文字＋数字2文字)と，より詳細な分類である4桁分類(アルファベット1文字＋数字3文字となっており，LIFEで使用するコードは3桁表記もしくは「.」のある4桁表記を使用している[2)]。

● LIFE利活用の手引き内にあるDBD，VI

DBD(dementia behavior disturbance scale)は 認知症行動障害尺度である。認知症による行動障害の状況を把握するものであり，どのような介護が必要かを示唆する(**表2**)。

表2 認知症行動障害尺度(DBD13)

評価項目	• 同じことを何度も何度も聞く • よく物をなくしたり，置場所を間違えたり，隠したりしている • 日常的な物事に関心を示さない※ • 特別な理由がないのに夜中起き出す※ • 特別な根拠もないのに人に言いがかりをつける※ • 昼間，寝てばかりいる • やたらに歩き回る※ • 同じ動作をいつまでも繰り返す※ • 口汚くののしる • 場違いあるいは季節に合わない不適切な服装をする • 世話をされるのを拒否する • 物を貯め込む • 引き出しやタンスの中身を全部出してしまう ※科学的介護推進体制加算でLIFEへのデータ登録が必須の項目
評価方法	利用者の直近1週間の行動について，その頻度を評価してください。 0：まったくない　：直近1週間でその行動が1回もなかった場合 1：ほとんどない　：直近1週間でその行動が1回程度の場合 2：ときどきある　：直近1週間でその行動が3回程度の場合 3：よくある　：直近1週間でその行動が5，6回程度の場合 4：常にある　：直近1週間，毎日その行動をしていた場合

(文献3より引用)

VI（Vitality index）は鳥羽らが開発した虚弱高齢者の意欲を評価する指標であり，得点が高いほうが意欲が高いとされている（**表3**）。

表3 Vitality index（VI）

項目	選択肢	点数
1）起床	いつも定時に起床している	2
	起こさないと起床しないことがある	1
	自分から起床することがない	0
2）意思疎通※	自分から挨拶する，話しかける	2
	挨拶，呼びかけに対し返答や笑顔がみられる	1
	反応がない	0
3）食事	自分で進んで食べようとする	2
	促されると食べようとする	1
	食事に関心がない，まったく食べようとしない	0
4）排泄	いつも自ら便意尿意を伝える，あるいは自分で排便，排尿を行う	2
	ときどき尿意，便意を伝える	1
	排泄にまったく関心がない	0
5）リハビリテーション，活動	自らリハビリテーションに向かう，活動を求める	2
	促されて向かう	1
	拒否，無関心	0

除外規定：意識障害，高度の臓器障害，急性疾患（肺炎などの発熱）
※科学的介護推進体制加算でLIFEへのデータ登録が必須の項目
（文献4より引用）

● 個別機能訓練加算の場合（図1～3）

個別機能訓練加算は，通所介護事業所や指定介護福祉施設（特別養護老人ホーム），特定施設入居者生活介護（有料老人ホームなど）で算定される。療法士の配置は必須となっていないことから，看護師などによる計画立案が行われていることも多い。

● リハビリテーション加算の場合（図4）

リハビリテーション加算は，介護老人保健施設や通所リハビリテーション事業所，訪問リハビリテーション事業所で算定される。療法士が計画の立案を行うことから内容が詳細になっている。

図1 興味・関心チェックシート[5]

QRコードを読み取る☞

図2 生活機能チェックシート[6]

QRコードを読み取る☞

図3 個別機能訓練計画書[6]

QRコードを読み取る☞

図4 リハビリテーション計画書[6]

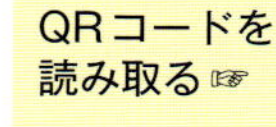

【引用文献】
1) 障害者職業総合センター：就労移行支援のためのチェックリスト(https://www.nivr.jeed.go.jp/research/kyouzai/p8ocur0000000z8w-att/kyouzai19-03.pdf，2023年6月5日閲覧)
2) 厚生労働省：疾病，傷害及び死因の統計分類の正しい理解と普及に向けて(ICD-10(2013年版)準拠)．(https://www.mhlw.go.jp/toukei/sippei/dl/ICD-10_2013_2802.pdf，2023年6月5日参照)
3) 町田綾子：Dementia Behavior Disturbance Scale(DBD)短縮版の作成および信頼性，妥当性の検討―ケア感受性の高い行動障害スケールの作成を目指して―．日老医誌 49(4)：463-467，2012.
4) 鳥羽研二：従来のQOLスケールで判定不能な高齢者に対する新しい客観的機能評価の開発と応用，平成12～14年度厚生労働省長寿科学総合研究事業報告書，5-7, 2002.
5) 日本作業療法士協会：作業療法マニュアル75「生活行為向上マネジメント 改訂第4版」．2022
6) 厚生労働省：ケアの質の向上に向けた科学的介護情報システム(LIFE)利活用の手引き(https://www.mhlw.go.jp/content/12301000/000962109.pdf，2023年6月5日閲覧)

チェックテスト

Q

①地域作業療法で対象者を評価するときに年齢は重要であるか。 基礎

②乳幼児期の評価方法で，多職種連携を行う場合に有用な評価法にはどのようなものがあるか(☞p.218)。 臨床

③成人期における評価方法で重視すべき内容は何か(☞p.218)。 臨床

④高齢期において作業療法士に意見を求められやすい評価内容にはどのようなものがあるか(☞p.219)。 臨床

3 呼吸器疾患

髙島千敬

Outline

- 呼吸器疾患への作業療法の目標は，効率的な動作方法の習得による日常生活における呼吸困難の軽減，生活の質の向上である。
- 評価では実際の生活場面での非効率な動作がないかを見極めることが重要である。
- 活動の指導は，呼吸困難を軽減する動作の工夫のなかからいくつか組み合わせるか，最も効率的な方法を選択して行う。

1 はじめに

ヒトは老化に伴い種々の生理機能が低下するが，そのなかでも肺活量の低下に代表される呼吸機能の低下が知られている。また，加齢により，このような老化に伴う呼吸機能の低下だけでなく，呼吸器疾患を有する割合も増加する。

皆さんは，呼吸器疾患についてどのようなイメージをもっているであろうか。たばこによる影響，あるいは息切れ，咳，酸素療法だろうか。

最近は，在宅酸素療法（HOT：home oxygen therapy）が発展してきているので，酸素カートを引いて外出している対象者を目にする機会も増えてきているのではないだろうか。

代表的な呼吸器疾患である慢性閉塞性肺疾患（COPD：chronic obstructive pulmonary disease）の推定患者数は，500万人以上であるといわれているが，治療を受けている患者は22万人となっている[1]。このように，COPDであることに気づいていないか，正しく診断されていない患者が多く存在すると考えられる。

また，高齢者においては，嚥下機能の低下や呼吸機能の低下により咳が弱くなることで，誤嚥性肺炎を発症することが多い。

本項では，地域で生活する対象者が有する呼吸障害に対して，適切に対応できるように，その病態と作業療法の支援について学ぶ。

2 地域で呼吸器疾患患者を支えるためには？

最近では，年齢，性別，**1秒量**（FEV_1：forced expiratory volume in 1 second）*1と**努力性肺活量**（FVC：forced vital capacity）*2から肺年齢を算出して，問題があった場合に早期に対応する試みがなされるようになってきている。しかし，適切に診断を受けていないCOPD患者が数多く存

＊1　1秒量
努力呼気開始から1秒間の呼出肺気量を1秒量（FEV_1）とよぶ。

＊2　努力性肺活量
最大吸気位から，対象者にできるだけ速く最大努力呼気をさせて得られるスパイログラムを努力呼気曲線とよび，この曲線の最大吸気位から最大呼気位までの肺気量変化をFVCという。

在することからもわかるように，地域で生活する対象者の呼吸機能の低下を外見から見分けることは，中等度以上の障害により，在宅酸素療法が導入されていることなどがない限り難しい。内部障害が見えない障害といわれるゆえんである。

逆にいえば，診断を受けておらず，呼吸機能の低下を認める患者が非常に多いため，症状に応じた現実的な対応が必要であるといえる。高齢者の重複障害は増加の一途をたどっており，「高齢だから，かぜかもしれない」と，そのまま放置されやすいので，息切れや咳などの症状があれば，速やかにかかりつけ医への受診を勧める。

呼吸器疾患の診断を受けている対象者には，その疾患の呼吸機能の特徴に応じた呼吸法の指導や，効率のよい動作実施方法などを指導して，呼吸困難を軽減した地域生活を送ることができるように支援する。

3 地域で呼吸器疾患にかかわるメリット，デメリット

地域の生活の場で作業療法が呼吸器疾患にかかわる意義は大きい。なぜならば，呼吸リハビリテーションのなかで，患者の息切れの軽減を目的に作業療法士が中心となって担うことになるADL・IADL訓練による日常生活への指導は，医療機関などの模擬的な環境ではなく，生活の場でこそ有効なためである。特に，環境整備によるアプローチを行う際には，自宅環境が最適であることはいうまでもない。

その反面，地域においては，医療機関とは異なり，胸部X線写真や呼吸機能検査の結果などのデータを直接入手することが難しい。もちろん，かかりつけ医とは密に連絡をとり，情報交換をしていく必要があるが，そのような環境下では症状の聴取や胸部のフィジカルアセスメントなどにより，急性増悪の芽を摘んでいくことも役割の1つであるといえる。在宅では，ついつい次の受診まで我慢するなど，患者や家族の判断によって，症状が重度になるまで受診しないケースも散見されるので，感染の徴候などがあれば，かかりつけ医の受診を勧める。

4 呼吸器疾患の病態に関する基礎知識

呼吸器疾患の分類としては，換気障害による分類がある（**図1**）。これは，**1秒率**（FEV_1/FVC）*3，**%肺活量**（**%VC**：vital capacity*4）により換気能力を分類したものであり，%VCが正常値の80％以上かつFEV_1/FVCが70％未満を閉塞性換気障害とよぶ。代表的な疾患としてはCOPDが挙げられる。%VCが80％未満でFEV_1/FVCが70％以上の病態を拘束性換気障害とよび，代表的な疾患としては，間質性肺炎などが挙げられる。

＊3 1秒率
1秒量の値を努力性肺活量で除した値のこと。70％以上を正常とし，それ未満は閉塞性換気障害と判定される。以前はFEV1.0％と表記されていたが，現在はFEV_1/FVCと記す。

＊4 %VC
性別，年齢，身長から求めた標準値に対する肺活量の割合を，％VCという。80％以上を正常とし，それ未満は拘束性換気障害と判定される。

図1 換気能力の判定

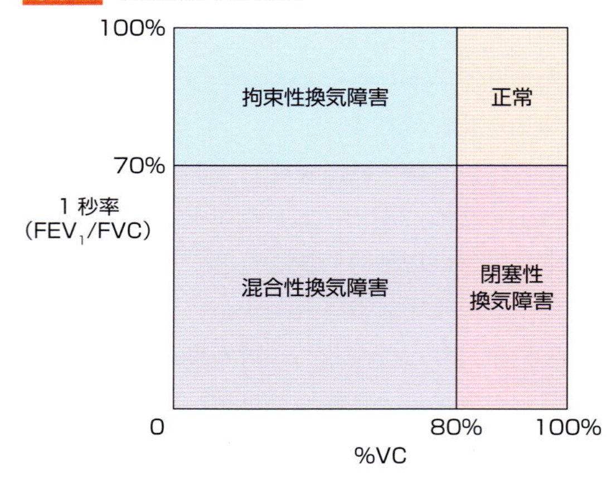

5 活動レベルの分類

呼吸器疾患の活動レベルの分類には，Modified Medical Research Council(mMRC)息切れスケール(**表1**)やFletcher(フレッチャー)・Hugh(ヒュー)-Jones(ジョーンズ)(F-H-J)分類がある。それぞれ中等度以上の低下でADL・IADL制限が出現することが知られているので，参考にするとよい。

表1 Modified Medical Research Council(mMRC)息切れスケール

Grade 0	激しい運動をしたときだけ息切れがある
Grade 1	平坦な道を早足で歩く，あるいは緩やかな上り坂を歩くときに息切れがある
Grade 2	息切れがあるので，同年代の人より平坦な道を歩くのが遅い，あるいは平坦な道を自分のペースで歩いているとき，息切れのために立ち止まることがある
Grade 3	平坦な道を約100m，あるいは数分歩くと息切れのために立ち止まる
Grade 4	息切れがひどく家から出られない，あるいは衣服の着替えをするときにも息切れがある

(文献2より引用)

6 代表的な呼吸器疾患

■COPD

●病態

完全に可逆的ではない気流閉塞を特徴とする疾患であり，有害な粒子またはガスに対する異常な炎症性反応と関連している。気流閉塞は肺気腫病変と末梢気道病変の両者がさまざまな割合で組み合わさって起こるものである。労作時呼吸困難や咳，痰が主な症状である。

● 診断・検査

COPDの診断の定義は，肺機能検査でFEV_1/FVCが70％未満である。重症度分類には，**%1秒量**（%FEV_1）*5が用いられることが多い（**表2**）[2]。肺機能検査では，FEV_1，FEV_1/FVCの低下，肺気量の異常（残気量，残気率，全肺気量の増加）を認める。

● 治療

初期には気道狭窄に対して，短時間作用型の気管支拡張薬が使用される。進行に応じて，長期間作用型，吸入ステロイド薬，酸素療法などが導入され，最重度の病態では肺容量減少術などの外科的手術が考慮される（**図2**）。

表2　COPDの病期分類

病期		定義
Ⅰ期	軽度の気流閉塞	%FEV_1≧80%
Ⅱ期	中等度の気流閉塞	50%≦%FEV_1<80%
Ⅲ期	高度の気流閉塞	30%≦%FEV_1<50%
Ⅳ期	きわめて高度の気流閉塞	%FEV_1<30%

気管支拡張薬投与後の1秒率（FEV_1/FVC）70%未満が必須条件

（文献2より引用）

図2　安定期COPDの重症度に応じた管理

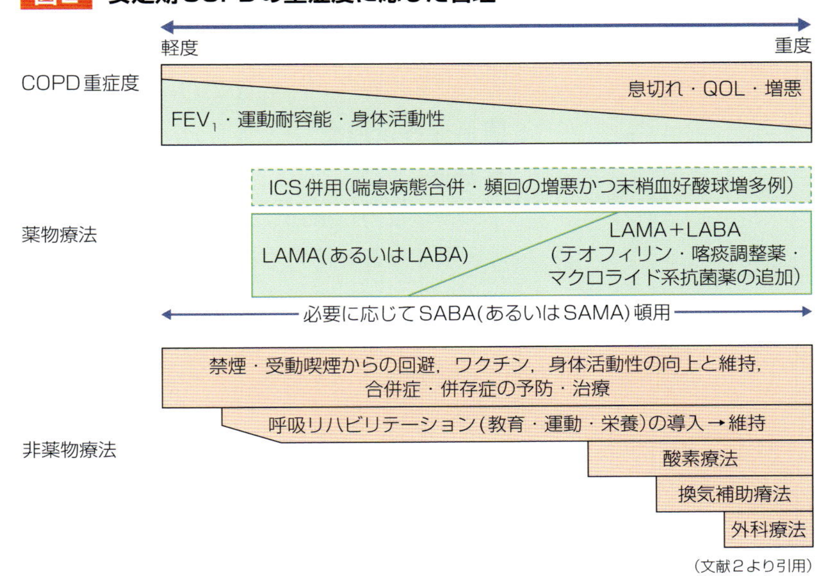

（文献2より引用）

■ 間質性肺炎

● 病態

原因不明の炎症が，主として肺胞隔壁にびまん性に生じ，結合組織成分の異常あるいは増加によって肺胞壁が肥厚し，肺全体構築が硬化，縮小する疾患である。薬剤，無機・有機粉じん吸入や，膠原病(こうげんびょう)，サルコイドーシスなどの全身性疾患に付随して発症する場合が多い。

● 診断・検査

主症状・理学所見

①乾性咳嗽(かんせいがいそう)

②息切れ

③ばち状指

④捻髪(ねんぱつ)音様断続性ラ音（ベルクロラ音：「バリバリ」という音）

> **試験対策 Point**
>
> 代表的な呼吸器疾患の単純X線写真の特徴を，症状や病期の進行と関連づけて理解しておこう。例えば，COPDでは吸えるが吐けないという特徴から，残気量が増加し，肺が過膨張して，それにより胃が圧迫されることで食事摂取が不十分となり，栄養障害が生じてしまう。

肺機能検査

肺気量や肺拡散能の低下，低酸素血症を認める。

● 治療

薬物療法

①副腎皮質ステロイドホルモン

②免疫抑制剤

在宅酸素療法（HOT：home oxygen therapy）

特発性間質性肺炎では，安静時は不明瞭でも労作時に著明な低酸素血症を呈し肺高血圧症を合併することが多いので，積極的にHOTが導入される。

■肺結核後遺症

● 病態

肺結核症の治療後に，関連したさまざまな合併症を生じた状態であり，呼吸機能障害と続発する肺性心，肺真菌症などが主な病態である。

人工気胸術や外科療法（胸郭形成術や肺切除術）に由来するものが多く，有効な治療法の少ない1960年代までは，治療の中心が外科治療であった。

20～30歳代で手術を受けた患者が，20～30年後に息切れを訴えることが多くなり，問題となっている。

● 診断・検査

主症状

主な症状は労作時の息切れであるが，急に息切れが強くなった場合には，肺性心の合併を疑う。

肺機能検査

肺活量の低下が主な所見であり，％VCが50％以下のことも少なくない。

● 治療

原因となる肺疾患が不可逆であり，根本的な治療はない。対症療法として，HOT・非侵襲的陽圧換気療法，薬物療法(利尿薬，ジギタリス，β刺激薬など)といった治療が実施される。

7 検査データ

かかりつけ医の診察時の血液検査の結果を解釈するために，**表3**のような検査データについて理解しておく。特に炎症系の疾患においては，白血球の値やC反応性蛋白(CRP：C reactive protein)の値に注意する必要がある。正常値と比較し，横断的な評価ではなく，縦断的な経過がどのように変化しているかを読み取ることが必要である。

表3 リハビリテーションに必要な一般的検査結果項目

	検査項目	増減により予想される病態	正常値(病院によって異なることがある)
血球成分	赤血球	増加：心疾患，肺疾患，多血症，脱水など 減少：鉄欠乏貧血，出血など	男性：400～550万/μL 女性：350～500万/μL
	ヘモグロビン		男性：13.0～18.0g/dL 女性：11.0～15.0g/dL
	ヘマトクリット	増加：下痢，脱水などによる血液の濃縮 減少：貧血など	男性：40～55% 女性：35～45%
	白血球	増加：感染症，白血病など 減少：骨髄抑制(放射線治療，抗がん剤治療)など	3900～9000/μL
	血小板	減少：骨髄抑制(放射線治療，抗がん剤治療)など	男性：17.6万～32.0万/μL 女性：17.2万～32.8万/μL
腎機能	BUN	増加：腎機能障害，脱水など	5.0～23.0mg/dL
	クレアチニン	増加：腎機能障害など	男性：0.8～1.2mg/dL 女性：0.6～0.9mg/dL
肝機能	AST(GOT)	増加：肝機能障害，心筋梗塞など	8～40U
	ALT(GPT)	増加：肝機能障害など	5～35U
	γ-GTP	増加：肝硬変，アルコール性肝炎など	0～60U
炎症反応	CRP	増加：感染症，心筋梗塞など	0.2mg/dL以下
電解質	Na	増加：脱水など 減少：内分泌異常など	135～150mEq/L
	K	増加：腎機能障害，不整脈など 減少：利尿薬の影響など	3.5～5.3mEq/L
栄養状態	総蛋白	増加：脱水など 減少：低栄養状態，ネフローゼ症候群など	6.8～8.2g/dL
	アルブミン	減少：低栄養状態など	3.7～5.5g/dL

BUN：Blood urea nitrogen(尿素窒素)，AST：aspartate aminotransferase，GOT：glutamic oxaloacetic transaminase，ALT：alanine aminotransferase)，GPT：glutamic pyruvic transaminase，γ-GTP：γ-guanosine triphosphate，CRP：C-reactive protein，Na：ナトリウム，K：カリウム

例えば，CRPが4.2mg/dLの場合，正常値よりも高値ではあるが，仮に前回の検査結果が8.5mg/dLだとすれば，改善傾向にあると判断でき，治療経過が解釈できるのである。

その他，COPDでは，症状の進行とともに肺の過膨張によって胃が圧迫されて食事が十分に摂取できないことがあるので，総蛋白やアルブミン値も確認しておくとよい。十分な食事摂取ができていない場合には，高カロリーの食事を1日数回に分けて摂取するような食事内容に，変更される場合もある。

8 投薬への注意

診断を受けて治療が行われている場合には，その疾患についての理解はもとより，治療内容や前述した血液検査などのデータの推移を注意深く追いながら，活動の維持，拡大に向けた支援が必要となる。

各疾患の症状に応じて各種投薬治療が実施されるが，副作用に注意を払う必要がある。β刺激薬が中止または開始されると，リスク管理の指標として用いられる脈拍の値が変動する可能性が考えられる。また，キサンチン誘導体が導入された場合には，運動負荷による頻脈，不整脈の出現に注意を払う必要がある（表4）。

アクティブラーニング 1 リスク管理の指標と治療薬の影響について理解しておこう。地域における対応でも，安全に作業療法を行うために，対象者の薬歴を聴取し，作用のみならず副作用についても調べておくように心がけるとよい。

表4 呼吸器疾患における主な治療

薬品の種類		注意点
気管支拡張薬	β刺激薬	血圧上昇や頻脈が出現するので，自覚症状だけではなく，モニタリングが必要
	抗コリン薬	副交感神経を抑制するので，排尿困難や便秘が出現することがある
抗炎症薬	ステロイド	大量投与では易感染性に，長期投与では副腎機能の低下，骨粗鬆症，筋力低下に注意が必要
	キサンチン誘導体（テオフィリン）	運動負荷による頻脈，不整脈に注意が必要
抗アレルギー薬		眠気や倦怠感に注意が必要
去痰薬		分泌物の流動性がよくなるので，排痰への支援が必要

9 在宅酸素療法（HOT）

近年のHOTの発展により，以前であれば入院加療で生活しなければならなかった対象者が，在宅で療養できるようになってきている。酸素療法の適応は，呼吸器疾患のみならず，慢性心不全も含まれている（**表5**）。

表5　酸素療法の適応

- チアノーゼ型先天性心疾患
- 高度慢性呼吸不全例
  在宅酸素療法導入前にPaO_2 55Torr以下の者，およびPaO_2 60Torr以下で睡眠時または運動負荷時に著しい低酸素血症をきたす者であって，医師がHOTが必要であると認めた者
- 肺高血圧症
- 慢性心不全
- 医師の診断により，NYHA心機能分類Ⅲ度以上であると認められ，睡眠時チェーンストークス呼吸がみられ，無呼吸低呼吸指数（1時間当たりの無呼吸数および低呼吸数をいう）20以上であることが，睡眠時ポリグラフ上で確認されている症例

PaO_2：partial pressure of arterial oxygen（動脈血酸素分圧），NYHA：New York Heart Association

図3　非侵襲的陽圧換気法

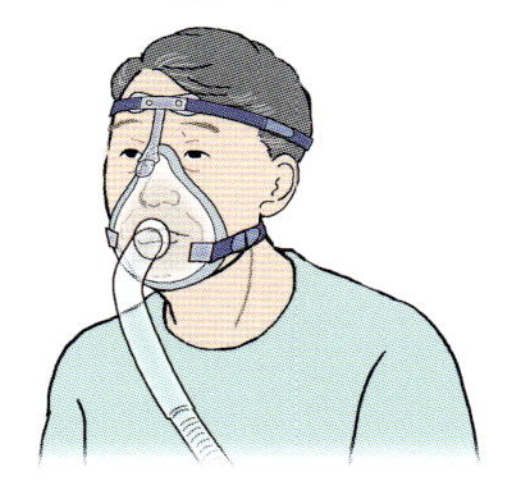

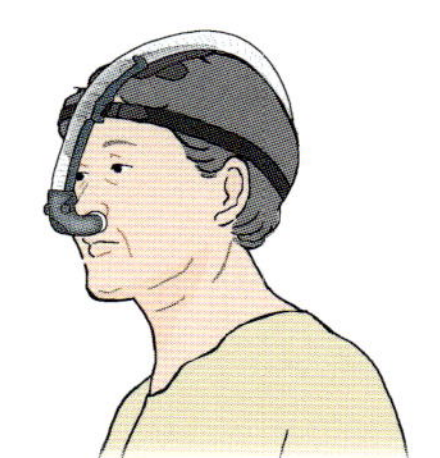

また，非侵襲的陽圧換気法の導入により，気管切開することなく，鼻マスク，口マスクにより陽圧換気ができるようになり，会話が可能な状態で長期の在宅療養が実現するなど，生活の質が向上している（**図3**）。

外出用の酸素カートは，吸気に合わせて酸素が流れる同調型が普及してきており，これまでの定流量のものと比べると酸素の消費量を抑えることができ，長時間の外出が可能となる。

以上のような治療の一環としてのHOTについて，知識を深めておくことが必要であるが，注意しなければならない点がいくつかある。まず，1つ目は「酸素流量について」である。呼吸不全の定義は，血液ガス分析における動脈血酸素分圧（PaO_2）の値が60Torr以下である。加えて，動脈血二酸化炭素分圧（$PaCO_2$）が45Torr以下のものをⅠ型呼吸不全，血液中に二酸化炭素がたまった状態である45Torrを超えるものをⅡ型呼吸不全とよぶ。

このⅡ型呼吸不全の場合には，呼吸応答が血液中の二酸化炭素濃度への依存から酸素濃度に依存する応答に変化しているので，患者が呼吸困難を感じたからといって安易に酸素流量を増量すると，呼吸の抑制，呼吸停止に至る場合がある（CO_2ナルコーシス）。病期の進行した患者においては，酸素流量の増加について，かかりつけ医に十分に確認しておく必要がある。

次に「火災について」である。COPD患者には喫煙歴があり，酸素療法を導入されても禁煙できず，酸素を吸入しながら喫煙し，引火してしまう場合がある。**表6**に，酸素療法使用時の火気に関する注意点を記したので，ADL・IADL指導の一環として確認しておくとよい。

表6　酸素の取り扱い上の注意点

- 酸素濃縮器は，ストーブ，ガスコンロ，ろうそくなどの火気から，2m以上離して設置する
- チューブのからみ，折れ，接続の緩みに注意する
- 酸素を吸いながら，ガスコンロなどを取り扱わない
- 本人はもちろん，周囲の人も禁煙する
- 停電時は酸素濃縮器は使用できないので，酸素ボンベに切り替える
- 停電時の酸素供給業者の対応を，あらかじめ確認しておく

■災害時の注意点

在宅療養では酸素濃縮器（**図4**）での在宅酸素療法が実施されるが，電力

図4　酸素濃縮器

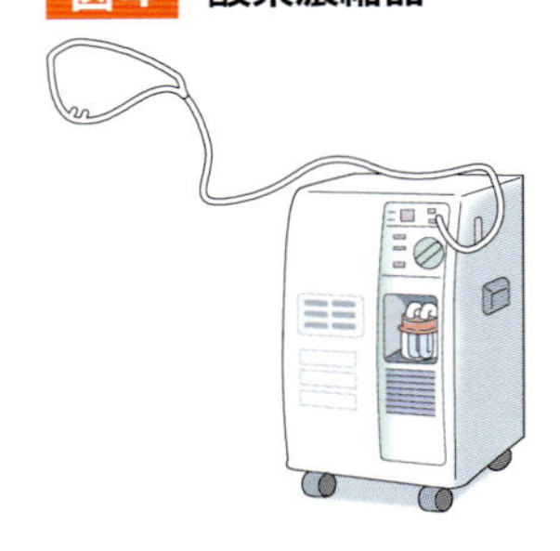

で稼働しているため，停電の際には酸素ボンベに変更する必要がある。訪問リハビリテーションでかかわる場合には，停電の際の業者の対応なども確認しておく必要がある。

10 作業療法評価

地域で必要とされる作業療法は，呼吸リハビリテーションにおける作業療法士の役割として，ADL，IADLでの呼吸困難の軽減による，QOL向上のための支援が中心である。一方，急性増悪など症状の変化の芽を摘むという役割も担い，フィジカルアセスメントのような基本的身体機能の評価技術を習得することが必要である。

作業療法参加型臨床実習に向けて

視診のポイント
活動の評価をする際に，患者が肩で息をするようになると負荷が増加してきていると判断できる。また，重症者の患者では，吸気の際に胸鎖乳突筋が収縮するので，その回数から呼吸数を測定できる。

■基本的なフィジカルアセスメント

● 視診

内部障害は見えない障害といわれることが多いが，注目するポイントを絞って観察することで，多くの情報を得ることができる。評価場面では，以下の点に注意しながら，観察するとよい。

- 胸郭の形，大きさは，左右対称性に注目して観察する。気胸では，患側の胸郭運動が制限されることで，健側の胸郭運動が代償的に増加し，左右非対称の運動になるという特徴がある。
- 皮膚・皮下組織については，皮膚の色，性状，緊張から，酸素状態・栄養状態がわかる。頸静脈の怒張は右心不全で認める徴候であり，注意が必要である。
- COPDなどの呼吸不全を呈する疾患では，呼吸補助筋である胸鎖乳突筋の過剰な筋活動により，隆起して見えることがある（図5）。さらに，過剰な筋活動によって痛みが生じている場合もあるので，筋のストレッチングが必要な場合もある。

図5　COPDで隆起することがある頸部筋群（胸鎖乳突筋と僧帽筋）

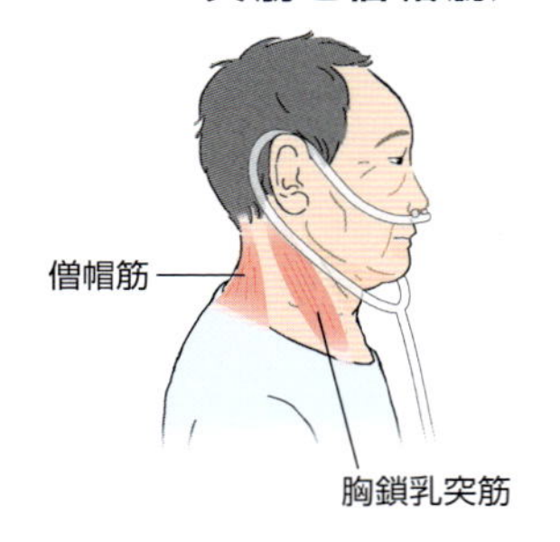

● 触診

視診に加えて，皮膚に直接触れることで，より多くの生体情報を得ることができる。

予想される病変部から離れた場所から，両手のひらを胸郭にあてて左右差を確認しながら，どのように動くのか，動かないのかを確認する。その際には，対象者に深呼吸を行ってもらうとわかりやすい。比較的中枢の気管支に喀痰の貯留があった場合には，ブツブツとした振動の所見を手のひらで触知できる（ラトリング）。

● 聴診

臓器の状態は，観察だけで把握することはできない。聴診による呼吸音の聴取は，呼吸器疾患の診療に非常に有用な基礎技術である。

まずは，正常呼吸音を理解しておくことが必要であり，その音の大きさ，質的な変化，左右差に注目する(**図6**)。呼吸副雑音についても同様に，どの部位で聴取されるか，呼吸の位相との関係はどうか(例えば，吸気時か呼気時か？　吸気時なら終末か？　前半あるいは中期からか？)，連続音か断続音か，音の大きさはどうか，音の高さはどうか，音質はどうかを確認する。**図7**のように左右対称に聴取することが基本となる。

誤嚥性肺炎は，一般的に主気管支分岐部の角度が鋭角である右肺に生じることが多い。

図6　呼吸音の分類

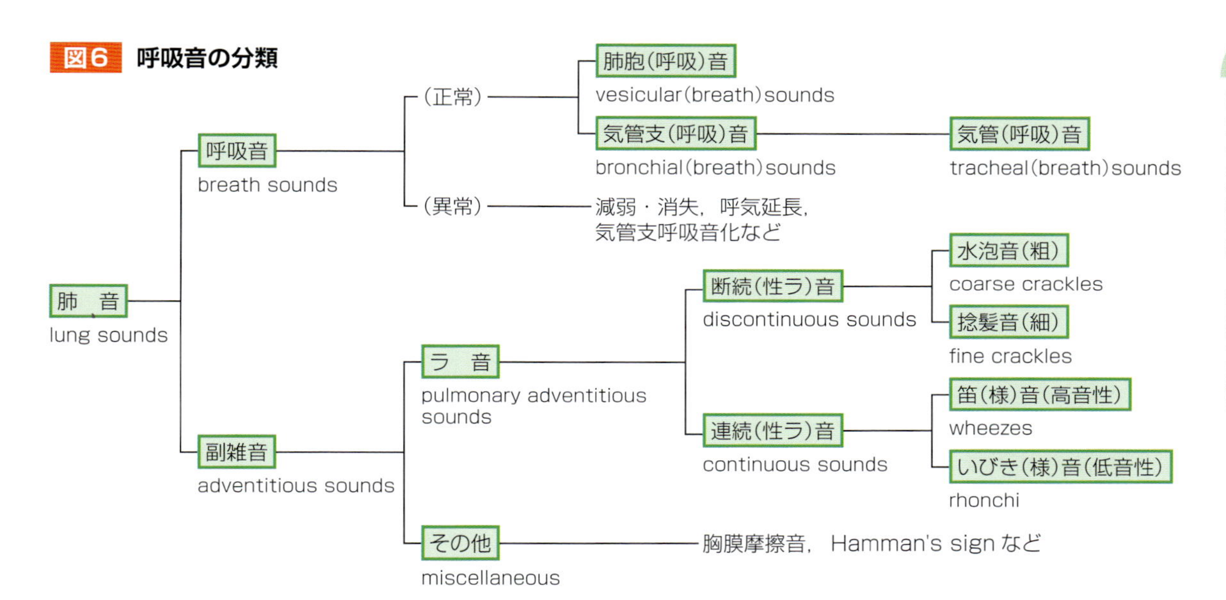

図7　聴診の部位

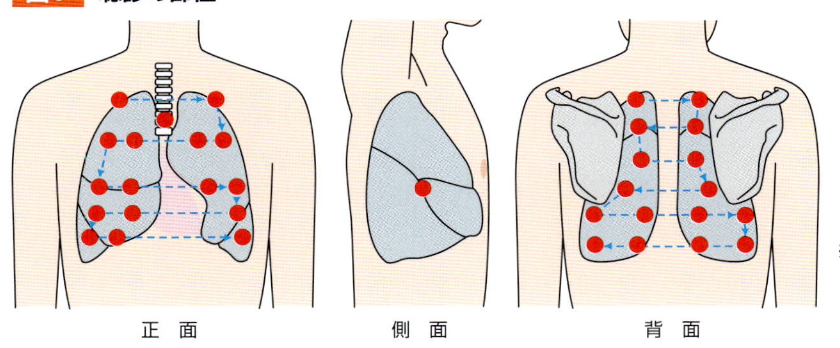

※左右対称に聴取することが必要である。また，正常の呼吸音についても理解しておく必要がある。

(文献3より引用)

● 打診

打診音は，清音，鼓音，濁音に分類される(**表7**)。打診は，**図8**のように手関節のスナップを利用してリズミカルに行う。胸部の打診では，前胸部，背部を上部から下部へと，左右を比較しながら行う。その際には，肋骨と肺の部位の解剖学的な位置を理解しておく必要がある。

健常者の肺の下限は，安静呼吸時の鎖骨中線上で第6～7肋骨である。横隔膜は通常3～5cm上下動するが，COPDなどで肺が過膨張している場合には動きが少ないので，その動きによる音の変化に注意を払う。硬化性病変(肺炎，肺結核など)では，局所的に濁音を呈する。鼓音は，肺内の大きな空洞病変であり，進行したCOPDで認める。

表7 打診音の分類

	特　徴
清音(共鳴音)	正常肺野の打診音(空気と水成分の混合物を打診した音)
鼓音(過共鳴音)	腹部ガスや胸壁に近い空洞上を打診したときの音(空気成分を打診した太鼓を叩いたような音)
濁　音	心臓，肝臓，横隔膜上を打診したときの音(水成分を打診した鈍くて重い音)

(文献3より引用)

図8 打診の方法

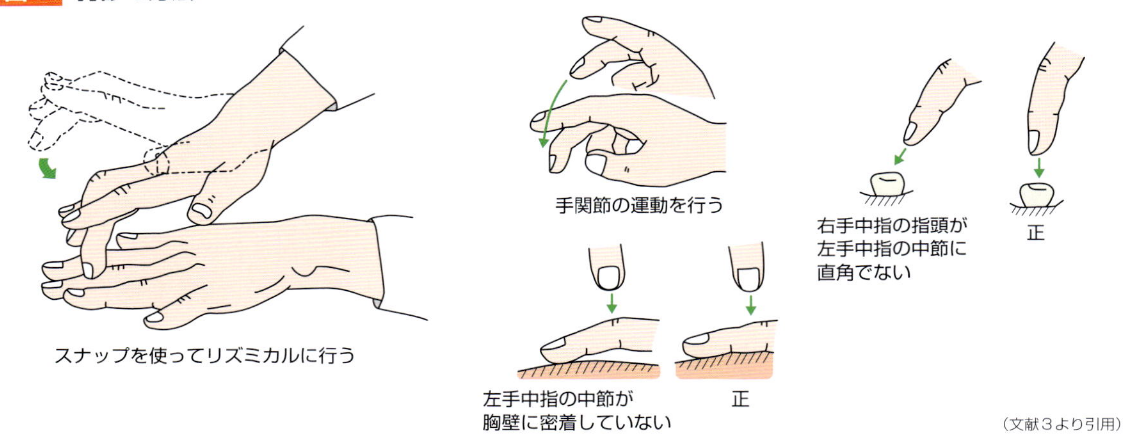

(文献3より引用)

● 呼吸様式の評価

頻呼吸は，20回/分以上の呼吸数のことを示し，浅い頻呼吸(COPD，肺結核後遺症など，1回換気量の減少する慢性呼吸不全に多い)と，深い頻呼吸(肺疾患のみならず，中枢性過換気，敗血症，代謝性アシドーシス，心因性過換気などで認める)の2つに分類される。

徐呼吸は，10回/分以下の呼吸数のことを示し，気道閉塞，神経疾患，胸郭変形などでは息切れを伴うが，薬物中毒では伴わない。

呼吸リズムの異常についても観察する必要がある。呼吸のリズムは一般に，正常で吸息と呼息の比が1：1.5～2.0であり，吸息の終末には休息期がある(**図9**)。

呼気の延長は，喘息，COPDなどの末梢気道の閉塞で生じる。吸気の延長は，中枢側の気道狭窄で生じ，吸気に鎖骨上窩や下部肋骨，剣状突起下方が陥凹(かんおう)する。

呼吸補助筋を動員しなければならない呼吸を努力呼吸とよび，呼吸困難の特徴とされる。一般にいう，肩で息をする状態である。強呼気の際には，腹筋群が収縮して呼気を助ける。咳嗽（がいそう）の際に腹筋が弱いと，気道内の分泌物を十分に排出することができない。

図9 呼吸リズム

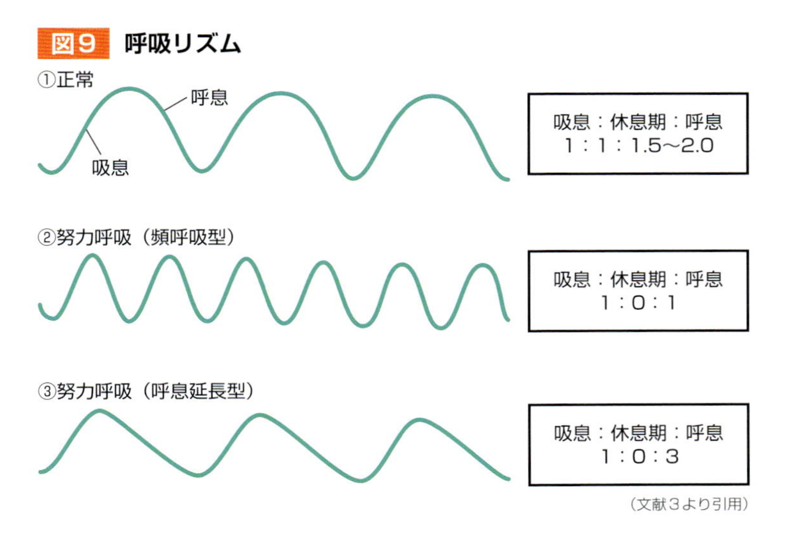

（文献3より引用）

補足

健常人の呼吸数と心拍数

- 呼吸数：12〜18回/分（安静時）
- 心拍数：60〜80回/分（安静時）の方法を検討する。

● 呼吸数の測り方

呼吸数は，心拍数と比較して，単位時間内の回数が少なく，15秒測って4倍しても誤差が生じやすい。そのため，30秒から1分間測定する必要がある。その他に，何回の呼吸に何秒を要したかを測定する方法もある（例：4回12秒→1分間に20回）。

11 身体機能評価

呼吸器疾患によって直接的に四肢の筋力が低下することはないが，呼吸困難による活動レベルの低下や栄養障害，治療薬の副作用などによる筋力低下，関節可動域制限が生じるケースは珍しくない。

フィジカルアセスメントを実施した後で，必要であれば関節可動域測定や筋力測定を実施するが，特に筋力測定の際に息こらえをすると血圧が変動する可能性があるので，注意を払う必要がある。

12 認知・心理機能の評価

呼吸器疾患においては，低酸素血症の影響で，言語性の記憶に低下を認めることが知られている。認知機能の低下は，介入手段に影響を及ぼすことがあるので，スクリーニングとして，Mini-mental state examination（MMSE）などの簡易尺度で認知機能を評価しておくとよい。

また，呼吸困難の増悪により，抑うつ症状を呈することも多い。この場合には，必ずしも紙面での評価を行う必要はなく，対象者の訴えを傾聴しながら評価する。

13 ADL・IADL評価

地域で対象者にかかわるメリットを最大限に活用し，対象者の生活場面における活動を直接評価することが望ましい。

まずは，日常生活で息切れにより制限されている活動について，「いつから，どのような活動の際に，どのように，どの程度」などといったように，息切れの性状とそれにかかわる活動制限について確認する。

評価の際には，問診によりあらかじめ現在の活動レベルを聴取し，運動強度（**表8**）[4]を参考に，負荷の少ない活動から評価を行っていく。いきなり負荷の大きい活動の評価を行い，対象者に負担をかけることがないようにする。

表8 日常生活におけるエネルギー消費量（METs）

日付	METs	活動内容
身の回りの行動	1.5～2.0	食事，手洗い，洗顔，歯磨き
	1.6～3.4	更衣，室内歩行（女性）
	2.6～4.3	更衣，室内歩行（男性）
	3.7～4.4	シャワー
趣味や気晴らしの行動	1.5～2.0	編み物，縫い物
	1.8～2.8	楽器（ピアノ，弦楽器）
	2.8～4.0	オルガンを弾く，ドラムを叩く
家での軽作業	1.5～1.9	机上の事務的な仕事
	1.2～3.6	自動車の運転（ラッシュを除く）
	5.3～5.7	垣根の刈りこみ，芝刈り
家　事	1.6～2.0	床掃除，野菜の調理
	2.1～3.0	肉類の調理，皿洗い，アイロンがけ
	3.1～4.1	ベッドメイク，掃除機を使う
運　動	2.6～2.7	歩行：50m/分
	3.1～3.2	歩行：65m/分
	3.6～3.8	歩行：80m/分
	2.0～3.4	軽い体操
	2.5～5.0	バレーボール
	4.0～5.0	卓球
	4.0～5.0	階段を下りる
	6.0～8.0	階段を上る

（文献4より引用）

■評価の実際

ADL・IADL評価は，在宅でも容易に持参できる評価セットで実施することができる（**図10**）。**表9**のような活動評価表を用いると，記入漏れが少なくて済む[5]。

図10　活動の評価に用いる用具

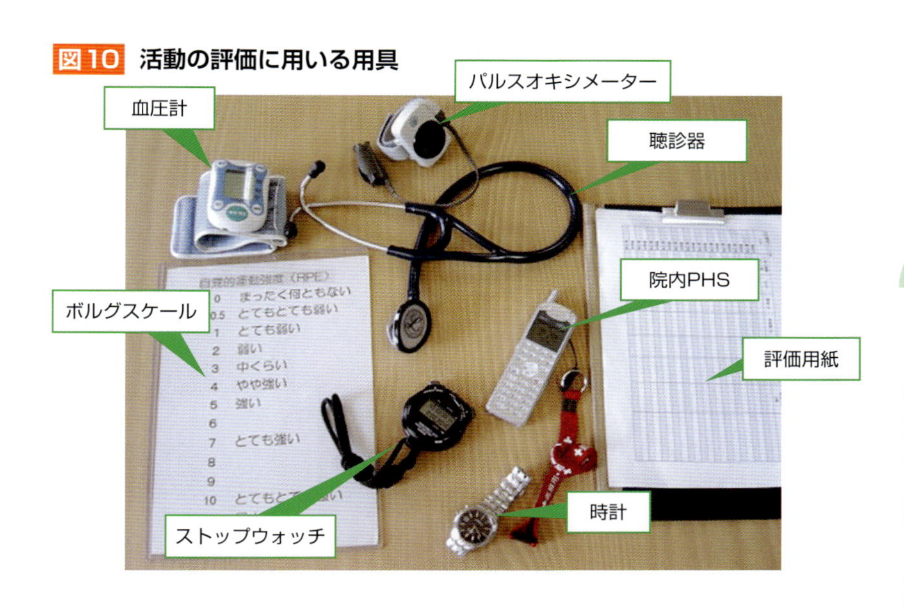

表9　ADL評価表の例（入浴評価）

患者氏名＿＿＿＿＿　担当OT＿＿＿＿＿　日付＿＿＿＿＿＿＿

入浴評価　　酸素流量（安静時）＿＿＿＿＿ l/分　酸素流量（運動時）＿＿＿＿＿ l/分　評価時の酸素流量＿＿＿＿＿ l/分

所要時間＿＿＿＿＿　血圧（安静時）＿＿＿＿＿＿ mmHg　血圧（終了時）＿＿＿＿＿＿ mmHg

	SpO_2	Pulse	呼吸数	BS［胸部］	［上肢］	［下肢］	動作速度	呼吸パターン	呼吸リズムの乱れ	備考
開始前（安静時）							速い・適切・遅い	腹式・胸式・その他	あり・なし	
脱衣後							速い・適切・遅い	腹式・胸式・その他	あり・なし	
洗体後							速い・適切・遅い	腹式・胸式・その他	あり・なし	
洗顔後							速い・適切・遅い	腹式・胸式・その他	あり・なし	
洗髪後							速い・適切・遅い	腹式・胸式・その他	あり・なし	
浴槽跨ぎ後（入）							速い・適切・遅い	腹式・胸式・その他	あり・なし	
浴槽座位							速い・適切・遅い	腹式・胸式・その他	あり・なし	
浴槽跨ぎ後（出）							速い・適切・遅い	腹式・胸式・その他	あり・なし	
体を拭いた後							速い・適切・遅い	腹式・胸式・その他	あり・なし	
着衣後							速い・適切・遅い	腹式・胸式・その他	あり・なし	
完了後　30秒								腹式・胸式・その他	あり・なし	
1分								腹式・胸式・その他	あり・なし	
1分30秒								腹式・胸式・その他	あり・なし	
2分								腹式・胸式・その他	あり・なし	
2分30秒								腹式・胸式・その他	あり・なし	
3分								腹式・胸式・その他	あり・なし	

メモ

（文献5より引用）

活動の実用性とともに，開始時のバイタルサイン（呼吸数，呼吸様式，SpO_2，脈拍）と呼吸困難の程度（Borg scale：**表10**）[6]を，工程の切れ目に評価していく。特に呼吸様式が，腹式呼吸から呼吸補助筋を過活動させた胸式呼吸に変化する前の動作工程には，呼吸需要の増大を導く可能性が高い体幹を屈曲させる動作や，上肢の頻回な反復動作などの呼吸困難を誘発しやすい活動が含まれていることが多いので，注意深く観察する（**表11**）[7]。

表10 Borg scale（ボルグ スケール）

原型スケール		
6		
7	非常に楽である	Very, very light
8		
9	かなり楽である	Very light
10		
11	楽である	Fairly light
12		
13	ややきつい	Somewhat hard
14		
15	きつい(強い)	Hard
16		
17	かなりきつい	Very hard
18		
19	非常にきつい	Very, very hard
20		

修正スケール		
0	なにも感じない	Nothing at all
0.5	非常に弱い	Very, very weak
1	やや弱い	Very weak
2	弱い	Weak
3	ちょうどよい(楽である)	Moderate
4	ややきつい	Somewhat strong
5	きつい(強い)	Strong
6		
7	かなりきつい	Very strong
8		
9		
10	非常にきつい	Very, very strong
·	最大	Maximal

※呼吸器疾患では修正スケール，循環器疾患では原型スケールを用いることが多い。

（文献6より引用）

表11 息切れを生じやすい動作

息切れを誘発しやすい動作	理　由	具体的な活動例
上肢を挙上して行う動作（特に90°以上の挙上での両手動作）	呼吸補助筋である斜角筋や胸鎖乳突筋などを緊張させることにより，換気を制限してしまう	・両手での洗髪 ・上肢を挙上して洗濯物を干す
上肢の反復動作	空間で上肢を反復することで，呼吸補助筋を過剰に緊張させてしまう。また，頻回な反復運動により，呼吸のリズムが乱れる	・洗体 ・雑巾での窓拭きや浴槽の掃除 ・掃除機がけ
腹部を圧迫するような動作	腹部を圧迫することにより，呼吸の約70%を担う横隔膜の活動を阻害する	座位で体幹を前屈しながら靴下や靴を履く，爪を切る
息を止める動作	息を止めることにより，呼吸パターンに乱れが生じる	・会話や飲み込み（重症例） ・排便時のいきみ

（文献7より引用）

試験対策 Point

息切れが生じやすい動作と，その動作が含まれている活動を結び付けて理解する。また，対象者に指導内容の根拠を説明する必要もあるので，その理由についても動作ごとに理解しておき，わかりやすく説明できるようにする。

14 廃用症候群へのアプローチ

在宅生活での不活動により，廃用症候群を呈している例も少なくない。その場合には，身体機能の底上げによる運動耐容能の改善が必要になる。

関節可動域運動や筋力増強運動などの機能的作業療法を実施する際に

は，**表12**のような指標を参考に，リスク管理を徹底する必要がある。在宅での運動実施は，医療者の管理下とは異なるため，運動強度は修正Borg scale 2～4(弱い～中くらい)程度にとどめておくことが望ましい[10]。

表12 安定期呼吸器疾患における運動の中止基準

	運動の中止基準
呼吸困難感	修正Borg scale 7～9(在宅での自主練習では2～4くらいが安全)
その他の自覚症状	胸痛，動悸，疲労，めまい，ふらつき，チアノーゼなど
心拍数	・年齢別最大心拍数の85%に達したとき(肺性心を伴うCOPDでは65～70%) ・不変ないし減少したとき
呼吸数	毎分30回以上
血　圧	高度に収縮期血圧が下降したり，拡張期血圧が上昇したとき
SpO_2	90%以下になったとき

※必要な症例には，心電図によるモニタリングを行う。年齢別最大心拍数＝(220－年齢)×0.85　(文献8より引用)

15 ADL・IADL訓練

具体的な介入については**表13**を参考に，①動作速度の調整，②適切な休憩，③動作方法の修正・簡略化，④呼吸と動作の同調，⑤動作の簡略化を念頭におき，対象者に応じた介入手段を組み合わせていく必要がある。

作業療法参加型臨床実習に向けて

動作指導のポイント
呼吸困難を誘発する動作とその対応について，項目ごとに対比させて理解する。実際の指導では，多くの動作方法を変更することは困難なので，場面に応じて最も効果的な方法を中心に指導することもある。入浴などの連続した活動では，適切に休憩をとる指導は重要である。

表13 ADL・IADLトレーニングのポイント

方　法	理　由	具体的活動例
動作速度をこれまでよりも少し遅めに調整する	単位時間当たりの仕事量を減らす	清拭や歯磨き
活動の途中で適切な休憩をとる	一定の時間を要する活動において，連続する心肺への負担を軽減する	食事
動作方法の修正，簡略化	腹部の圧迫や上肢の頻回な動き，空間での操作などの呼吸困難感を誘発しやすい動作を回避し，効率的な動作方法を習得する	靴下の着脱を組み足で行い，腹部の圧迫を避ける
呼吸と動作の同調(息こらえをしない，閉塞性換気障害では口すぼめ呼吸が有効)	呼吸のリズムの維持による換気の効率化	洗体動作，排便
動作の簡略化を図る	消費エネルギーの節約	ズボンと下着を一度に脱ぐ
環境を整備する	消費エネルギーの節約	ポータブルトイレ，シャワーチェアーの導入

＊上記のポイントは個々に独立したものではなく，いくつかを組み合わせて実施することが重要である。また，SpO_2や呼吸困難の程度を確認しながら，それらの改善を正しく認識し，自己管理ができるように働きかける。
(文献4より引用)

対象者の生活上の習慣は長年積み重ねられてきたものであり，呼吸困難を軽減するためとはいえ，すべての行動を修正するのは難しいことが多い。そのため，どの手段を選択するかは，息切れが軽減される有効性を考慮しながら対象者と検討する必要がある。

また，ADL・IADL訓練では指導的な内容が含まれることが多いが，その際に認知機能の評価結果を考慮して支援することが必要となる。言語的な記憶が低下しているようであれば，指導内容が失念されることも多いため，重要事項は貼り紙に記載しておくなどの手段を講じることもできる。

在宅でかかわる利点の1つである住環境の整備については，生活様式に応じてより具体的に検討する。例えば，自宅での移動時に息切れを生じる場合には，適切な場所に休憩用の腰掛けを設置することができ，入浴時の呼吸困難の軽減のために，浴室の洗い場にシャワー椅子を設置することができる。

抑うつについては，呼吸困難の程度にも左右されるが，ADL・IADL訓練により呼吸困難が軽減することで改善傾向を示すことが多く，COPDについては運動療法による運動耐容能の改善により，抑うつも軽減することが知られている。

ADL・IADL訓練により，すべての患者の呼吸困難が軽減するわけではなく，評価の結果，自力での実施が困難な場合には，人的介助の箇所などを介助者に伝えて，過介助を避けることが必要である。

補足

拘束性換気障害への対応

換気障害別の介入については，拘束性換気障害への対応は心臓疾患への指導に応用できる。心臓疾患では単位時間内の仕事量を減らし，心臓への負荷を軽減させることが重要である。

■換気障害による介入の違い（表14）

換気障害により，介入手段が異なる場合がある。閉塞性換気障害では，気道閉塞により口すぼめ呼吸の実施が有効である。しかし，拘束性換気障害は，気道閉塞による病態ではなく％VCの低下や拡散障害が原因であり，呼吸法の導入が必ずしも有効ではない。単位時間内の仕事量を少なく調整する（動作をゆっくり，休憩を入れながら実施する）などの消費エネルギーの軽減が有効となる。ただし，息こらえを避けるという点では，呼吸と動作を同調させる意義があり，病態に応じて検討する必要があるといえ

表14 換気障害による介入の違い

	介入のヒント	具体的な介入方法
閉塞性換気障害	気道狭窄による病態であり，口すぼめ呼吸の実施が有効である	・呼吸法の導入（腹式呼吸・口すぼめ呼吸） ・呼吸と動作の同調 ・上肢の頻回な運動，息こらえを避ける
拘束性換気障害	気流制限が問題ではなく，％VCの低下や拡散障害により，需要に見合った酸素を供給できない可能性がある	・単位時間内の仕事量を少なくする ・適切な休憩をとる ・福祉用具の活用，消費エネルギーの節約 ・拡散障害が重度の場合には，心拍数が急上昇しないように配慮する

る。混合性障害は，もともとの換気障害を考慮しながら，拘束性，閉塞性のアプローチを併用して検討するとよい。

Case Study

台所環境の整備を行った事例

- 70歳代の女性で5年前にCOPDの診断を受け，介護保険を活用しながら独居生活を送っていたが，感冒を契機に急性増悪に至り，救急搬送された。抗菌薬治療を1週間実施した。自宅退院に向けて作業療法と理学療法が処方され，約3週間の包括的リハビリテーションにより，身辺動作は自立レベルに改善した。
- 独居生活であることから，住環境整備とADL・IADL訓練目的で，訪問リハビリテーションの指示が出た。退院時には，買い物や掃除はヘルパーを活用し，炊事は呼吸困難を伴いながらも自身で実施していた。本人の希望は，炊事の際の息切れを軽減したいとのことであった。
- 初回に実際の炊事場面を評価した。これまでは立位で実施していたようであるが，一定時間立位を保持するほどの耐久性はなく，現在は丸椅子に腰かけて実施していた。しかし，椅子の座面の高さが低く，包丁動作や洗い物の際には上肢を挙上した窮屈な姿勢となり，呼吸困難もBorg scaleで4(中くらい)程度を自覚していた。
- そのため，組立式パイプによりオーダーメイドの椅子を作製し(図11)，呼吸補助筋を過活動させないような肘付き位で炊事動作を行うと，呼吸困難も修正Borg scale 0.5(非常に弱い)に軽減した。
- このように，在宅の生活場面を直接支援できることが，地域での作業療法の醍醐味である。

図11 組立式パイプ椅子を使用した炊事動作

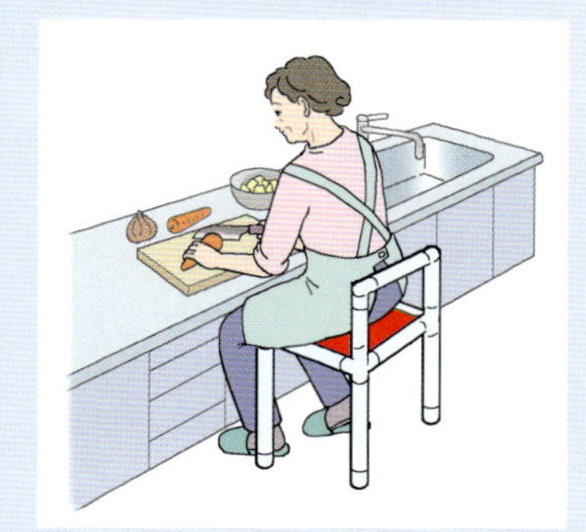

座面高を高めに調整することで，呼吸補助筋の過活動を軽減した肘付き位での炊事動作が可能となり，息切れの軽減を図ることができた

Question 1

肘付き位で呼吸困難が軽減する理由を考えてみよう。

☞ 解答 p.299

補足 口すぼめ呼吸

- [f;]あるいは[s;]と発音するように，口唇を軽く閉じながら息を吐き，吸気と呼気の比が1：2～5，呼吸数10～15回/分程度を目標に，ゆっくり呼出する。30cm程度離した位置の手に，呼気が感じ取れる程度でよい(図12)。

図12 口すぼめ呼吸

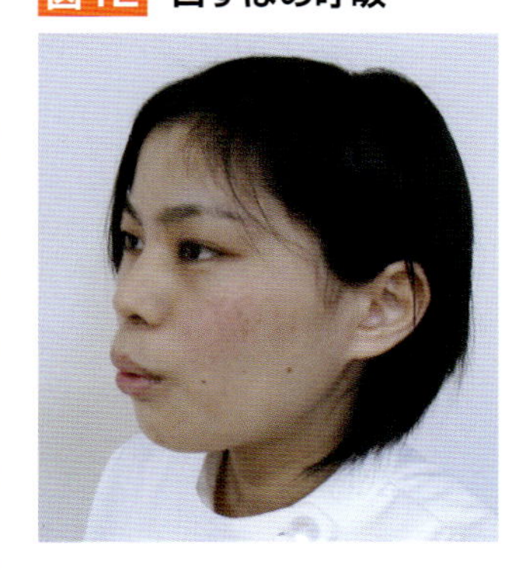

補足 腹式(横隔膜)呼吸

- 座位での腹式呼吸は，体幹を伸展した前傾座位で，利き手を腹部に当てて反対側の手は椅子か膝に置き，肘関節は伸展位で上体を保持する。呼気時に，腹部に当てた手で内上方に軽度圧迫し，呼気を促す。吸気は腹部で手を押すように横隔膜の収縮を促す(図13)。

図13 腹式呼吸

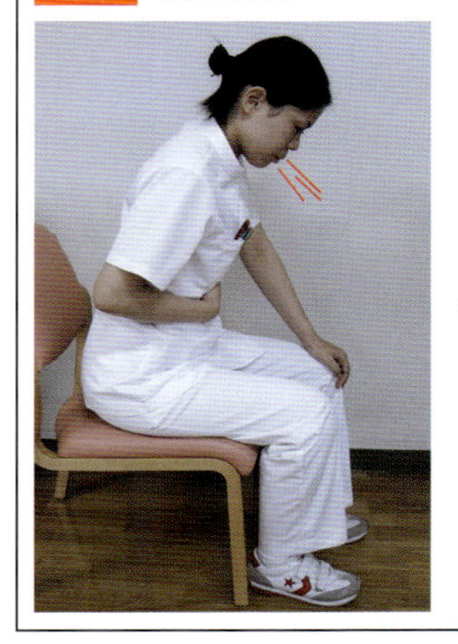

※注意：現状では十分なエビデンスが得られていないので，中等症から重症のCOPDで著しい肺の過膨張を呈し，横隔膜が平低化している場合には，かえって呼吸効率が悪くなることがある。その場合は中止する。

【引用文献】
1) 厚生労働省ホームページ．(http://www.mhlw.go.jp/shingi/2010/06/dl/s0611-8a.pdf，5月16日閲覧)
2) 日本呼吸器学会COPDガイドライン第6版作成委員会 編：COPD（慢性閉塞性肺疾患）診断と治療のためのガイドライン第6版，p53, 57, 96，メディカルレビュー社，2022.
3) 髙島千敬：摂食嚥下と呼吸，摂食嚥下障害への作業療法アプローチ，p.29，医歯薬出版，2010.
4) 高橋仁美 ほか編：動画でわかる呼吸リハビリテーション第2版，中山書店，2008.
5) 髙島千敬 ほか：呼吸障害と作業療法-生活障害と評価，作業療法ジャーナル，41(9)，2009.
6) Borg G：Borg's perceived exertion and pain scales, Human Kinetics, 1998.
7) 塩谷隆信，高橋仁美 編：臨床実践！ 虎の巻 呼吸ケア・リハビリテーションmini，中外医学社，2010.
8) 日本呼吸管理学会 呼吸リハビリテーションガイドライン作成員会 ほか編：呼吸リハビリテーションマニュアルー運動療法ー，照林社，2003.

チェックテスト

①閉塞性換気障害と拘束性換気障害の特徴と代表的な疾患について説明せよ（☞ p.223〜227）。 基礎

②感染症の場合に高値になる血液検査データは何か（☞ p.227）。 基礎

③在宅酸素療法が導入される場合の取り扱い上の注意点を説明せよ（☞ p.229，230）。 臨床

④聴診の際の注意点について３つ説明せよ（☞ p.230，231）。 臨床

⑤呼吸器疾患で生じやすい認知・心理機能障害について説明せよ（☞ p.233，234）。 臨床

⑥息切れが生じやすい動作を４つ挙げて，その理由を説明せよ（☞ p.236）。 臨床

⑦安定期呼吸器疾患における運動中止基準を自身に当てはめて，心拍数の基準を算出せよ（☞ p.237）。 臨床

⑧ADL・IADL トレーニングの方法と理由について，４つ以上挙げて説明せよ（☞ p.237）。 臨床

⑨換気障害の種類による基本的介入の違いについて説明せよ（☞ p.238）。 臨床

⑩口すぼめ呼吸はどのような換気障害に有効であるか説明せよ（☞ p.238）。 臨床

4 喀痰吸引

髙島千敬

Outline

- 吸引とは意識障害や麻痺などで，口腔や鼻腔内の分泌物が自己喀痰できない患者に対して，カテーテルを用いて分泌物を吸引除去する技術である。
- 2010年の厚生労働省の通知により，療法士による喀痰吸引が可能となった。
- 適切な喀痰吸引のためには，上気道の機能解剖やフィジカルアセスメント，吸引の機器の操作などの基礎を十分に理解しておく必要がある。
- 学生においては，「日本作業療法士協会における喀痰吸引に対する基本的な対応」のレベル1（知識の習得を中心に）が到達目標となる。

1 はじめに

吸引とは，意識障害や筋力低下・麻痺などにより，気道内，口腔・鼻腔内の分泌物の喀痰（かくたん）が困難な患者に対して，カテーテルを用いて分泌物を吸引除去する技術である。

2010年に出された厚生労働省医政局通知「医療スタッフの協同・連携によるチーム医療の推進について」では，喀痰等吸引が，理学療法士及び作業療法士法の第2条第2項に含まれると解釈され，喀痰吸引を作業療法士が実施できる行為として取り扱う，とされた（**表1**）[1]。

筋萎縮性側索硬化症のように気管切開による人工呼吸器装着下で在宅生活を送る患者も増えてきており，吸引は地域で作業療法を実施する際に要求される知識，技術となっている。

補足

療法士による喀痰吸引が可能となって以降，療養型病床や在宅において作業療法士が喀痰吸引を実施する機会も増えてきている。また，2018年に理学療法士作業療法士学校養成施設指定規則が改定され，作業療法治療学の中で「喀痰等の吸引」が必修化されている。

表1 喀痰等の吸引（厚生労働省医政局通知より）

①理学療法士が体位排痰法を実施する際，作業療法士が食事訓練を実施する際，言語聴覚士が嚥下訓練等を実施する際など，喀痰等の吸引が必要となる場合がある。この喀痰等の吸引については，それぞれの訓練等を安全かつ適切に実施する上で当然に必要となる行為であることを踏まえ，理学療法士及び作業療法士法（昭和40年法律第137号）第2条第1項の「理学療法」，同条第2項の「作業療法」及び言語聴覚士法（平成9年法律第132号）第2条の「言語訓練その他の訓練」に含まれるものと解し，理学療法士，作業療法士及び言語聴覚士（以下「理学療法士等」という。）が実施することができる行為として取り扱う。

②理学療法士等による喀痰等の吸引の実施に当たっては，養成機関や医療機関等において必要な教育・研修等を受けた理学療法士等が実施することとするとともに，医師の指示の下，他職種との適切な連携を図るなど，理学療法士等が当該行為を安全に実施できるよう留意しなければならない。今後は，理学療法士等の養成機関や職能団体等においても，教育内容の見直しや研修の実施等の取組を進めることが望まれる。

（文献1より引用）

2 吸引を実施する前の基礎知識

安全に喀痰吸引を実施するためには，上気道の解剖学的構造を理解しておくことが必須である（図1〜3）。

特に鼻腔内吸引の場合には，解剖学的に鼻甲介の構造を理解しておくことが重要である。そうした知識がないまま吸引を行うと，粘膜を損傷する危険性がある。

図1　上気道（鼻腔，咽頭，喉頭）の構造

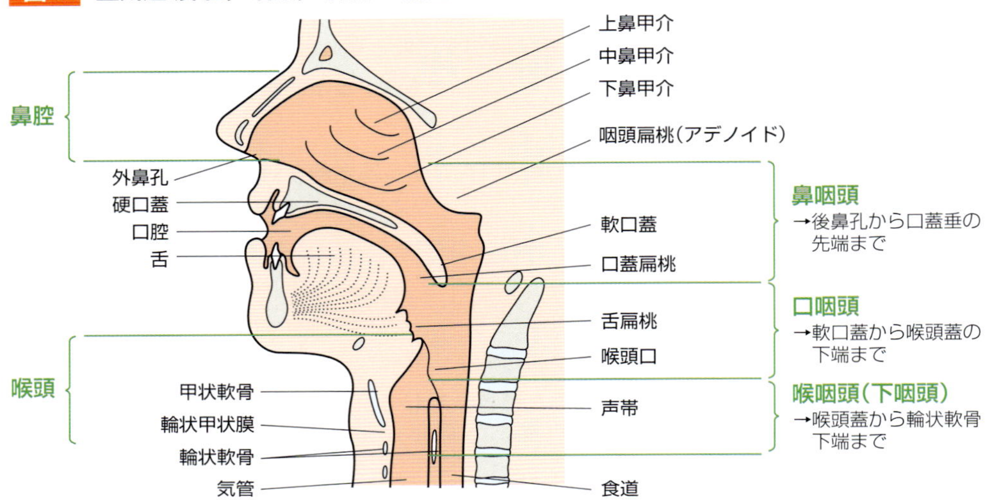

図2　気道浄化作用の低下の悪循環

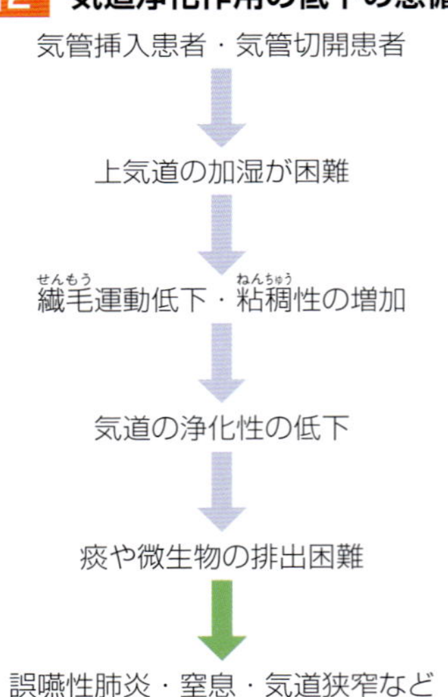

上気道が乾燥することで，気道の繊毛運動が低下し，気道の浄化作用が低下することにより，感染症を起こしやすくなり，誤嚥性肺炎のような二次的障害を招いてしまう。

図3　吸引に必要な物品の例（吸引器以外）

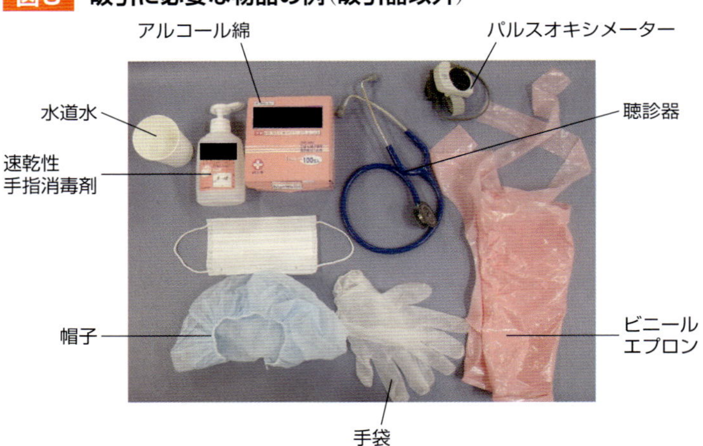

在宅ではこの他に簡易吸引器，吸引カテーテルが必要となる。

3 作業療法士が行う吸引

吸引を実施する際には，患者の病態や解剖学的知識はもとより，器具を適切に用いた手技，気管吸引の適応と限界，合併症が生じた場合の対処法など，知識・技術・判断が要求される(**表2**)[2]。

また，適切に吸引を行うためには，呼吸器疾患の項で述べたような視診，聴診などのようなフィジカルアセスメントを適切に実施できることが必要となる。

表2　成人で人工気道を有する患者のための気管吸引のガイドライン

1. 気道や肺，人工気道などに関しての解剖学的知識がある。
2. 患者の病態についての知識がある。
3. 適切な使用器具名称が分かり適切な手技が実施できる。
4. 気管吸引の適応と制限を理解している。
5. 胸部理学的所見などからアセスメントができる。
6. 合併症と，合併症が生じたときの対処法を知り実践できる。
7. 感染予防と器具の消毒・滅菌に関する知識と手洗いを励行できる。
8. 経皮酸素飽和度モニタについて理解している。
9. 侵襲性の少ない排痰法(呼吸理学療法など)の方法を知り実践できる。
10. 人工呼吸器使用者に対して行う場合：人工呼吸器のアラーム機能と緊急避難的な操作法を理解している。

(文献2より引用)

アクティブラーニング 1　日本呼吸療法医学会の『気管吸引ガイドライン2013』について下記を検索し参考にして理解を深めよう。
https://square.umin.ac.jp/jrcm/pdf/kikanguideline2013.pdf

日本作業療法士協会の「『喀痰吸引』に対する基本的な対応」では，吸引を実施できる作業療法士の基準が明記されており(**表3**)[3]，養成教育においては，基本的理論の習得が学習到達目標として提示されている(**表4**)。

表3　日本作業療法士協会の「喀痰吸引」に対する基本的な対応

作業療法士が可能な「吸引」の範囲	・気道内の分泌物を排出させる(一時的吸引) ・ドレーンを挿入して一定期間の低圧をかける中で体外に血液や体液などを排出させる(持続的吸引) ・作業療法士としてかかわる「吸引」の範囲は，「通知」による「食事訓練をする際」の文言に鑑み，原則的には「一時的吸引」のみとする ・「口腔内」「鼻腔内」への「吸引」および直接的な食事訓練までの姿勢保持や間接嚥下訓練などを必要とする挿管または気管切開の対象者に対する「気管内」への「吸引」のいずれも「一時的吸引」の手技として修得すべき
吸引ができる作業療法士	①卒前教育の養成機関で基本的理論を習得することや卒後の勤務現場である医療機関などにおいて実践的な理論や実技など，必要な教育・研修を受けた作業療法士が実施することが望ましい ②チーム医療の推進という観点から，医師の指示の下，多職種との適切な連携を図り，さらに作業療法士が実施するにあたり吸引を安全に実施できるように知識・技術の研鑽を含めて，留意しなければならない ③在宅療養者や医療機関以外など，必ずしも「医師の指示の下」ではない作業療法の実践状況では，担当医師(主治医・かかりつけ医)からの指示があることを原則とし，その安全性と適切な処置方法を多職種の連携の中で確認するとともに，実施に際しては本人や家族への説明と同意を得るものとする

(文献3より引用)

表4　学習到達目標

異なる到達目標(レベル)を設定することで，卒前(養成)教育による基本的理論を習得することから卒後の生涯教育における実践的な理論や実技など修得までの一貫，継続したシステムのなかで段階的に知識と技術を修得することが望まれる
レベル1：卒前(養成)教育の到達目標－知識の習得を中心に－
レベル2：卒後研修の知識項目の到達目標－実技における講義内容の修得－
レベル3：卒後研修の技術の到達目標①－指導の下で，「口腔内」「鼻腔内」吸引－
レベル4：卒後研修の技術の到達目標②－指導なしで，「口腔内」「鼻腔内」吸引－
レベル5：卒後研修の技術の到達目標③－指導の下で，「気管内」吸引－
レベル6：卒後研修の技術の到達目標④－指導なしで，「気管内」吸引－

(文献3より引用)

特に地域で患者にかかわる際には，「在宅療養者や医療機関以外など，必ずしも「医師の指示の下」ではない作業療法の実践状況では，担当医師(主治医・かかりつけ医)からの指示があることを原則とし，その安全性と適切な処置方法を多職種の連携の中で確認するとともに，実施に際しては本人や家族への説明と同意を得るものとする」とされており，担当医との連携，患者・家族への説明と同意が欠かせない。

4 吸引の実際

■吸引の目的

吸引には，①口腔内，鼻腔内，気管内の貯留物や分泌物の除去，②気道閉塞，低酸素血症の予防，改善，③努力呼吸や呼吸困難感の軽減，④無気肺，肺炎などの呼吸器合併症の予防，改善の4つの目的がある。

分泌物の貯留は感染症による肺炎などの二次的障害の原因にもなるので，予防の観点でも適切な吸引の実施は欠かせない。

■吸引の対象者

吸引の目的や対象となる病態，疾患を整理して説明できるようにしておこう。

喀痰吸引の対象は基本的に咳嗽力の低下により，自己喀痰が困難な状態にある患者である。具体的には，治療による鎮静薬の使用や全身麻酔からの未覚醒などのような要因で意識レベルが低い患者，気管挿管や気管切開を行っている患者，分泌物が多く，痰の粘稠性が高い患者などである。

■吸引前後の評価

● 吸引実施前の評価(表5)

吸引を実施するにあたり，事前の評価なしにいきなり行うことは慎むべきである(図4)。分泌物の粘稠度によっては，吸引の強さを調整する必要が生じる。また，病態が変化した場合には，それが吸引に起因するものであるのかが判断できなくなるなどの問題が起きるからである。

表5 吸引実施前の評価項目

- 分泌物の量，粘稠度，貯留の有無（呼吸音の確認）
- 嚥下反射の程度
- 咳嗽反射の程度
- 努力呼吸の有無（呼吸数，深さ，リズム）
- 患者の活動レベル，術後または外傷の程度
- 患者の精神状態（不安，興奮，せん妄）
- 患者の意識状態など

図4 吸引実施の判定

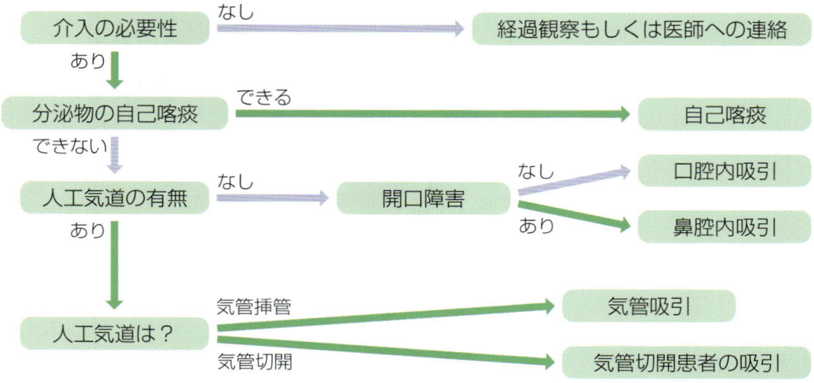

介入の必要性
なし
経過観察もしくは医師への連絡
あり
分泌物の自己喀痰
できる
自己喀痰
できない
人工気道の有無
なし
開口障害
なし
口腔内吸引
あり
鼻腔内吸引
あり
人工気道は？
気管挿管
気管吸引
気管切開
気管切開患者の吸引

（文献4より引用）

作業療法参加型臨床実習に向けて

臨床実習で指導者が喀痰吸引を実施する場面を見学する機会があれば，あらかじめ手順を復習しておき，どのような点に注意して実施しているのかを質問し，学びを深めよう。

● 吸引実施後の評価（表6，図5）

吸引実施後には，診療録に記録を残す必要がある。記録を残すことで，過去と比較して，痰の量の増減や粘稠度などの変化を把握することができ，去痰薬の処方などの治療の判断材料に繋がることもある。

特に呼吸状態の変化には注意し，聴診により痰が適切に吸引できたかどうかを確認する。

表6 吸引実施後の評価項目

- 分泌物の量，色や性状，粘稠度
- 咳嗽反射の程度
- 呼吸音，呼吸数，深さ，リズム
- チアノーゼの有無
- 血圧，脈拍など

図5 吸引実施後の再評価

患者状態の改善
なし
患者状態の悪化
なし
再施行の必要性
あり
あり
なし
あり
終了・経過観察
医師へ連絡
再施行

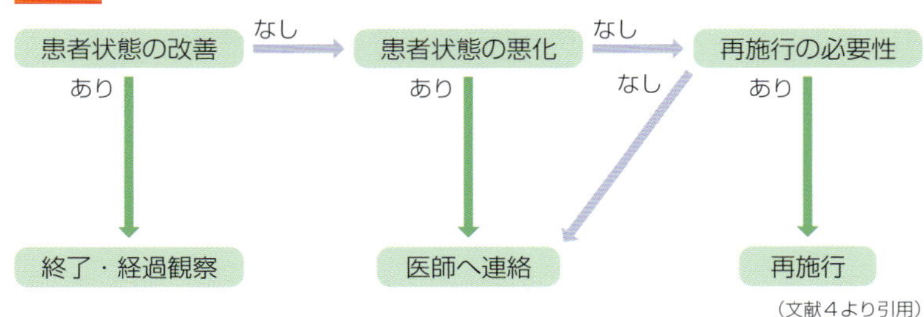

（文献4より引用）

■吸引の手順

● 口腔内吸引

①呼吸音の確認（前胸部・頸部の聴診）

②患者への吸引実施の説明

③手洗い（目に見える汚れがなければ省略可）

④手消毒

⑤手袋着用（必ずしも無菌操作でなくてもよい）

⑥吸引圧の設定

▶口腔粘膜の損傷防止のため20kPa＝150mmHg前後とする

⑦吸引カテーテルの準備

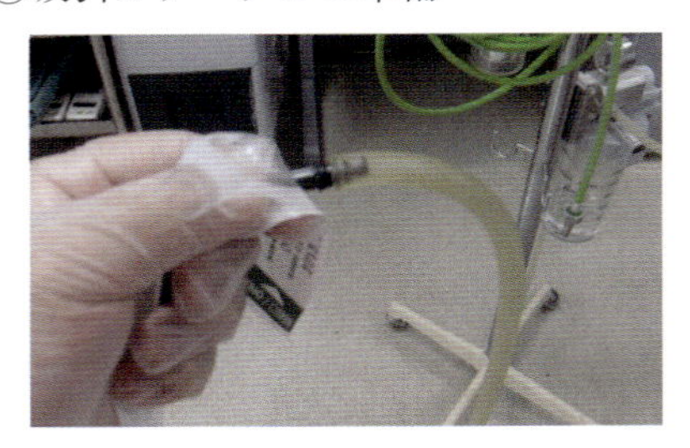

⑧カテーテルと吸引器の接続

⑨カテーテルの持ち方

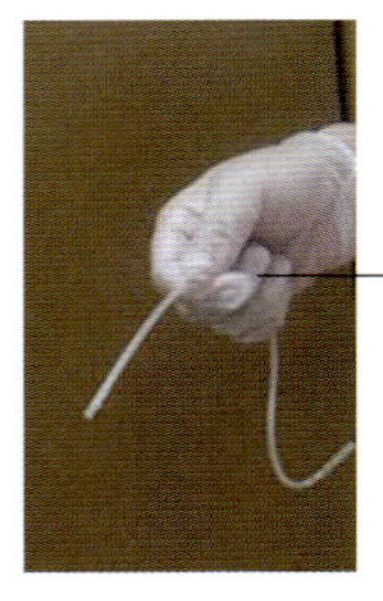

⑩吸引カテーテルの挿入

▶咽頭後壁に向かってゆっくりとカテーテルを挿入する

▶挿入中は陰圧をかけない

▶咽頭反射が出現すればそれ以上は無理に進めない

※咽頭反射が強く，嘔吐が誘発されやすい場合にはセミファーラー位か頸部回旋位で行う

⑪吸引

▶カテーテルの根元を押さえていた母指を離してカテーテルに陰圧をかけて吸引する

▶患者に意識がある場合には，舌を突出してもらうと口腔内が観察しやすい

▶1回の吸引の目安は10～15秒とする

▶吸引が不十分な場合には呼吸状態が整ってから施行する

⑫吸引の繰り返し

▶同じカテーテルで再度吸引を行う場合には，アルコール綿でカテーテルを拭く

⑬通水

▶カテーテル内に付着した分泌物を洗浄するために，水道水を吸引する

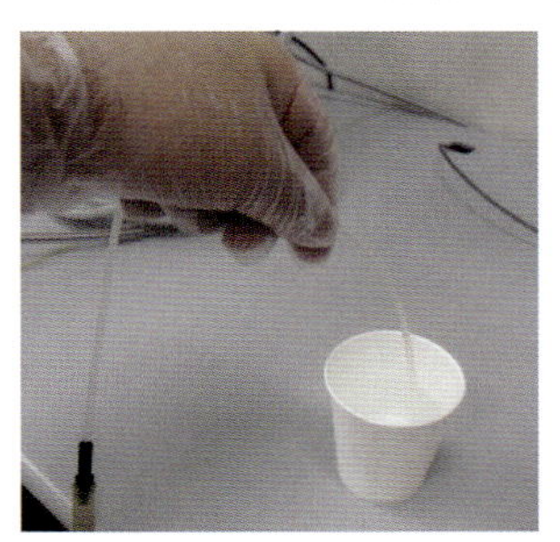

⑭使用後のカテーテルは廃棄する

⑮手袋の廃棄

▶手袋の外側に手が触れないように裏返して捨てる

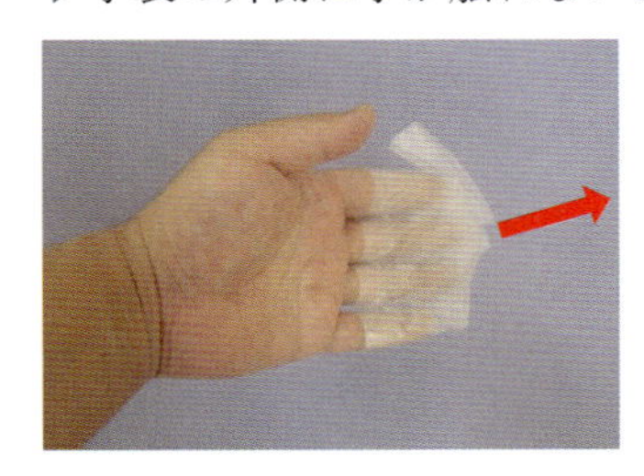

⑯吸引圧を下げる

▶吸引器のスイッチを切る

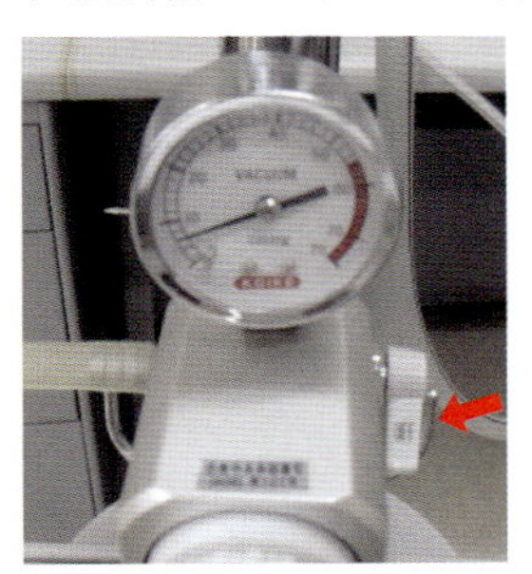

⑰手消毒

⑱患者への声かけ

▶終了を告げる

⑲呼吸音の確認

▶吸引後の評価へ

図6　鼻腔内吸引

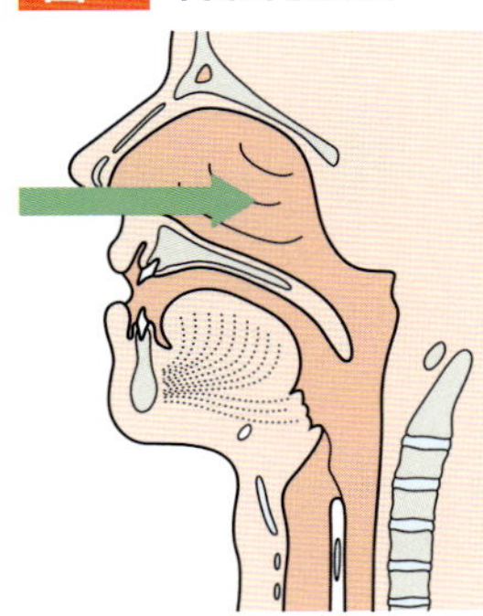

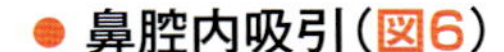

● 鼻腔内吸引（図6）

口腔内吸引とは⑩，⑪の手順が異なる。鼻腔内は鼻甲介の走行のため，カテーテルは鼻梁に沿った方向では進みにくいので，咽頭鼻部に向かって垂直に近い形で挿入する。

図7 気管内吸引の際のガウンテクニック

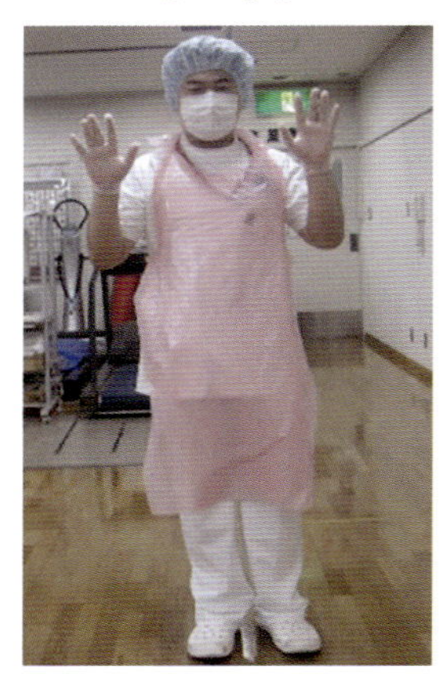

● 気管内吸引

基本的な操作は，前述の口腔内吸引と同様であるが，無菌操作で行うことが異なる（図7）。カテーテルの取り出しでは先端が周囲に触れないように注意する（図8）。

ジャクソン・リース回路かアンビューバック（酸素が使えない環境時）を接続し，人工呼吸回路をはずして吸引前に換気する（図9）。気管粘膜の損傷を避けるためにも，カテーテル使用時には生理食塩液で濡らすことが必要である。

図8 気管吸引

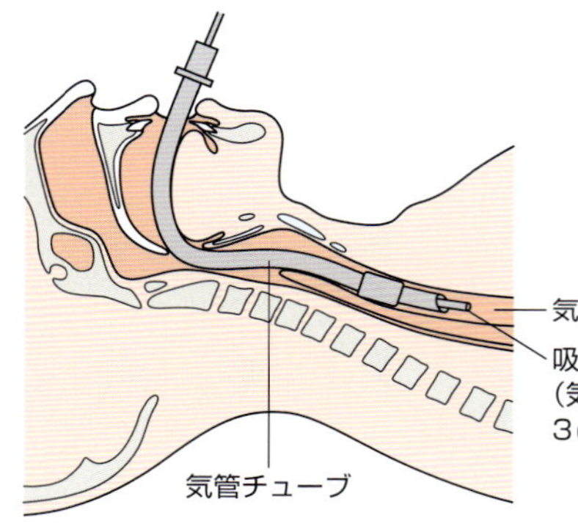

（文献4より引用）

図9 人工呼吸器装着患者

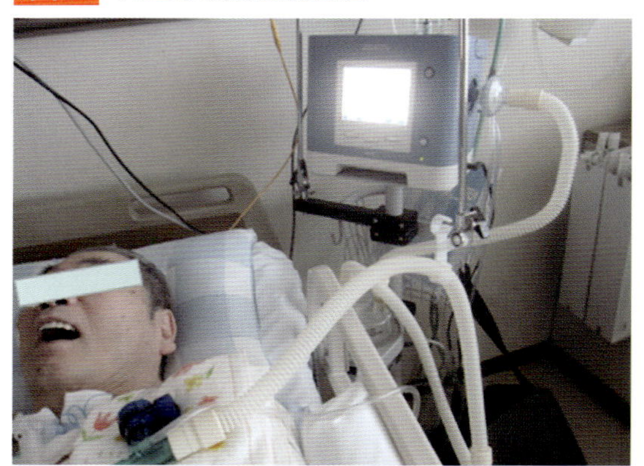

ALSで人工呼吸器を装着した在宅患者

【引用文献】
1）医療スタッフの協働・連携によるチーム医療の推進について，医政発0430第1号（http://www.mhlw.go.jp/shingi/2010/05/dl/s0512-6h.pdf, 2023年5月25日閲覧）
2）日本呼吸療法医学会：成人で人工気道を有する患者のための気管吸引のガイドライン
3）日本作業療法士協会：「喀痰吸引」に対する基本的な対応（http://www.jaot.or.jp/wp-content/uploads/2010/08/kakutan-practice-ver.3.pdf, 2023年5月25日閲覧）
4）布宮　伸 ほか：見てわかる医療スタッフのための痰の吸引，学研メディカル秀潤社，2010.

チェックテスト

①喀痰吸引について簡潔に説明せよ（☞p.241）。 基礎
②気管挿管患者の気道浄化作用が低下する流れを説明せよ（☞p.242）。 基礎
③喀痰吸引の対象となる病態について説明せよ（☞p.244）。 臨床
④喀痰吸引実施前の評価項目を7つ挙げよ（☞p.245）。 臨床
⑤喀痰吸引実施後の評価項目のうち，呼吸に関するものを3つ挙げよ（☞p.245）。 臨床
⑥適切な吸引圧はどの程度か（☞p.245）。 臨床
⑦1回の喀痰吸引の目安となる時間はどれくらいか（☞p.246）。 臨床

5 がん

髙島千敬

Outline

- がん患者への作業療法は病期に応じて，機能訓練やADL・IADL訓練，環境調整などを組み合わせて，個々の役割を再獲得できるように支援する。
- 地域生活で生活するがん患者の支援では，高齢者が対象になることが多く，生活の維持が重要となる。
- 地域で生活しながら，外来で化学療法などのその他の治療と並行して行われることもあり，その場合には血液データの推移や体調の変化を注視して，負荷を変更する，または中止とするなど柔軟に対応する必要がある。

1 はじめに

医療技術の進歩により，がんは以前のように不治の病ではなくなり，がんの治療を行いながらも自宅生活，就業が可能となり，生活を支えるリハビリテーションの視点が重要視されるようになっている。

2007年のがん対策基本法の施行により，国をあげてがん患者への対応の促進がなされ，2010年の診療報酬改定により，がん患者リハビリテーション料が新設されるに至っている。2020年の診療報酬の改定より，従来のがんの種類別の対象規定が削除され，「①がんの治療のための手術，骨髄抑制をきたす可能性がある化学療法，放射線治療，造血幹細胞移植が行われる予定の患者または行われた患者，②在宅において緩和ケア主体で治療を行っている進行がんまたは末期がんで，症状が悪化して一時的に入院治療を行っている場合の在宅復帰を目的としたリハビリテーションが必要な患者」と変更されたことで，より幅広い対象者への支援が可能となった。

わが国における2022年予測がん罹患数は，約101万9千人とされている。その一方でがん患者の予測死亡数は約38万人である。高齢者のがん罹患率の上昇もあり，終末期において作業療法士が地域で対応する機会も増えており，適切な患者対応のために質の担保が課題であるといえる。

地域で対応するがん患者であっても，医療機関で定期的に診察や治療が行われている。また，訪問リハビリテーションなどでかかわる場合には，多くのケースで退院前に医療機関でリハビリテーションが施行されている。作業療法士はリハビリテーション職種として，医療機関と積極的な連携を行っていくことが重要である。

そのためには，がん患者の治療，リハビリテーションの対象となる障害の原因，病期などを十分に理解しておくことが欠かせない。例えば，副作用として易感染性を認める場合には，作業療法の実施内容も感染の可能性を考慮したものに修正する必要があり，骨転移を認めている場合には，転移部位と程度を確認しておかなければ，作業療法実施中の病的骨折の可能性も懸念される。

アクティブラーニング 1 『がんのリハビリテーション診療ガイドライン 第2版』のURLにアクセスして，各種がんのリハビリテーションのエビデンスを確認しよう(https://www.jarm.or.jp/document/cancer_guideline.pdf)。

2 がん患者の治療

がん治療の基本的治療は，手術療法，化学療法，放射線療法であり，三大治療法とよばれている(**表1**)。その中心は手術療法であるが，病期によっては化学療法や放射線療法が手術療法に匹敵するような効果を表す場合もある。その他に免疫療法や重粒子線治療などが存在し，疾患や病態に応じて選択される。

地域で患者に対応する場合には，治療手段やその目的に応じた作業療法の内容を検討する必要がある。

以下に三大治療法について述べる。

表1 がん治療の種類

手術療法	・がん治療の中心であり，あくまで根治や生命予後の改善を目指すものである ・臓器喪失は避けられず，術式の改善や他の治療法との併用が検討される→患部と周囲の正常組織の合併切除 ・手術による弊害を予防するために，周術期からの計画的なリハビリテーションが重要である
化学療法	・がん細胞を死滅または増殖を抑制させる目的でさまざまな薬品が使用される ・がん治療における化学療法の位置付け 　•がんの種類によっては治癒を目指す 　•延命，症状緩和を目指す 　•手術後の再発率の低下 　•治癒切除率の向上 ・副作用の少ない化学療法の開発と高度な副作用対策が課題である
放射線療法	・対象となるのは，一部の良性疾患を除く全身の悪性腫瘍である ・治療は，根治治療と症状緩和治療に分けられる 　•根治治療では，十分な照射を行うために，合併症に注意が必要である 　•症状緩和治療では，短期間で線量を多くする ・治療による正常組織の影響 　•照射期間中→急性反応(可逆的) 　•照射後半年以降→晩期反応(不可逆的)

■ 手術療法

がんの病巣を切除し，根治や生命予後の改善を目指すものである。検査で検出されないような微細な転移がなければ，完治する可能性が高いことがメリットである。一方で手術による身体への侵襲は，臓器喪失はもとより，創部の治癒や全身状態の回復に時間を要する原因となり，速やかな離床を阻害する疼痛発生を伴うものである。

このようなデメリットを回避するために，最近では内視鏡を利用した腹腔鏡下手術など低侵襲の手術が普及している。

■化学療法

抗がん剤治療によってがん細胞を死滅させたり，増殖を抑制させたりする治療法である。その目的は，①がんの種類によっては治癒を目指す，②延命，症状緩和を目指す，③手術後の再発率の低下を目指す，④手術前に実施し，がんを縮小させて治癒切除率の向上を目指すなどに分類される。

抗がん剤は，点滴や内服などで投与されるが，吐き気，全身倦怠感，しびれなどの末梢神経障害のような副作用や肝臓などの他臓器の機能低下を伴うために，患者にとってはつらい治療となることが多い。

以前は入院による長期間の治療が大半であったが，現在では，がんの種類や病期によっては，外来通院で化学療法が実施されるようになり，自宅療養をしながら治療が進められるようになってきている。

また，吐き気などの副作用を軽減する薬剤の開発も進んでいるほか，がん細胞だけに作用する分子標的薬が実用化されている。

■放射線療法

病巣に放射線を照射し，がん細胞を死滅させる治療である。照射技術の向上により，正確で集中的な照射が可能となり，治療効果を上げている。放射線治療も治療目的により照射の強度や期間が異なり，根治治療と症状緩和治療に分けられている。

余命が限られている場合には，高強度の照射を短期間実施する場合が多い。脊椎への骨転移の場合には，転移部の照射により骨強度が増加するが，照射後2カ月程度を要するために，注意が必要である。

治療に伴い正常細胞へ影響が及び，照射部位の皮膚の炎症などの副作用が生じる場合もある。

アクティブラーニング ② がん患者の多くは何らかの三大治療を経験している。特に，化学療法や放射線療法では副作用（副反応）が問題となることが多く，その有無や程度，それが日常生活に及ぼす影響について考えてみよう。

■がん患者の評価指標

がん患者の全身状態を表す指標には，Performance Status（PS，**表2**）やKarnofsky Performance Status（KPS，**表3**）がある。PSは5段階に分類され，点数が大きいほど状態が悪く，KPSは％で状態が表現される形式のものであり，100％が正常である。KPSは脳神経外科で用いられることが多い。

表2 Performance Status

0	まったく問題なく活動できる。発症前と同じ日常生活が制限なく行える
1	肉体的に激しい活動は制限されるが，歩行可能で，軽作業や座っての作業は行うことができる 【例】軽い家事，事務作業
2	歩行可能で，自分の身のまわりのことはすべて可能だが，作業はできない。日中の50%以上はベッド外で過ごす
3	限られた自分の身のまわりのことしかできない。日中の50%以上をベッドか椅子で過ごす
4	まったく動けない。自分の身のまわりのことはまったくできない。完全にベッドか椅子で過ごす

表3 Karnofsky Performance Status

KPS	状態
100	正常，臨床症状なし
90	軽い臨床症状はあるが正常の活動が可能
80	かなりの臨床症状があるが，努力して正常の活動が可能
70	自分自身の世話はできるが，正常の活動や労働をすることは不可能
60	自分に必要なことはできるが，ときどき介助が必要
50	病状を考慮した看護および定期的な医療行為が必要
40	動けず，適切な医療行為および看護が必要
30	まったく動けず，入院が必要だが死は差し迫っていない
20	非常に重症。入院が必要で精力的な治療が必要
10	死期が切迫している
0	死亡

3 がんによる障害の理解

がんに関連するリハビリテーションの対象となる障害は，①主にがんの治療過程においてもたらされる障害（**表4**），②がんそのものによる障害（**表5**）に分類される。

①は前述したがんの三大治療法による術侵襲や合併症，副作用によりもたらされる障害であり，②はがん病巣の局在による症状であり，脳腫瘍による片麻痺などがこれに相当する。

リハビリテーションを実施する場合には，これらの症状がどこまで改善しうるかどうかの機能予後と，がんのステージによる生命予後を考慮することが必要である。生命予後が不良である場合には，機能訓練よりも環境調整による活動能力の向上や介助力の強化が優先されることとなる。

補足

作業療法士はがん患者の心理的サポートを行いやすい立場にある。がんの罹患によりさまざまな心的ストレスを抱える患者の訴えを傾聴することで，患者の混乱が整理されることもある。作業療法の特長を活かしてかかわることが重要である。

表4 治療過程によりもたらされる障害

全身性の機能低下，廃用症候群	手術
・化学・放射線療法 ・造血幹細胞移植後 **化学療法** ・末梢神経障害 ・嘔気・嘔吐 ・倦怠感 **放射線療法** ・横断性脊髄炎 ・腕神経叢麻痺 ・嚥下障害など	・骨軟部腫瘍術後（患肢温存術後，四肢切断術後） ・乳がん術後の肩関節拘縮 ・乳がん・子宮がん手術（腋窩，骨盤内リンパ節郭清）後のリンパ浮腫 ・頭頸部がん術後の嚥下・構音障害，発声障害 ・頸部リンパ節郭清後の肩甲帯周囲の運動障害 ・開胸・開腹術後の呼吸器合併症

表5 がんによる障害

がんの直接的影響	がんの間接的影響（遠隔効果）
・骨転移 ・脳腫瘍（脳転移）に伴う片麻痺，失語症など ・脊髄・脊椎腫瘍（脊髄・脊椎転移）に伴う四肢麻痺，対麻痺など ・腫瘍の直接浸潤による神経障害（腕神経叢麻痺，腰仙部神経叢麻痺，神経根症状） ・疼痛	・がん性末梢神経炎（運動性，感覚性多発性末梢神経炎） ・悪性腫瘍随伴症候群（小脳性運動失調，筋炎に伴う筋力低下など）

4 がん患者の心理

がんは種類によって発症する年齢が異なる。罹患する人にとっては，働きざかりの年代であったり，育児の年代であったりする場合もあり，さまざまである。社会的役割の喪失はがん患者の心理面や生活の質を著しく損ねてしまう可能性がある。

特に余命や身体機能の予後に関する告知の後は，適応障害を発症しやすく，抑うつ症状が2週間以上続くと，うつ病の可能性なども考慮しなければならない（表6）。

表6 がんと告知された患者の心理状態

一般的な経過	①衝撃期（2日～1週間）	否認
	②不安定期（1～2週間）	動揺，恐怖，不安，怒り，後悔，家族への思い，自殺願望
	③適応期（2週間以上）	受容
適応障害		①がん患者に多い心の症状が継続：不安，絶望感，不眠，ふさぎ込み，涙ぐむ，食欲不振，無気力，孤独感
		②変化に適応できず，不安や抑うつになる
		③社会生活に支障をきたす
うつ病（右の症状のうち，5項目以上が2週間以上続く）		①憂うつな気分
		②何にも興味がもてない
		③食欲がないか，ありすぎる
		④眠れないか，ずっと寝ている
		⑤落ち着かない
		⑥何もする気がしない
		⑦自分を責める
		⑧何も考えられない
		⑨自殺願望

（文献1より引用）

このような時期では，精神科での薬物療法の適応になる場合もあるので，医療機関との速やかな連携が必要となる。

身体機能の低下や限られた余命を実感することは，患者に心理的に大きな負担を強いる（表7）。基本的対応として，訴えを傾聴しながら，患者がつらい気持ちを表出すること，変えられることと，変えられないことの区別と，できる対応や視点の転換への支援，リラクゼーションの指導などが挙げられる。

表7　終末期の患者が感じるさまざまな喪失

身体的機能	疼痛，全身倦怠感などの症状や体力低下などにより身体が思うようにならない
社会的役割	仕事や家庭における（罹患以前の）役割が担えない，周囲に対する負担感
自立・自律	自分で自分のことができない，周囲に頼らなければならない
尊厳	外見の変容，排泄介助を受けることなど，自己イメージやプライドの傷つき
関係性	愛するものを残して逝かねばならない，辛さを理解されない孤立や孤独，拒否
未完の仕事	やり残した仕事がある，達成できない

（文献2より引用）

5 がん患者へのリハビリテーションの分類

がん患者へのリハビリテーションでは，その目的に応じたDietzの分類が使用されることが多い（**表8**）。地域でかかわる患者の場合には，この分類の回復期リハビリテーションの後期から，維持的リハビリテーション，緩和的リハビリテーションに相当すると考えられる。

特に緩和的リハビリテーションの対象となる，進行がんで自宅療養をしている場合は，終末期の患者のニーズに対応して，質の高いQOLを維持することが期待される。各種症状への基本的な対応を理解しておく必要がある。

表8　がん患者へのリハビリテーションの分類

予防的リハビリテーション	がんと診断された後，早期に開始。手術，放射線・化学療法の前もしくはすぐ後に実施。機能障害はまだない。その予防を目的とする
回復的リハビリテーション	治療後，残存する機能や能力をもった患者に対して実施する，最大限の機能回復を目指した包括的訓練。機能障害，能力低下の存在する患者に対して，最大限の機能回復を図る
維持的リハビリテーション	がんが増大しつつあり，機能障害，能力低下が進行しつつある患者に対して，すばやく効果的な手段により，セルフケアの能力や移動能力を増加させる。拘縮，筋萎縮，筋力低下，褥瘡のような廃用を予防する目的も含まれる
緩和的リハビリテーション	末期がん患者に対し，その要望を尊重しながら身体的，精神的，社会的にQOLの高い生活が送れることを目的とする。温熱，低周波治療，ポジショニング，呼吸介助，リラクゼーション，補装具の使用などにより，疼痛，呼吸困難，浮腫などの症状緩和や拘縮，褥瘡の予防などを図る

（文献3より引用）

6 がん患者への対応時のリスク管理

前述したがん治療における三大治療法には，臓器喪失，副作用などのデメリットを伴う。地域でがん患者にかかわる際には，以下に挙げるようなリスク管理を念頭に置く必要がある。

介入の必要性によっては，**表9**に挙げた中止基準の指標すべてを基準範囲内で実施できるとは限らないが，主治医に確認して注意深く行う。また，医療機関でないと入手できないような検査所見もあるため，開始前の医療機関との連携は欠かせない。加えて，進行がんの場合には，開始後に検査時のデータよりも悪化を認めることがあるので，体調の変化などの症状に応じた対応を心がける。

特に骨転移の所見がある場合には，該当する部分の病的骨折を発症する可能性がある。終末期における病的骨折は，患者の活動範囲を著しく制限し，QOLの低下をまねく。関節可動域訓練が必要な場合であっても過負荷にならないような配慮が必要となり，主治医と事前にリハビリテーションの内容について十分に確認を行う必要がある。病的骨折の前駆症状として，疼痛を訴えることが多いため，問診のポイントになる。

また，このような病期の場合には，実施計画書を作成する際に，易骨折性について十分な説明がなされていることが重要である。

表9　がん患者におけるリハビリテーションの中止基準

1. 血液所見：Hb≦7.5g/dL，PLT≦50,000/μL，WBC≦3,000/μL
2. 骨皮質の50%以上の浸潤，骨中心部に向かう骨びらん，大腿骨の3cm以上の病変などを有する長管骨の転移所見
3. 有腔内臓，血管，脊髄の圧迫
4. 疼痛，呼吸困難，運動制限を伴う胸膜，心嚢，腹膜，後腹膜への浸出液貯留
5. 中枢神経系の機能低下，意識障害，頭蓋内圧亢進
6. 低・高カリウム血症，低ナトリウム血症，低・高カルシウム血症
7. 起立性低血圧，160/100mmHg以上の高血圧
8. 110/分以上の頻脈，心室性不整脈

（文献4より引用）

アクティブラーニング ③　がんは種類や局在によって症状や治療が異なる。脳腫瘍であれば，代表的な脳腫瘍の好発部位や症状，治療について理解を深めておくとよい。また，5年生存率はリハビリテーションの目標設定にも影響を及ぼすので，以下のURLなどで確認しておこう（https://ganjoho.jp/reg_stat/statistics/stat/summary.html）。

7　主ながんの局在別の対応

■脳腫瘍

髄膜腫のような良性の腫瘍，神経膠腫のような脳実質に浸潤するような悪性の腫瘍など，腫瘍の種類による影響とともに，病巣の局在も機能予後を大きく左右する。

生命予後が限られている場合には，自宅で家族と過ごす時間を確保するために，サービスを活用しながら早期の自宅療養を目指す場合もある。その際には訪問リハビリテーションなどでかかわる場合が多く，住環境整備，家族への介助指導など現実的な支援を中心に実施するとよい。環境整備においては，大がかりな改修であると工期に時間を要するため，福祉用具を中心に検討する。

■骨転移

骨転移による骨の脆弱性に伴う病的骨折は，軽微な衝撃により生じるこ

とがあり，下肢や脊椎の骨折を伴うと歩行が困難になることから，著しく生活が制限される。

骨転移を起こしやすいがん種である乳がん，肺がん，前立腺がんなどのある患者にリハビリテーションを行う場合には，検査所見の情報とともに，病的骨折に配慮した対応を行う。

図1 骨転移の好発部位

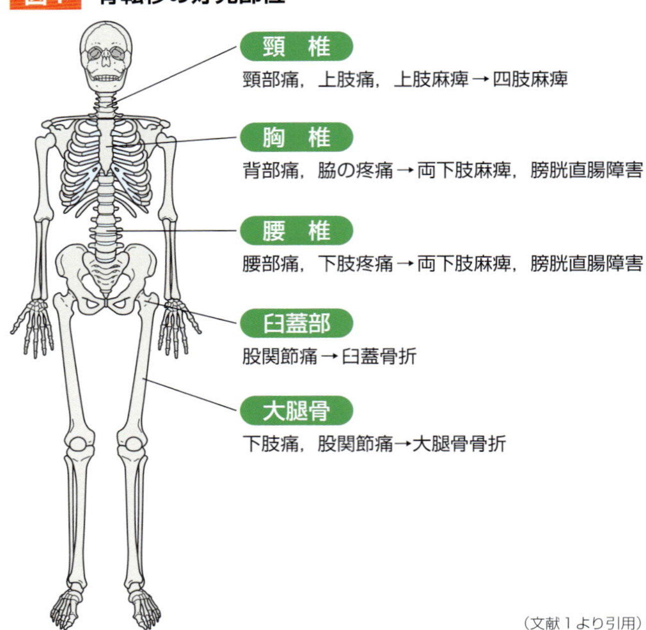

（文献1より引用）

図2 大腿骨に生じた骨転移

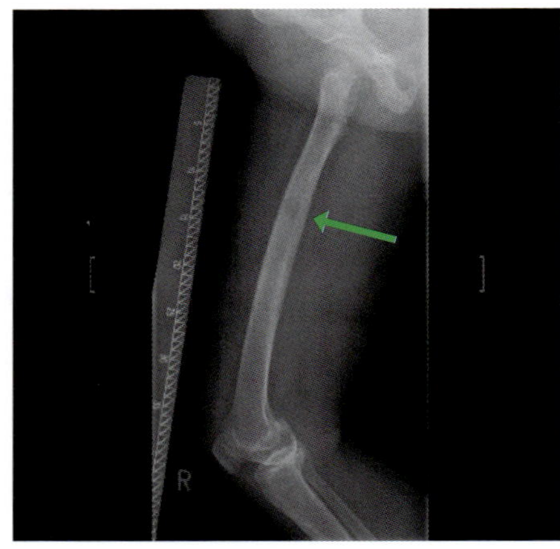

前駆症状として疼痛の訴えがあり，検査により発見されたため，骨折には至っていない。この後，放射線療法を実施し，退院に至った。

■呼吸器，消化器系のがん

上腹部の術後患者の場合には，術後の肺活量の低下などによる息切れの出現が問題になることがある。呼吸器疾患の項で述べたように，息切れがあるから動かないという悪循環による体力低下を避けるために，息切れを軽減する動作の工夫などを指導し，効率的な動作方法の実施を促すことが重要である。

■乳がん術後

乳がんの術後には，関節可動域制限が出現することがある。入院中のリハビリテーションで在宅での運動方法の指導などを受けているが，継続的に運動ができていない場合には注意が必要である。棒体操などで肩関節の運動習慣を継続できるように支援するとよい。

また，術側の上肢で重量物を持ち上げることなどをきっかけにリンパ浮腫を生じる場合がある。日常生活では，このような動作を出来るだけ避けるような指導が重要である。

作業療法参加型臨床実習に向けて

地域で生活するがん患者にかかわる場合，その多くが高齢者であると予想される。現在はがんの経験をもちながら，がんとともに生きていく時代になっている。そのような視点で，がんによる生活への影響などを聴取しながら，生活の質を維持，向上していくためにどのようなかかわりが必要なのかを考えて接するようにしよう。

■リンパ浮腫

リンパ浮腫は，乳がんや婦人科系のがんの術後に生じる可能性があることが知られている。リンパ節の切除の後遺症でもあり，退院後の在宅生活でも予防に努めなければならない。

在宅生活では，肌の清潔を保持する，けがや虫さされなどによる感染を避ける，重い物をできるだけ持たない，皮膚を圧迫するような衣服を着用しないなどの指導を行う。洗体の際に対象者自身で皮膚の状態を観察する習慣づけも重要である。

また，浮腫が出現した場合には，速やかに医師の診察を受け，指示に従うように助言しておくと増悪を防ぐことにもつながる。

2016年の診療報酬改定により，作業療法士によるリンパ浮腫指導管理料，リンパ浮腫複合的治療料の算定が可能となった。リンパ浮腫複合的治療料の算定には，国家試験取得後に座学と実技の計100時間の研修が必要である。

試験対策 Point

がん患者の活動性はPSで示されることが多いので，よく理解しておく必要がある。また，患者の活動制限の原因について，がん自体の問題なのか，治療による副作用の影響なのかというように原因を把握しておくことが適切な治療につながるので理解しておこう。

8 活動と参加の拡大への支援

医療技術の進歩により，病態により差があるものの，生命予後の改善がなされ，がん患者が地域でその人らしく生活することができる時代が到来した。

地域で生活するがん患者への支援では，むやみに機能訓練に終始することは患者にとって有益ではない。2016年2月，厚生労働省から「疾患を抱える従業員（がん患者など）の就業継続」に関する指針が公表された[4]。リハビリテーションにおいても患者の個々の病態に応じた就労も含めた幅広い支援が重要である。

がんの種類，治療，機能予後，生命予後などの把握に努め，症状と本人の希望を考慮し，活動と参加の促進を図ることで，患者の高いQOLを維持することができる。

【引用文献】

1）辻　哲也 ほか 編：癌のリハビリテーション，金原出版，2006.
2）池永昌之 ほか 編：ギア・チェンジ．医学書院，2004.
3）Dietz JH: Rehabilitation of the cancer patients. Med Clin North Am, 53: 607-624, 1969.
4）Gerber LH et al.：Rehabilitation for patients with cancer diagnoses. in Rehabilitation Medicine:Principles and Practice, 3rd Ed(ed by DeLisa JA et al.). Lippincott-Raven Publishers, Philadelphia, 1998.

【参考文献】

1. 国立がん研究センター：がん情報サービス（https://ganjoho.jp/public/index.html, 2023年5月24日閲覧）
2. 国立がん研究センター：がん情報サービス，がんと仕事のQ＆A 第3版（https://ganjoho.jp/public/qa_links/brochure/pdf/cancer-work.pdf）

チェックテスト

Q

①がんの三大治療とその副作用について説明せよ(☞p.250，251)。 基礎

②がん患者の全身状態を表す指標であるPSについて，日中の50%以上をベッドか椅子で過ごす状態は何であるか答えよ(☞p.252)。 基礎

③放射線治療により生じることがある障害を3つ挙げよ(☞p.252)。 基礎

④がん患者の心理状態として，最も生じやすいのは何か説明せよ(☞p.253)。 基礎

⑤がん患者への緩和期のリハビリテーションの目的について説明せよ(☞p.254)。 臨床

⑥がん患者に生じうるリスクとその対応について2つ説明せよ(☞p.254，255)。 臨床

⑦地域で生活するがん患者への対応のポイントについて説明せよ(☞p.257)。 臨床

6 家族の理解と介護

長倉寿子

Outline

- 高齢者や障害のある対象者を支える家族の思いや考えを理解し，身体的介護や受け入れの情緒面，生活環境など，介護力をアセスメントする。
- 対象者だけでなく変化する家族ニーズも把握し，適切な家族支援を実施することが，在宅での暮らしを継続する対象者の支援につながる。

1 家族の理解・家族支援の目的

高齢者や障害のある対象者が住み慣れた地域で生活や社会参加を継続するには家族との協力体制が必須である。家族には対象者の自立に向けた意欲の維持や向上，重度化の防止にかかわるといった役割があり，家族を理解し，支援することが対象者の支援につながる。家族支援の目的は，家族の介護負担の増大を未然に防ぐと同時に，家族が対象者にかかわり続けることができることである。

2 家族・介護者の状況および対象者を支える力を知る

在宅生活における課題やケアのニーズがある対象者に対して適切な援助を実施するためには，対象者を取り巻く家族や親族の構成，キーパーソンを含む家族関係を知り，対象者に直接かかわる介護の側面や対象者を受け入れる情緒的な側面，生活環境の状況などから，家族の思いや考えも聴取し，在宅で対象者を支えるための家族の介護力を的確にアセスメントすることが求められる。家族の状況を知るためのアセスメント項目を**表1**に示す。項目のチェックだけでなく，繰り返し家族の話を聞き，家族内の関係や家族力動を観察し，分析しながらかかわることが重要である。

■家族のストレス

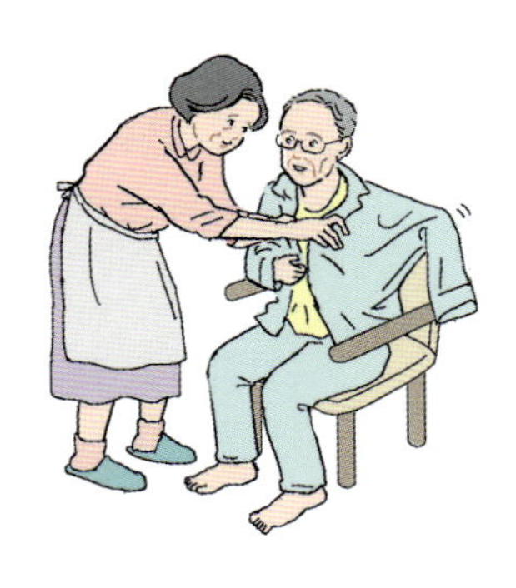

家族に新たに介護の役割が加わることによって，日常習慣の変化や身体的負担，さらには経済的負担など，家族の生活にもさまざまな影響が出てくる。また，将来への不安や悲観を感じていることも多く，犠牲と自責の感情など，精神的負担も大きい。例えば，認知症の介護においては，家族が認知症となったショックを受け，とまどい，混乱に陥る。徐々に認知症の人の「あるがまま」を受け入れられるようになるには，介護者の気持ちの余裕が必要である。また，進行性疾患や終末期の場合など，対象者の病状

表1　家族の置かれている状況を知るためのアセスメントの項目

①対象者にかかわれる介護力的側面	・同居家族の構成：年齢・性別・役割・就労や時間的制約など ・同居外家族(親族)の構成：年齢・性別・役割・就労や居住地との距離など ・家族の関係：同居期間や情緒的絆(親密さやトラブルの歴史など)，交流の程度などを通した現在の関係，協力体制など ・家族への影響度：身体的，精神的，社会的(経済的含む)ダメージなど ・主たる介護者，キーパーソンの能力：知性，体力，経済力，社会とのつながり(コミュニケーションの取り方など)，機動力やスキル(介護体験，車の運転)　など
②対象者を受け入れる情緒的側面（家族力動も含めて）	・家族の理解度：障害の理解や考え方，リハビリテーションに関する興味，希望や望む生活像など ・家族の心理状態：障害受容の状態，戸惑いや不安，孤独，悩み　など ・家族間の意見の違い：キーパーソン，主たる介護者，キーパーソンを取り巻く家族の意見
③生活環境的側面	・住居の状況：構造，共有空間(プライバシーの確保)，生活様式など ・地域の状況：立地状況，公共交通機関，買い物の利便性，地域性など ・社会資源の利用度　など

の変化に対応することが難しくなることも多い。このように対象者および家族に対して，周囲からの理解やサービスの利用について検討するなど，適切な対応が必要となる。特に家族に対する精神的支えは重要であり，このようなストレスが継続することによって家族自身が体調を崩し治療が必要となることや家族による虐待の問題など，家族の生活が崩壊するリスクについても注意する必要がある。

■ケアの対象としての家族

家族は対象者を家庭内でサポートできるケアチームの貴重な一員であるとともに，家族に過度な期待をするのではなく，ケアマネジメントを受ける対象であるという認識が必要である。対象者への支援と同様に，家族に対してもアセスメントの結果から，援助計画，支援の実施，フォローアップなどの介入プロセスを検討しなければならない(図1)。

図1　援助計画のための3つの枠組み

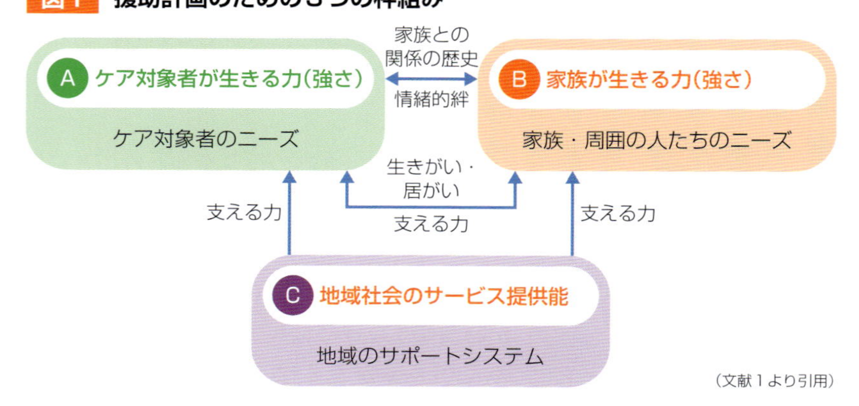

(文献1より引用)

家族一人の変化が，家族全体に変化を起こし，家族全体の変化が一人に変化をもたらす。家族の個別性やもろさと強さ，家族力動を理解するとともに，家族をシステムとしてとらえ，家族の状況に応じて適切な時期に支援チームが具体的にどのようにかかわるのかを早期から話し合うことも大切である。

3 家族ニーズ

まずは家族の困っていることを理解するため，個々の家族の不安や不満，意見などについて十分に話を聞き，家族との関係をつくることが大切である。対象者の人的環境因子として家族関係を理解したうえで，以下のような課題を焦点化する。

課題の焦点化の例

- 疾病・障害・介護などに関する情報不足
- 社会資源の導入・活用が不十分
- 家族の力が引き出せていない・家族間の役割など調整不足
- 介護ストレスの増加・休息(レスパイトケア)が必要　など

補足

レスパイトケア
介護者の休養と保護のためのフォーマルまたはインフォーマルサービスのこと。ショートステイの利用やボランティアの導入が必要な場合もある。

■家族の変化

在宅生活の継続では，対象者の状態の変化だけでなく，家族にも心身の変化が起こるものである。直接介護にかかわっている家族はもちろんのこと，その他の家族であっても健康状態や生活などに変化が生じた場合，家族の介護力に影響が及ぶことになる。このような生活変化や介護の長期化は在宅介護にとって危機的な状態となり，家族には新たな適応が求められることになる。特に情緒的な家族の変化を見過ごすことがないよう，ケアチームでは情報を共有することが重要である。

4 家族支援の実際

家族支援の目的は，家族が①新たな状況を認知する，②新たな意味と目標をもつ，③新たな社会資源を導入するなどである。家族が介護の問題解決への意欲を維持できるように援助することや，予防的介入が必要となる場合もある。家族の孤立防止，家族が家族の重要性・存在意義に気づくこと，家族自身が自分の時間をもつための支援プログラムなどの提供も重要となり，家族のエンパワメントによって，家族機能の回復や家族の適応が図られる。

補足

エンパワメント
そのもてる力を自覚して行動できるよう，心理的，社会的に支援する過程をいう。エンパワメントの理念に従い，支援者は利用者と同等の立場で，ともにその障害を解決する作業にあたる。障害や困難をもつ退所者だけでなく，家族に対しても提供できるものである。

■家族を支援する方法

家族を支援する手段としては，入院あるいは介護保険などのサービスを利用している場合は，ケアチームにおける個別指導やカンファレンスにおいて，家族に専門職が評価した結果を伝えることやアセスメントに参加してもらうことで，対象者の状況の理解を深めることや適切な助言をする機会を提供することができる。しかし，家族は専門知識をもっているわけではないので，介護に必要な情報は十分に提供することは大切であるが，意見をしたり，指示的にならないよう配慮する。在宅の場合，訪問サービスなどにおいて作業療法士が家族の変化などに気付いた場合は，ケアマネジャー（介護支援専門員）と連携をとり，各サービスの担当者が統一した対応をすることが必要である。地域では，家族が相談できる窓口や必要な情報提供の場が整備され，いかに個別性のある対応ができるかが課題となり，地域包括支援センターや発達障害者支援センターなどの相談窓口，地域ケア会議，家族教室，家族会や交流会，また地域で開催される一般セミナーや講演会などの啓発事業などといった地域のサポートシステムの充実が重要となる。作業療法士は，家族の葛藤を理解し，どのようにすれば対象者の介護状況がよくなるのかを検討し，一方で家族の目標が高くなりすぎないよう配慮する必要がある。家族が必要とする知識・情報の内容を以下に示す。

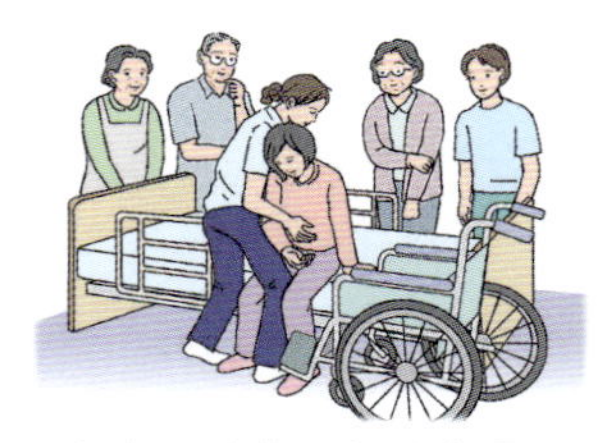

介助する家族に適した無理のない介助方法を提案する。

知識・情報の内容の例

- 疾病・病態および予後
- 対象者の症状やADL・IADL，生活への影響
- 望ましい反応の引き出し方や対処の方法
- 適切なADL・IADLの援助の仕方（介助方法を含む）
- 環境調整
- 福祉用具・医療機器の活用・調整
- 制度（サービスを含む）や社会資源の紹介・調整
- 家族会などの紹介　など

■介助方法の助言・提案

プログラム化されていなくても家族会や家族の集いなど，同じ悩みをかかえる家族が集まる場への参加は，体験談を聞いたり話したりすることで，不安が軽減される。

サービス提供者あるいは支援者の役割は，家族にとって有用かつ重要な情報や介助の手順・方法などを助言・提案することである。家族に対する介護技術などを指導する場合は，デモンストレーションを交えて伝授し，家族の体力や生活スタイルに応じた無理のない介助方法を助言する。家族は専門知識をもたないため，介護に必要な情報を十分提供するが，家族にとって困難な介護は，援助者が行うよう配慮する。

■家族心理教育アプローチ

家族に対して，疾患の正しい知識に加えて，家族の対応や感情表出が強くなることにより症状の誘発につながるなど，望ましい接し方について情報提供を行うとともに，心理的なサポートを提供する。家族の否定的な感情や心理的な負担を軽減し，家族自身が身体的・精神的健康を維持し，有意義な生活が送れるように居場所の確保や体系的なプログラムに参加するなど社会的支援は重要である。家族の心理的負担の軽減を目的とした家族心理教育は，単家族形式，複合家族グループ形式の場合などプログラムはさまざまであるが，グループプログラムでは，家族間の協力体制の確立や，介護者が他者に介護体験を話して共有することで，ピアカウンセリングの効果も期待できる。専門職は支援者として参加するが，参加者が保護的な雰囲気のなかで自由に発言できることが大切である。

【引用文献】

1）奥川幸子：身体知と言語 対人援助技術を鍛える，中央法規出版，2007.

【参考文献】

1. 野中　猛：図解ケアマネジメント，中央法規出版，1997.

チェックテスト

Q

①家族を理解することがなぜ必要か説明せよ（☞p.259）。 臨床

②家族のニーズはどのような点を把握する必要があるか説明せよ（☞p.261）。 臨床

③家族支援の留意点について説明せよ（☞p.262）。 臨床

7 地域作業療法における職場運営と職場管理

田村孝司

Outline

- 地域作業療法を提供している事業所は小規模事業所が多い。
- 事業所内では事業所管理に必要な記録や対応などさまざまな業務の遂行が求められる場合がある。
- 事業所を運営するには経理に関する知識や労働関連法規，消防法上の基準などを把握する必要がある。

1 職場の管理と運営，経営

■ 地域作業療法における職場の特徴

地域作業療法は高齢者領域における介護保険関連事業所，発達支援を含む障害福祉領域，地域の医療機関から提供される。介護保険領域の1事業所当たりの従業員数は20.5人（2021年），障害福祉領域では21.1人（2020年）と，事業所規模として小さい傾向がある。このことは職場管理と運営，経営に大きな影響を与える。事業所の従業員数が少ないことは，よりチームを構成しやすく，対象者へのケア提供などでは細かな調整が可能となり，質の高いサービスを提供しやすい。しかし，1事業所当たりの従業員が少ないことは，特に専属の事務員が少ない傾向があり，職員1人当たりの業務内容が多岐にわたることになる。

■ 職場を支える作業療法士に必要な知識

● 関連法規の理解

地域作業療法は幅広い場面で活躍が期待されている。介護保険領域では通所系の事業所や訪問系の事業所，介護保険施設があり，障害福祉領域では就労支援系や児童発達支援事業所などが増加している。また，地域によってはモデル事業の委託を受けている事業所や，地域行政の事業として運営されている場合もある。

このことは把握すべき関連法規が多くなることを意味する。地域作業療法は年齢や障害によって途切れることがないよう提供することが必要になる。対象者の生活を組み立てるうえで，これらの制度を活用する必要があり，従業員として自身の提供するサービスの根拠法令を把握しておく必要がある。

● 事業を営むうえで必要な一般的な知識

事業所を運営するうえで，必要となる一般的な関連法規は多くあるが，開設時に確認される内容に消防法や雇用に関する法律，その地域における災害対策と事業所の事業継続計画がある。

事業所を開始する場合には，その事業所が消防法上適切な設備を備えているかなど確認を受ける。事業所の事業内容，収容人数，建築物の特徴によりさまざまな制限があり，詳細は地域の消防局などに確認する必要がある（**図1**）。また，地域によって防災計画が策定されており，近隣の防災計画について避難訓練，消防訓練などで把握しておくと同時に従事する事業所の事業継続計画を把握しておく必要がある。事業継続計画は毎年更新が求められており，以下の内容が含まれている。

雇用について，使用者と従業員の義務などを定めたものに労働関連法規があり，従業員の権利の保護，失業時の補償などの制度が定められている。

図1 防火（防災）管理体制一覧図

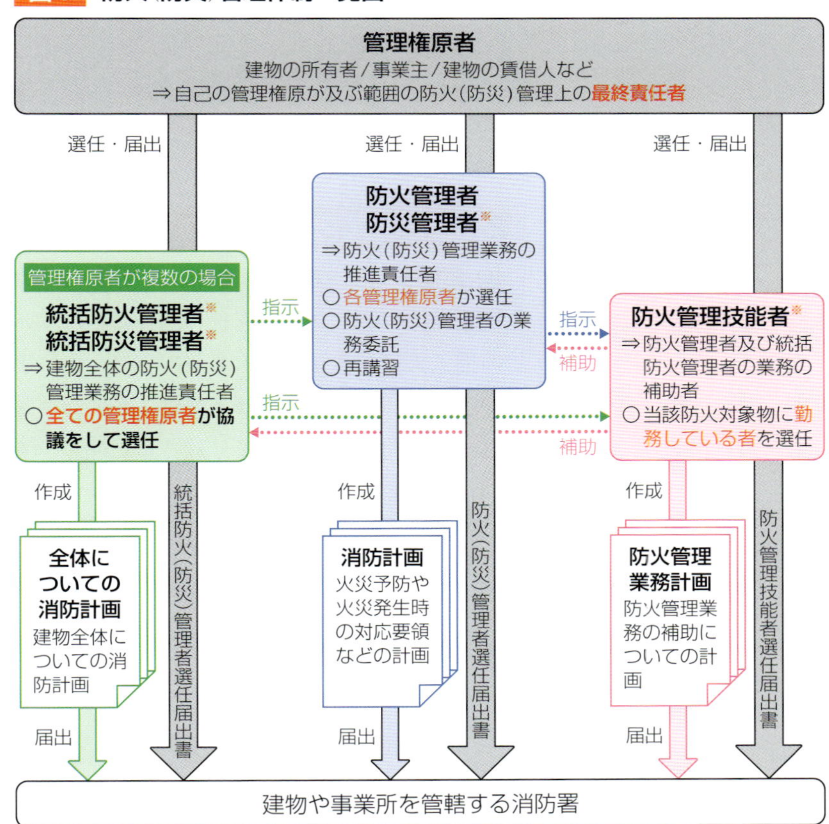

※該当する場合に選任・届出を行います。

（文献1より引用）

● 経理関係について

事業を継続的に運営するためには収入と支出を管理しなければならない。その企業の収入と支出，利益などを示すのが財務諸表である。財務諸表には貸借（たいしゃく）対照表（B/S），損益計算書（P/L），キャッシュフロー計算書（C/S）がある。B/Sはその会計年度などの期間ごとの資産状況を示し，P/

Lは運営状況を示す。また，C/Sは現金の流れを示すものである。事業所の管理者となった場合によく目にするのはP/Lである。P/Lは収入と支出を示す項目があり，収入から支出を引いたものが利益となる。利益の示し方には種類があり，本業の営業状態を示す営業利益，税金などの控除を含み最終的にその法人の利益を示すのが純利益である（**図2**）。

図2　貸借対照表（B/S），損益計算書（P/L），キャッシュフロー計算書（C/S）

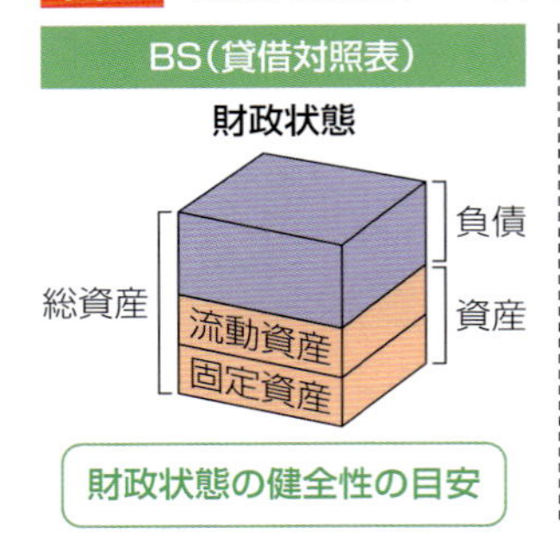

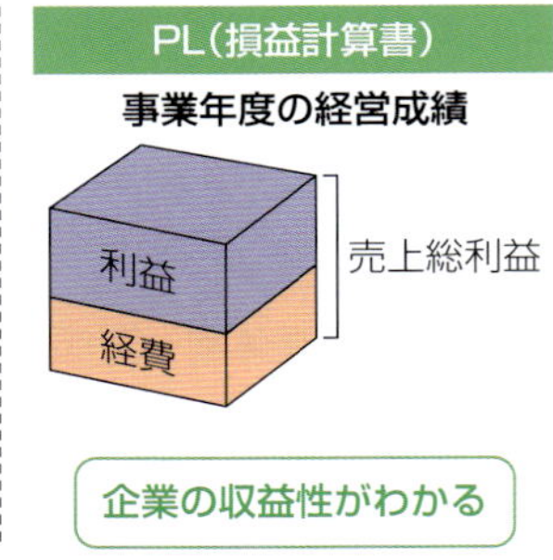

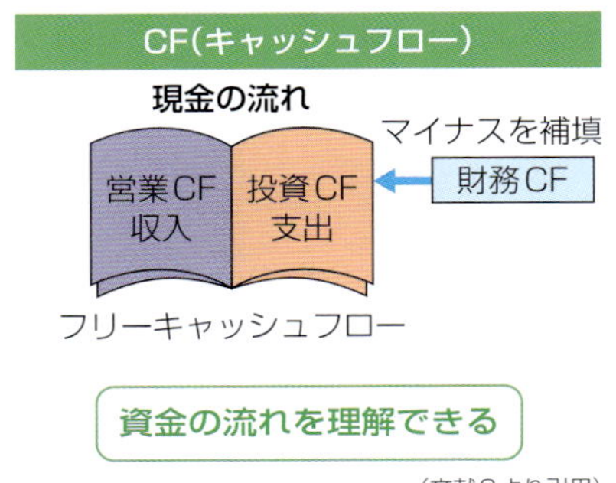

（文献2より引用）

2 職場の運営

■業務をマネジメントする

業務のマネジメントを行う場合に把握するべき内容に，業務内容，営業時間，人員配置がある。業務内容は，主に事業所が直接対象者に提供しているサービスと，サービス提供に必要な準備や請求，事業所の清掃なども含まれる間接的な業務に分けると把握しやすい。営業時間はその事業所が届け出ている営業時間があり，そのなかで対象者にサービスを提供する時間がある（サービス提供時間についても届け出が必要な場合がある）。営業開始から営業終了まで，従業員が滞りなく業務を遂行できるよう計画する。

■人をマネジメントする

事業所における人にまつわるマネジメントのポイントには，求人，入職，人事評価と教育，福利厚生などがある。

● 求人

求職者が希望して就業するためには，労使双方の合意に基づく契約が必要になる。求職者は契約に至るまでに情報を得て，判断することになるが，その条件が明確に提示されている必要がある。最低限提示すべき事項は以下の通りである。

業務内容，契約期間，試用期間，就業場所，就業時間，休憩時間，休日，時間外労働の有無，賃金，加入保険，募集者の氏名または名称

■コストをマネジメントする

一般的な企業や法人では，商品を販売する場合の価格や対価はその企業などが設定するものであるが，医療や介護，福祉領域では公的保険や福祉制度によって価格が決められており，サービスの提供にかかる人員配置や提供時間が細かく定められていることから，事業所の収入に関して計画しやすい傾向がある。一方で，サービス提供にかかる費用の多くが人件費となる。

人件費を調整することは非常に困難であり，経営に責任をもつ立場にある人によって遂行される。これに対して事業所の運営にかかる費用，例えば事務用品や水光熱費，使用する自動車などにかかる費用については，一般的な従業員のすべてが考慮すべき事項となる。

例えば，事業所で使用する事務用品の購入に関しても，基本的には上長の許可を得て，購入する必要があり，業務で使用する消耗品なども勝手に自分で負担することは控えるべきである（**図3**）。

図3　一般的な備品等の購入の流れ

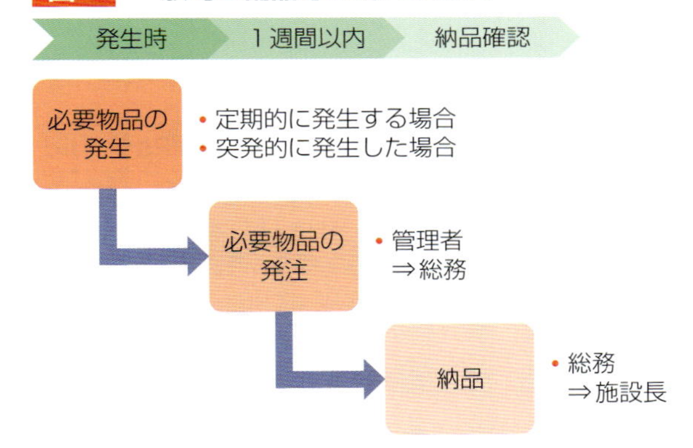

■自分たちのサービスを知ってもらう

例えば，飲食サービスを提供する企業で，「おいしい食事を提供することでお客様の生活の質を高める」という理念のもとレストランを運営する企業では，主な対象となる客のペルソナ（そのサービスを利用する典型像）を設定し，その思考や好みを調査し，好まれるメニューを決定する。

このためには，その地域の人口動態を基本として，その地域の好みや，平均収入などを調査する。これら一連の調査から販売までの流れがマーケティングとよばれることがあり，人口動態の調査が重要となる。地域作業療法においても，作業療法を必要とする人がどのくらいいるのか，どのような障害の人が多いのか，高齢化率はどうかなど，その地域に合わせたサービスを提供する必要があり，その参考となるのが公衆衛生学的視点である。

また，自分たちのサービスの特徴を把握する方法にはSWOT分析

（strength：強み，weakness：弱み，opportunity：機会，threat：脅威）がある。自分たちの事業所の強みや，その事業所のある地域での需要，事業所の弱点や競合の存在などを**図3**のように書き込み，ターゲットとする戦略を定めることで効率的に事業所を運営することができる（**表1**）。

図3　SWOT分析の１例

	好影響	悪影響
内部環境	強み（strength）	弱み（weakness）
	・介護予防に強い専門家がいる	・採用が難しい
外部環境	機会（opportunity）	脅威（threat）
	・総合事業を実施している事業所は少ない	・参入しようとしている施設がある

表1　主な戦略

積極的戦略	自社のもつ強みや長所をさらに伸ばせるような戦略を立案する。
差別化戦略	自社に優位性のある技術開発を行う，あるいは他社には真似のできない自社だけの流通チャネルを確保するなどの戦略をいう。
改善戦略	内部環境に弱点がある場合，自助努力によりある程度改善が見込めて，社内体制を立て直したり，マーケティングを見直したりする戦略である。
防衛戦略	自社に弱みがあり，外部環境を味方につけられない場合に，無理をしないで守りに徹するか，あるいは事業の撤退も検討する。

補足　購買行動モデル「RsEsPsモデル」

マーケティングは自社の商品やサービスを購入者に届ける仕組みを指すが，その購買行動について一般社団法人 日本プロモーショナル・マーケティング協会は2019年に「RsEsPsモデル」を提唱している。これは商品の認知（recognition）から，体験（experience），購入（purchase）に至る各フェーズにおいて，検索・共有・拡散（search・spread・share）が行われているとするものである。企業はそのフェーズごとに検索・共有・拡散できるように仕組みを考えるほうがよいとされている。

【引用文献】

1）東京消防庁：防火（防災）管理体制一覧図（https://www.tfd.metro.tokyo.lg.jp/lfe/office_adv/jissen/p02.html，2023年５月閲覧）

2）CSアカウンティング株式会社：【BS・PL・CFの違い】３つの決算書でわかること（https://www.cs-acctg.com/column/kaikei_keiri/54117.html，2023年５月閲覧）

チェックテスト

Q

①地域作業療法を提供する事業所の消防に関する届け出先はどこか（☞p.265）。基礎

②B/S，P/L，C/Sとは何か（☞p.265，266）。基礎

③一般的に事業所で使用する備品はどのように購入するか（☞p.267）。基礎

8 リスク管理

長倉寿子

Outline

- 在宅における代表的なリスクは，急な体調変化，転落や転倒，処方薬の副作用，ルートトラブル，医療・福祉機器の取り扱い，生活環境における衛生管理や室温管理，人的環境における介護力や虐待，災害や感染症など多岐にわたる。
- 日ごろのバイタルサインの確認，アクシデントが発生した場合の対応フローチャートや緊急連絡先の掲示，急変時の「対応マニュアル」などを事前に準備し，緊急性の判断や適切な対応ができるようにトレーニングをしておく必要がある。

1 リスク管理の方法

高齢者は併存疾患が多いことや自身の体調変化を感知していないことが特徴でもあるため，日ごろからバイタルサインの確認や急変を予測し，緊急時に即応できるようにトレーニングをしておく必要がある。在宅における代表的なリスクは，急な体調変化（気分不良や冷汗など主要臓器循環障害の徴候），転落や転倒（入浴中やリハビリテーション中も含む），処方薬の副作用による病状の悪化，バルーンカテーテルや中心静脈栄養（IVH：intervenous hyperalimentation）などのルートトラブル，医療・福祉機器の取り扱いなどのほか，生活環境における衛生管理や室温管理，人的環境における介護力や虐待などである。さらには災害時や感染症に対する対策なども含まれ多岐にわたる。訪問リハビリテーションの場面では，24時間以内に訪問した医療従事者が作業療法士のみであることも多いと考えられ，対象者の体調不良に対応する機会も多くなる。このため，バイタルサインを大切にすることや脱水症状なども見逃さないようフィジカル所見も重要である。これらの対策としては，前兆となるような徴候に敏感に気付くよう，サービス担当者間の情報交換，日々の自覚症状を含む記録や情報の共有が必要となる。そして，事故などの発生予防とイベント発生時の対応についての知識がポイントである。

■ 情報の共有・対応マニュアル

対象者がどのような急変のリスクを有しているのかという「情報の共有」や，急変時の「対応マニュアル」を事前に準備しておく。また，アクシデントが発生した場合の対応フローチャートや緊急連絡先を見えやすいところに掲示するなど，家族とも確認しておく。リハビリテーション対象者において注意すべき有害なイベントを**表1**に示す。在宅ではこのような症状変化や所見が疑われる場合は，早期に受診を促すことやかかりつけ医，看護師に相談することが必要である。

しかし，事前に予測して完全に予防することは困難であるため，イベントが生じた際は，緊急性の判断や適切な対応が求められ，また状況に応じてリハビリテーションを実施する。

表1 リハビリテーション対象者の可能性の高いイベント

イベント	内容
疾患の増悪	慢性疾患の増悪・既往疾患の再燃，進行性疾患の悪化など
合併症	二次的合併症，併存疾患の合併症
バイタルサインの変動	意識レベルの低下，血圧変動，脈拍異常，呼吸状態，体温（発熱）
症状の変化	胸痛，動悸，呼吸困難，気分不良，悪心・嘔吐，倦怠感，頭痛，腹痛，めまい，運動器系の疼痛
事故	転倒，転落，窒息，外傷

※投薬における症状・副作用，水分摂取などの変化も注意を要する

2 イベント発生の予防

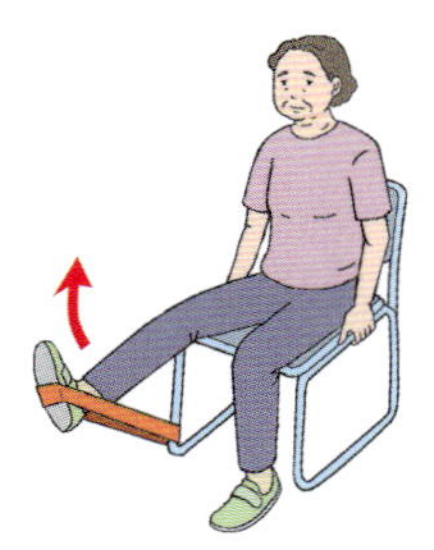
転倒予防体操

環境調整

■転倒の予防

高齢者は，運動機能だけでなく認知機能低下による適応能力や判断力の低下により，歩行や移乗，排泄・入浴時の転倒リスクが高く，まずは，転倒・転落をさせないことだが，訪問リハビリテーションなどの実施時にも安全に配慮する義務がある。転倒の危険性を予測するためには，関連する因子（**表2**）について評価するとともに，過去の転倒歴が最も強い予測因子とされていることから，十分な聞き取りも行ったうえで，リスク要因を明らかにし，転倒による骨折の防止に対する環境整備や生活指導など（**表3**）を実施する。

表2 転倒リスクのカットオフポイント

筋力低下	下肢筋力（膝伸展筋力）：体重比35%以下
バランス機能の低下	functional reach：15cm未満 片脚起立時間：5秒以下 timed up & go：13.5秒以上 functional balance scale：45点以下
歩行能力の低下	歩行速度：1m/秒以下（横断歩道を渡りきれない）
敏捷性の低下	立位ステッピング：17回以下

（文献1より引用）

表3　転倒・転落事故防止のための具体的対策

事故発生の要因		事故防止対策
利用者側の要因	・運動機能の低下 麻痺，筋力低下，バランス障害，関節可動域制限，体力低下など ・感覚機能の低下 視覚障害，聴覚障害，知覚障害など ・判断力，適応力の低下 注意機能障害，記憶障害，認知障害，失行など ・その他 内服薬　など	【利用者に理解力があるケース】 以下について十分に説明し，理解してもらい，転倒予防の教育・啓発をする ・身体状況，運動能力 ・無理な動きはしない ・身の回りの状況を確認してから行動する ・体力の維持・向上に努める（散歩・リハビリ体操など） 【認知症などで利用者に理解力がないケース】 ・規則正しい生活を送れるようにする ・定期的にグループでリハビリ体操，散歩などを実施する ・作業療法など，落ち着いて過ごす時間をつくる（精神安定） ・睡眠剤・その他の薬の副作用がないか留意する ※主に介護側の配慮，環境の工夫が中心となる 【その他】 利用者の身辺や身につけるものの工夫（適切なものに替える） 歩行補助具，装具，履物，適切なサイズのズボン，気温に応じた衣類，眼鏡，補聴器，車いすのサイズなど
環境・状況の要因	・床の状況（濡れ，滑りなど） ・敷物・段差の状況 ・手すりなどの不備 ・通行路の障害物 ・物の配置による死角 ・設備や機器などの不完全固定 ・車いす・ベッドのストッパー ・床頭台・ポータブルトイレなどの配置 ・照明　など	・浴室の周辺，洗面所，トイレ，食堂などの床の濡れはすぐにふき取るようにする ・つまずきやすい敷物は取り替え，段差を解消する ・危険な場所には手すりなどを設置する ・段差，階段は滑り止めやマーキングをする ・障害物，死角となる物を取り除く ・車椅子，ベッドは，移動中以外には必ずストッパーをかける ・ベッド周辺の物品を適切に配置する（位置と高さ） ・明るい照明に替える，窓の開閉の制限 ※ケースに応じた環境を工夫する
ケア提供側・システムの要因	・利用者の身体状況 ・利用者のADL ・利用者の変化 ・ケア体制，連携 ・転倒事故に対する知識	・利用者の運動，知覚，認知症の機能を把握する ・内服薬（睡眠剤など）の把握，発熱など健康状態の把握 ・活動能力（ADLなど）を把握する ・体力低下，痛み出現，日内変動などの変化を把握する ・身体状況やADLについてPT/OTと情報交換する ・転倒の既往のあるケースについては特に留意する ・遠くからや後ろからの声かけは避ける ・混雑する場所での移動は避ける ・常に見守れる（観察）ように，人員の配置を工夫する ・人員の増加 ・疲労を避け，油断せずに注意深い観察を行う

（文献2より引用）

補足　転倒予測因子

転倒を予測する因子として，転倒の既往，歩行能力（速度）の低下，視力低下や内服薬などがあり，いくつかの転倒リスク指標が開発されている。薬剤の副作用として，ふらつきなどが生じ，転倒のリスクを上昇させるものもあるため，定時だけでなく臨時の服薬状況を把握することは大切である。

■誤嚥・誤嚥性肺炎の予防

摂食・嚥下機能に低下がある高齢者では，安定した座位で食事に集中できる環境を設定し，個々の状態に応じた具体的対策によって，事故を防止することが必要である（**表4**）。誤嚥性肺炎の発生率の低下には専門的な口

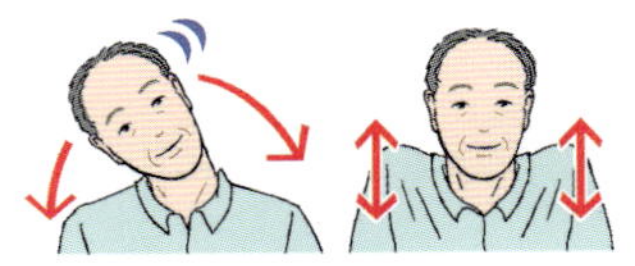
嚥下体操

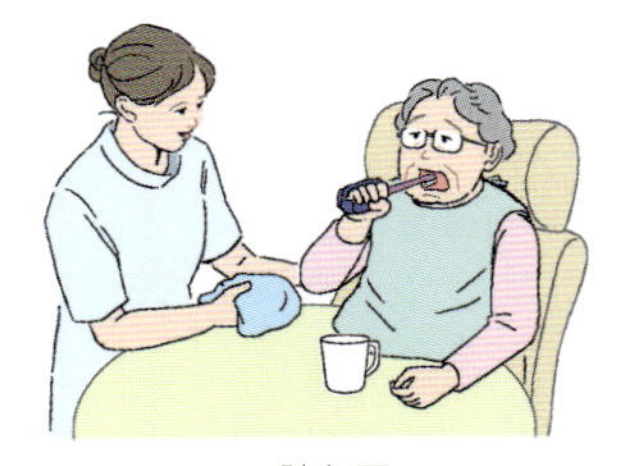
口腔ケア

・摂食・嚥下障害による誤嚥や肺炎の予防は重要

腔ケアが重要となり，口腔衛生状態の改善によって食事への意欲向上が期待できる。また，慢性的に脱水，低栄養に陥る危険性が高いため，水分量は食事以外に1日1,000〜1,300mL程度(補助ゼリーなどの工夫が必要)，栄養は活動度に合わせて増やすことで普段の状態を維持する。異物や喀痰などの誤嚥・誤飲，窒息の緊急時にすぐ対応できるようにトレーニングが必要である。

表4 食事摂取時の窒息事故防止のための具体的対策

事故の要因	事故防止対策
病状・病態	事故が発生しやすい病状・病態の把握 ・薬の副作用 ・全身衰弱 ・意識障害 ・上部消化器官の通過障害 ・咀嚼・嚥下障害(麻痺，けいれん) ・認知症などで食べ方に問題のあるケース
食事姿勢	座位姿勢を整える 体幹と頸部を正中位に保ち，頸部の伸展を避ける
ケア提供者の技術	個々の病状・病態に合わせた1回量とペースで介助する
食事形態	水分・食物の形状の検討：刻み，みじん，ペースト，とろみ，ゼリーなど 温度：お湯やお茶が熱すぎないように調節する 窒息しやすい食物は避ける：パン，もち，こんにゃく，カステラ など

(文献2より引用)

3 急変対応

在宅の訪問時に対象者の急変に遭遇したときには，緊急時の判断を含め，迅速に対応しなければならない。対象者の状態に重篤感があるかどうかの評価が大切で，救急車の要請の判断も必要となる。判断に迷う場合は，より安全な方法を選択し，かかりつけ医に連絡をとって指示を受ける。最も重篤な状況は心肺停止であり，速やかに適切な対応をとること，また外傷などにより出血がある場合の応急手当ても重要である(**図1〜3**)。

図1 急変時の対処①(報告)

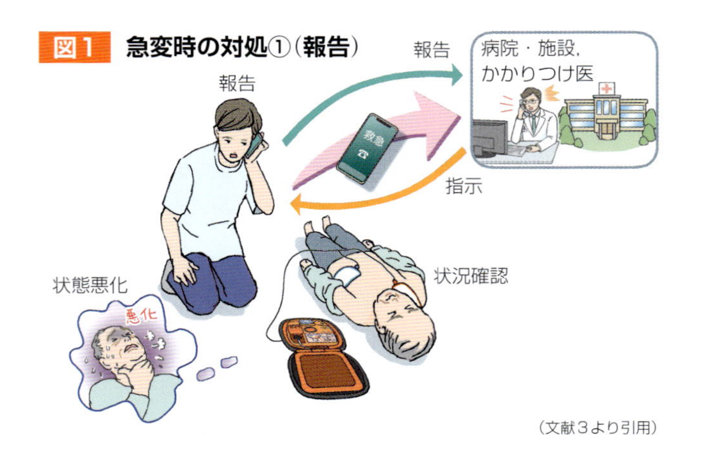

(文献3より引用)

図2　急変時の対処②（応急手当）

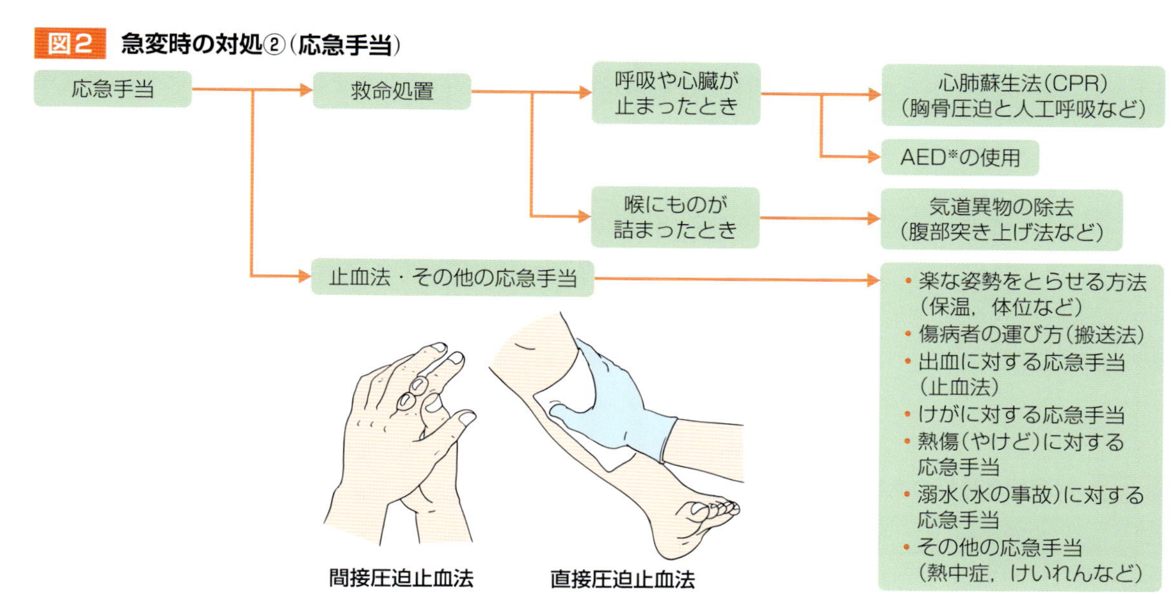

※AED：自動体外式除細動器（automated external defibrillator）

（フローチャート…救急振興財団 編：改訂3版 応急手当講習テキスト，東京法令出版，2006．より引用，イラスト…文献3より引用）

図3　AEDの操作手順

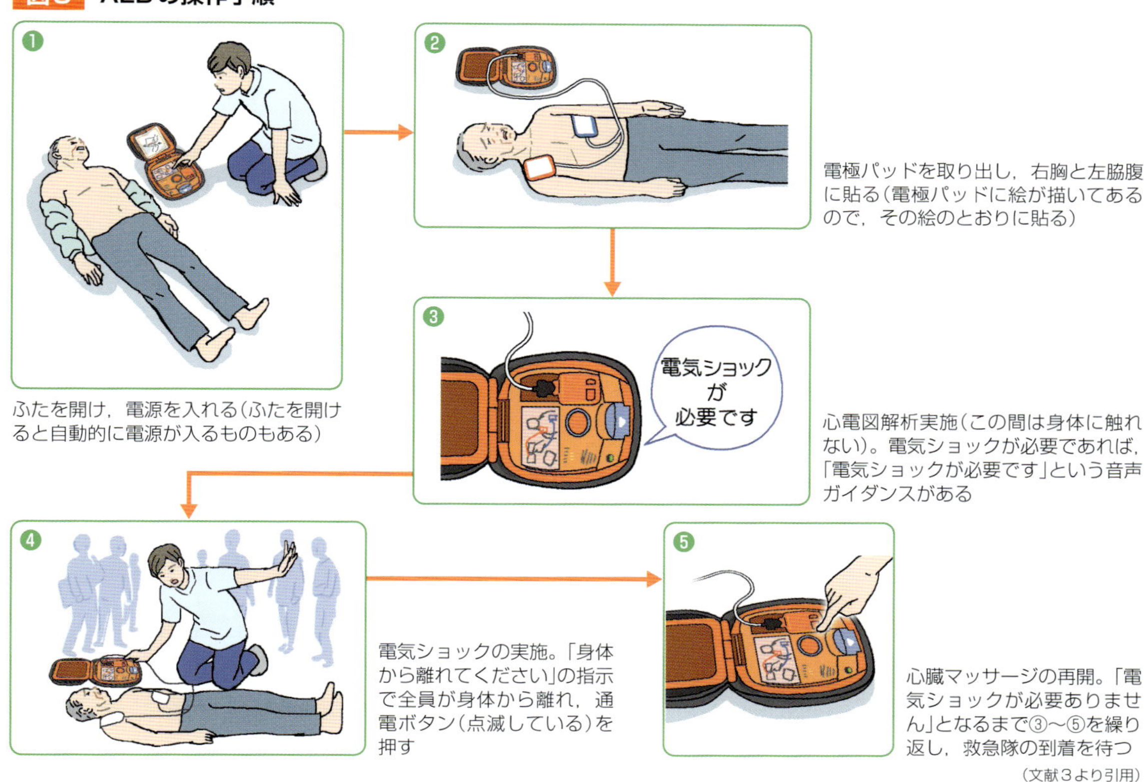

（文献3より引用）

アクティブラーニング ①　一次救命処置（BLS：basic life support）の流れも確認しておこう。
訪問時に対象者が倒れていたり，目の前で状態が急変した場合には，まず意識，呼吸，外傷の有無などを確認し，緊急性を判断することが大切である。

■転倒（骨折）した場合の対応

転倒の仕方や経過に注意し，以下の手順で全身観察を行いながら対応する。骨折が疑われる場合は，応急手当が必要である。代表的な骨折の症状と対処を**表5**に示す。

①安全の確保：安定した楽な姿勢にし，周囲の安全確保
②疼痛・変形・骨折・外傷などの有無をチェック：問題がある場合には，早急に医師へ連絡する。また，時間経過後の状態を再確認する。
③バイタルサインのチェック：血圧の変化が転倒の要因となることがあるため，血圧や脈拍などの計測や呼吸，発汗など全身状態を確認する。

表5　代表的な骨折の症状と対処（応急手当）

骨折部位	受傷機転	症　状	応急手当
鎖骨骨折	日常起こりやすい骨折。肩や上腕に外傷を受けたときに折れることがある	鎖骨の外側から1/3位が最も骨折しやすい。本人が骨折したことを感じる。骨折したほうの腕を上げることができない	三角巾の端を健側の背部に通して吊る
前腕骨折	手を伸ばして転倒したときに多い骨折	最も多い骨折部位は，橈骨遠位部。手関節に強い痛みと腫れが出る。変形としてフォーク状変形をきたす フォーク状変形	副木を前腕の外側からあてて固定し，手のひらが胸にあたるようにする（回内外中間位とする） 手のひらが腕のほうに向く
大腿骨骨折	高齢者の転倒に起因して発生することが多い	受傷側は健側と比べると短縮し，下肢が回旋変形していることが多い。足趾を動かすことはできるが，踵を挙上することはできない。骨折に起因するショックに注意する	腋窩から足先まで副木をあてる。胸を3本（子どもは2本）の，腰から下を4本（背が高い人は5本）のたたみ三角巾で固定する。さらに，両脚の間にたたんだ毛布や衣服などを入れ，その上から3本（背が高い人は4本）のたたみ三角巾で固定する 三角巾を折ってあてる 毛布や衣服を入れる

（文献4より引用）

補足

リスクマネジメント
リスクマネジメントとは，「リスクの実態調査」にはじまり，「リスクの評価・分析」そして「リスクへの対応，処理」「リスクの再評価・再発防止」と一連の活動を継続的に繰り返し，リスクの発生を組織ぐるみでなくすための管理された活動のこと。事例のインシデント・アクシデントレポートを作成し，それらの収集・蓄積から発生要因を分析することは，新たな事故を防止する指針ともなる。

■窒息時の対応

誤嚥や誤飲，食べ物による窒息は突然起こり，対象者だけでなく周囲もパニックに陥りやすい。意識があり，チョークサインを示している場合は，窒息を疑って対応する（図4）。意識のない状態では，背臥位にして心肺蘇生法（CPR：cardiopulmonary resuscitation）と同様の手段である胸骨圧迫法を行う。

図4 異物除去法

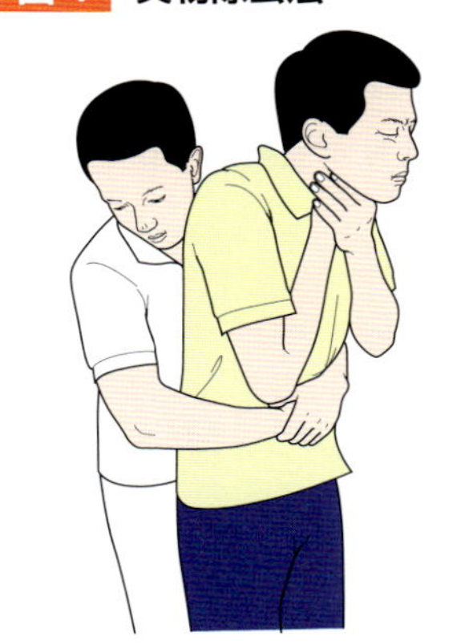

腹部突き上げ法（ハイムリック法）

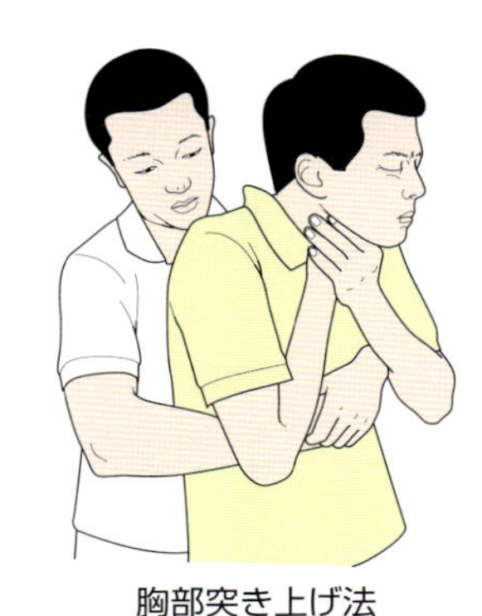

胸部突き上げ法

（文献4より引用）

【引用文献】

1）市橋則明 編：運動療法学 障害別アプローチの理論と実際，438-440，文光堂，2008.
2）全国老人保健施設協会 編：リスクマネジメントマニュアル，全老健共済会，2006.
3）柳澤　健 編：理学療法学 ゴールド・マスター・テキスト7 地域理学療法学，メジカルビュー社，2009.
4）亀田リハビリテーションセンター リハビリテーション科 リハビリテーション室 編：リハビリテーション リスク管理ハンドブック，メジカルビュー社，2008.

【参考文献】

1. 柴田　博：地域の高齢者における転倒・骨折に関する総合研究，124-163，平成7～8年度科学研究費補助金研究成果報告書，1997.

チェックテスト

Q

①在宅における急変のリスクに対しどのような管理をすることが大切か（☞p.269）。 臨床

②転倒のリスク管理で重要な対応は何か（☞p.270，271）。 臨床

9 連携

長倉寿子

Outline

- 対象者の地域生活におけるニーズは多様であり，多方面から包括的に支援するためには，多分野のそれぞれの専門性を活かした多職種，多機関による連携は不可欠である。
- ケアを必要とする対象者が地域で暮らし続けるためには，住民を含む地域の関係者が連携し，地域包括ケアシステムの推進と地域のコミュニティづくりが重要である。

1 地域における連携

地域では，高齢者や障害のある人を支援する相談窓口やサービス提供機関である医療機関をはじめ，介護保険のサービス事業所，保健福祉サービス提供機関，NPOなど数多く存在し，そこに従事している職種もさまざまである。作業療法士もその一員であり，対象者およびその家族を支援していくうえで，どの機関のどの職種が連携すれば，より効果的な支援が達成できるのかを考える必要がある。連携とは，保健・医療・福祉の各専門職，関係機関や団体，さらには地域住民が共通の目標や理念に向けて互いに協力して取り組む方法や体制のことである。地域リハビリテーションの目標は，高齢者や障害のある人およびその家族が安心して暮らせる地域づくりである。そのため，作業療法士は連携による多職種協働によって，個別作業療法の提供のみならず，地域住民に対する啓発・教育活動，組織づくりや団体・企業との情報交換，法的基盤に対する提言など，新たな社会資源の開発やシステム構築のための担い手としての役割が求められる。

■連携の意義

生活は複数の要因が複雑に関係しあって成り立っているため，対象者のニーズも多様である。個々の対象者のニーズに沿って提供されるサービスの種類，提供機関，関係職種，スタッフの数の増加など，在宅生活支援サービスも多様化している。対象者の目標達成や生活の質を高めるためには，これらの関係する専門職がチームを組み，協力して調整されたサービスが提供されなければならない。多様なニーズに対して継続的に支援するためには，組織されたチームが共通の認識をもって話し合い，方針の統一や役割分担など調整をして連携・協働することが不可欠である。

連携の基本

①互いを知り，尊重し，パートナーシップを構築する。

②顔の見える関係で信頼を深める。

③対象者中心のニーズを共有する。

④情報交換の場と方法など，目に見える媒体が必要である。

■多職種間連携

● 施設・事業所内の職種間連携

介護保険制度における介護老人保健施設では，医師，看護師，介護福祉士，理学療法士，作業療法士，言語聴覚士，管理栄養士，薬剤師，介護支援専門員，支援相談員など関連職種（**図1**）がアセスメントと評価を行い，その後，多職種協働によりケアプランおよびリハビリテーション実施計画が作成される。定期的にカンファレンスを行って，在宅生活の実現に向けたチームケアが実行される。施設内で提供されるリハビリテーションサービスはケアプランの一環として実施され，包括的ケアサービスにリハビリテーションの理念と専門的技術がうまく取り入れられるよう機能することが重要である。作業療法士はチームの一員として，実際の生活場面へのかかわりやチームがうまく機能するように，申し送りやカンファレンス，組織の委員会活動などに参画することも大切な役割となる。さらに，居宅の介護支援専門員やサービスの担当者などと協力し，退所後の在宅生活の支援体制を整える。

図1　施設・事業所内の職種と連携

● 地域の中の機関との連携

高齢者や障害のある人が地域で自立した生活を送るためには，在宅生活の多様な支援活動において所属や職種の異なるチームで援助を継続することになる。事業所間やさまざまな機関との連携では，分野，領域，職種の

地域作業療法で必要な知識

違いだけでなく，複数の援助者には，非専門職も含まれており，多様な立場にある人々が連携することになるため，相互理解とチームマネジメントが必要となる。介護保険サービス利用者においては，ケアマネジャーとの連携が重要である。近年は，自治体における組織や団体間の連携だけでなく，市町村単位やより身近な地域で，住民一人一人の生活に焦点を当てた保健・医療・介護・福祉・労働などの有機的な相互連携の強化や地域のネットワークにより，既存の社会資源の有効活用はもちろんのこと，地域住民の自助・互助により新たな支援体制の構築も期待できる。

2 チームアプローチ

対象者の背景にはさまざまな問題が多岐にわたって内在しているため，専門分野ごとに切り分けてそれぞれに専門職がかかわるだけでは，専門分野のはざまに陥り，課題を見落としたり，真の課題を把握できない可能性がある。そのための専門職間の連携ではあるが，個人情報やプライバシーの問題，意見調整に時間がかかる，役割の混乱や葛藤の出現など欠点もある。このような場合，誰のための，何のためのチームなのか原点に立ち戻ることが肝心である。適切な支援を提供するためには，情報の共有や専門職相互の助言などを通して各専門職が目標を共有し，役割を明確にして対応することが必要である（**図2**）。実際には1人の対象者に対していくつものチームの関与があり，組織および制度を横断して支援を展開したり，お互いを補完し合うことが重要である（**表1**）。

図2 チームアプローチのイメージ

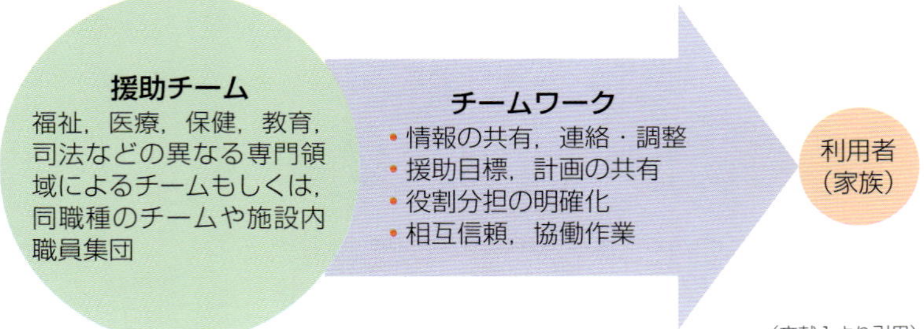

（文献1より引用）

表1 チームに必要な要素と連携の阻害因子

チームに必要な要素	チーム・連携の阻害因子
• 連携目的の明確化 • 各所属機関の機能および職種の専門性・役割の理解 • 情報のすり合わせ，ニーズと目標についての参加者間の合意 • 援助計画におけるサービス内容・頻度と，役割分担の周知 • チームリーダーおよび個々のサービス提供機関の責任者の確認 • 教育・環境調整 • 共感的・民主的な雰囲気で円滑な情報交換　など	• 意識の欠如・理解不足の横行 • 連絡不足 • 非協力的 • 連携の時間・場の不足や欠如 • 人手不足 • 経済的基盤が不十分 • その他

3 地域における連携の課題

地域における課題はさまざまで，医療や介護における社会資源にも差があり，自治体ごとに財源や人的資源も異なり，地域によっては，不足するサービスもある。元気高齢者の活躍など，限られた人的資源の有効活用も課題であり，制度的な枠組みを超えた取り組みや特に医療・介護の関係機関の連携により，在宅医療・在宅介護のサービスをより一層充実させていく必要がある。

■在宅医療・介護連携

地域医療連携の最大の目的は，対象者に対して急性期から回復期を経て自宅に戻るまでスムーズに切れ目のない医療や介護サービスを提供することである。それぞれの地域には，24時間の高度な救命救急を展開する高度急性期病院や，一般的な急性期病院，リハビリテーションなどを行う回復期病院，長期にわたって療養が必要となる慢性期病院，在宅診療を展開するクリニックなど役割の異なる医療機関が混在している。これらの医療機関がネットワークを形成して役割分担を明確化することで，スムーズな医療を提供できるようになる。急性期から回復期への連携については，地域連携クリティカルパスが導入され，早期に自宅に戻れるように，診療内容や達成目標など，診療計画を作成し，医療機関で共有して用いられている。地域で自立した生活を送るためには，医療機関だけでなく，介護施設，福祉施設，住まい，居宅サービスや生活支援サービス，そしてケアマネジャーなどの他職種も含めて地域全体の包括的なケアが必要である。しかし，医療機関から介護サービスへの情報提供が不十分，あるいは途切れてしまうこともあり，施設間のデータ共有や医療から介護または地域生活への円滑な移行のための支援体制の強化が重要である。在宅医療と介護を一体的に提供できる体制を構築するため，都道府県・保健所の支援のもと，市町村が中心となって，地域の関係機関の連携体制の構築が推進されている（図3）。

在宅療養を支える関係機関の例

- 診療所・在宅療養型診療所・歯科診療所など（定期的な訪問診療などの実施）
- 病院・在宅療養支援病院・診療所（有床診療所）など（急変時の診療・一時的な入院の受け入れの実施）
- 訪問看護事業所，薬局（医療機関と連携し，服薬管理や点滴・褥瘡処置などの医療処置，看取りケアの実施など）
- 介護サービス事業所（入浴，排泄，食事などの介護の実施）

補足

クリティカルパス
良質な医療を効果的かつ安全，適正に提供するための手段として開発された診療計画表。
もともとは1950年代に米国の工業界で導入されはじめ，1980年代に米国の医療界で使われだした後，1990年代に日本の医療機関においても一部導入された考え方。

地域連携クリティカルパス
急性期病院から回復期病院を経て，早期に自宅に帰れるような診療計画を作成し，治療を受けるすべての医療機関で共有して用いるもの。

アクティブラーニング ① 地域包括ケアシステムが必要とされる背景について，5つの構成要素を考えてみよう。

図3 地域の関係機関の連携体制

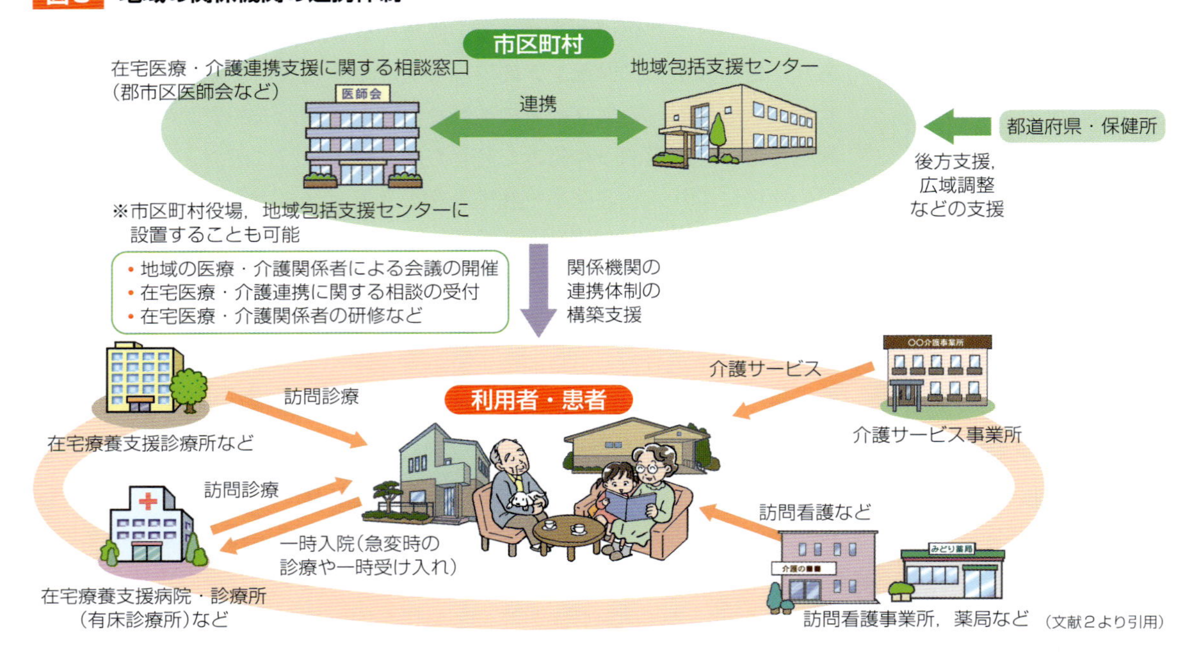

(文献2より引用)

■認知症の循環型支援の仕組みの構築

早期診断・早期対応を軸とし，本人主体の医療・介護を基本に据え，医療・介護などが有機的に連携し，発症予防→発症初期→急性期増悪時→中期→人生の最終段階という認知症の容態の変化に応じて適時・適切に切れ目なく，そのときの容態に最もふさわしい場所で提供される仕組みを実現することが必要となる。認知症疾患医療センターなどの専門医療機関(図4)への紹介により，速やかな鑑別診断が行われる専門医療と介護による生活支援も併せた広い連携とサービス提供体制の構築(図5)が必要となる。認知症の人へのケアには，医師，看護師，介護職員，ケアマネジャー，行政職，地域のボランティアなど，さまざまな職種の人がかかわり，それぞれ異なる専門知識や役割をもちながら，チームで治療やケアの方針などを話し合って支えるということが多職種連携の基本的な考え方である。

図4 認知症疾患医療センターを中心とした医療連携(認知症チーム医療)

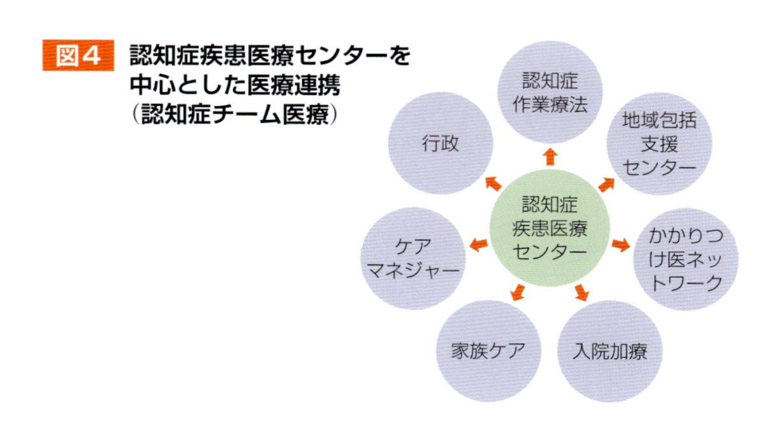

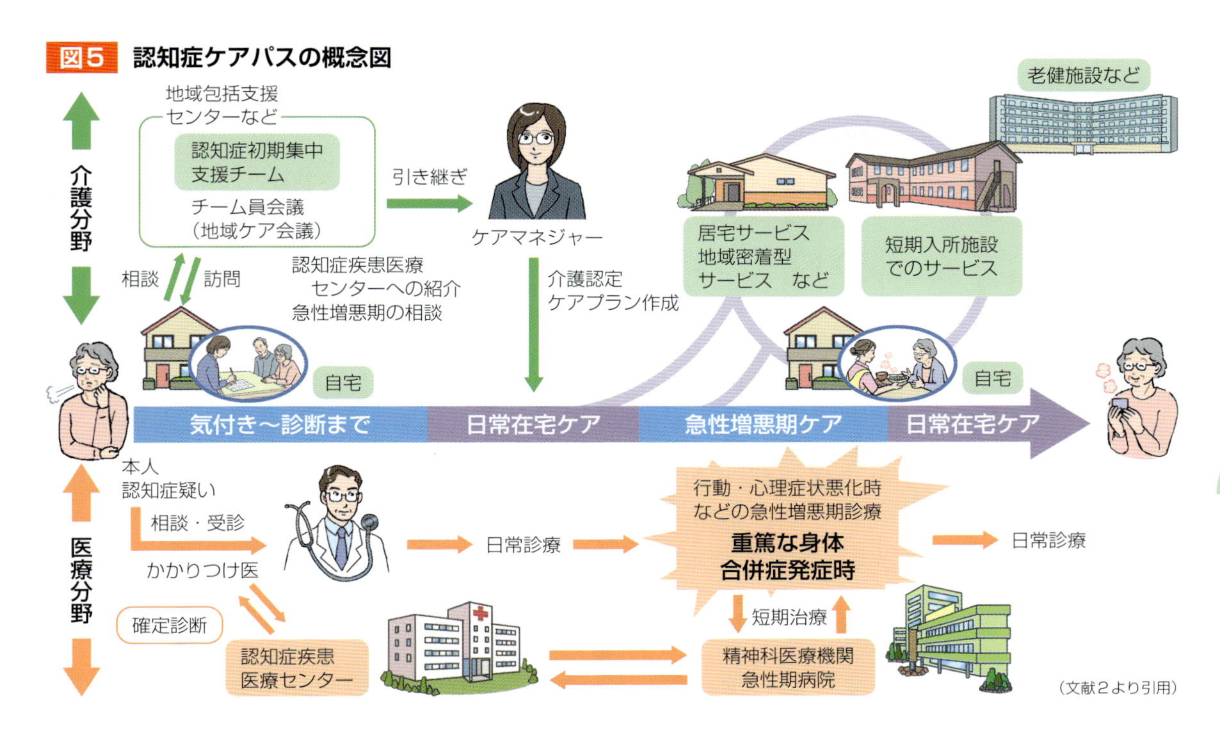

■地域精神保健サービスにおける支援

精神障害にも対応した地域包括ケアシステムの構築に際しては，精神障害者や精神保健（メンタルヘルス）上の課題を抱えた者等（以下「精神障害を有する方等」とする）の日常生活圏域を基本として，市町村などの基礎自治体を基盤として進める必要がある。また，精神保健福祉センターおよび保健所は市町村との協働により精神障害を有する方等のニーズや地域の課題を把握したうえで，障害保健福祉圏域などの単位で精神保健医療福祉に関する重層的な連携による支援体制を構築することが重要とされている。また，精神保健医療体制の構築では，退院後の支援の整備に向けて，本人が望む生活を支援するために，医療と福祉による支援の起点となる機関（精神科医療機関と相談支援事業所など）が連携した包括的なケースマネジメントを行うための地域連携クリティカルパスの検討もなされている。また，重症の精神障害を有する方等に対し，訪問支援（アウトリーチサービス）として実際に生活する場に専門職チームが出向き，その生活を24時間365日支援する包括型地域生活支援プログラム（ACT：assertive community treatment）の実践などがある。

4 地域づくりへの参画

地域で働く作業療法士は，活動拠点にかかわらず，医療や介護，障害福祉領域における高齢者や障害のある方々の支援とともに，地域で暮らす1人暮らしの高齢者の社会参加活動，住民に対する相談・啓発，障害者の権利擁護，福祉用具等の研究開発など，地域住民の生活サポーターとして保健事業や公衆衛生全体へ関与することも重要である。さらに，非専門家を含むチームづくり，生活環境から受ける障壁を考慮した誰もが住みやすい町づくり計画など，地域をネットワークで結びつけて機能を強化するといった地域づくり（**図6**）に対する貢献も期待される。

図6　地域ケア会議を活用した個別課題解決から地域包括ケアシステム実現までのイメージ

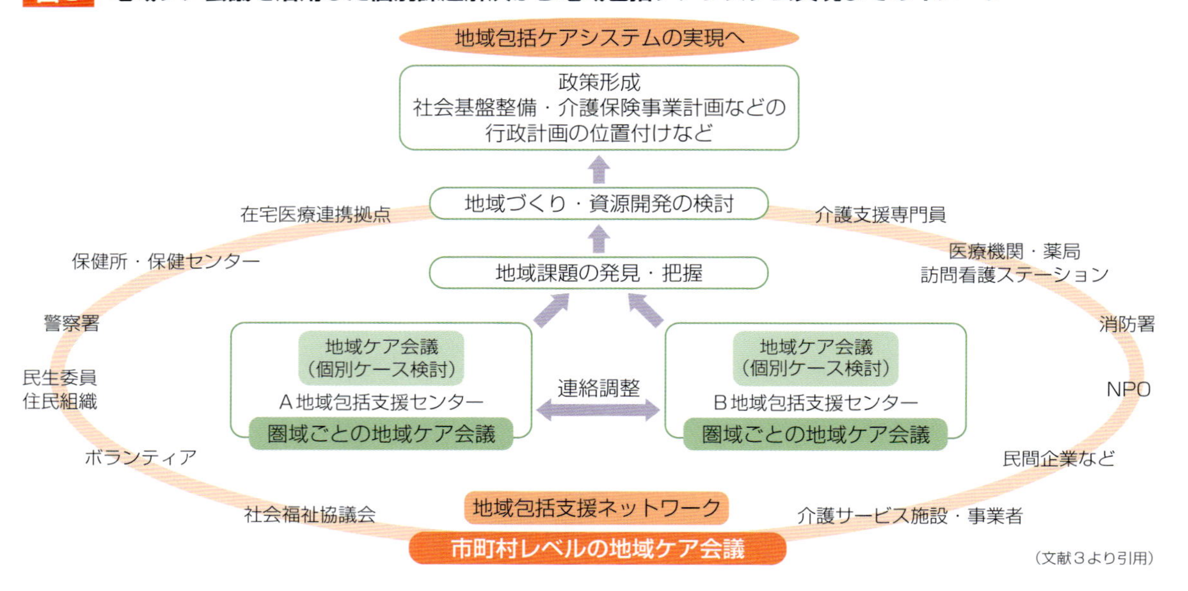

（文献3より引用）

【引用文献】

1）黒木保博 ほか 編著：福祉キーワードシリーズ ソーシャルワーク，中央法規出版，2002.
2）厚生労働省：「今後の認知症施策の方向性について」（http://www.mhlw.go.jp/file/06-Seisakujouhou-12300000-Roukenkyoku/0000079273.pdf）
3）厚生労働省：「地域ケア会議について」（http://www.mhlw.go.jp/seisakunitsuite/bunya/hukushi_kaigo/kaigo_koureisha/chiiki-houkatsu/dl/link3-1.pdf）

【参考文献】

1. 野中　猛：図説ケアチーム，中央法規出版，2007.
2. 谷岡哲也 ほか 編：精神科リハビリテーション，中外医学社，2007.
3. 介護支援専門員テキスト編集委員会 編：五訂 介護支援専門員基本テキスト第1巻 介護保険制度と介護支援，長寿社会開発センター，2009.
4. 新たな地域精神保健医療体制の構築に向けた検討チーム：資料，厚生労働省，2010.

✔チェックテスト

Q

①連携の意義について説明せよ（☞p.276）。 基礎
②チームに必要な要素を列挙せよ（☞p.278）。 臨床
③地域における連携の課題について説明せよ（☞p.281）。 臨床

10 MTDLP

三橋力也

Outline

- MTDLPは作業療法士の臨床思考過程を分析して，「作業療法を見える化」したマネジメントツールである。
- MTDLPは組織（チーム）をマネジメントすることで，対象者の生活行為の課題を解決し，生活全体の質を向上させる。

1 生活行為向上マネジメントとは何か

■生活行為向上マネジメントの概要

生活行為向上マネジメント（MTDLP：Management Tool for Daily Life Performance）は，日本作業療法士協会が厚生労働省老人保健健康増進等事業の取り組みのなかで，作業療法士の臨床思考過程[*1]を分析して開発したマネジメントツールである。

MTDLPは，対象者の「したい」「する必要がある」「することが期待される」生活行為から，対象者が抱える生活行為の課題を導き出し，対象者本人と作業療法士だけではなく，多職種やキーパーソンを含めた組織（チーム）をマネジメントすることで，生活行為の課題を解決する。

対象者と作業療法士の一対一だけのかかわりを超えて，対象者の生活を再構築するためのマネジメント能力が必要になることから，MTDLPを用いた作業療法の実践はレベルの高い取り組みであるといえる。

> ＊1　**臨床思考過程**
> クリニカルリーズニング（clinical reasoning）ともいい，作業療法士が臨床で行う思考の流れのことを指す。作業療法士として，「なぜ，その行動や判断をしたのか」を理由付けする思考過程のこと。

■従来の作業療法との違い

● 作業と生活行為

MTDLPで用いられる「生活行為」の意味は，「作業」が示す意味とほとんど同じである（図1）。あえて「生活行為」という言葉を使う理由は，「作業」よりも「生活行為」のほうが，作業療法士の支援内容が一般の人々に理解されやすく，馴染みやすいと考えられたからである。MTDLPは，一般の人々にも作業療法を理解してもらえることを想定して開発されており，「作業療法を見える化」したマネジメントツールとしての特徴をもつ。

● マネジメント

MTDLPでのマネジメントとは，「対象者の望む生活を実現するために，対象者，キーパーソン，他職種の専門家を含めた組織（チーム）が協力し合える体制を整え，支援の流れや方針をまとめること」と考えるとよい。

従来の作業療法でも多職種連携は重要であり，必要に応じた連携が行われる。MTDLPでは多職種連携に加え，多職種のマネジメントを行うことが必要不可欠である。このため，MTDLPを用いる作業療法士は対象者の24時間365日の生活をイメージしたうえで，他職種の役割を的確に把握して，組織の中心としてプログラムを立案する役割が求められる。

また，日常的な活動から地域社会におけるサービス利用に至るまで，生活行為のつながり（継続性）で生活は成り立っている（**図2**）。MTDLPを用いる作業療法士は，自身との直接的なかかわりを終えた後の生活（退院後や地域生活など）までマネジメントして，切れ目のない支援をプランニングすることも必要になるため，地域資源に関する知識が必要不可欠である。

図1　生活行為向上マネジメントのシンボルマーク

（文献1より引用）

図2　生活行為の継続性と地域での可能性

（文献1より引用）

2 MTDLPのプロセスとシート

基本的なプロセスと使用するシートは**表1**のとおりである。基本的な枠組みは従来の作業療法と同様である。各プロセスで使用するシートは決まっており，シートを利用することでMTDLPの臨床実践をツール化して，作業療法士の臨床思考過程が「見える化」されるようになっている。

補足

生活行為向上マネジメントシートは，生活行為アセスメント演習シートと生活行為向上プラン演習シートを1枚にまとめたものである。

表1 MTDLPの基本的なプロセス

MTDLPのプロセス[2)]	主に使用するシート
①インテーク	• 生活行為聞き取りシート • 興味・関心チェックシート
②アセスメント	• 生活行為向上マネジメントシート（生活行為アセスメント演習シート・生活行為向上プラン演習シート） • 生活行為課題分析シート
③課題分析	
④プランニング（計画策定）	
⑤実行	
⑥モニタリング（再評価）	
⑦計画修正・生活行為の引き継ぎ	• 生活行為申し送り表 • 医療への申し送り表

試験対策Point

MTDLPで使用するシート内の項目について出題されることがあるため，各シートの内容まで確認すること。

アクティブラーニング1 MTDLPで使用するシート類を日本作業療法士協会のホームページで調べてみよう。

3 MTDLPのポイント

■ICFとの対応

国際生活機能分類（ICF：International Classification of Functioning, Disability and Health）の概念とMTDLPの概念は多くの点で対応しており，MTDLPのアセスメントの視点やマネジメントシートの記入などはICFに基づいている。MTDLPは生活行為（活動と参加）に焦点が当てられるが，それだけではなく，ICFと同様に，生活行為のもととなる心身機能・身体構造や，背景因子である個人因子，環境因子の全体を包括的にとらえる視点が重要である。

■合意目標の設定

MTDLPでは，対象者とキーパーソンの考える生活行為の課題と，作業療法士の評価結果をもとにした提案から，話し合いを通して，目標の合意形成が行われることが重要である。生活行為の継続性の観点から，1つの生活行為は他の生活行為に影響を与えると考えることができ，対象者の生活全体（連続する生活行為）によい影響を波及させる生活行為を目標として導き出すことが求められる。この協業の過程を経ることが，対象者が積極的に生活を再構築していく，MTDLPのスタート地点になるといえる。

試験対策Point

合意目標の形成はMTDLPの重要なポイントになるため，従来の目標との違いを理解しておこう。

従来の作業療法実践では，対象者の望む作業にのみ焦点を当てることや，作業療法士が評価結果から考えた作業に焦点を当てる取り組みも目標となりえたが，合意形成のプロセスが不十分な目標は，MTDLPを実践するうえでの目標にはなりえないので注意が必要である。

■マネジメントツールである

MTDLPは理論やモデルではなく，臨床実践におけるマネジメントツールである。ツール（道具）であるため，使える状況と使えない状況がある。多職種のマネジメントが難しい場合や，合意形成を得られない場合などは，MTDLPの枠組みから外れるため，従来の作業療法実践を選択することになる。そのため，MTDLPを用いることを検討するときは，対象者が置かれている状況や時期を十分に評価，検討する必要がある。

【引用文献】
1）日本作業療法士協会：作業療法マニュアル75「生活行為向上マネジメント 改訂第４版」．2022

【参考文献】
1. 日本作業療法士協会：生活行為向上マネジメントのプロセスとシート．（https://www.jaot.or.jp/mtdlp/whats/management_process_sheetl/，2023年４月閲覧）
2. 日本作業療法士協会：事例報告書作成の手引き（生活行為向上マネジメント）「生活行為の自立を目指して」第2.2版．2020.

チェックテスト

Q

①MTDLPは何を分析してつくられたか（☞p.283）。 基礎
②MTDLPにおけるマネジメントとは何か（☞p.283）。 臨床
③MTDLPの目標の特徴は何か（☞p.285）。 臨床

11 地域包括支援

阿部三知代

Outline

- 地域包括ケアシステムは，すべての住民を対象として，生涯にわたり健康で安心した生活を送ることができるよう，保健・医療・福祉サービスが連携し，一体的に提供していく仕組みである。
- 地域包括支援センターの目的は，地域包括ケアシステムの促進であり，市町村を設置主体とする総合的な相談窓口である。
- 地域共生社会とは，2040年を目処に「人と人」「人と資源」が世代や分野を超えて「丸ごと」つながることで，住民一人一人の暮らしや生きがい，地域をともにつくっていく社会である。

1 地域包括ケアシステムについて

■地域包括ケアについて

地域包括ケアとは，「すべての住民を対象として，生涯にわたり健康で安心した生活を送ることができるよう，利用者の視点に立って，適時適切な保健・医療・福祉サービスを各関係機関が連携して一体的に提供していくこと」である。その推進を担うのが地域包括ケアシステムであり，地域包括支援センターである。

■地域包括ケアシステムについて

2025年，団塊の世代とよばれる第一次ベビーブームで生まれた人たちが，75歳以上の高齢者になり，医療や介護の需要がさらに増加することを受けて，「地域包括ケアシステム」が構築されている。それまで，医療と介護は縦割りで連携が叫ばれていたが，診療報酬の改定や，介護報酬の改定，両報酬の改定のたびに連携にかかわる制度改定が繰り返され，厚生労働省が求める形で制度設計がなされてきた（図1）。

アクティブラーニング 1 初めて地域包括ケアシステムが導入されてから診療報酬，介護報酬とも相互に整合性のある改正がなされてきた。最近の動向について厚生労働省のホームページや各都道府県のホームページをのぞいてみよう。

図1のように，地域包括ケアシステムは，**住まい・医療・介護・予防・生活支援**の5つの構成要素から成り立っており，それぞれが連携し合う形になっている。ここでいう地域とは，おおむね30分以内に必要なサービスが提供される**日常生活圏域**（具体的には中学校区）を単位として設定されている。

地域における生活の基盤となる「住まい」「生活基盤」をそれぞれ植木鉢，土ととらえ（図2），高齢者のプライバシーと尊厳が十分に守られた「住ま

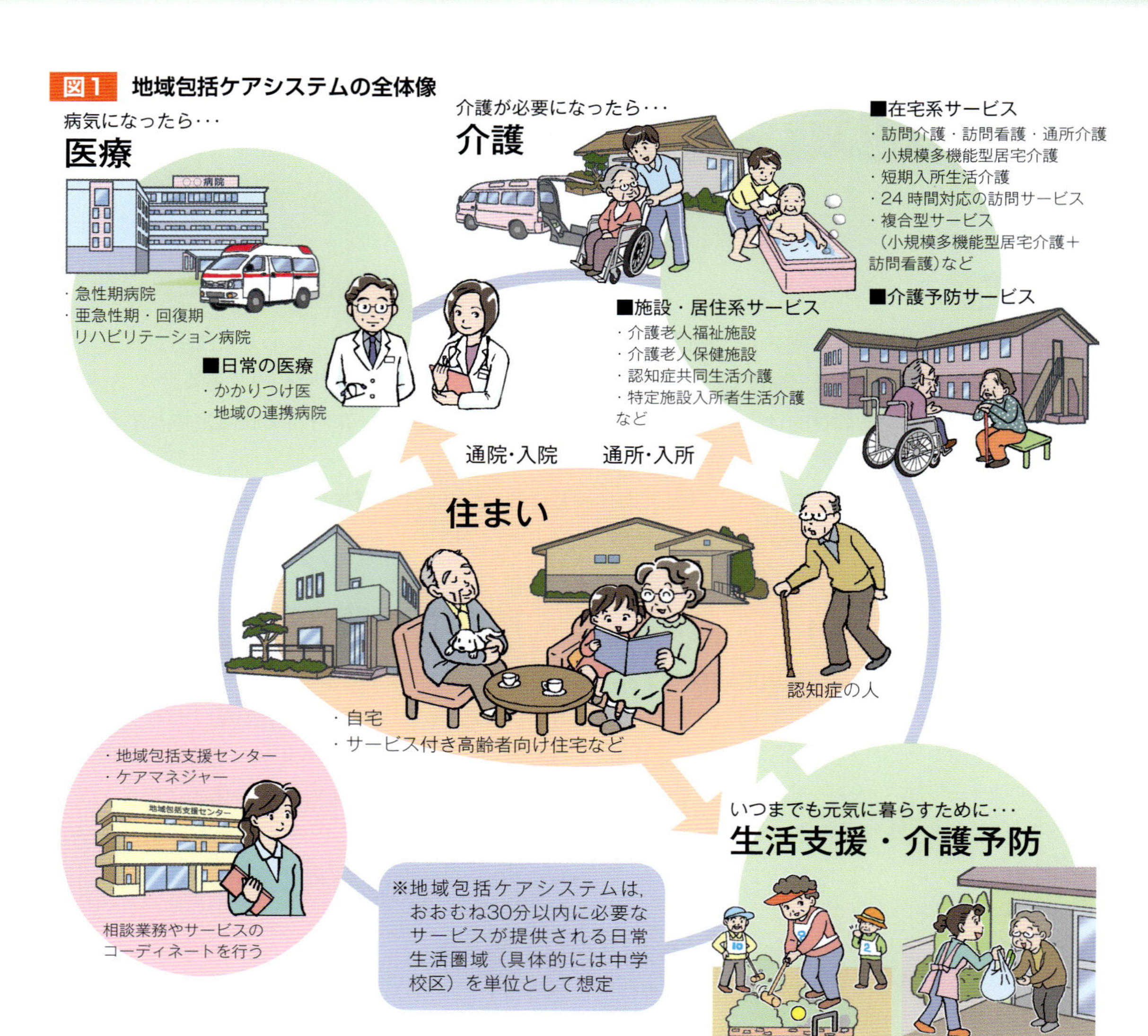

図1 地域包括ケアシステムの全体像

（文献1を基に作成）

い」，その住まいにおいて安定した日常生活を送るための「介護予防・生活支援」があることが，基本的な要素となる。そのような養分を含んだ土があればこそ，初めて葉で表される専門職による「医療・看護」「介護・リハビリテーション」「保健・福祉」が効果的な役目を果たすものと考えられている（図2）。

この地域包括ケアシステムの形を支える連携の役割を図3に示す。

図2の介護予防・生活支援は日常生活・地域生活とし，地域のさまざまな主体や関係者を表している。図3で示すように**自助・互助のサービス**，つまり，住民グループは，趣味の会，ボランティアグループ，民生委員，町内会，近所付き合い，民間企業・商店街，コンビニエンスストア，郵便局などを指す。住民は，心身能力が低下しても従前の生活を維持しやすくなる。図2の葉の役割を担う専門職は，共助の部分に当てはまるが，医

図2　地域包括ケアシステムの進化

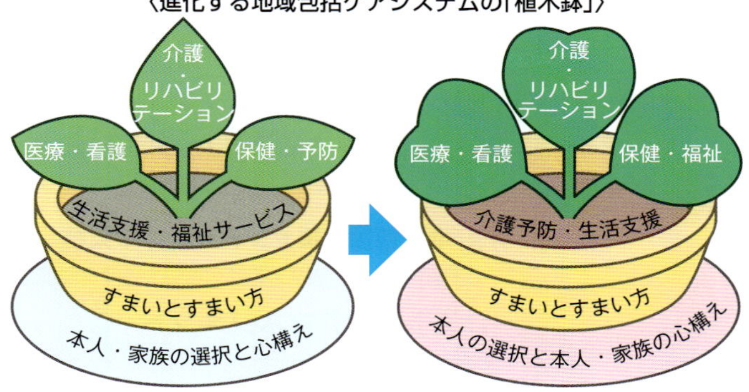

（文献2より引用）

図3　自助，互助，共助，公助の範囲と連携

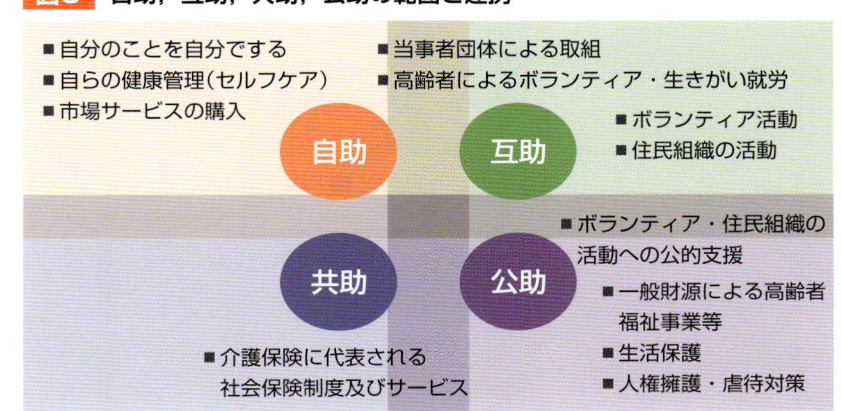

（文献3より引用）

師，看護師，リハビリテーション職，介護職，介護支援専門員，介護保険は引き続き生活支援サービスを提供するが，「専門職にしかできない業務」により集中する。そのため，バラバラに活動している各専門職は連携してチームになる必要性がある。共助は，社会保険制度に基づいて提供される。公助は，行政の管轄である。

アクティブラーニング② 作業療法士が所属する自治体（市町村，県）には，それぞれどのようなサービス（例：ボランティアグループや趣味の会など）があるか調べてみよう。

2 地域包括支援センターの役割について

地域包括支援センターは，市町村が設置主体となり，保健師・社会福祉士・主任介護支援専門員などを配置して，3職種のチームアプローチにより，住民の健康の保持および生活の安定のために必要な援助を行うことにより，その保険医療の向上および福祉の増進を包括的に支援することを目的とする施設である（介護保険法第115条の46第1項）。

主な業務は，介護予防支援および包括的支援事業（①介護予防ケアマネジメント業務，②総合的相談支援業務，③権利擁護業務，④包括的・継続的ケアマネジメント支援業務）で，制度横断的な連携ネットワークを構築して実施する。ここでいう制度とは介護保険法，社会福祉法，地域における医療および介護の総合的な確保の促進に関する法律を指している。

事業の内容を以下に説明する（図４）。

図４　地域包括支援センター４つの業務

（文献４を基に作成）

■介護予防ケアマネジメント業務

高齢者が住み慣れた地域で活動的かつ尊厳あるその人らしい生活を継続していくためには，できる限り要介護状態にならないように，介護予防への早期の取り組みや必要に応じた介護予防サービスの提供が必要になる。

■総合的相談支援業務

医療・介護・福祉の壁を越えて，必要なサービスの紹介を行う。

■権利擁護

成年後見制度の活用の援助や虐待防止への取り組みを行うが，多面的（制度をまたいだ横断的な）支援が必要である。行政機関，保健所，医療機関，児童相談所など必要なサービスにつなぐ業務である。

■包括的・継続的ケアマネジメント業務

地域ケア会議を開催する。多職種が協働して，高齢者の個別課題を話し合い解決を図るとともに，介護支援専門員のケアマネジメントの実践力を高めていく役割をもつ会議である。また，地域ケア会議の実践は，地域に特徴的な課題や必要な資源の開発，地域づくりといった役割もある。介護支援専門員のネットワークの構築も担っている。

アクティブラーニング ③ 地域で行われる会議では，ケアマネジャーや，リハビリテーション職以外の在宅にかかる他職種も参加する。他職種の仕事を調べて理解しよう。

3 地域共生社会について

地域共生社会とは，高齢者介護，障害福祉，児童福祉，生活困窮者支援などの制度・分野の枠や，「支える側」と「支えられる側」という従来の関係を超えて，人と人，人と社会がつながり，一人一人が生きがいや役割をもち，助け合いながら暮らしていくことのできる包括的な社会をいう。次の2040年には，第二次ベビーブーム世代が75歳以上になり，ますます介護人材の不足が深刻になるとされている。地域包括ケアシステムは，地域の実情に応じて対応することが求められるため，地域共生社会の実現に向けた中核的な基盤となりうるものである。

4 地域支援の実践

筆者が所属するおいらせ町の地域包括支援センターが行う介護予防教室において，日常生活活動に関連する運動をテーマに体操を実施している。

地域包括支援センターに寄せられる相談(例えば家屋評価や通所サービス利用の検討など)に対して，センターの介護支援専門員と相談者の自宅へ訪問し，アドバイスを行うこともある(リハビリテーション専門スタッフの派遣事業)。要支援(予防)の利用者は，当施設の通所リハビリテーションに通う人が多い。要介護の人よりは，活動に関して明確な要望をもっている。団塊の世代の人々は，求めるものがはっきりしていて，要望もしっかりしている印象がある。我々は，そこに対応できるように鍛錬を積まなければならないと考えている。

いずれにしても，**地域の実情や，利用者の生活を知り，見識を深めておく必要がある**。ましてや，きたる2040年地域共生社会においては，医療・介護・障害福祉分野をまたいで連携していくことを見越して，ますます自己研鑽に励むことが肝要である。

5 まとめ

2025年を目途に，75歳以上の高齢者が増大することを受けて，高齢者が住み慣れた地域で安心して過ごすことができるように「地域包括ケアシステム」が構築された。地域包括ケアシステムの5つの構成要素は，「住まい」「医療」「介護」「予防」「生活支援」であり，植木鉢の図により表現されている(図2)。鉢の部分は，自助・公助であり，自分でできることを支えるボランティアや老人の会など，地域のサービスを表しベースとなっている。それでも足りない部分を葉っぱの部分，共助である社会保障制度で行われる医療・介護のサービスが補う。それでも対応が難しい部分を公助の部分，行政がかかわるというように連携していく仕組みである。

これらの仕組みの使い方を調整する役割を「地域包括支援センター」が担っている。市町村が設置主体として，主任介護支援専門員，社会福祉士，保健師が，総合的相談業務のほかに，介護予防ケアマネジメント，権利擁護，包括的・継続的ケアマネジメントという4つの業務を行っている。

今後，2040年を目途に，高齢者だけではなく，障害福祉・児童福祉・生活困窮者支援など，決められた枠を超えた人対人，「支える側」「支えられる側」の関係を超えた助け合いながら暮らすという「地域共生社会」という考え方が基盤になっていく。

【引用文献】

1) 厚生労働省：地域包括ケアシステムのさらなる推進のための医療・介護・障害サービスの連携．参考資料p.16，22
2) 平成28年度老人保健事業推進費等補助金(老人保健健康増進等事業)，三菱UFJリサーチ&コンサルティング：地域包括ケアシステム構築に向けた制度及びサービスのあり方に関する研究事業報告，地域包括ケア研究会報告書，地域包括ケアシステムと地域マネジメント．p13，平成28年(2016年)3月．
3) 平成28年度老人保健事業推進費等補助金(老人保健健康増進等事業)，三菱UFJリサーチ&コンサルティング：地域包括ケアシステム構築に向けた制度及びサービスのあり方に関する研究事業報告，地域包括ケア研究会報告書，2040年に向けた挑戦．p.50，平成29年(2017年)3月．
4) 厚生労働省：地域包括支援センターについて(https://www.mhlw.go.jp/content/12300000/001046073.pdf，2023年5月12日閲覧)

チェックテスト

Q

①地域包括ケアシステムの5つの構成要素を挙げよ(☞p.287)。 基礎
②地域包括ケアシステムの想定する基本単位は何か(☞p.287)。 基礎
③地域包括支援センターの設置主体として正しいものを次から選べ[国・都道府県・市町村](☞p.289)。 基礎
④地域包括ケアシステムにおいてボランティアに求められる役割は何か(☞p.289)。 基礎
⑤地域共生社会の特徴を述べよ(☞p.291)。 基礎

12 就労移行支援，就労定着支援

佐々木千恵美

Outline

- 障害の有無にかかわらず，個人がそれぞれの希望やスキルに合った仕事において活躍できる共生社会の実現のため，「障害を持ちながらも，地域の中でどのように生活し，仕事と両立していくか」の支援の重要性が求められている。
- 地域のなかで，どのように利用者を把握し，作業療法士として何を提供していくのかを説明する。

1 障害者雇用を取り巻く制度やサービス

■障害者雇用対策

技術革新や多様な働き方の普及など，障害者就労を取り巻く環境も変化してきている。

障害者がより働きやすい社会を実現していくためには，福祉政策と雇用政策が引き続き連携していく必要がある。以下に，障害者雇用対策について述べる。

● 障害者総合支援法

この法律は，障害者および障害児が基本的人権を享有する個人としての尊厳にふさわしい日常生活または社会生活を営めるよう，必要な障害福祉サービスを給付するのが目的である。また，地域生活支援事業*1を含めた支援を行い，安心して暮らすことのできる地域社会の実現を目指している。対象とする範囲は，身体障害者，知的障害者，精神障害者（発達障害者を含む）に加え，制度の谷間となっていた難病などが含まれた。

＊1 地域生活支援事業
事業の実施主体である市町村などが，地域の特性や利用者の状況に応じて柔軟に実施することにより，効果的かつ効率的に事業を行うことができる。

福祉制度におけるサービスの内容

障害者総合支援法における就労系のサービスは以下の4つである。

- 就労移行支援：就業が可能と思われる65歳未満の障害者に対して，就労に必要な知識および能力向上のために必要な訓練を一定期間行う。利用期間は2年間である。
- 就労継続支援Ａ型：一般企業などでの就労が困難な対象者に，働く場を提供するとともに，知識および能力向上のために必要な訓練を行う。雇用契約を結ぶ形態での就労である。
- 就労継続支援Ｂ型*2：雇用契約を結んで就労するのがＡ型に対して，Ｂ型は雇用契約を結ばずに就労する。就労時間などが柔軟に選択できるのが利点である。

＊2 就労継続支援Ｂ型
福祉的な就労であり，一般的な雇用形態とは異なる。労働基準法や最低賃金は保障されていない。

- 就労定着支援：一般就労に移行した対象者に，就労に伴う生活面の課題を解決し，長く働き続けられるように支援を行う。就労移行支援・就労継続支援などの利用を経て，一般就労に移行し，6カ月を経過した対象者に対する支援である。

アクティブラーニング 1 就労移行支援と就労定着支援は，支援を受けられる期間が決まっている。就労定着支援はどのくらいの期間受けられるか調べてみよう。

障害者雇用促進法

一般企業や**特例子会社**[*3]などで雇用契約に基づいて就労する場合に適用される。具体的には事業主が障害者を雇用する義務や，障害のある人に対して職業指導・職業訓練・職業紹介などの方策が定められている。事業主に対する措置(雇用義務制度・納付金制度)と，障害者本人に対する措置(職業リハビリテーションの実施)に分けられる。

*3 **特例子会社**
事業主が障害者の雇用に特別の配慮をした子会社を設立し，一定の条件を満たす場合には，特例としてその子会社に雇用されている労働者を親会社に雇用されているとみなして，実雇用率を算定できる特例子会社制度というものがある。

雇用義務制度

事業主に対し，障害者雇用率に相当する人数の**障害者雇用**[*4]を義務付けるものであり雇用率制度ともいう。

*4 **障害者雇用**
2021年(令和3年)4月時点で，障害者雇用率は以下のとおりである。
- 民間企業：2.3%
- 国，地方公共団体，特殊法人：2.6%
- 都道府県の教育委員会：2.4%

雇用義務の対象は身体障害者および知的障害者であったが，平成30年度より精神障害者も追加された。

障害者雇用納付金制度

障害者の雇用に伴う事業主の経済的な負担を調整し，障害者雇用水準を引き上げることを目的としている。

職業リハビリテーションの実施

障害者に対して職業指導・職業訓練・職業紹介などを通して，自立して職業生活を送れることを目的とする。職業リハビリテーションを実施している機関は以下の4つである。

■ハローワーク

就職を希望する障害者の求職登録を行い，職業相談・職業紹介・職業定着指導を行う。実際の職場で職業訓練をして現場への適応を図る職場適応訓練の窓口となっている。

■障害者職業センター

障害者職業総合センター，広域障害者職業センター，地域障害者職業センターがある。

- 障害者職業総合センター：高度の職業リハビリテーション技術の研究・開発，専門職員の養成などを行う。
- 広域障害者職業センター：障害者職業能力開発校や医療施設などと密接に連携した系統的な職業リハビリテーションを実施する。
- 地域障害者職業センター：障害者に対して，職業評価・職業指導・職業準備訓練などの専門的な職業リハビリテーション，事業主に関する雇用

補足
トライアル雇用
職業経験の不足などから就職が困難な人などが，原則として3カ月，試行雇用を経て，常用雇用を支援する制度であり，ハローワークが窓口である。

補足

ジョブコーチ
障害者が職場に適応するのに課題があったり，業務の遂行やコミュニケーションなどに支援が必要だったりする場合に，障害特性を踏まえて専門的な支援をする。障害者と企業の双方に支援をする役割がある。地域障害者職業センターが職場へ派遣する。

管理に関する助言などを実施する。障害者職業カウンセラーが在籍し，**職場適応援助者（ジョブコーチ）支援**を行う。

■**障害者雇用支援センター**

就職が特に困難な障害者に対して，職業準備訓練を中心に雇用支援を行う。

■**障害者就業・生活支援センター（図1）**

障害者の身近な地域において，雇用・保健福祉・教育などの関係機関の連携拠点として，就業や生活面における一般的な相談支援を行う。

図1　雇用と福祉のネットワーク

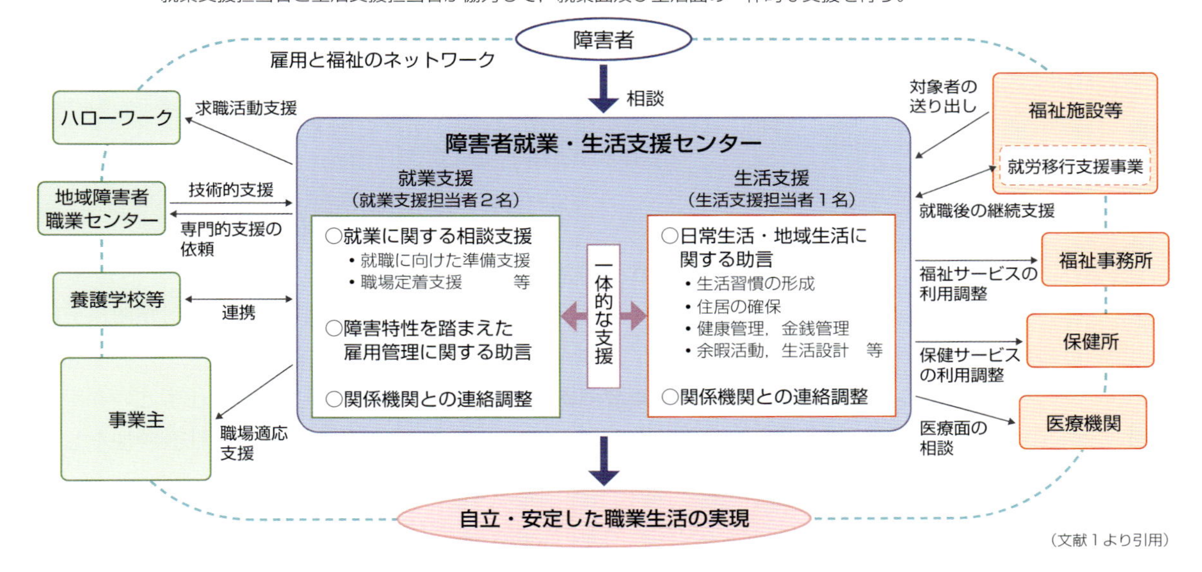

2 地域における作業療法士の役割

一般的な就労支援の流れや方法において，障害者本人にアセスメントをし，本人の希望や職場環境の把握，その後，事業所の見学・体験を経た後に就職するといった基本的な流れ（**図2**）はあるが，その人の年齢や業務内容・家庭状況など，本人が置かれている状況によって支援の流れや方法もさまざまである。作業療法士は，「障害者本人の心身状態と能力を評価」し，「仕事（業務）の特性や工程を分析」することはもちろん，「関係機関と連携し，同じ職場の仲間と協業すること」が求められる。

また，就労支援において最も重要なのは本人の就労への意欲である。障害者本人との対話のなかで信頼関係を築き，自己理解の促進と障害特性に対する対処方法の獲得を促し，一緒に働く人や地域のなかでの障害理解や関係性の構築を築いていくことも重要な役割といえる。

図2 障害者就労支援の流れ

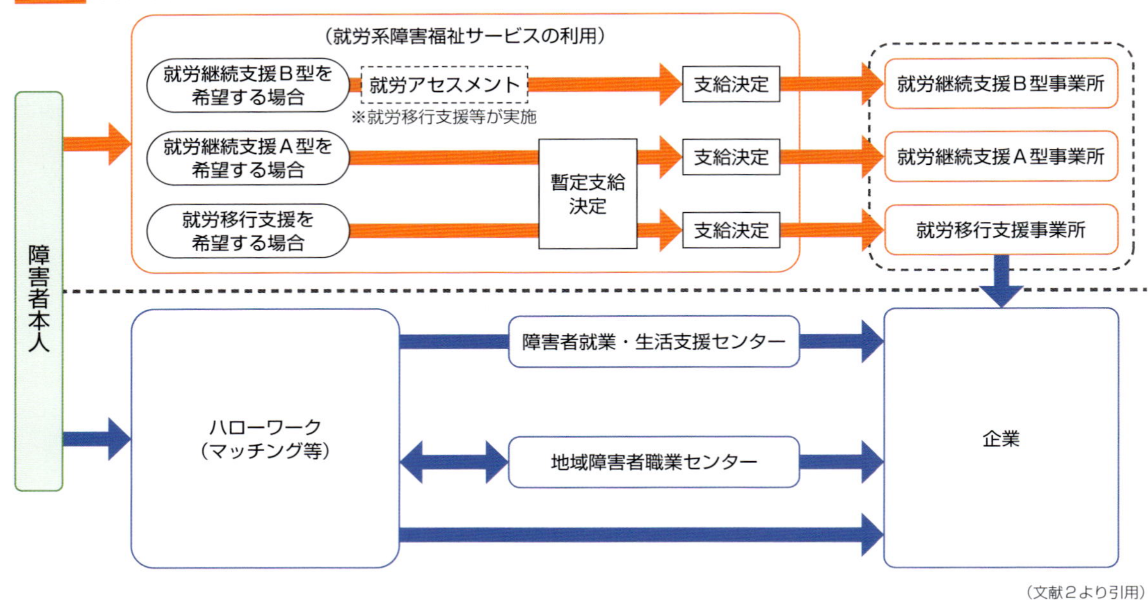

（文献2より引用）

■本人の心身状態と能力を評価すること

基本的には，インテークや面接を定期的に行い，お互いの信頼関係を構築する。そのなかで，本人が「仕事をする」ことに対してどうとらえているのかを聞くことは重要である。生活リズムを整えるために仕事という手段を選択することもあれば，自分のキャリア形成のためや，社会参加をしたいという理由で働くことを選択する人もいる。

以下，具体的に項目を挙げる。

● ADLに対する評価

食事・排泄

嚥下障害の有無，食形態や禁忌の食材などのを確認する。排泄が自立しているか否かも事前に確認しておくことが必要である。

更衣

職場によっては着替えが必要なことがあるため，制服を適切に着用し，身だしなみを整えられるかを確認する。

コミュニケーション

挨拶や返事などが適切にできるかは，良好な人間関係を保つうえで重要である。指示理解の程度は人によってさまざまなため，個別に対応していくことが求められる。

移動手段・交通手段

職場までの移動手段を確認する。電車が遅延した場合などの連絡方法も決めておく必要がある。

体調不良時の対応

体調が悪くなった場合の対処方法はご家族や相談員などに確認し，いつでも対応できるようにしておく。

余暇バランス

仕事とは関係ないようにも思われるが，長く働くためには，ストレスを発散したり，リフレッシュしたりすることが大切である。業務後の過ごし方や，睡眠状況・家庭でのリラックス方法・休日の過ごし方を共有し，仕事中の休憩時の過ごし方なども本人の希望があれば取り入れていく。

● 自己理解の促進と特性に対する対処方法

その人の「障害」ではなく，「ストレングス（強み）」に焦点を当てて考えられることは，作業療法士の大きな強みであると考える。障害や問題点を見つけ出すのではなく，「できることはなにか」「どういう環境であれば働けるのか」という視点でかかわることは，就労に対するモチベーションを上げるだけではなく，「できない」という思いこみや偏見によって失くした主体性を取り戻すきっかけにもなる。

Case Study

Question 1

注意欠如・多動症（ADHD）の人の就労に関して，どのようにして支援したらよいだろうか。

☞ 解答 p.299

● 仕事（業務）の特性や工程を分析すること

事業所によって業務の内容はさまざまである。障害者がうまく業務を遂行できない場合，どの工程に問題があるのかを分析する必要がある。**作業療法士は医学的知識をもちながら，障害特性や個性に応じた具体的な支援方法を考え，実践ができるという点で，就労支援の場面には重要な役割を担えると考える。**作業療法士による観察評価以外にも，現在は多くの評価が開発されており，以下に代表的な職業評価を挙げる。

- 就労移行支援のためのチェックリスト
- VPI職業興味検査
- 職業適性検査（厚生労働省編一般職業適性検査，GATB：General aptitude test battery）
- ワークサンプル法
- 観察評価
- 作業分析
- IPS（Individual placement and support）

試験対策 Point

就労支援のプログラムや，職業能力を評価する検査方法は覚えておこう！

● 関係機関と連携し，同じ職場の仲間と協業すること

就労支援において，地域で暮らしながら働き続けることは大切な視点の一つである。そのためには，効率化や作業能力だけではなく，人間関係や利益を生むことの喜び，やりがいを感じながら働くことも重要なことだと考える。

一方で，自身の障害や感情コントロールについて，自分自身が対処方法を獲得していない場合も多く，トラブルになりやすい。一緒に働く人のなかには，障害者に対して「どうやって接したらよいかわからない」「何が障害で，どう配慮してよいのかわからない」という声も聞く。こういった場面では，配慮事項を障害者と事業主とで話し合い，整理しておくことが必要である。そして，必要に応じて，障害についてわかりやすい資料を作成し，お互いに話し合う機会をつくっていくことも検討する。

補足

作業療法士への期待

2018年4月から，就労移行支援に作業療法士が配置された場合に福祉専門職員配置等加算として報酬が加算されているが，2021年4月からは，就労継続支援A型・B型に作業療法士が配置された場合も，報酬が加算されることになった。

【引用文献】
1）厚生労働省：就労支援のためのメニュー一覧．障害者の雇用・就労促進のための関係行政機関会議資料5-2（H18.4.26）（https://www.mhlw.go.jp/bunya/shougaihoken/shingikai01/pdf/5-2.pdf，2023年6月閲覧）
2）厚生労働省：障害者就労に係る最近の動向について．社会保障審議会障害者部会資料2，p13．第106回（R3.3.19）（https://www.mhlw.go.jp/content/12601000/000755126.pdf，2023年6月閲覧）

【参考文献】
1．中村俊彦，ほか編：就労支援の作業療法－基礎から臨床実践まで－．医歯薬出版，2022．
2．芳賀大輔，ほか編：ゼロから始める就労支援ガイドブック．メジカルビュー社，2022．
3．社会福祉法人全国社会福祉協議会：障害福祉サービスの利用について（2021年4月版）
4．萱間真美：リカバリー・退院支援・地域連携のためのストレングスモデル実践活用術．医学書院，2016．

チェックテスト

Q

①障害者の雇用対策にかかわる2つの法律は何か（☞p.293，294）。 基礎
②就労移行支援を受けるには，年齢制限があり，65歳までとなっている。実際には利用期間は何年間か（☞p.294）。 基礎
③定着支援はどのような人に対するサービスか（☞p.294）。 臨床
④就労支援において，最も重要なことは何か（☞p.295，296）。 基礎
⑤IPSモデルの基本原則とは何か（☞p.298）。 臨床

3 呼吸器疾患

Question 1

机の高さを少し高く調整するなどして，肘付き位で動作を行うと肘や前腕が支点となることで僧帽筋などの呼吸の補助筋が作用しやすくなり，呼吸困難が軽減する。歯磨きなどの場面でも応用できる。

12 就労移行支援・就労定着支援

Question 1

休憩時間を他のスタッフとずらしたり，自分だけの場所や時間を設けることで周囲からの刺激をコントロールする。

事例集

事例1 脳梗塞

■若年性アルツハイマー病を合併した脳梗塞患者の事例
50歳代後半より若年性アルツハイマー病を罹患していた60歳代前半の男性。脳梗塞を発症し左片麻痺となる。急性期病院から在宅復帰を目的に回復期リハビリテーション病棟へ転院した。

●一般・社会的情報

生活歴

本人，妻，息子，娘の4人家族。商社に勤め多忙な日々を過ごしていた。また，海外勤務も多く，フランス語，英語など語学も堪能であった。50歳代後半に若年性アルツハイマー病を突然発症し早期退職。今回の脳卒中の発症前よりアルツハイマー病による認知能力の低下はあるも，妻が働いている日中は一人で過ごせていた。近所への散歩，週1回自転車に乗って詩吟サークルに通うなど活動的な生活を送っていた。

住環境

本人が建てた一軒家に居住している。門扉から玄関までは3段の段差があり手すりはない。家屋内も手すりの設置はない状況であった。トイレ，居間，居室にはそれぞれ入口に2cm程度の段差があり，廊下幅も狭く車椅子での動線の確保は難しい状況にあった。

入院時の希望

- 本人希望：「歩けるようになり，近所を散歩したい」「詩吟サークルへ復帰したい」
- 家族希望：妻，息子，娘は平日仕事のため「日中独居での生活が可能となってほしい」

●作業療法評価

入院時の評価

①心身機能・身体構造

- Brunnstrom stage：左上肢Ⅱ左手指Ⅳ左下肢Ⅲ
- 関節可動域：左肩関節屈曲100°外転80°（最終域で痛みあり）手部に浮腫あり。
- 感覚：表在・深部ともに中等度の鈍麻あり。特に上肢は麻痺側の無視傾向もあり車椅子乗車時にアームサポートから落ちても気付かないことがある。
- 認知機能：改訂長谷川式簡易知能評価スケール（HDS-R：Hasegawa dementia scale-revised）17点，Mini-mental state examination（MMSE）18点（書字，図形模写ともに困難）

②活動

- 静止姿勢：ベッド上端座位自立，立位は手すりを把持することで可能。
- 基本動作：寝返り，起き上がり，立ち上がり，移乗ともに軽介助。移乗はブレーキ，フットサポートの管理が困難であった。
- ADL：Functional independence measure（FIM）69点（運動46点，認知23点）
- 食事：箸・スプーンを使用し自立。食べこぼしはなし。
- 整容：車椅子座位で自己で行える。
- 移動：車椅子駆動は自己で可能である。麻痺側上肢の安全管理のためオーバーテーブルを利用する。
- 更衣：衣服の構成の理解が困難であり上衣，下衣ともに重度介助が必要。視覚的に視認しやすい前開き着のほうが介助量は少ない。
- 排泄：尿意，便意はあり失禁はみられず。車椅子のブレーキ，フットサポートの管理は難しく，フットサポートに麻痺側下肢を乗せたまま立つ様子あり。手すりを持ち立位保持は可能で，ふき取りも自分でできる。しかし，立位での下衣の上げ下ろしは困難であり重度介助が必要である。
- 入浴：機械浴にて入浴する。洗体は非麻痺側，背部，殿部，麻痺側足部は介助が必要であった。

●国際生活機能分類(International Classification of Functioning, Disability and Health：ICF)

図1参照

●作業療法プログラム

作業療法プログラムの概要

麻痺側の随意性向上や浮腫・痛みの改善，立位の安定性向上を目的に機能訓練を行いADLの介助量の軽減を図った。特に，日中独居を可能とするため，重要な排泄動作の自立を重点目標に据えプログラムを実施した。

●経過

カンファレンス

入院当初より，本人の状態について理解を深めてもらうため訓練の見学を積極的に呼びかけた。入院2カ月目からは家族およびケアマネジャーとコンタクトをとり外出・外泊訓練に向けたカンファレンスを開始する。その際，退院までのイメージと退院後の生活のイメージをもってもらうため，各職種のプランおよび使用できるサービスについて提示した(表1)。特に作業療法では，片麻痺による身体機能と認知症による認知機能の問題点と利点〔コミュニケーションが可能，トイレの場所は理解できている，物品操作も工夫(使用しないボタンなどをテープでマスキング)することで可能など〕の確認を行った。また，外泊時の注意点と工夫を伝え，外泊の際は実際に試してみてもらうように勧めた。外泊後は，妻より「自宅の椅子ではうまく立てなかった」などの状況をまとめた報告書をもらい，その後の訓練で活用した。さらに，報告書は，ケアマ

図1　ICF

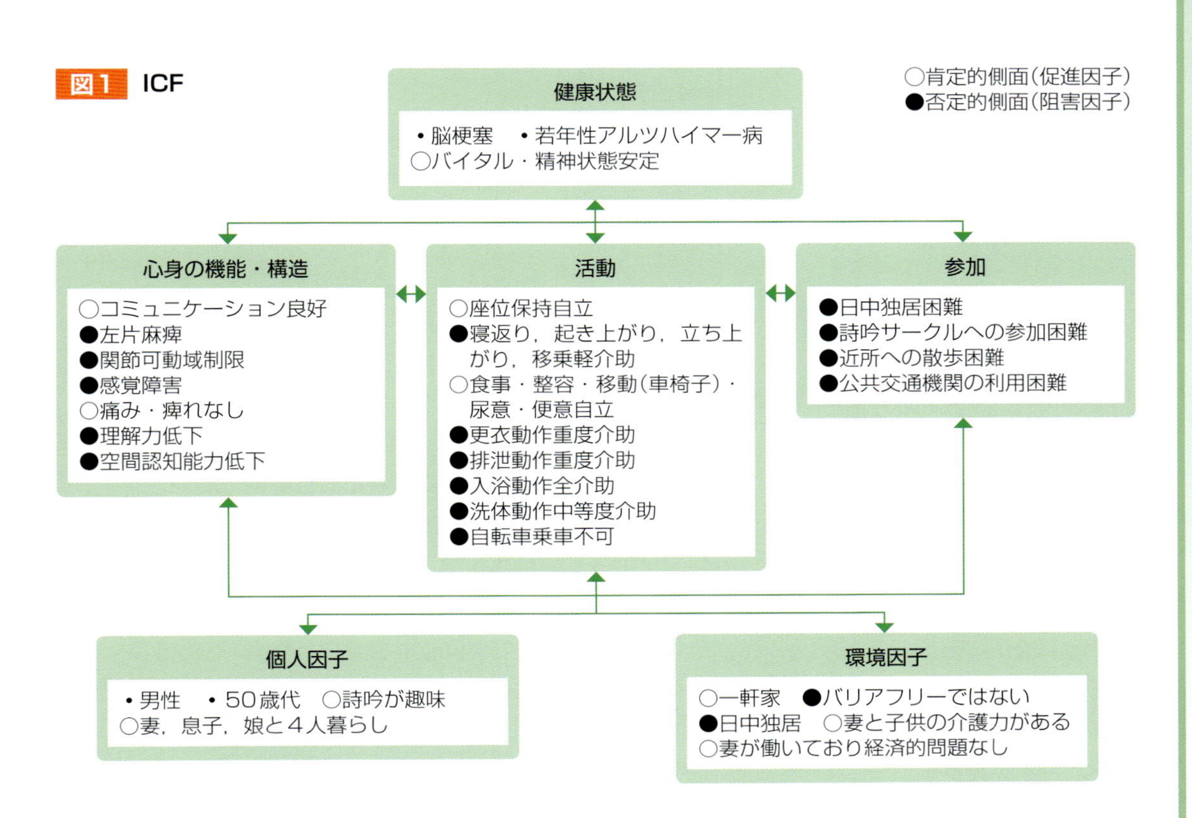

事例集

表1　3職種のプラン一覧表

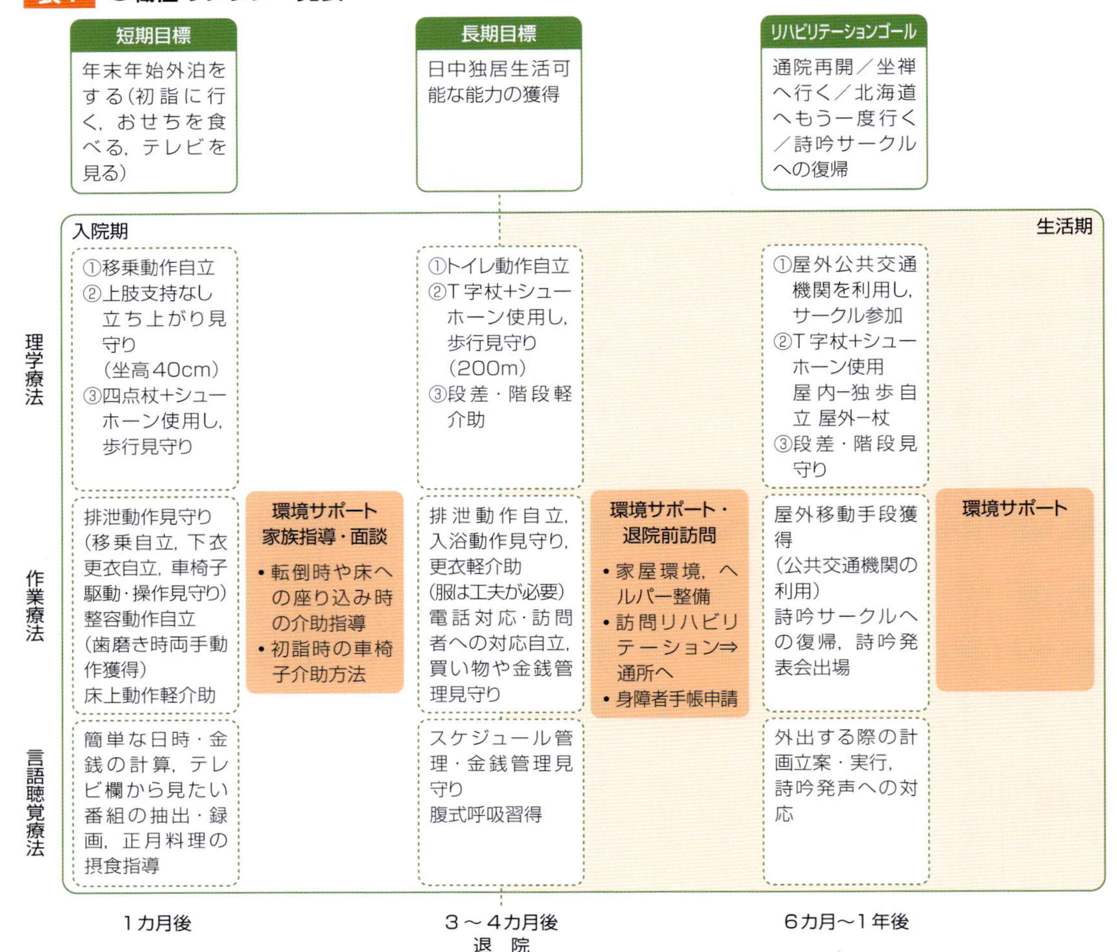

ネジャー，病棟スタッフにも渡し，情報の共有を図った。

リハビリテーション病棟退院時の評価

①心身機能・身体構造

- Brunnstrom stage：左上肢Ⅳ～Ⅴ，左手指Ⅴ，左下肢Ⅳ
- 関節可動域：左肩関節屈曲140°，外転110°(外転時のみ最終域で痛みあり)，手部の浮腫若干残存。
- 感覚：表在・深部ともに軽度鈍麻あり。
- 認知機能：HDS-R 18点，MMSE 19点(入院時と大きく変わらず)

②活動

- 静止姿勢：ベッド上端座位自立，立位は手すりなしでも保持可能。
- 基本動作：寝返り，起き上がり，立ち上がりは手すりを利用し自立。
- ADL：FIM 85点(運動61点，認知24点)
- 食事：箸・スプーンを使用し自立。食べこぼしはなし。
- 整容：立位で自身で可能。
- 移動：シューホーンブレースを着用しT字杖で病棟内移動可能となる。
- 更衣：上衣，下衣ともに介助を要する。衣服の構成の理解は変わらず困難であった。しかし立位の安定性が向上したことで下衣の引き上げはできるようになった。上衣はかぶり着は混乱してしまうため前開き着とし軽介助で行う。装具・靴の着脱は自身で可能。

- 排泄：尿意，便意あり失禁はみられず。若干下衣を上げきれていないことがあるも動作は自立で可能となる。
- 入浴：浴槽の跨ぎは手すりを利用し見守りで可能。洗体は背部のみ介助を要する。

●訪問リハビリテーションでの経過と介入

在宅復帰に際しては，当院より訪問リハビリテーションを提供した。作業療法では自宅でのADL訓練（更衣訓練，入浴動作訓練，玄関の出入り動作訓練），通院のための交通機関の利用訓練（バス停までの歩行，バスの乗降訓練を妻も同伴して行った）などを実施した。特に，交通機関の利用訓練では，訓練後の感想で本人，家族ともに「乗れると思わなかった。今度はバスに乗って買い物に行ってみたい」と新たな目標がきかれるようになった。その後，妻のいない日中でも生活できるようになった時点で訪問リハビリテーションを終了とし，デイサービスへとつないだ。

●その後の経過

訪問リハビリテーション終了時には，ケアマネジャー，デイサービスの作業療法士も交えサービス担当者会議を実施。その際には，本人が病前から取り組んでいた詩吟サークルへの復帰，詩吟の発表会への参加を目標としていることを伝えた。

現在は週1回のデイサービスと週2回の通所リハビリテーションを利用している。デイサービスでは歩行訓練や階段昇降訓練といった機能訓練に，詩吟の練習を組み合わせて行っているとのことだった。それにより，本人のデイサービス参加のモチベーションは高まり満足されている。ケアマネジャーからの情報では，詩吟に加え都心で行われる会社のOB会に参加するべく練習に励んでいるとのことであった。

事例2 脳梗塞

■障害と復職の断念により抑うつ状態となった脳梗塞患者の症例
70歳代前半の男性。脳梗塞を発症し左片麻痺となる。仕事への復帰を望み急性期病院からリハビリテーション病棟へ転院してきた。

●一般・社会的情報

生活歴

本人・妻との二人暮らし。子どものころから絵を描くのが得意で，美術の専門学校を卒業後，広告代理店に就職しデザイナーとして活躍。その後，独立し自営で広告代理店を営んでいた。

住環境

集団住宅の1階に居住。玄関までは外階段が5段あり（手すりは片方のみ）トイレは手すりがあるものの入口に約10cmの段差がある。浴室は入口に約10cmの段差があるが手すりはなし。浴槽は据え置き式のもので高さが約60cmとなっていた。

入院時の希望

「1カ月で歩けるようになって自宅に帰りたい」

●作業療法評価

リハビリテーション病棟入院時の評価

①心身機能・身体構造

- Brunnstrom stage：左上肢Ⅱ，左手指Ⅱ，左下肢Ⅲ
- 関節可動域：左肩関節屈曲90°，外転70°（痛みあり）
- 感覚：表在・深部ともに重度鈍麻あり。
- 高次脳機能：特に問題なし。

②活動

- 静止姿勢：ベッド上端座位自立。立位保持は手すりを利用し見守りが必要。
- 基本動作：寝返り・起き上がり：自立，立ち上がり・移乗動作：見守り
- ADL：FIM 92点（運動58点，認知34点）
- 食事：動作は自立しているが，左側口腔の感覚低下により若干の食べこぼしあり。
- 整容：車椅子座位で自立。
- 移動：車椅子駆動自立。
- 更衣：上衣は時間を要するが自立している。下衣は引き上げに介助が必要。
- 排泄：手すり利用し移乗は可能だがふらつきがあるため見守りが必要。下衣の引き上げに介助を要する。
- 入浴：機械浴で行う。洗体は背部，殿部，右上肢に介助を要する。

●国際生活機能分類（International Classification of Functioning, Disability and Health：ICF）

図1参照

●作業療法プログラム

麻痺側上下肢ともに随意性の低下に加え，感覚の低下も著明であった。そのため立位での動作は不安定であり，見守りが必要となっていた。そこで，介入初期は随意性の向上に加え，寝返りや起き上がり，立ち上がりといった基本動作を通して支持面の知覚を促し，座位・立位での動作の安定を図った。特に，移乗，トイレ動作においては病棟とも連携し，転倒しないように繰り返し動作の確認を行った。

●経過

入院から退院までの経過

入院当初は，片麻痺を呈した自身の身体への悲観と仕事への復帰が気になり，常にストレスフルな状態であった。そのため，病棟ス

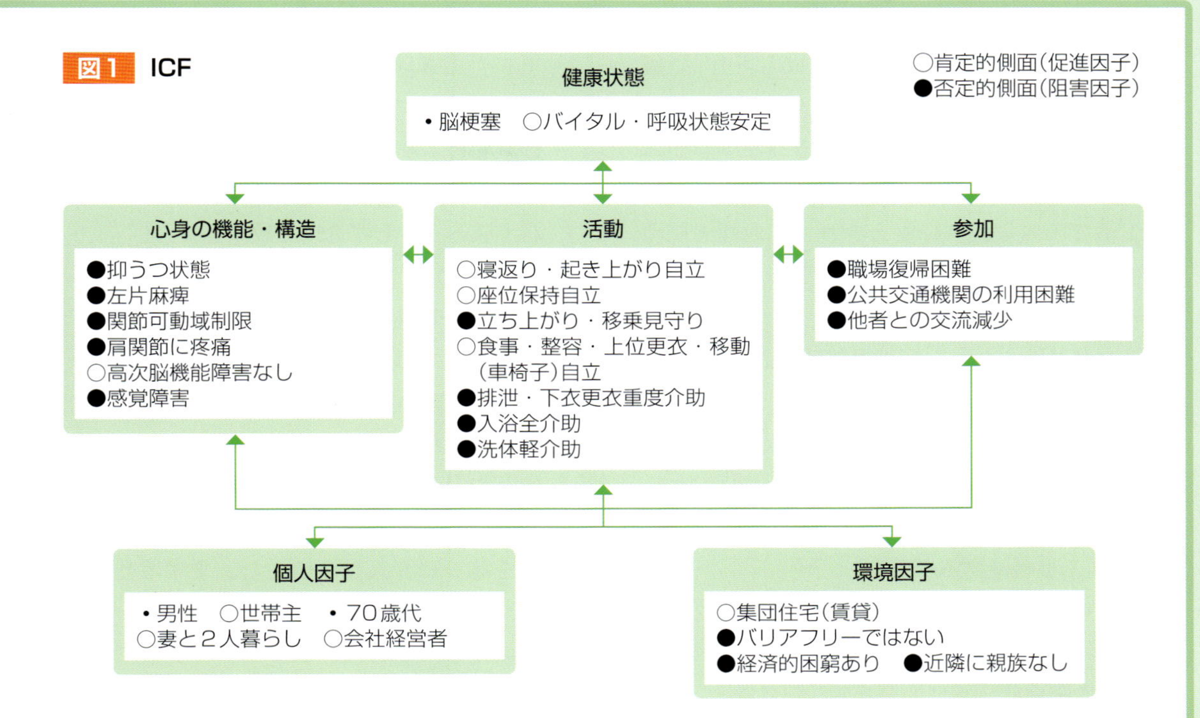

タッフや同室者と衝突することもあった。リハビリテーションでは，訓練開始より2カ月の時点で，車椅子を使用しトイレ動作は介助から見守りとなる。しかし，麻痺側上肢は廃用手の状態，歩行はシューホーンブレースを着用し4点杖が必要な状況であった。そのため，自身の思い描く回復像との乖離から悲観的な言動が増えた。また，その間資金繰りも難しく会社を畳むことを決意した。それを機にますます活気の低下も顕著となり，抗うつ薬の服用が開始となる。そこで，作業療法では，まず本人の自己効力感を高めることが重要と考えた。当院リハビリテーション病棟で対象者の主体性を高めるために立ち上げている「QOL向上委員会」の企画を利用した。本人には，その当時行っていた企画の「脱水症の予防キャンペーン(脱水症予防のPR。リハビリテーション病棟患者主体の社会活動の一環)」(**図2**)で，市民向けに配布するうちわの絵とキャッチコピーを作るのに協力してくれないかと依頼した。依頼に対し「みなさんの役に立つなら」と了承を得られた。対象者みんなでう

図2 病棟で立てた企画への主体的な参加を促した一例

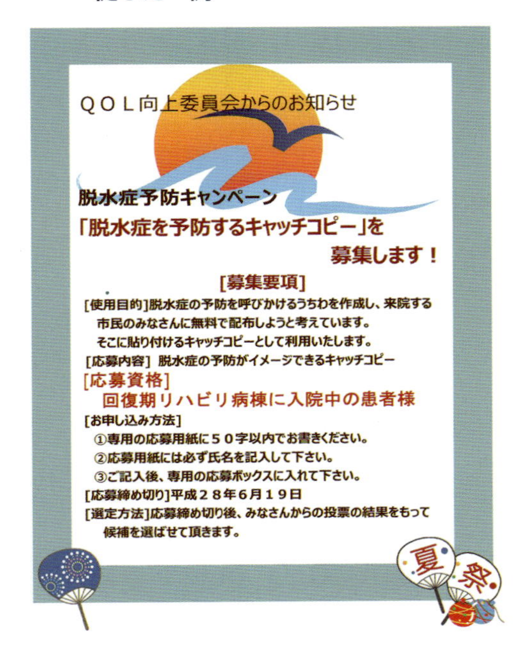

ちわを作製したときには，完成した作品（図3）を見たほかの患者，病棟スタッフから賞賛された。その際はとても嬉しそうな笑顔がみられた。しかし，その後金銭的な問題や病棟生活でのストレスに耐えきれず，急遽退院希望が出る。自宅の環境整備を早急に行い退院の運びとなる。

リハビリテーション病棟退院時の評価

①心身機能・身体構造

- Brunnstrom stage：左上肢Ⅱ，左手指Ⅱ，左下肢Ⅲ
- 関節可動域：左肩関節屈曲100°，外転80°（痛みは軽減するも残存）
- 感覚：表在・深部ともに軽度鈍麻に改善あり。
- 高次脳機能：特に問題なし

②活動

- 静止姿勢：ベッド上端座位自立。立位保持は手すりを利用し自立となる。
- 基本動作：寝返り・起き上がり・立ち上がり・移乗：手すりを利用し自立となる
- ADL：FIM 103点（運動69点，認知34点）
- 食事：食べこぼしなく自立で可能。
- 整容：車椅子座位で自立。
- 移動：車椅子駆動自立。

図3　実際に作成したうちわ

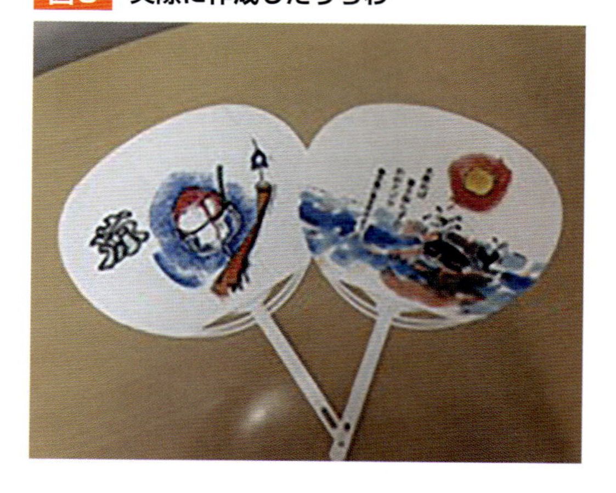

- 更衣：上衣は変わらず自立。下衣も介助手すりを利用することで自立となる。
- 排泄：手すりを利用し見守りで可能となる。
- 入浴：機械浴にて行う。洗体は背部，殿部，右上肢へ変わらず介助を要する。

●訪問リハビリテーションでの経過と介入

作業療法では，自宅内外での移動訓練，トイレ動作訓練，入浴動作訓練，環境整備（福祉用具の選定）を行った。退院してすぐは室内で転倒した（尻もちをついた）との話を妻から何度か聞いた。そこで，安全なADLを確保することを第一に介入を開始した。まずは動作の確認や練習，手すりの利用方法の指導，動線の再設定などを行った。トイレに安全に行けるようになったことをきっかけに，妻も本人も安堵の表情がみられるようになった。併せて麻痺側上下肢の機能訓練も行い機能的な改善を図った。また，外階段の昇降を妻の見守りで行えるようになったことにより通院も可能となった。さらに入浴動作については，据え置き式の手すり，バスボードなどの福祉用具を調整しながら動作訓練を行った。約2カ月後，入浴動作が妻の見守りのもと行えるようになったところで通所リハビリテーションへ引き継ぎ，訪問リハビリテーションは終了とした。

●その後の経過

現在は週2回の通所リハビリテーションを利用している。さらに，空いている時間を利用し当院の回復期病棟の企画への協力，日本作業療法士協会のロゴマーク，キャッチコピーへの応募などさまざまな活動を行っている。現在は，本人考案の自助具の開発に取り組み試作品を作製中である。本人としては，もう一度仕事復帰を検討している。

事例3 脳出血，脳梗塞

■左片麻痺における回復期リハビリテーションを実践した事例

本事例は再出血，再梗塞がありながら自宅退院に向けて懸命にリハビリテーションに取り組み，主体的に大切な作業の獲得を図るなかで自宅退院に繋がった。

A氏，60歳代男性。4人家族。大学卒業後よりパソコン関係の仕事に取り組んできた。高校時代より多くの友人とバンド活動をしており，高血圧が指摘される30歳代半ばまで趣味として行っていた。結婚後2人の子どもに恵まれたが，30歳代のころは仕事が多忙であり，いつも終電で帰るような生活であった。妻も結婚前は同業職であったため，A氏の仕事に対する理解は深かった。そのため，妻が子どもを連れて出掛けるということが多かった。40歳代になると少しずつ仕事が落ち着き，休日は子どもを連れて近くの公園へ行くなど，父親としての役割がこなせるようになり，職場見学ということで子供を職場へ連れて出勤することもあった。また，夫婦ともにパソコン関係の仕事に就いていたため，当時まだ一般的ではなかったパソコンを用いて家族でゲームなどをして交流を図っていた。40歳代半ばにくも膜下出血の発症により左眼を失明するも，その他身体機能の後遺症はなく，すぐに復職した。50歳代に入ると，長男の部活動の関係で父母の会の会長を務め，長男の部活動の試合などにも足を運び，父親として家族と過ごす時間が増えるようになった。60歳代前半で退職した後は，夫婦ともに個人の時間を大切にしながらも，のんびりと日々の生活を過ごしていた。

約2年前から左足関節の捻挫の反復や左下肢の脱力感と跛行が認められ，徐々に左上肢にも拡大。他院にて検査入院後，半年前に右後大脳動脈に動脈瘤が発見され，バイパス手術を施行するも翌日に閉塞が認められ，硬膜下血腫も発症した。入院期間が長期に及んでいたため一時自宅退院するが，自宅にて覚醒低下から臥床傾向となり，さらに左上下肢の動かしにくさが増悪。退院から1カ月後，再入院し再度バイパス手術を施行した。術後意識レベルの回復は認められず，気管切開術を施行。さらに1カ月後，硬膜下血腫の増悪が認められ，シャント術施行。しかし術後2日目にして感染症発症にてシャント抜去。その後意識レベル回復認められ，1カ月後にリハビリテーション目的で当院に入院の運びとなった。

●作業療法評価

作業面接

対象者に対し，なぜ作業療法が必要かという理解を促していくことに努めた。現状のADL・作業ニーズを確認するため，ADOCを用いて対象者にとっての大切な作業を抽出した。A氏は気管切開を行ったことから発声ができない状況であったため，簡潔に答えられるよう質問内容を工夫して文字盤や口語を用いたなかで聴取した。

A氏は少しでも自身でできる作業を増やすことを訴えた。麻痺は重度であり，すべての動作に介助が必要な状況であったため，まずは起き上がりや移乗動作能力の向上を望んだ。

ADOC（カッコ内は現状の遂行の満足度）

①起き上がり（1/5）

②移乗（2/5）

③排泄（1/5）

④両手動作・麻痺側上肢の使用（1/5）

⑤更衣（1/5）

●作業観察・分析

入院時のADLの状況について**表1**に示す。

●情報収集・検査

- **FIM**：40点/126点
- **MMSE**：28/30
- **車椅子座位**：麻痺側へ傾いている。非麻痺側上肢にてアームレストを掴んで固定的に定位。
- **立位**：麻痺側下肢の支持性は乏しく，非麻痺側上肢で支持物把持であれば立位保持可能も，骨盤帯は麻痺側へ偏倚し，支持性は乏しい。
- **高次脳機能**：左半側空間無視・身体失認（左眼は失明，右眼は1/4半盲あり）

表1　入院時のADLの状況

作業項目	自立度	備考
寝返り	麻痺側へ：見守り 非麻痺側へ：軽介助	非麻痺側上肢にてベッド柵把持したなかで行うも，麻痺側上肢の忘れあり
起き上がり	麻痺側・非麻痺側ともに中等度介助	
端座位保持	見守り	麻痺側に崩れてしまう傾向あり，自力での修正困難。頭頸部伸展位保持困難
立ち上がり	中等度介助	麻痺側下肢の支持性乏しく，麻痺側への崩れあり
移乗	中等度介助	麻痺側下肢ステップ動作困難
車椅子座位	リクライニング車椅子－見守り	麻痺側へ崩れていく傾向あり
移動	車椅子－全介助	
食事	経管栄養－全介助	食堂，車椅子座位にて実施
整容	軽介助	歯ブラシ，ガーグルベース，コップを用意すれば自力で遂行可能
排泄	昼夜ともにオムツ－全介助	
更衣	全介助	
入浴	機械浴－全介助	

- **耐久性**：リクライニング車椅子乗車15分程度で疲労あり。
- **Hope**：最終的には在宅退院希望だが，当院退院後も他の療養型病院などに再入院してのリハビリテーション継続を希望。

●目標設定と介入計画

①日中離床時間の確保（2週間）
②基本動作介助量の軽減（3週間）
③ADLへの参加（1カ月）
④ADL介助量の軽減・動作の獲得（6カ月）

補足

朝起きてから夜床に就くまでの間に行っていることとは，繋がりをもった作業の連続である。それらの作業には内発的動機に基づいた価値が存在し，さまざまな役割を担いながら主体的に生きていくことが，「その人がその人らしく」いられるということであり，単純にADL動作の獲得のみを支援すればよいというわけではない。

●介入経過

入院～2週間：日中の離床確保に向けて介入した時期

- **初回作業面接**：日中臥床傾向にて初回時約15分で疲労あり。しかし，翌日の作業面接で生活歴について聴取した際，疲労感なく終始，笑顔を交えて約1時間半の面接が可能であったため，翌日から離床を開始。
- **離床方法**：やや若年であることや自発話が困難であったことなどから，食堂での離床は精神的負担が大きいと判断し，自室での離床を開始。
- **離床時間**：午前，午後の各1時間ずつとし，食事前後の休息時間を確保。
- **離床への工夫**：3回目の作業面接時に約1時間半離床できた際に「こういう話は楽しい」と話していたため，耐久性に精神状態が大きく関与していると推測。自室での離床をより有意義なものにするために仕事・趣味として行っていたパソコンを導入。

- **離床時のポジショニング**
  ①車椅子：左後方よりロール状のクッションを取り付け，麻痺側肩関節軽度内旋・屈曲位保持として肩関節を保護できるよう，かつ視覚的に麻痺側上肢がとらえられるようセッティング。麻痺側への傾きも軽減。
  ②ナースコール：頻回にベッド下に落としてしまうため，ベッド柵に固定して設置。
  ③テーブル設置：介助スペースの確保・姿勢/頸部屈曲位の防止・麻痺側上肢の管理を目的とし，高さ調節と移動のしやすいキャスター付きを用意。
  ④携帯電話・パソコン使用：充電器・Wi-Fi機器の配線を考慮。麻庫側上肢の管理に関しては，ロールクッションを車椅子後方より巻き付け，肩関節軽度内旋・屈曲位が保持でき，かつ車椅子乗車時に視覚内に入るようセッティングした。

2週間〜1カ月：さらなる離床延長，ADLへの参加を獲得し始めた時期

この時期は車椅子自走による自室内の移動自立・整容動作自立・トイレ内動作の獲得に向けて実施。

- **病棟スタッフとの連携**：リハビリテーション前後での近況報告や介助方法の指導・リクライニング車椅子移乗時のポジショニングなどを随時実施。
- **車椅子自走**：非麻痺側での足漕ぎで可能であったが，殿部前方へのずり落ちが認められた。体幹の選択性は乏しく，背もたれから体幹背面を離した状態での四肢の活動は困難であったため，端座位訓練やバランス訓練による体幹の安定性と選択性を改善，併せて非麻庫側上肢の活動を用いて体幹機能をさらに促通した。また，自走時に視野欠損・注意障害の影響から車椅子の左側が衝突してしまう傾向にあったため，左側への能動的な注意訓練を実施した。その後自走が可能となった。
- **整容動作**：洗面台に歯ブラシがすぐに取れるよう環境設定を実施。また洗面台正面に車椅子がつけられるよう，車椅子操作へもアプローチし，自室での整容動作が自立となった。
- **トイレ動作**：立ち上がり・立位保持ともに麻痺側下肢への荷重・支持性は乏しい状態であり，非麻痺側上肢での手すりの引きつけで行っていた。方向転換は麻痺側下肢を誘導する介助が必要であった。そのため，端座位・立位でのバランス訓練や下方へのリーチ訓練などから麻痺側の荷重を促し，支持性向上を図った。また装具も作成し，立ち上がり・立位保持の安定性向上に繋げた。トイレ内に入るまでの車椅子自走での位置取り・フットレスト/ブレーキの管理など，手順の訓練や身体と空間の適応を図り，下衣操作一部介助での日中トイレ動作獲得を果たした。

1〜3カ月：入浴・更衣動作の介助量軽減，麻痺側随意性向上を目指した時期

この時期より表情の変化も顕著に認められるようになり，これにはADLへの参加が出てきたことでクライエント自身が行える作業の増加が大きな要因となっていると思われた。2度目の作業面接を以下に記す。

- **ADOC前回抽出項目の再評価（カッコ内は現状の遂行の満足度）**
  ①起き上がり（3/5）
  ②移乗（4/5）
  ③排泄（3/5）
  ④両手動作・麻痺側上肢の使用（2/5）
  ⑤更衣（2/5）

- ADOC新たな目標設定
  ①麻痺手と腕の使用(2/5, **図1, 2**)
  ②排泄(3/5, **図3**)
  ③室内移動(2/5, **図4**)
  ④入浴(2/5)
  ⑤更衣(2/5, **図5**)

前回の抽出項目の再評価では満足度が全体的に上がっており，新たな評価では移動や入浴・更衣動作などの新たな項目が抽出されていた。この時期は，体幹機能の向上により麻痺側肩甲帯や上肢に動きが出始め，ベッド柵の把持により起き上がりが見守りで可能となり始めた時期であった。そのため，満足度の低い更衣動作(特に脱衣)の獲得に向けて介入を図っていった。

- **更衣動作(脱衣)**：非麻痺側の肘を衣類から抜くことが困難であった。非麻痺側上肢の脱衣に伴う麻痺側肩甲帯の追随反応が乏しいことが引き抜きを困難にしていたため，脱衣に伴う麻痺側肩甲帯の動きを促通。麻痺側肩甲帯のプロトラクションが可能となることで胸郭・体幹の選択的な動きもさらに改善がみられた。更衣に必要な衣類と身体との適応も図り，衣服の張りを知覚した中でなめらかに脱衣が行えるよう介入していった。まだ機能としては難しい部分もあったが，麻痺側肩の衣服を一旦外してから非麻麻痺側上肢を衣服から抜く方法を会得したことで，脱衣は自立となった。
- **入浴**：端座位の安定性とリーチ範囲の拡大・移乗動作の安定性向上に伴い，入浴が機械浴から一般リフト浴に変更した。

図1 麻痺手と腕の使用1

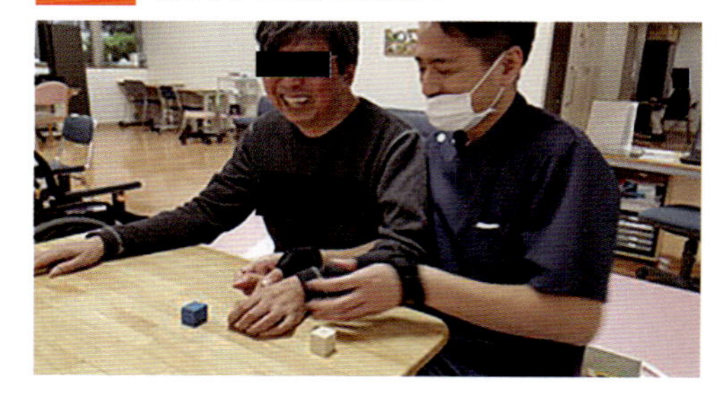

図2 麻痺手と腕の使用2

図3 排泄

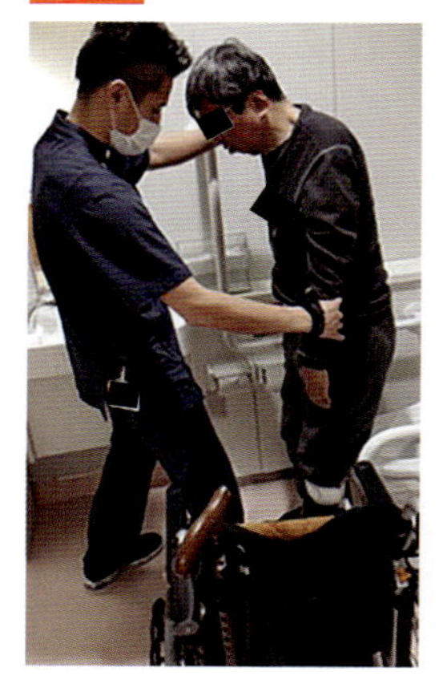

図4 室内移動

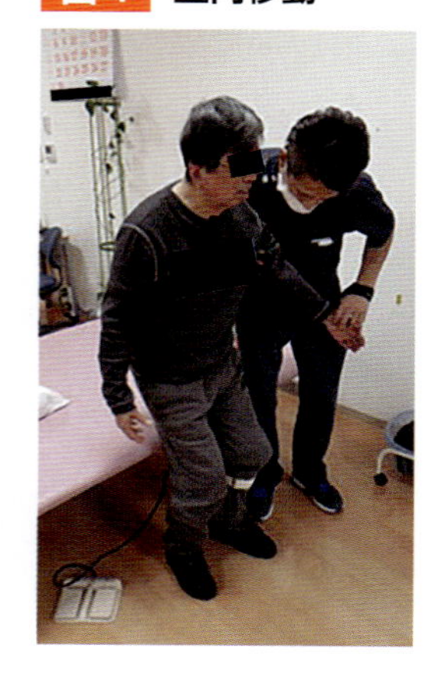

図5 更衣

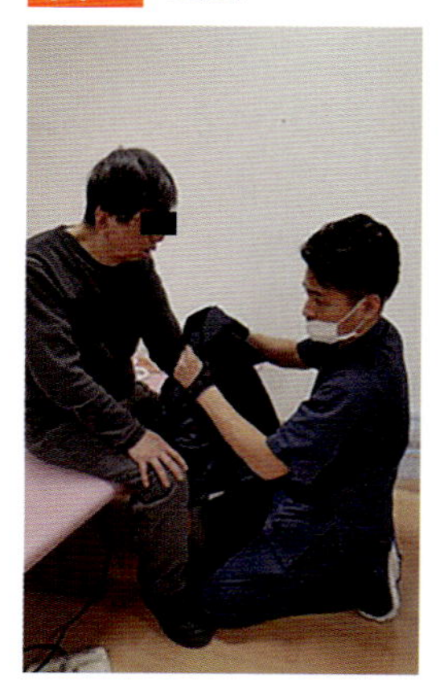

3〜6カ月：在宅退院に向けて，サービス調整を含めて包括的にアプローチした時期

日中は車椅子上で過ごすことが増え，院内の車椅子自走も開始していた。嚥下内視鏡検査（VE）の結果で摂食が開始され発声が可能になった。昼食のみソフト食が開始となりカニューレをはずすことに繋がった。そして発声が可能になったことで精神的苦痛から解放され，3度目のVEではさらに改善が認められて3食開始となり，経管栄養が終了となった。

鼻チューブがはずれたことにより身体的な煩わしさから解放され，気持ちの変化は普段の表情やリハビリテーションへの意欲にも変化をもたらし，ADLがさらに改善した。

- **更衣（上衣）**：かぶり着・前開き着ともに自立にて着脱可能。また，同時期に装具も完成し，装具とともに靴下・靴の着脱訓練も開始した。
- **コミュニケーション**：発声が可能になり，これまでの経過や今後の展望などについて話し合った。A氏自身が思っていたよりも改善がみられてきたことや，何より自宅で家族とともに過ごしたいという気持ちが芽生えた。
- **連携**：上記の訴えを病棟スタッフに報告。医師を交えて面談を実施し，外来リハビリテーションを継続しつつ，自宅に退院する方向に変更となった。
- **家屋調査**：外来リハビリテーションに通うことも考慮し，自宅内のみならず外出も視野に入れた家屋調査を実施。自宅内での移動は安全性と家族の介助量軽減・対象者が主体的に行動できることを優先し，車椅子での移動とした。
  - ①車椅子の選定：自宅内は6輪の車椅子を選択。屋外用では4輪の車椅子を用意し，介助の行いやすさを優先した。
  - ②段差の解消（段差除去・スロープの設置）：自宅門前から玄関内までは簡易式スロープの設置を提案。トイレはトイレ内が5cm程度低くなる段差があったが，段差ギリギリまで車椅子をつけて低くなるトイレ内に足を下ろしてから立つことで，立ち上がりやすくなると考え，段差は解消せずにそのままとした。
  - ③トイレ内の手すり設置：便座前方に設置することが環境上難しく，入り口から見て左側の麻痺側に縦手すりを設置するよう提案。麻痺側にて手すりを掴んだままでは転倒リスクがあるため，立ち上がり後の方向転換前に持ち変えられる位置に手すりをもう1本設置することを提案した。これにより，着座も安定して行えるようになった。
  - ④浴室：定期的にシャワーを浴びたいという希望があったため，2枚折りの開き戸への改修を提案した。また，介助者が常に麻痺側後方に寄り添える形で移動できるよう，手すりの設置を3本提案した。
  - ⑤寝室：介護用ベッドを導入。車椅子自走が行いやすいこと・自走による畳の劣化を防ぐことを目的に，すだれ生地のマットの設置を提案した。また車椅子自走で移動できるよう，各居室間の段差をスロープで解消することを提案した。
  - ⑥その他：玄関前やトイレ内などの床マットは転倒リスクが高まりやすいため，滑り止めシートの設置を提案した。シートめくれを防止するため，マット裏面全体に設置するよう提案した。
- **外泊訓練**：家屋調査後，環境調整と福祉用具が揃ったため外泊訓練を実施した。外泊において，スロープでの介助方法や自家用車の乗り降り，トイレ内や洗面所での介助方法・位置取りなどに問題がみられた。帰院後，リハビリテーションにおいて家族を交えて実施場面を想定したなかでの訓練や外出しての自宅での訓練を実施した。

●作業療法最終評価

1日を通して車椅子上での離床が可能となり，FIMは80点に改善した。

• ADL：

①入浴動作（洗体・洗髪・拭く作業）・移乗動作—一部介助レベル
②トイレ動作：日中トイレ使用で見守り，夜間尿瓶使用で自立
③装具着脱—見守り
④更衣：上衣—車椅子上にて自立，その他見守り
⑤整容：洗面台使用にて自立
⑥夜間の排泄：尿瓶にて自立
⑦食事：常食。手指の屈伸や肘の伸展動作が認められるようになり，麻痺手でお椀を添えての摂取が可能。
⑧寝返り・起き上がり：非麻痺側へは支持物なしで可能。
⑨立ち上がり：高さ55cm程度の高座位からであれば支持物なしで可能。

その後，外泊訓練でみえた課題をクリアし，無事自宅退院。

退院後，自宅内は車椅子自走にて移動し，日中はパソコンや読書をして過ごし，デイサービスにも通っている。外来リハビリテーションに週2回通院しており，退院1カ月後には玄関前の上がり框（かまち）の昇降が一部介助により可能となり，スロープは撤去することとなった。退院2カ月後には妻と介助歩行で居間まで行うようになったり，食事前に両手でお膳（ぜん）を拭いたりと，リハビリテーションも兼ねて自宅内での役割を担っている。その後，入浴以外のADLは自立した。

現在は「外を歩けるようになって出かけたい。麻痺手を動かせるようになって左手でお茶碗を持ちたい，パソコンのキーボードを打つといった生活内の作業を両手で行いたい」という新たなニーズの獲得に向けて外来リハビリテーションを継続している。

●考察

A氏は，何度も繰り返される機能低下により，これまで当たり前のように行えていた作業ができなくなっていくという過程を受け入れながらも，常に諦めずに前を向いて生きていた。そのため，この気持ちを絶やさずに対象者の大切な作業を対象者自身が主体的に遂行可能にしていくためのアプローチを心がけた。離床当時については，元気になりたいという気持ちはあるが，身体がその気持ちに追いついていかない現状があった。そのため，精神面の維持を念頭に置き，自然と無理をせずに起きていられることを考え，パソコン作業の導入を図った。自室での諸々の環境設定に関しては，ただ細かく評価し離床延長を図ろうとしたことだけが重要ではなく，対象者の前向きな姿勢に対する支援を最も重要視した。このことに関しては，最初から最後までアプローチするうえで一貫してA氏へのアプローチにおいて留意した点である。A氏においては，自分の話したいことを話せない苦しみ，痒いところへ手を伸ばせないもどかしさ，何をするにも他者の手を借りなければならない煩わしさや申し訳ない気持ちなど，多様な辛さを抱えていたと思われる。特に発声が困難であったことから，自身が「やりたい」と思える作業を表出することが難しく，さらに遠慮してしまっているという側面も考えられたため，そういった心の声に耳を傾けるよう配

慮した。この点を重要視することで，対象者自身が未来への一歩を踏み出すきっかけや力となってくれることを期待した。セラピストと対象者が協働していくなかで生み出される作業は，対象者自身の自己肯定感を生み，「自分自身の存在価値を肯定すること＝自尊心を育んでいくこと」が幸福感をもたらすことに繋がると考えた。つまり，より主体性をもって生きていくための支援ということである。入院時は全介助状態であり，回復後も継続してあらゆる面でサポートを受けていくことが必要と思われたA氏にとって，受け身だけではない社会の一員としての生きがいを感じながら生きていくことが重要であると考えた。

今回のケースにおいては，退院後に夫婦お互いの生活を尊重したなかで二人三脚での人生を歩んでいけることを考慮して実践した。その理由としては，A氏から妻に対して節々で「あまり迷惑をかけたくない」というような発言が聞かれ，妻にかけてきた苦労に対する労(ねぎら)いの気持ちがうかがえた。これまで仕事一筋で生きてきたA氏にとって，子育てや家のことを妻に任せきりであったことに対する感謝の気持ちがあったのではないかと思われ，また妻個人の今の時間を優先してほしいと思う気持ちが感じられた。そのため，退院後に対象者自身が自己効力感をもったなかで生活を営むためには，A氏が主体的に遂行可能となる作業を獲得する（身辺動作を自立する）こと＝妻の介護負担の軽減・妻の生活の確保という側面に価値が置かれていると考え，妻自身の習い事や家事などの大切な作業にも焦点を当て，退院後に外来リハビリテーションがあることも考慮して，妻が介助に入る作業は必要最低限とした。各作業における現実的な退院後の目標設定としては，近位見守りをなくすことであった。一般的に介助量の多さは低ければ低いほどよいと考える傾向にあると思うが，365日24時間対象者の近くで見守り続けなければならないという状況は，介助者の生活における役割を考えると，負担は非常に大きいものとなる。そのため，軽介助で可能な作業・遠位見守りで可能な作業・自立で可能な作業をそれぞれ増やしていくことを考えた。

今後は，身の回りのことを自分で行うなかで家族の一員としての役割を担いつつも，外来リハビリテーションを通してより対象者らしくいられるための意味ある作業の獲得を図っていくことが必要と考える。

●おわりに

私たち作業療法士は対象者の生活歴を知る必要がある。それは対象者がいつ・どこで生まれ，どのような環境で，どのようにして生きてきたのかということを知ることで，対象者がこれまで行ってきた各々の「作業」に含まれる意味や価値を知ることができるからである。例えば，「トイレで排泄を行う」という誰しもが行っている作業においても，その作業を遂行するなかで起こりうる作業手順・下衣操作方法・トイレットペーパーの取り方や取る量など，そこにはその人なりの癖や習慣が存在している。また方法だけではなく，その作業を遂行するうえでの意味や価値（作業の文脈）も異なってくる。自尊心や羞恥心からトイレ動作の獲得を何より優先する人もいれば，家族に迷惑をかけたくないという自責の念から獲得を優先する人もいるだろうし，介助されることで介助者と関係性を構築している場合さえある。つまり，その作業を遂行するなかでの動作だけではなく，その人なりの「作業」が存在している。人が日常生活で行う作業は皆同じではないと考える視点が重要である。

また，作業遂行を構成する要素の1つとしての「身体機能」に焦点を当てることも必要である。作業・動作の獲得に向けて，ただ反復して訓練すれば回復するわけではない。作業を遂行していくうえで，身体はさまざまな機能を用いている。抗重力下において，支持面を介して視覚や前庭・体性感覚情報を主として活用し，空間で身体バランスをコントロールしながら作業・動作において四肢の関節運動を実行している。また，環境から得られる情報との相互作用により，環境への適応を図りながら身体は効率よく作業を遂行することができる。

片麻痺を呈するということは，これらの情報を得ることが阻害され，その場に・その姿勢で定位すること自体が困難となる。脳の損傷により麻痺側から得られる情報の欠落・歪みが生じるわけだが，それは麻痺側だけに影響を及ぼすわけではない。身体は繋がりをもった連続した構造であり，機能もシステムとして成り立っている。そのため，麻痺側に及ぼした種々の問題は当然，非麻痺側，つまりは全身に影響を及ぼす。

生活期での臨床において，これらを実感する機会が非常に多い。麻痺側を使用しているように見えたとしても，実際には非麻痺側の努力性が垣間見えることが多く，それは筋緊張のアンバランスや痛みなどの二次障害にも繋がってくる。実際に，「入院中・退院した頃は○○ができていた」「以前はもっと動くことができていた」「次第に痛み・痺れ・こわばりが強くなってきた」などという声を耳にする機会が多く，麻痺側の随意性においても次第に低下してしまっているケースを目の当たりにする。そういった対象者は再発をしたわけではない。ではなぜ，動かなくなってしまったのか。なぜ，獲得したはずの作業が遂行できなくなってしまったのか。そこには「環境に適応したなかで身体が機能的に動けていたわけではない」ということではないだろうか。その運動に必要な筋緊張・感覚・関節運動が機能できておらず，隠れた代償動作や環境との適応不良が存在し，効率よくなめらかに全身のシステムとして動けていなかったということである。そういったケースに実際に介入するなかで，情報には記載されていない失調症状や高次脳機能障害・感覚処理を行ううえでのエラーを認めることが多い。つまり，「作業が遂行可能になった」という背景に，こういった機能不全による代償動作によって，非対称性を強める動作や作業が行われていた結果ではないかと考える。作業療法士は上肢をメインとして介入する機会が多いと思うが，手で何かしらの作業を行う場合において，使用しているのは上肢だけではない。地球上の重力下において動く身体は，支持面を介して全身を用いて遂行されているはずである。つまり，抗重力下において行為・動作・運動を行ううえでは，身体のあらゆる機能を用いながら作業を遂行している。そのため，作業遂行時の身体機能・高次脳機能面にも焦点を当て，身体が機能的に働くことができているかを作業療法士は見ておく必要がある。

作業療法士は，「作業」に対して「リハビリテーション」をする専門職である。作業に含まれる要素・その作業遂行に必要な要素は何かということを包括的にとらえながら，対象者の生活や人生にかかわっていく責任がある。

【参考文献】

1. 齋藤佑樹 ほか：作業で語る事例報告，医学書院，2014.
2. 吉川ひろみ：「作業」って何だろう，医歯薬出版，2008.
3. 山田　孝 編著：事例でわかる人間作業モデル，協同医書出版社，2015.
4. 山根　寛：ひとと作業・作業活動 作業の知をとき技を育む 新版，三輪書店，2015.

事例4 脳梗塞

■訪問作業療法における実践　自宅での入浴を希望された例

本事例は脳梗塞を発症し，急性期での入院加療後に全身状態が安定するも運動麻痺によりADLの低下を認めた。そのため，回復期リハビリテーション病棟へ転棟し，在宅復帰に向けて半年間リハビリテーションを実施した。退院時の移動は車椅子を使用し，入浴以外のADL動作は自立した。入浴のため，近隣のデイサービスに週2回通っていたが，「自分の家のお風呂に入りたい」という希望を担当の介護支援専門員に相談した。その後，介護支援専門員より当事業所に依頼があり，訪問での作業療法が開始された。

●情報収集

資料(担当介護支援専門員からの依頼書および主治医からの指示書より)

性別：女性

年齢：80歳代

診断名：脳梗塞(ラクナ梗塞)

介護度：要介護3

障害高齢者の日常生活自立度：A2

家族構成：長女と二人暮らし

家屋構造：下記記載(住環境)

既往歴

64歳　婦人科系(ポリープ)：内視鏡手術

65歳　左膝関節炎

80歳　白内障，白斑症(舌部)：白斑部のみ切除

現病歴

X年8月の起床時にトイレまで移動するもトイレから立ち上がれなくなり，左半身痺れ，脱力，ろれつ困難となったためA病院へ救急搬送となった。

CT，MRI検査の結果，脳梗塞と診断される。水分出納厳重管理，点滴・内服治療にて経過良好のため，回復期リハビリテーション病棟へ転棟となる。

半年間のリハビリテーションを実施された後，自宅退院となる。基本的動作は歩行以外自立しており，移動は車椅子で行えていた。応用的動作は，入浴以外自立していた。

訪問開始までの流れ(サービス利用動機)

本人より「歩けるようになりたい。家で入浴できるようになりたい」という希望があり，当事業所より理学療法士・作業療法士の訪問開始となった。

●他職種からの情報収集

理学療法士より

Brunnstrom stage下肢Ⅴレベル。四点杖を使用し見守りで移動可能だが，トレンデレンブルグ歩行を呈している。連続歩行10mを1分程度で可能である。立位バランスは良好だが，左側への荷重範囲は狭小化しており，片脚立位困難となっている。

介護支援専門員より

自宅での生活を継続できるように本人，家族に対して支援やサービス調整を行っている。退院時は自宅での入浴は困難と思われたため，デイサービスでの入浴を週2回利用するサービスを導入している。デイサービスでの入浴場面では自身で洗体，洗髪を行っており，「自

補足

情報収集

訪問では病院内での情報収集と異なり，カルテ閲覧や主治医にすぐに相談できない環境にある。そのため，担当介護支援専門員や本人，あるいは家族から直接情報収集することが必要となる。

入院歴がない症例の場合は，本人から既往歴や現病歴，生活で困難と感じていることを聴取し，情報を整理する力が必要である。

障害高齢者の日常生活自立度

主に医療関係者や事業者が書面で利用者(患者)の情報交換，介護保険の認定の際の書類に使用される。判定に際しては「～をすることができる」といった「能力」の評価ではなく「状態」，特に「移動」に着目して，日常生活の自立の程度を4段階に評価している。

分でできることは自分でやりたい」と話している。今回，本人より「家のお風呂に入りたい」という希望を聴取し，作業療法士による評価と動作訓練，住宅改修に関する指導や適切な福祉用具導入を実施してもらいたい。必要に応じてヘルパーによるサービスも検討してきたい。

●面接

- 本人：「せっかく家にお風呂があるのに。家のお風呂に入りたい」
- 家族（長女）：「自宅で生活できるようになってよかった。ほとんどの身の回りの動作ができているので，今の生活を維持してもらいたい。自宅で入浴できるようになってほしいが，転倒による骨折などの危険も伴う可能性があるため，心配している。できる限りの協力はしていきたいと思っている。」

●評価

心身機能・身体構造

- 左片麻痺Brunnstrom stage上肢Ⅴ-手指Ⅴ-下肢Ⅴ
- 感覚：表在，深部感覚ともに正常。
- 腱反射：左大胸筋，上腕二頭筋腱反射，膝蓋腱反射亢進。バビンスキー反射陽性。
- 関節可動域：日常生活上支障となる可動域制限なし。
- 筋力：左上下肢，体幹筋の筋出力低下を認める。
- バランス：
  静的→座位，立位ともに安定性が保たれている。
  動的→座位，立位ともに左側へ荷重した際に安定性が損なわれ，立ち直り反射の出現が遅延している。
  座位時，股関節屈曲すると後方へ傾き，バランスを崩すことがある。
- 認知，高次脳機能：日常生活上，問題はみられない。

活動

基本的動作能力

寝返り，起き上がり，座位，立ち上がり，移乗動作は自立して可能。立位姿勢は，正中位よりやや右側へ傾いているが安定している。歩行は，四点杖を使用し見守りにて可能である。

応用的動作能力（ADL）

- 食事：自立
- 整容：車椅子座位にて歯磨き，洗顔，整髪などが可能である。
- トイレ：車椅子で移動し，トイレ内の動作も自立しているが，座り立ち上がり時に，手すりを使用している。
- 更衣：車椅子座位にて可能である。下衣は下肢を衣服に入れるときは座位で行うが，腰の部分まで引き上げるときは立位で可能である。
- 入浴：週2回のデイサービスを利用している。洗体，洗髪動作はシャワーチェアを使用して自立している。

住環境

所有ビルの最上階に居住スペースがある。浴室以外の通路は手すりが設置され，トイレのドアは開き戸になっており，トイレ内に立ち上がり用の手すりを設置している。脱衣所，浴室部分は未改修である。脱衣所と浴室の間

補足

訪問場面における評価は病院とは異なり，器具やベッド（マットなど）の環境も整備されておらず，個々の家庭によりさまざまである。
身体機能や動作能力などの評価のみならず，主な生活の場，トイレや浴室までの移動における動線，トイレや浴室の環境，食事する場所などの生活環境や生活スタイルなども評価が必要である。

に敷居がある（脱衣所側120mm，浴室側90mm）。また，浴槽の高さは500mmとなっている。

●訪問作業療法の実践

シャワーチェアの導入

洗体，洗髪動作は自立して可能であったが，立位で行うことは動作が不安定であったため，デイサービスの入浴時にもシャワーチェアを利用していた。同様に，自宅での**洗体，洗髪時用にシャワーチェアの導入**（図1）を行った。

脱衣所と浴室内敷居段差および浴槽の高さ解消

脱衣所と浴室の間に敷居があるため，脱衣所側と浴室側に縦手すりを設置した（図2）。また，浴室に片足を入れたときの**段差解消**と**浴槽の跨ぎ動作**を行いやすくするために，**樹脂製すのこ**を設置した（図3）。

バスボードの導入

浴槽跨ぎ動作獲得のために，**バスボード**を設置した（図4，5a）。本症例の場合，静的座位バランスは比較的安定しているものの動的バランス場面では左側への重心移動範囲が狭小化しているため，浴槽縁に腰かけて跨ぐことが困難であった。そのため，バスボードを使用することにより，座面の広さが確保され，動的座位バランスの安定性を補うことが可能となり，浴槽の跨ぎ動作を獲得できた。また，浴槽内での転倒予防目的に**滑り止めマット**の設置を行った（図5b）。

●作業療法プログラム

①問診（睡眠状況，疼痛の有無，生活場面で変

図1 シャワーチェア

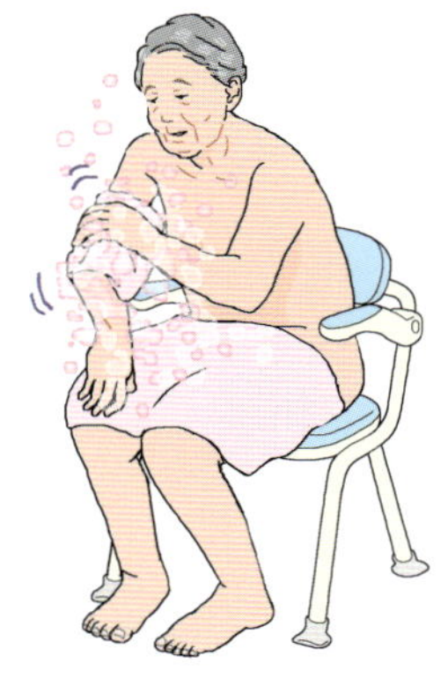

図2 脱衣所から浴室内への移動

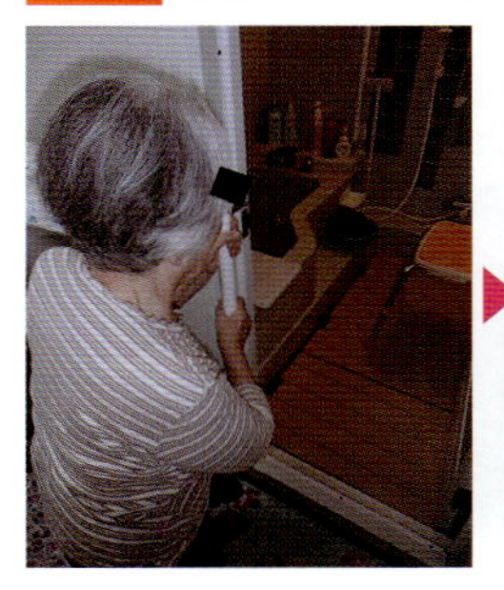
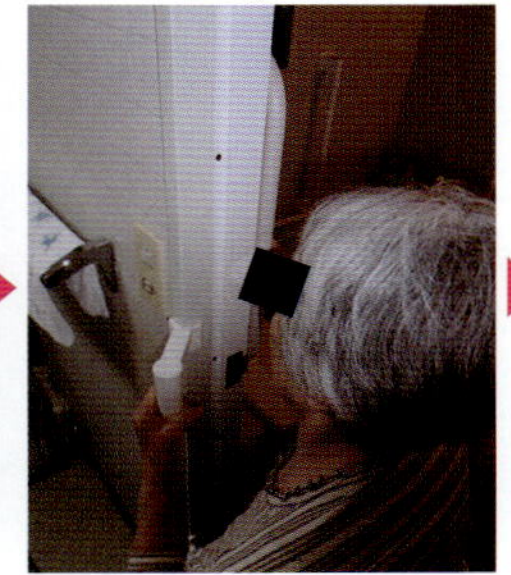

図3 すのこ

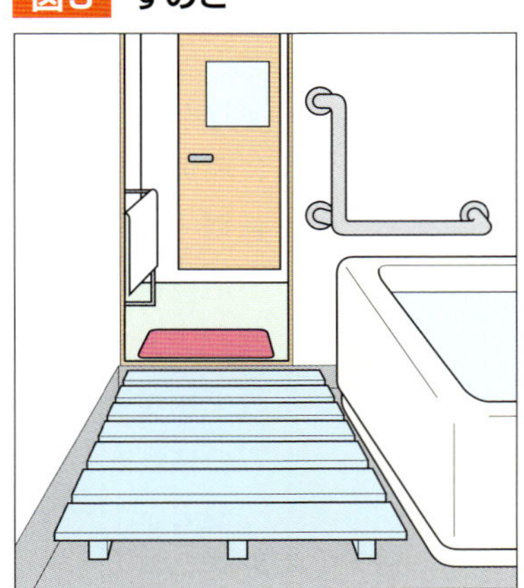

事例集

図4　脱浴槽内への跨ぎ動作

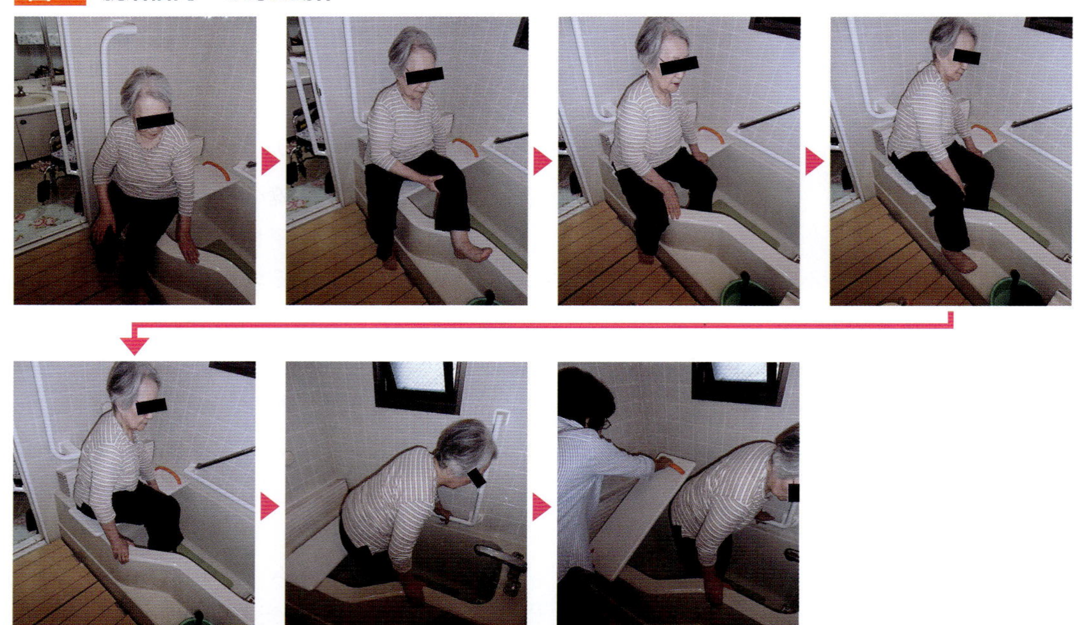

図5　バスボード・滑り止めマット

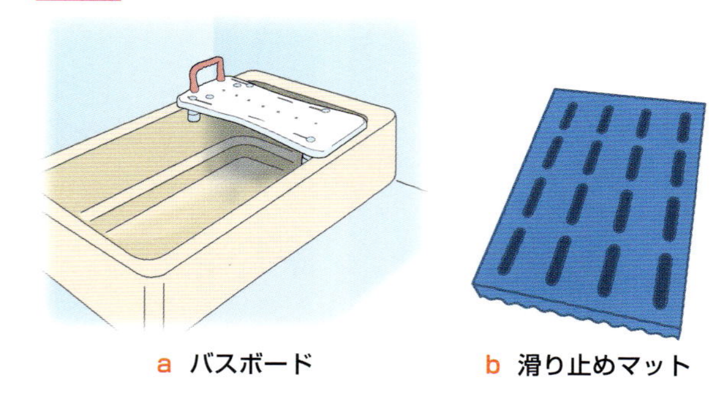

a　バスボード　　b　滑り止めマット

わったことがないかなどの聴取）

②バイタルチェック（体温，血圧，脈拍，動脈血酸素飽和度など）

③関節可動域運動（動画では別の事例を提示）

④筋力増強運動

⑤座位・立位バランス訓練

⑥動作訓練（跨ぎ，浴槽内立ち上がりなど）

本事例では脳梗塞発症後の左上下肢，体幹の麻痺症状，左上肢や両膝に疼痛あり，四肢・体幹関節可動域制限，筋力低下などを呈している。浴槽の跨ぎ動作場面に必要な動的座位バランスの低下がみられており，座位時に股関節屈曲運動を伴うと後方へ姿勢が崩れ，転倒・転落の危険性がある。

治療内容としては，下肢や体幹の関節可動域拡大および筋出力の向上を図り，介入の前後で座位動的バランスの評価を行い，治療内容の検証を行った。

参考として，本事例とは別の利用者に対して行った訪問作業療法の動画を紹介する。

Web動画

QRコードを読み取る☞ 

脳梗塞利用者への訪問作業療法の実施例

動画の症例は，脳梗塞発症後の左上下肢，体幹の麻痺症状，左上肢や両膝に疼痛あり，四肢・体幹関節可動域制限，筋力低下などを呈している。

浴槽の跨ぎ動作場面に必要な動的座位バランスの低下がみられており，座位時に股関節屈曲運動を伴うと後方へ姿勢が崩れ，転倒・転落の危険性がある。

治療内容としては，下肢や体幹の関節可動域拡大および筋出力の向上を図り，介入の前後で座位動的バランスの評価を行い，治療内容の検証を行った。

●まとめ

本事例は脳梗塞により左片麻痺Brunnstrom stage Ⅴレベルの運動麻痺があるが，感覚障害はみられていない。また，認知・高次脳機能障害は認められず，会話内容や理解能力も保たれている。発症より，半年以上経過していることから著明な身体機能の改善は困難と考えられるため，現在の動作能力を用いて，住宅改修や福祉用具の選定・利用，各動作の工夫を行って「自宅で入浴したい」という希望に沿う必要性があった。

問題点として，①運動麻痺が軽いものの筋出力の低下や筋力低下を認めている，②静的座位バランスは良好だが動的座位バランスの低下がある，③脱衣所から浴室の敷居，浴槽の高さがあり現在の身体能力より高い能力を求められる環境であるという点が挙げられた。利点は，①「自宅で入浴したい」という強い希望，意欲がある，②家族の協力が得られやすい，③座位での洗体，洗髪動作能力が自立しているという点が挙げられた。

本事例の訪問作業療法の実践としては，手すりの設置箇所を住宅改修業者と協同し，検討・施工した。また，福祉用具業者と協同し本人の能力や浴室環境に適している福祉用具の導入を行った。それらを用いて訪問時に動作訓練を行い，敷居や浴槽を跨ぐ手順の確認を本人や家族と行った。

以上により，本事例は週3回自宅での入浴が可能となり，現在も安心，安全な自宅生活を送ることが可能となっている。また，この自宅で入浴可能になったことは本人の自信にもつながり，バリアフリー環境の温泉施設への旅行にも出かけられるようになった。

【参考文献】

1) 矢谷令子ほか 編：作業療法実践の仕組み 改訂第2版，協同医書出版社，2014.
2) 長﨑重信 監：作業療法学 ゴールド・マスター・テキスト9 地域作業療法学・老年期作業療法学，メジカルビュー社，2011.
3) 長﨑重信 監：作業療法学 ゴールド・マスター・テキスト改訂第2版日常生活活動学，メジカルビュー社，2022.

事例5　第3腰痛圧迫骨折，右変形性膝関節症（右膝人工関節置換術），骨粗鬆症，両膝関節捻挫

■通所介護にて要介護状態が改善し買い物に行くことができるようになった事例

80歳代前半，女性，独居，X-3年に腰椎圧迫骨折で入院。退院後は転倒に注意しながら生活していたがX-4年にゴミを出している時に玄関の階段で転倒し，両膝関節を捻挫し入院となるが歩行器での移動が可能となり退院。その後は「自宅で生活したいが思うように足が動かないので歩けない。一人で生活できるように介護サービスを利用したい」とのことで，通所介護利用となった。通所介護利用当初は，要介護度2で動作時の膝痛・腰痛が強く，起居動作時歩行時に見守り・介助が必要な状態で疲れやすく，また不安感が強く行動範囲が限られていた。通所介護での介入により，立ち上がりや歩行が改善し，T字杖歩行により屋内移動は自立となり，膝痛・腰痛ともに軽減でき，X-5年に要支援2となった。

●医師などからの情報，本人の希望

医師

腰を深く曲げる動きは控えて，痛みの状況に応じて運動することが望ましい。

介護支援専門員

独居であり精神的に不安定なことがあると思われるが，安心して在宅生活を継続できるように必要に応じて支援する。転倒せず安心・安全に日常生活を送ることができることを目標とする。

利用者の希望

要支援2となったときに利用者本人にやってみたいことを聞き取ると，「足がよくなったらいいと思う」と語った。作業療法士が「足がよくなったら，どこか行ってみたいところや，やってみたいことがありますか？」と問うと，「できたら近所の魚屋さんまで，自分で歩いて行けるようになりたい」と語った。その理由と問うと「痛みが強くて動く気になれなかったし，こんなに弱ってしまった私を近所の方に見られるのが嫌だったから，外に出たくなかった。でも痛みが落ち着いて，体も前より動きやすくなったから，このまま家でじっと過ごすのはよくないと思っている。あの魚屋さんには前はよく行っていたけど，すっかり足が遠のいてしまって数年間行っていない。できたら自分で行きたいと思う」とのことであった。できていない理由と問うと，自宅前に4段階段があり，昇り降りに不安があるとのことであった。また，歩行車をレンタルしているが外歩きに自信がなく，一度も使用したことがない状況であった。目標に対しては「私にできますかね」と不安気な様子が見受けられた。それができるようになったらどうか問うと，「買い物はやっぱり自分の目で見て選びたいのよ。楽しいでしょ？ それにあのお店の魚は新鮮でおいしいからね」と，目標達成に前向きな様子が伺えた。家族の希望は「本人の望むように生活してほしい」とのことで，本人の目標達成に前向きな姿勢であった。

以上のことから，T字杖を使用して近所の魚屋まで同行者ありで買い物に行くことができることを目標とし，介入することとなった。

生活歴

20歳で結婚し2人の子どもに恵まれた。夫を助けパートで働きながら2人の子どもを育てあげた。X-1年に夫を亡くしてからは一人暮らしをしていた。その後，独居のため介護サービスを受けながら生活していた。足腰を痛める前は，洋裁，手芸，フォークダンス，社交ダンス，ウォーキングなどさまざまな趣味や生活習慣をもち活動的に過ごしており，友人との交流も多かった。しかし，受傷してからはそれらの趣味も行わなくなり，自宅で閉じこもりがちな生活となっていた。

家族関係

長男，次男とも県外に在住している。次男嫁は本人宅の近くに住んでおり，関係は良好

である。買い物に行く，受診の帰りに車で迎えに行くなど，外出するときは必ず付き添ってくれて協力的である。また，おかずを作って持参するなどの支援も行っている。

住環境

一軒家で玄関アプローチには階段が4段あり，手すりを設置している。

●作業療法評価

心身機能・身体構造

- 握力：右9kg　左8.5kg
- 30秒椅子立ちあがりテスト：3回
- 開眼片脚立ちテスト：右2.1秒，左1.1秒
- Timed up and go test：24.3秒
- 通常歩行(5m)：9.8秒
- 最大歩行(5m)：7.9秒

動作時に膝痛，腰痛がある。

両膝関節軽度屈曲制限あり。

認知機能は保たれている。

活動と参加

- ADL：自立。

移動：屋内は独歩か伝い歩きにて自立，屋外はT字杖使用にて見守り。

- IADL：改訂版Frenchay Activities Index (FAI)15点

調理：ヘルパーの支援と次男嫁がときどき持参してくれるなどの支援があり，週3回以上は自分で実施している。後片付けも実施。長時間台所で仕事をしていると腰痛が増悪するため，休みながら実施している。

洗濯：自立。

掃除：ヘルパーの支援を受けながら，できる部分は自分で実施している。かがむ動作が困難であるため，モップなどを用いて腰を深く曲げずにできるよう工夫して実施している。

買い物：次男嫁が週2回程度実施しており本人は未実施である。

外出：月1回の病院受診と2カ月に1回の美容院通いを行っている。通所介護は週2回利用している。

社会交流：通所介護で友人との交流はあるが，自宅での近所付き合いはほとんどない。

趣味活動：特に実施していない。

●国際生活機能分類(International Classification of Functioning, Disability and Health：ICF)

図1 参照

●作業療法プログラム

通所介護内では，運動器機能向上プログラムとして，腰痛・膝痛予防のためのストレッチや筋力トレーニング，マシントレーニングを実施した。また，フロアでは介護福祉士の実施する体操プログラムに参加し，基本的な体力づくりを行った。買い物ができることを目的に模擬的な練習として，玄関前の階段昇降を安全にできるようになるために手すりを把持しながらの階段昇降練習，自宅から魚屋までの往復と同等の距離での屋外歩行練習や，軽い荷物を持って歩く練習を実施した。また，自宅で行うプログラムとしては，膝痛・腰痛予防の体操を実施することとした。通所介護内での練習で自信がついたら，息子嫁と一緒に散歩に行って自宅周辺を歩く練習，実際に魚屋まで行ってみることをプログラムとして挙げた。

●経過

通所介護内でのプログラムは毎回積極的に行っており，自宅でも通所介護で配布した資料を参考に腰痛・膝痛予防の運動に取り組んでいた。通所内での練習を積み重ね，実際の場面を想定した練習を行うことで「これくらい

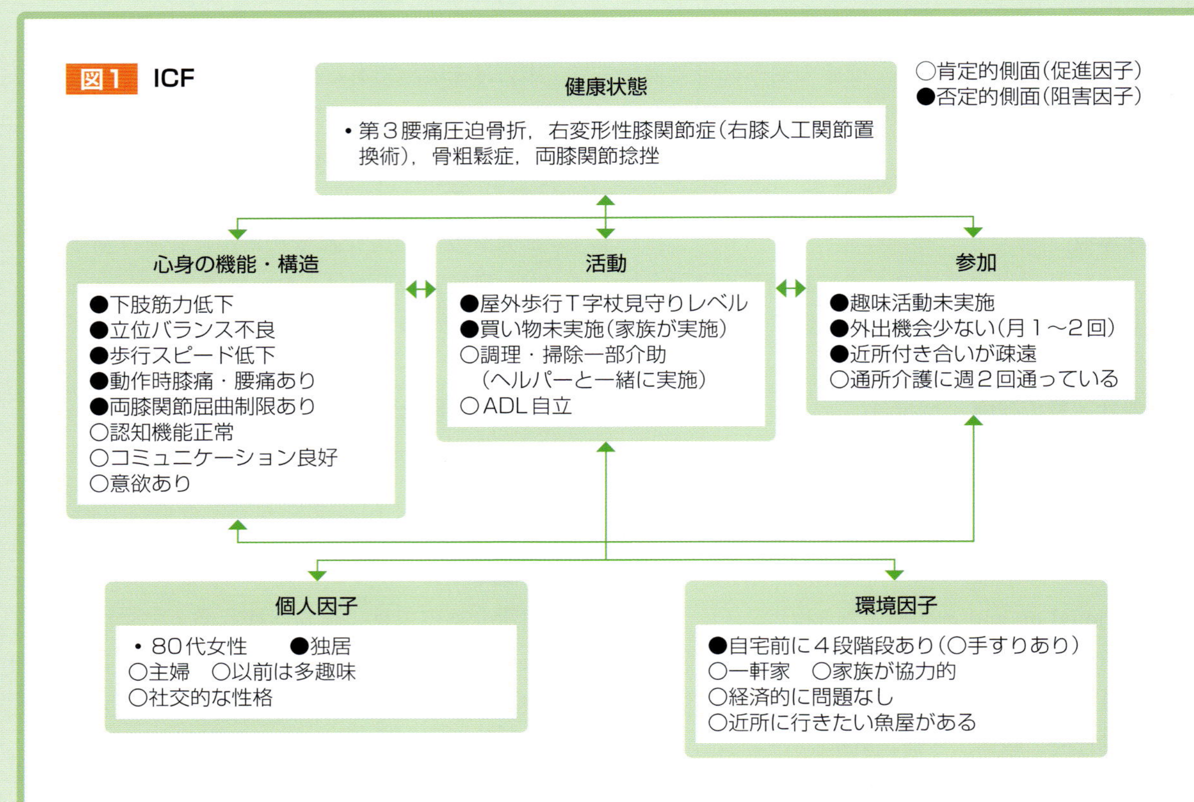

できたら魚屋まで行けそうですね」など，「できそうだ」という感触を抱けるように配慮した。階段昇降や屋外歩行は会話をしながら余裕をもって実施可能となった。そして2カ月後，次男嫁と一緒に魚屋まで行くことができ目標が達成できた。「歩いて行けましたよ。何年かぶりに行きました。行ってお店の方とお話ししたら，今月いっぱいでお店を閉めると聞いてがっかりしたけど，その前に自分で行けたからよかったです。嬉しい」と感想を語った。また，実際に行ってみることで，「思ったよりきつくなかったし，膝や腰も痛まずよかったです」と自分の身体の状態確認もできていた。

通所介護職員と情報を共有し，みんなの前で目標達成に対して表彰を行い，賞賛の機会をつくった。「この次はもう少し遠くのスーパーまで行きたい。今までは知っている人に会いたくないから家でじっとしていたけど，それじゃいけないものね」と，自ら新たな目標を語った。

1つの目標を達成できたことで「できる」ということを実感し，利用者自らが新たな目標を見つけ出し次につながっていった。

●目標達成時の評価

心身機能・身体構造

体力テスト

- 握力：右11.5kg　左10kg
- 30秒椅子立ちあがりテスト：8回
- 開眼片脚立ちテスト：右3.2秒，左2.1秒
- Timed up and go test：20.2秒
- 通常歩行（5m）：9.1秒
- 最大歩行（5m）：7.6秒

体力テストの結果より全般的に数値は向上している。

その他は変化なし。

活動と参加

- ADLは自立で変化なし。
- IADL：改訂版Frenchay Activities Index（FAI）：16点
  買い物：次男嫁が月に1回程度自家用車に乗せてスーパーへ連れて行く。店内を回るときはショッピングカートを用いて移動している。
- 余暇時間：自宅で空き時間にデイサービスで覚えた体操を実施している。
- 目標が達成されたことで気持ちが前向きになり，また身体の動きやすさを感じており，「気持ちがしゃんとなりました。息子や嫁に心配かけたくないから，もっと元気でいないと」と，自分の健康管理に積極的な姿勢も見受けられた。

●まとめ

通所介護では，個別機能訓練や運動器機能向上プログラムを通して，作業を行うための手段である身体機能を鍛えたり，身体をほぐしたりすることはもちろん大切であるが，利用者本人にとって意味ある作業を行うことにより，利用者本人が自分の支援計画に積極的にかかわることができる。われわれは好きなことは誰に言われるでもなく自発的に行い，またそれをしている時間はあっという間に過ぎてしまう。好きなことや自らやってみたいと思ったことは，生活の中で自ら意欲的に取り組むことができる。

利用者にとって意味ある作業は利用者自身が知っているので，面接は非常に大切な過程であり欠かせない。

また利用者の望む作業を可能にするためには，ちょうどよい挑戦，つまり少し頑張れば達成できるくらいの目標設定が大切であり，遠すぎる目標や簡単すぎる目標では意欲を引き出すことは難しい。利用者自身が「ちょっと頑張れば達成できそうだ」という成功の見通しが立てられるような目標設定が望ましい。

生活は過去，現在，未来と継続して紡がれていくものであり，意味ある作業の連続で成り立っている。同じ料理という作業でもＡさんにとっては単なるIADLかもしれないし，Ｂさんにとっては仕事で，またＣさんにとっては楽しみや気晴らしの作業かもしれない。同じ作業でもその意味や価値は異なり，それを理解するところから始まる。

この事例の場合は，単にIADLとしての買い物が可能になっただけではなく，近所との交流を再開できた。また，これまでできないと思っていたことができるようになったことで，「やればできる」と達成感や有能感を味わうことができた。「人に見られたくなかったけど，家でじっとしているのはよくない」と，自ら動いてみようという意欲の向上により，障害をもつ以前のような社交的な生活スタイルに近づいていった。

高齢者が自分らしく生き生きとした生活を維持するためには，意欲が重要であり，それを高めるためには高齢者自身のやりたいことを聞き出し言葉にし意識化することが大切である[1)]。やりたいことには自然と心と体が動き，1つの目標が達成されると次の目標へと繋がっていき，生活場面に波及していく。このサイクルの繰り返しで高齢者を支援し，活動と参加に焦点を当てた介入を継続していくことが大切であると考える。

引用文献

1) 日本作業療法士協会　編著：事例で学ぶ生活行為向上マネジメント第2版. p.84, 医歯薬出版, 2021.

事例6 身体障害，介護困難

■身体的な障害が重く家族の介護が困難な例
90歳代前半の女性で，数年前から徐々に動けなくなった。主介護者の腰痛増強により，自宅介護の継続が困難となり，介護老人保健施設へ入所した。かかりつけ医からは，陳旧性脳梗塞を指摘されていたが，著明な麻痺症状はみられていなかった。

●一般的情報

- 医師からの指示：心身機能の維持・向上，基本動作能力およびADLの維持・獲得を目的とし，在宅復帰を目指したリハビリテーションの実施を指示された。
- 高血圧症の既往がある。
- シロスタゾール（抗血小板薬），アムロジピン（降圧薬）が処方されている。

●家族からの情報

- 生活歴：自宅から離れた地方出身で，夫と結婚後に現在の自宅に転居し，専業主婦として子育てをしていた。数年前に夫が亡くなるまでは，夫婦で旅行を楽しんでいた。
- 入所までの経過：夫が亡くなった後，外出機会が少なくなり，不活発な生活が続くなかで，臥床している時間が増え，徐々に介助量が増えていった。主介護者である息子の妻は，自身ができることを自己流で頑張って行っていたが，腰痛を発症し，自宅での介護に限界を感じ，介護老人保健施設への入所申し込みに至った。息子はもう少し自宅で介護を継続したいと思っていたが，妻の様子を見て無理だと考えていた。
- 家族状況：息子夫婦と同居している。主介護者は息子の妻であるが，息子も介護を手伝っていた。
- 住環境：築数十年の一軒家に居住していた。自室は1階にあるが，特に環境整備や住宅改修は行っておらず，介護用ベッド・介助型車椅子をレンタルし，ポータブルトイレを購入していた。
- 介護保険：要介護5

●入所時作業療法評価

心身機能・身体構造

- 運動耐容能低下あり，ベッド臥床時間が長い。
- 関節可動域（ROM）：肩関節屈曲および外転・肘関節伸展・股関節屈曲・膝関節伸展に可動域制限あり。
- 徒手筋力テスト（MMT）：上下肢体幹3
- 認知機能：改訂長谷川式簡易知能評価スケール（HDS-R）16点/30点（見当識－3点，数字逆唱－2点，遅延再生－6点，視覚性作業記憶－3点），長期記憶や手続き記憶は保持されている。
- 意欲：Vitality index 6/10，全般的な活動意欲の低下，うつ傾向あり。
- 障害高齢者の日常生活自立度（寝たきり度）：C1

活動と参加

- 静止姿勢：ベッド上端座位は手すり使用により数分間保持可能。立位保持は介助を要する。
- 基本動作：寝返り動作は口頭指示で可能。起き上がり動作，立ち上がり動作は全般的に介助を要し，移乗動作は全介助を要する。
- ADL
  食事：食べ始めから数分間はスプーンを使用して自分で食べていた。その後は介助により完食。誤嚥リスクあり，嚥下調整・とろみ調整食を食べている。
  整容：身だしなみへの関心は低く，一部介

助要する。
更衣：全介助。
排泄：尿便意訴えなし，全介助(24時間オムツ着用)。
移動：全介助(介助型車椅子使用)。
入浴：全介助(機械浴使用)。
レクリエーション・余暇活動：座位耐久性低く，参加意欲も低いため，参加せず。
他者交流：挨拶や会話への反応はよく，社会性は保たれていた。

- 本人の意欲：このままではいけないとは思う。自宅に戻りたいが，息子の妻に迷惑をかけたくはないと話す。まずは，起きていられる時間を延ばしていくことから始め，徐々にできることを増やしていくことで同意を得る。

●評価のまとめ

生活不活発による著明な心身機能の低下により，基本動作およびADLに重度介助を要している。離床を促しながら，心身機能，動作能力の向上を図り，生活の活性化と介助量の軽減を図る必要がある。

●国際生活機能分類(International Classification of Functioning, Disability and Health：ICF)

図1 参照

●作業療法目標

- 長期目標：基本動作・ADL動作の自立度向上および介助量軽減
- 短期目標：
  ①座位耐久性の向上(運動耐容能の向上)
  ②心身機能の向上

図1 ICF

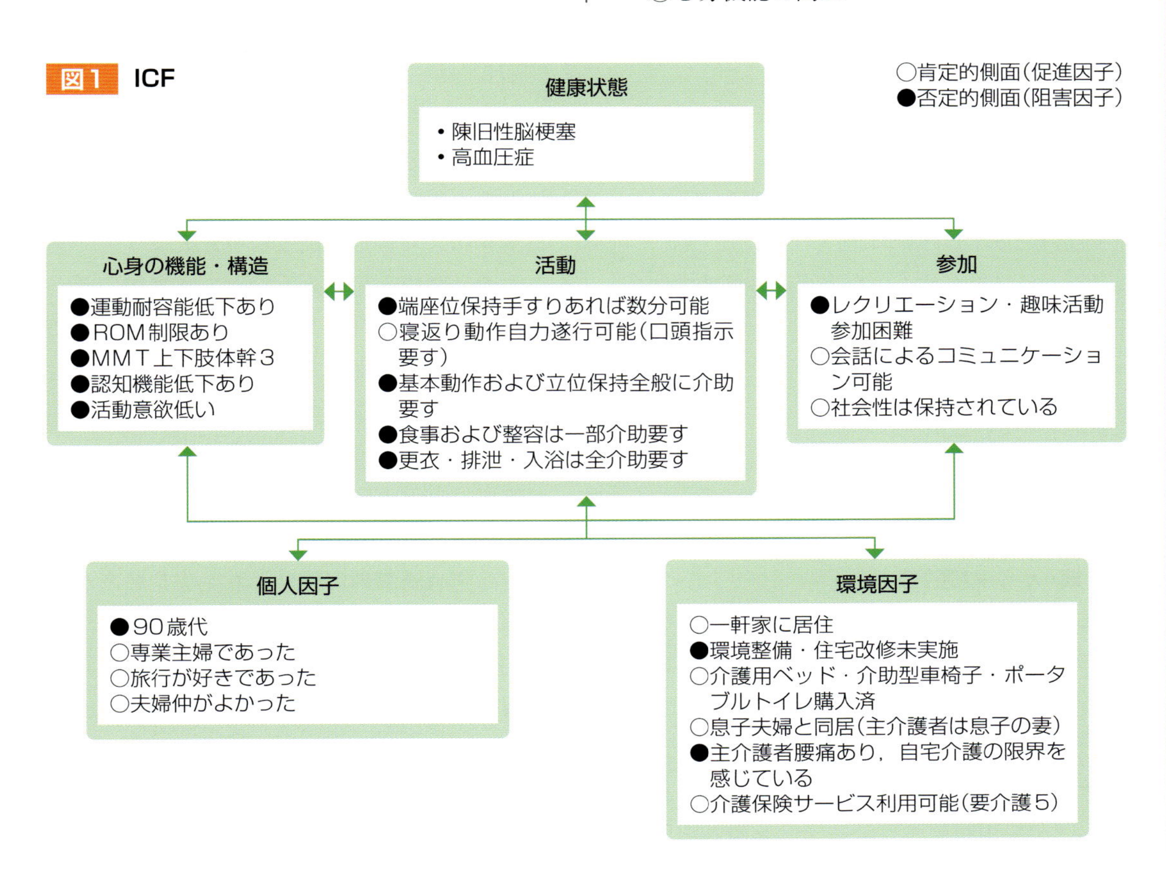

③座位活動性の向上
追加：④立位活動性の向上
追加：⑤基本動作・ADL動作能力の向上
追加：⑥在宅復帰に向けた指導・調整

●作業療法プログラム

- 離床時間の延長：短期目標①に対して
- 機能訓練（ROM，ストレッチ，筋力増強訓練）：短期目標②に対して
- 座位活動（机上作業・レクリエーションなど）：短期目標③に対して
（以下のプログラムは運動耐容能の向上が確認できてから実施する）
- 端座位活動（端座位での上肢リーチ活動）・端座位作業：短期目標③に対して
- 立位活動（立位での上肢リーチ活動）・立位作業：短期目標④に対して
- 基本動作訓練（起居動作・起立動作・移乗動作・車椅子駆動）：短期目標⑤に対して
- 排泄動作訓練・更衣動作訓練：短期目標⑤に対して
- （他職種に対する）生活リハビリテーションの指導：短期目標⑤に対して
（以下のプログラムは在宅復帰の可能性が高まってから実施する）
- 家族に対する介助方法の指導（家族の不安軽減）：短期目標⑥に対して
- 生活環境整備の提案：短期目標⑥に対して

●経過

第1期（入所～2週目）

入所直後は，心身の機能を整えるための機能訓練を中心として介入しながら，徐々に離床時間を延長し，座位での机上作業やフロアでのレクリエーション活動への参加を促した。入所当初は，易疲労性が強く，訓練・活動への興味や集中時間も持続せず，食事と機能訓練を除いた時間は臥床していることが多かったが，経過に伴い，徐々に離床時間が延長し，他者との交流機会も増えていった。

第2期（3～6週目）

座位時間が延長してきたところで，機能訓練を自主トレーニングとして行えるよう指導しながら，端座位活動や手すりを使用しての立ち上がり動作・移乗動作・立位保持の訓練を開始した。自主トレーニングは臥位時や車椅子乗車時に安全に行える内容とし，またケアスタッフにも内容を伝達し，声かけ・促しの協力を依頼した。フロア内移動は足漕ぎによる車椅子駆動を促した。運動耐容能は向上しつつあったが，疲労の蓄積による臥床時間の延長やADL動作介助量の増加をまねかないよう，運動負荷は体調に合わせて調整し，疲労度や心身の状態変動に留意して訓練を実施し，徐々に活動量を増やしていった。入所後5週目には，ROMの改善と筋力向上が認められ，立ち上がり動作・移乗動作の介助量が軽減し，短時間であれば手すりを使用しての立位保持も行えるようになった。車椅子移動も足漕ぎにより自走可能となった。フロアで過ごす際は馴染みの友人もでき，自発的に話かける場面もみられ，レクリエーション活動に興味をもって参加するようになった。他者との交流が増えたことで，身だしなみにも関心をもつようになってきている。食事は全量自力摂取できるようになり，座位姿勢の改善により誤嚥リスクも軽減した。排泄は尿便意の確認と定時誘導の実施により，失禁頻度が減少した。

第3期（7～10週目）

端座位や立位の耐久性が向上してきたため，立位での上肢リーチ活動や手すりを使用しての排泄動作訓練（便座への移乗動作，下衣操作），端座位での更衣動作訓練を開始した。基

本動作(起き上がり動作・立ち上がり動作・移乗動作)については，訓練を継続しながら，ケアスタッフと連携協力し，生活場面を含めて練習の機会を設け，排泄時や更衣時も安全に配慮しながら，苦痛や疲労をまねかない範囲で自力での動作遂行を促し，生活リハビリテーションの実践を試みた。また，座位の安定に伴い，車椅子を自操型に変更し，ハンドリム駆動による自走を促した。日中の臥床時間は1時間程度となり，臥床せずにフロアで友人と談笑して過ごすこともあった。

できることが増えていくなか，本人より「だんだん自信がついてきた。もっとよくなってお嫁さんの迷惑にならなくなったら自宅に帰りたい。夫の墓参りにも行きたい」との希望を口にするようになった。

第4期(10～12週目)

基本動作やADL動作に要す介助量は徐々に軽減されてきた。

予定の入所期間が終わりに近づき，本人からも在宅復帰の希望を聞くことができたため，本人・家族を交えたリハビリテーション会議を開催し，リハビリテーションの進捗状況や本人の意向を家族に伝え，在宅復帰が現実的に可能であるか検討を行った。主介護者(息子の妻)の腰痛や介護疲労は回復しており，息子の介護協力や介護保険サービス利用により主介護者の介護負担は軽減する見込みが立っており，本人・家族の合意により在宅復帰に向けて準備を進めていくこととなった。家族より，退所後も訓練を継続したい，入浴の機会を設けたい旨の希望があり，通所リハビリテーションの利用についても検討された。また，家族より，本人の「夫の墓参りに行きたい」との希望にはできるだけ応えたいとの申し出もあり，墓地までの経路と移動方法(息子の所有する一般車両で墓地駐車場まで向かい，駐車場からお墓までの路面は介助により車椅子で移動する)を確認し，車椅子・車両座席間の移乗(往復)・座席上での座位姿勢修正を想定した訓練を立案し，一部実施した。

第5期(退所前訪問指導～退所)

退所を前に，本人，家族，作業療法士，担当介護支援専門員，施設相談員，福祉用具業者が同行して自宅を訪問し，自宅生活環境の整備(必要箇所への手すり取り付け，スロープなど福祉用具の導入)や具体的な介助方法について検討・助言を行った。また，「夫の墓参り」に向け，退所後に利用する通所リハビリテーション訓練担当者にも立案した訓練内容を申し送り，訓練の引き継ぎを行った。

●まとめ

身体的な障害が重く，重度介助を要する対象者に対するリハビリテーションは，本人の状態に合わせて，訓練内容や運動負荷を段階的に調整しながら，「できる作業」「できる生活行為」を一つでも，一過程でも増やし，自信の獲得を積み重ねられるよう支援していくことが重要である。そして，このアプローチは，リハビリテーション専門職のみが担うのではなく，他職種(多職種)の連携を踏まえて，すべての支援者が実際の生活場面で実施するものであり，これにより，その効果は大幅に増幅されることと考える。

さらに，自信の獲得により自己価値を高め，本来の「その人らしさ」を取り戻し，抑圧されていた「自らの大切な作業・生活行為」の遂行達成に挑戦できるよう支援していくことが作業療法士に求められる最大の役割・責務であると考える。

また，障害の重度化を予防するためには，自主トレーニングの指導など，自助努力を継続する姿勢を育むことも重要である。

家族の介護が困難である場合は，その背景を探り，介護を困難にしている要因の具体的な解決方法を考え，不安や悩みに寄り添い，支援する姿勢が重要である。

【参考文献】

1）長﨑重信　監：作業療法学ゴールド・マスター・テキスト9　地域作業療法学・老年期作業療法学，メジカルビュー社，2011.
2）長﨑重信　監：作業療法学ゴールド・マスター・テキスト　地域作業療法学，メジカルビュー社，2016.

事例7 脳梗塞

■退院前後からかかわり，訪問作業療法開始から7カ月で地域のグラウンドゴルフへ復帰した症例
左片麻痺を有した70歳代後半の男性。感情失禁があり喜怒哀楽に富んでいるが，笑顔の印象が強く周囲から好かれやすい性格である。妻と二人暮らしである。ストーマ，糖尿病によるインスリン注射などの医療的な処置が必要ではあるが，妻の介助により自律した生活を送っている。

●作業療法評価

医療的情報

左片麻痺，糖尿病によるインスリン管理，ストーマ，注意障害，感情失禁，麻痺手は補助手レベル，室内歩行は自立（短下肢装具着用）

医療機関と連携職種のポイントと考察

入院機関が残り2カ月前となった時期に医療機関へ働きかけ，退院時家屋評価に訪問作業療法士として同行することとなる。そこで医療的評価情報＋精神心理面＋個人因子が把握できる情報を取得した。内容を以下に示す。

- 身体機能の経過：作業療法士
- 高次脳機能障害の状況：作業療法士，言語聴覚士
- 現在のリハビリテーション（理学療法士，言語聴覚士も含む）の内容
- 病棟での過ごし方，問題点など：担当療法士，看護師
- 口癖，頻回に言葉にしている内容：担当療法士，看護師
- 意欲が高まる，もしくは低下するポイント：担当療法士，看護師
- 障害受容の状況：医師経由で作業療法士から確認
- 考察：感情失禁があり喜怒哀楽の変化に富んでいる。また職員との距離感が近くなり困ることもある。リハビリテーションには意欲的である。一度言い出したら周囲の話に耳を傾けない。

精神心理面

歩けない：医療機関内より自宅のほうが歩けなくなったという訴えあり。「独身？ いい人を紹介するよ」と入院中から声をかけていた。外出を非常に好まれ，特にグラウンドゴルフが気になっている。口癖は「大丈夫」である。

生活状況・環境面

寝室は2階にこだわっており，階段への手すり施工に加え訪問作業療法により自立している。ADL全般に時間はかかるが妻の介助により自立している。また自営業でもあり店舗と自宅の間に上り框（かまち）が30cm程度あるが縦手すりにより自立。

家屋評価のポイントと考察

家屋評価のポイントは「寝室」と「日中の拠点場所」であった。その2箇所を中心とした浴槽，トイレの動線をつなぎ，上がり框のある場所には縦手すり，2階の寝室までは階段に手すりを設置。トイレ，風呂には一般的なL字型手すりを設置した。

寝室は2階にこだわり，1階の畳の部屋も絶対的な安全性の確保の視点から提案するが本人に却下され，退院時までに改修工事が終了となる。

- 考察：感情失禁，注意障害，病前性格から一度言い出したら指示が入らない状況である。退院まで1カ月強の期間があるため，入院中のリハビリテーションにおいて階段昇降に重点を置いたプログラムを実施する。そのことにより安全性が高まり，自尊心の維持にもつながる。

個人因子

生まれも育ちも現在の住所である。自営業

事例集

を営んでおり町内会長もしていた。非常に社交的で地域への親しみを会話から感じることが多い。病前はグラウンドゴルフを生きがいにしていた。

ニーズ把握と目標設定のポイントと考察

活動，参加に焦点を当てたニーズの把握のため，本人と向き合うときのキーワードを選定してみる。障害，疾患のみでなく，個人因子，環境因子，性格も加味したうえでの選定となる。

- 家族の助言をあまり聞いていない
- 外出を非常に好み，意欲的である
- 歩行時に杖なし歩行，店先，屋外への歩行など一般的な危険な行動がみられるが転倒はない
- グラウンドゴルフへの発言が多く聞かれるが，プレイヤーとしてでなく管理，運営の内容が多い
- 感情失禁により感情の変化に富んでいるが，笑顔が素敵であり憎めない性格である
- 考察：

①町内会長でもあり本人の生まれ育った地域への愛着は，私たちには計り知れない。そのなかでグラウンドゴルフの提供による高齢者の集う場所の提供，コミュニティー形成に強い思いをもっている。

②一般的な「グランウドゴルフ＝プレイヤー＝屋外歩行」の視点では，ニーズの把握不足となる。グラウンドゴルフがもつ意義の作業分析が必要な視点となる。また性格，感情失禁から一度言い出したら止まらない，前向きな性格へ変容しており，目標を乗り切る力（長所）として活用できる能力である。

● **国際生活機能分類（International Classification of Functioning, Disability, and Health：ICF）**

図1 参照

目標

短期目標：安全な生活の確保

①室内移動（歩行能力，心身機能）

②階段昇降（活動）

③セルフケア（歯磨き，風呂，着替えなど）

長期目標：地域社会の役割を再獲得

①企画・運営・プレイヤーとして介入（活動と参加）

②対人交流の再獲得（参加）

作業療法プログラム

第１期（短期目標）：身体機能向上と自宅内の生活の安定

訪問作業療法士においても，身体機能面へのアプローチの理解は必要となる。そのため，基礎体力の維持・向上の直接的なプログラムは，訪問開始の早期には必要となる。特に下肢の筋力強化に関しては，年齢から考えても老化，廃用，移動能力のどの視点から評価しても非常に重要と考える（図2）

また，家屋評価時から焦点となっており本人の尊厳を優先した，2階における寝室までの階段昇降に関しても，「医療機関＝訪問作業療法」の連携により動作訓練の繰り返しによるリハビリテーションを継続して行い，訪問作業療法士が安全性を確認できるまで実施した（図3）。ここでのポイントは「転倒」がリスクなのではなく，自宅生活において「転倒による怪我，自信の喪失」が，自宅での生活維持ができなくなるリスクであることを念頭に置いておきたい。

①直接的な身体機能面へのアプローチ，また動作から身体機能面へのアプローチの双方の視点が訪問作業療法士に求められる。特に移動時に必要となる下肢の機能，動作分析，杖・装具などの自助具の理解も必要である。

②転倒による二次的な状況（骨折による入院→

図1 ICF

○肯定的側面（促進因子）
●否定的側面（阻害因子）

健康状態
- 脳梗塞後遺症・高次脳機能障害
- 左肩麻痺，ストーマ
- 糖尿病，インスリン注射

心身の機能・構造
○感情失禁　○注意障害
○麻痺手は補助手レベル
○室内歩行は自立（短下肢装具着用）
→「病院内より自宅の方が歩けなくなった」と発言あり
○単身者への声掛け

活動
日常生活動作（ADL）
○寝室への階段昇降は見守り
○全般に時間はかかるが妻の介助により自立
基本動作
○自立，床からの立ち上がりも可能
歩行
○屋内歩行：壁つたい，手すり，T字杖で自立
○屋外歩行：可能ではあるが，実用的ではない

参加
○外出を非常に好まれる
○シニアカーで近所を移動（歩道無し道路）
○病前はグラウンドゴルフの管理運営も生きがい
○元町内会長

個人因子
○70歳代後半男性　○笑顔の印象が強い
○生まれも育ちも現在の住所
○自営業　○非常に社交的
○地域への親しみを会話から感じる
○口癖は「大丈夫」
○グラウンドゴルフへの執着が強い

環境因子
○妻と二人暮らし
○寝室を二階（こだわりあり）
○階段への手すり施工
○自営業でもあり店舗と自宅の間に上り框が30cm程度あるが縦手すりにより自立

図2 基礎体力訓練

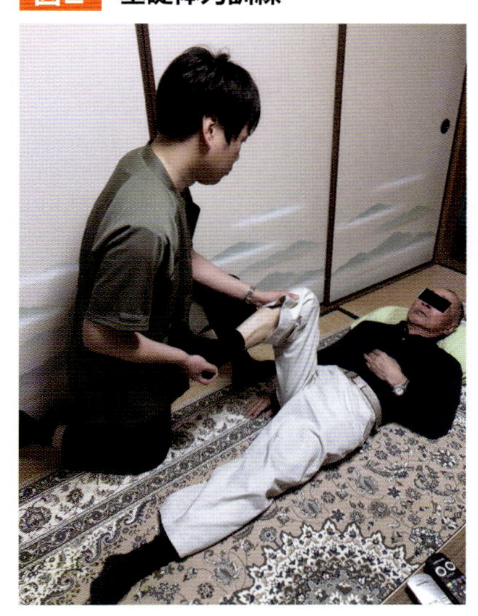

図3 階段昇降訓練

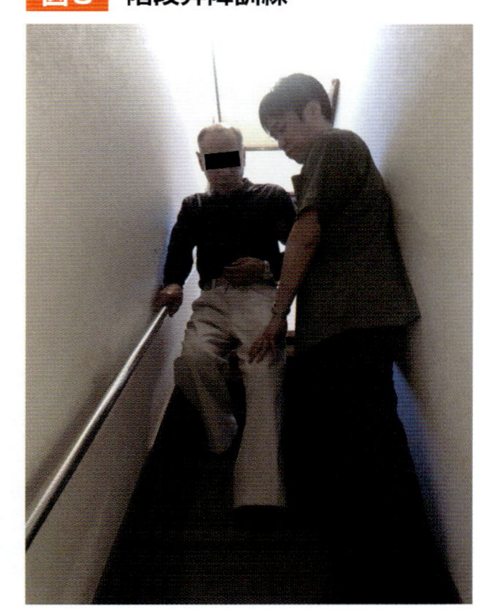

認知機能の低下，自信の喪失による家族介護の負担増加）を生み出すのがリスクである。

第２期（長期目標）：地域社会の役割を再獲得

- 基礎訓練：グラウンドゴルフを通じて役割の再獲得に向けて「プレイヤーとして活動するために歩行・移動能力向上」，そして「麻痺側が補助手のためクラグ握り，素振り」に焦点を当てた訪問作業療法を提供した。
- 立位バランス訓練
- 間接的な支援として自宅内にて掃除機の棒と座布団を活用した外乱誘発の素振り訓練（図4）
- グラウンドゴルフのプレイを意識した屋外歩行訓練（図5）
- 参加に向けた訓練：活動，参加に焦点を当てたため，グラウンドゴルフに介入するためのグラウンドでの屋外歩行自立は必須ではなかった。そのため，杖による屋外歩行，車椅子を押しての屋外歩行ともに実用的ではないため，代償動作の提案としてシニアカーによるグウランド内移動に変更した。
- 屋外におけるシニアカーによる移動動作訓練
- グラウンド内におけるボールへの打撃訓練（図6）

●終了時の活動，参加状況

訪問作業療法を開始してから7カ月，医療機関と連携を開始してから9カ月後にシニアカーによる移動手段を確保し，グラウンドゴルフにプレイヤーとして，また管理・運営者として復帰が可能となり以下の活動と参加が実現された。

- シニアカーによるグラウンド内を移動しプレイヤーとして活躍
- 復帰大会において27位/35名参加者（筆者も初参加し32位）
- 管理運営者
- 町内会長として開始前後の挨拶を実施
- グラウンドゴルフの大会の案内を地域に配布
- 商品の買い出しも実施

図4　間接的な素振り訓練

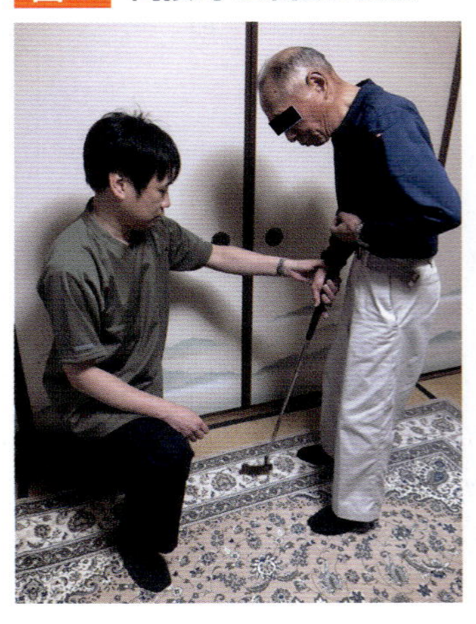

図5　屋外歩行訓練

図6　打撃訓練

事例8 高次脳機能障害

■障害の特性や配慮をオープンにし，一従業員としてスタッフと一緒に働くことで，職場での相互的なかかわりがもて，職業的自立に近づいた事例

30歳代後半，男性，家族構成は両親，妹（両親と同居中），高校１年次に意識消失，そのまま救急搬送され緊急手術となる。同年４月に意識が回復し，治療とリハビリテーション後，８月に自宅退院となる。両親に送迎してもらいながら高校生活に復帰し，２年後高校卒業。１年浪人し，AO入試で大学に合格。大学進学中に自動車免許取得。大学卒業後は，知人が経営していたスポーツ用品店に就職。PCでの発注やピッキングを行っていた。

業務のなかで，４階建ての倉庫から商品を探して在庫確認をする際，場所を間違えることが多く，ミスが目立った。身内に高次脳機能障害の人がいる職場の上司から，本人の行動や症状が高次脳機能障害に似ていると指摘され，病院を受診した。主治医から高次脳機能障害と診断され，障害者手帳を取得する。スポーツ用品店は退職し，A病院に半年間通い，リハビリテーション科にて職業リハビリテーションを受け，自宅近くの就労移行支援施設の利用を開始した。その後，一般企業の障害者枠で入社。仕事内容は，清掃や倉庫への搬入だった。その会社では最終的にフルタイムで４年半働いていたが，一緒に働く人たちの高次脳機能障害への理解の低さなどがきっかけとなり，辞めることとなった。

X年に違う会社に障害者雇用枠で入社したが，そこでも高次脳機能障害への理解の低さ，人間関係のトラブルで退職した。

X＋２年には計画相談支援員から「コミュニケーション能力が生かされる仕事」として，サービス付き高齢者住宅の食事・保育園の給食・地域のレストラン・子ども食堂などを提供している飲食店を営む就労継続支援事業所B型事業所（現所属先）を紹介され，現在に至るまで就労している。

●医療情報，目標

- 診断名：脳腫瘍による脳出血（松果体），高次脳機能障害
- 社会保障制度：精神障害者手帳2級，障害者年金受給中
- 服薬情報：メチコバール® 1錠，抑漢散1包
- 本人のニーズ：「仕事を覚えていきたい。体調の管理をしていく（体調を整えて休まずに通所する）」
- 長期目標：「1人で接客ができるようになる」
- 短期目標：「仕事に慣れる，迷わずに通所する」

●地域資源・連携・利用している機関・サービス

- A病院2カ月に1回受診　神経内科
- 相談支援事業所
- 現在，就労継続支援B型事業所を利用中

●面談による聞き取り

本人の思い

仕事で大切にしたいことは，明るさ・誠実さ。

高次脳機能障害についてはできたら理解してほしい。

自分の長所・短所

- 長所：コミュニケーション能力。
- 短所：話しすぎてしまう。勘違いして物事を認識してしまう。

困りごと

疲れてくると，視野狭窄や視界に色のついたモザイク（赤・黄・緑）が出現することがある。さらに疲れると，頭が前後左右に揺れる感じがして仕事ができる状態ではなくなる。

好きなこと

音楽を聴くこと，サッカーをすること，洋服を買うこと

苦手なこと

物の場所や形態を認識して，すぐに判断す

る作業が苦手（物をしまう，取り出すなど，それらを指示されてもすぐに行動できないことがある）

将来の希望

- コミュニケーションを活かせる仕事をしたい。
- 一人暮らしをしたい。
- 結婚もしたい。

●作業場面からの観察

- 利用開始直後は，事業所内の厨房やフロア，更衣室などの場所が覚えられず，従業員や支援員に聞く。
- 食器の種類や，カトラリーなどの置き場所を覚えるのに時間がかかる。「あれ取って」「これを棚のところにしまって」と不意に言われた際，対象物を認識するのに時間がかかり，判断・行動を間違えてしまう（図1）。
- 視野の問題から，後方や側方から突然話しかけられると驚いてしまい，混乱してしまう。
- 思い込みが強く，自分の意見や判断を間違えてしまうことがある。
- 人の名前が覚えられない。

図1　間違い防止の工夫

入っている食器の場所がわかるように写真を貼る

- 同じ事業所で働いている障害者同士でトラブルになった際は，自分の主張が強くなる傾向がある。
- 作業中に次の行動の指示をされたときには，自分でボイスレコーダーに録音し，指示を忘れないよう，代償的な行動ができている。
- 緊張状態のときや疲れているとき，忙しいときは，視野狭窄が出現したり，視界にモザイクが出現するなどの症状がでていた。さらに疲れると，めまいの訴えがあり，仕事を休むことがあった。

●国際生活機能分類（International Classification of Functioning, Disability, and Health：ICF）

図2参照。

●支援の基本計画

当事業所は飲食店であり，調理や接客などで仕事中は絶えず動いており，ずっと同じ支援スタッフが指導し続けることは容易ではなかった。そのため，支援スタッフ以外の従業員にも障害者本人の支援に入ってもらえるような体制の構築を行った。具体的には，業務の内容ややり方については作業療法士や支援スタッフが指導するが，一緒に働く従業員の人たちにも障害特性や必要な配慮を伝え，実際に一緒に作業をしてもらい，援助が必要なときには対応してもらった。本人の障害を伝えるときには，専門用語は使わず，本人の強みを伝えつつ，具体的な対策や必要な配慮を紙面にまとめ，共有した。支援のうえで気を付けることを以下に示す。

- 毎日同じルーティンの仕事内容にする（表1）。
- 作業する場所は人の行き来が少ない落ち着いた場所にする。
- 1つの作業をしている途中にイレギュラー

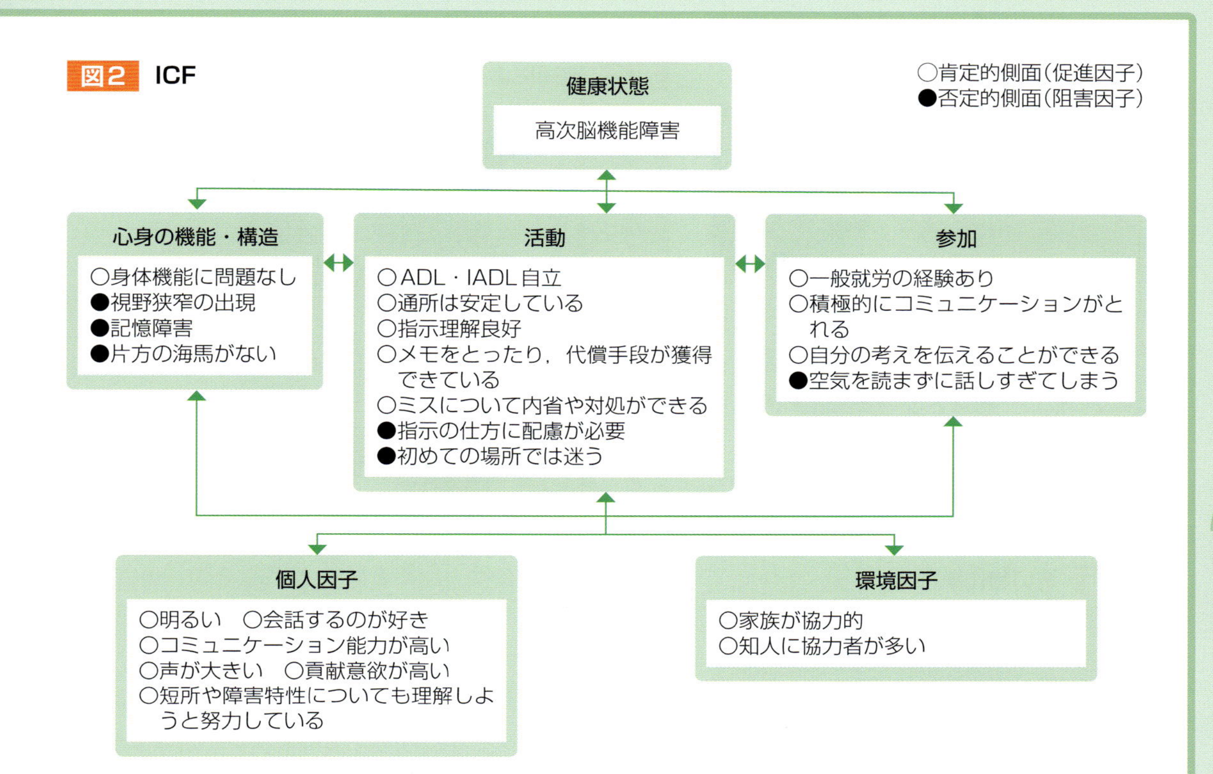

表1 1日の流れ

12：30	食札の準備
13：15	接客(配膳・下膳)
13：45	洗い物・片付け
14：30	休憩
15：30	夜のカトラリー，茶，水準備
17：00	配膳・下膳の準備
17：30	接客(配膳・下膳)

(時間があまったら，自分から掃除などを申し出て行う)

な作業依頼や指示はしない(お店が混むイベントの日や人が少ない状況のときは，事前に状況を説明し，イレギュラーな対応があることをあらかじめ伝えておく)。

- 作業をしている際，物の配置などが突然変わってしまうと混乱しやすいので，必ず声かけをしてから物を動かす。

●経過

食札の準備

表に書いてある日付と氏名を照らし合わせて食札を出す作業では，代償手段として，定規でわかりやすいようにしていた。当初は15分程度で脳疲労が出現していたが，繰り返し行うことで，1時間かかっていた作業が15分程度で終わるようになった(図3，4)。

洗い物

同じ工程の作業を繰り返して行うことで，作業スピードをアップすることができた。また，声かけを徹底することをほかの障害者や従業員にも周知した(図5)。

その他

貢献意識が高いため，人手が足りないところや新しく始める企画には参加してもらい，意見を出してもらったりした。例えば，PCでのポスター作成や子ども食堂への参加，菓子部といった自発的に学べるサークルの場面にも積極的に参加してもらい，本人のコミュニケーションの強みや貢献意欲を活かしてできることを増やすようにした。

図3　食札の準備

図4　定規による食札の準備

図5　洗い物作業

●考察

本人はコミュニケーション能力が高く，支援員だけではなく，従業員とも一緒に働いたり，作業をしたりすることに対してもやりがいを感じていた。高次脳機能障害という，見た目ではわからない障害について，支援スタッフ以外の従業員にも理解を促したことが本人の安心や意欲につながったと考える。「障害についてほかのスタッフの方々にも伝えられる機会をつくってもらって，それに対して理解してもらえる環境であったことがとてもよかった。見た目だけじゃないところの支援を重視してもらったことがよかった」と話す。

現在は，作業を間違えずにでき，サポートをしてもらいながらも自分の成長を感じることができているという。苦手だと思っていた作業や工程を繰り返し行うことでミスが減り，また，それに対して支援スタッフだけでなく，従業員からも認められる機会があることは，とても重要であると考える。

また，支援スタッフ以外の従業員に障害理解を促し，支援をしてもらうという体制は，支援スタッフの立場としてもとても効率的だと考える。なぜならば，支援に入るスタッフがその事業所の業務に精通しているとは限らないからである。筆者も飲食店での業務経験が少なく，不慣れなことも多かったが，支援に入る際は，飲食店の一スタッフとして動く必要があった。しかし，支援スタッフ以外の従業員であるシェフや調理師から直接指導や支援をしてもらえる環境は，相互的に障害を理解することにもつながり，早期に職業的自立が図れると同時に，障害者本人も自己肯定感が高まる要因だと考える。

【参考文献】

1. 芳賀大輔，ほか編：ゼロから始める就労支援ブック．メジカルビュー社．2022.

事例9 うつ病

■休職から3カ月経過し，復職に目が向き始めたうつ病患者の事例（リワーク）

症例は妻（40歳代），子ども（10歳）と3人暮らしの40歳代男性である。大卒で就職した会社に20年ほど勤めている。3年ほど前，部署移動があったころから，次第に仕事が多くなってきた。月の残業時間が80時間を超え，不眠，不安，焦燥感，うつ的思考などの精神症状のほかに，頭痛，腹痛，胃痛などの身体症状も現れ，過労が続くなか働いていた。ある日朝起きたときから，身体がまったく動かないほどの倦怠感があり，なぜだかわからないが涙が止まらなくなるなどの症状が起き，その日は会社を休んだ。その様子を見て，家族から精神科受診を勧められ，うつ病と診断を受け，診断書をもらい休職した。休職して1カ月ほどは，日常のことは何もできず，家でずっと寝ているような生活を送っていたが，2カ月くらいして，家事の一部を行ったり，軽い散歩を行うなど，日常生活のことが少しずつできるようになってきた。休職から3カ月経ったところで，症状も安定して復職への意欲も出てきたので，その意思を主治医に伝えたところ，復職可能との診断書をもらった。診断書を会社へ提出したところ，会社から復職するためにはリワークが必要との指示があり，リワーク利用となった。

●医師からの処方箋

「日常生活の状況からは復職可能と判断しているので，企業と連携をとり，どのレベルまでの回復をリワークで目指すのか，企業とよく相談してください」

リワークで認知行動療法などを通して，病気の振り返りをする。

●作業療法評価

第一印象は，親しみやすそうな明るい印象である。ハキハキとした受け答えで，若干早口で多弁な印象もあるが，スタッフの話は，じっくり聞くことができる。

「お金のことが心配なので早く働きたいと思っているが，会社からリワークが必要と言われ，リワークとは何なのかよくわからないから教えてほしい」「今すぐにでも働きたいとは思うし，働けると思うが，再発はしたくないので焦りすぎず，やっていきたい」などの思いが語られた。

スタッフから，休職に至った原因について尋ねると「仕事が忙しかったのと，通勤時間が長かった。まあ休んで元気になったし，今ならもう大丈夫だと思う」と話す。休職原因については長時間労働や職場の人間関係の悪さなど，職場の環境要因を話すことが多く，自身の考え方の癖やコミュニケーションの仕方については触れることがなく，休職原因についてあまり内省が進んでいない様子がみられた。

●国際生活機能分類（International Classification of Functioning, Disability and Health：ICF）

健康状態

- うつ病：BDI（Beck depression inventory）20点

心身機能

- 頭痛，腹痛，胃痛などの身体症状は現在消失
- 不眠，不安，焦燥感などの精神症状は軽減している。
- 精神機能としては軽〜中程度のうつ状態
- SASS（Social adaptation self-evaluation scale）30点
- AIS（Athens insomnia scale）3点：睡眠状態としては，若干の寝つきの悪さを感じているものの眠れている。

活動

- 日常生活活動はすべて自立
- 生活リズムは整っている。
- 朝，目覚めは悪いが，定時に起きることはできる。朝の気分が上がらず，リワークに行くのが若干おっくうに感じる。

- リワークが終わり帰宅後，睡眠までの時間をもてあまし，ついついスマートフォンなどでネットサーフィンをしてしまう。

参加

- 休職中
- 仕事以外，特に社会参加活動なし
- 休日に家族で買い物に行く程度

個人因子

- 趣味：学生時代は野球や登山などがあり，社会人になってからは飲み会などの楽しみがあったが，コロナ禍になってから，飲み会も自粛し，特に楽しみがない。

環境因子

- 妻と子の3人暮らし
- 妻と共働き
- 経済的には傷病手当金により生活している。

●作業療法プログラム

「最初から週5日間1日通しで参加したい。なるべく早く復職したい」という意向にそって，リワークのプログラム（**表1**）のとおりにプログラム参加を行った。

グループワークとは，コンセンサス実習や課題解決実習などを通し，他者とのコミュニケーションのなかで自分のコミュニケーションの癖に気づくプログラムである。

認知行動療法は，行動活性化法，認知再構成法，問題解決技能訓練，アサーション，脱フュージョン，セルフモニタリングからなり，テーマごとに集団で学んでいく。認知と行動をより柔軟にすることで，以前より楽な考え方と行動の仕方を身につけストレスに対処するやり方を学んでいくものである。

オフィスワークの時間は，最初は，疾患の理解，リワークの流れ，睡眠についての書籍を読み感想文を書くという活動を行った。

1カ月ほど経ったところで，通所も安定しており，リワーク活動中の気分も安定して過ごしていたので，「休職原因の振り返りレポート」「うつ病の最初のサインと対処法についてのレポート」「得意な働き方と苦手な働き方についてのレポート」「自分の相談窓口についてのレポート」などのレポート課題に取り組んだ。それぞれについてスタッフと面談し，最終的にまとめのレポートとして「リワーク活動報告書」を記載し，それを主治医と会社に提出することを目的として取り組んでいった。

●経過

リワークを開始してから，特に遅刻，欠席などなく，通所することができた。

開始して間もなく，1週間の振り返りのなかで，他利用者とのコミュニケーションを通じて，リワーク終了後の過ごし方，休日の過ごし方についての悩みが語られた。家では手もち無沙汰で，ついついスマートフォンをいじってしまうことや，将来についての不安を感じていることなどを打ち明けた。

他利用者やスタッフとの会話，認知行動療法のプログラムのなかで，もともと身体を動かすことが好きだったことを思い出した。そ

表1　リワークのプログラム

	月	火	水	木	金
午前	グループワーク	認知行動療法	SST	認知行動療法	一週間の振り返り
午後	運動プログラム	オフィスワーク	オフィスワーク	オフィスワーク	創作

して，帰宅後の時間に，散歩や子どもと意識的に遊ぶ時間を取り入れてみることを考えるようになり，行動を変えていくようになった。

振り返りでは，「仕事のことばかりで頭がいっぱいになり，運動をしたり，家族と過ごす余裕がまったくなかった。復職後はこのような時間を意識的に取り入れていきたい」という発言が聞かれるようになった。

リワークを開始して1カ月くらい経ったころから，「休職原因の振り返りレポート」を記載することになった。書き始めたころは「何が自分のストレスになっていたかなんてわからない」「とにかく仕事が忙しかったし，断れる仕事なんてなかったので，それ以外の働き方なんて選択肢がなかった」と語っていたが，スタッフと一緒に一つ一つのできごとについて面談を通して振り返っているうちに，「仕事がうまくいっているか心配で，始業時間の2時間以上前に職場に行き，働いていたこと」「本来自分の仕事ではないのに，周りの人が忙しそうにしている状況に気を遣って，ついつい必要以上の仕事を請け負ってしまったこと」「仕事のミスがあるのがとにかく嫌で，確認作業を繰り返ししてしまい，余計な仕事を増やし，残業時間が長くなっていたこと」「休日も仕事でミスをしていないか，気になって休日も息抜きができず，うまく休みがとれなかったこと」「コロナ禍以前は，定期的に友人らと会って仕事の愚痴などいろいろな話をしていたが，コロナ禍になってから友人と会うのを控えてしまい，休日も一人で過ごすことが増えてしまった」「家族に外出に誘われても面倒で家にこもることが多くなっていた」ことなどがわかってきた。

認知行動療法プログラムのなかで，認知の歪みの10のパターンを学んだときに，自分には，「すべき思考」があり，「すべき」「しなければならない」と考えてしまうことで，自分に必要以上のプレッシャーをかけ，自らを追い詰めてしまっていたことに気付くことがあった。また，「結論の飛躍」もあり，結果を先読みしすぎて，ミスが起こるのではないかと考えて，不必要な確認作業が増えてしまうという自分の考え方のパターンに気付くことができた。

これらの気づきがあってからは，「誰にでもミスは起きるときは起きる。起きたらそのとき，そのときで対処すればいい」と考え直すようになった。また，「仕事は完璧を目指さず，6割でも，結果がうまくいけばそれでいいと割り切るようにする」など自分の考え方を修正して働くように心がけていくことにした。

経過の振り返りのなかで，「100％の成果が出るまで上司に相談しない。自分が100％無理な状態になるまで一人で抱えこむなどの状況で働いていたこと」にも気付いた。そのため，もっと早い段階で上司に相談する，100％になる前の60％くらいの状況でも，こまめに仕事の進捗状況を相談する，ちょっとしたモヤモヤ感があるときでも誰かに相談する，などを目標として，SSTのプログラムで上司や同僚に相談できるように，練習に取り組むようになった。

上記のような方法でリワークプログラムを3カ月行った。出席率は95％以上であり，集中力，対人交流，心理的側面などは問題なく，休職原因についての内省も深まったとして，リワークとして復職可能とした。リワーク活動報告書を作成できたところで，本人，リワーク担当者，職場の産業医，上司と4者面談を行うことになった。

そこで，職場でどのようなことがストレスになっていたのか，そして，復職後はどのようなことに気を付けて働き，再発予防をしていくのかということを，面談で話し合った。

本人からは「困ったときはよく相談するようにして，休日も定期的に運動したり，友人と会い，家族と過ごしストレス対処に努める」という再発予防策が語られた。

職場ではリワークの状況を確認し，最初は短時間のリハビリ勤務から始め，残業なしで通常勤務（3カ月）を終えた後，通常勤務へと移行していった。

●今後の展開

復職後は，月1度行われるフォローアッププログラムに参加している。フォローアップのなかでは，「ついつい仕事を引き受けすぎてしまいそうになる。仕事で完璧を求めすぎてしまうことがあるので，その際にリワークで行ったことを思い出してやりすぎないようにしている」と話し，再発予防をしながら，就労継続している。

索引

さ

た

な

は

ま・や

ら

A

B

C

D・F

改訂第2版
作業療法学　ゴールド・マスター・テキスト
地域作業療法学

2016年10月10日　第1版第1刷発行
2023年 9月30日　第2版第1刷発行

■監　修　長﨑重信　ながさき　しげのぶ

■編　集　徳永千尋　とくなが　ちひろ
田村孝司　たむら　たかし

■発行者　吉田富生

■発行所　株式会社メジカルビュー社
〒162-0845 東京都新宿区市谷本村町2-30
電話　03(5228)2050(代表)
ホームページ　https://www.medicalview.co.jp

営業部　FAX　03(5228)2059
E-mail　eigyo@medicalview.co.jp

編集部　FAX　03(5228)2062
E-mail　ed@medicalview.co.jp

■印刷所　シナノ印刷株式会社

ISBN978-4-7583-2049-8 C3347